HISTORIA DE LA LITERATURA ESPAÑOLA

Edad Media

A Ana, Carla y Pelayo

HISTORIA DE LA LITERATURA ESPAÑOLA

Coordinada por Jesús Menéndez Peláez

Volumen I:

Edad Media

Jesús Menéndez Peláez

EDITORIAL EVEREST, S. A.

MADRID • LEON • BARCELONA • SEVILLA • GRANADA • VALENCIA
ZARAGOZA • LAS PALMAS DE GRAN CANARIA • LA CORUÑA
PALMA DE MALLORCA • ALICANTE – MEXICO • BUENOS AIRES

Coordinación Editorial
Ricardo García Herrero

Ilustraciones
Archivo Everest
Oronoz
Zubillaga
J. L. Rodríguez
Paisajes Españoles
Miguel Raurich
Justino Díez
Alfonso

Carretera León-La Coruña, km 5 - LEÓN
ISBN: 84-241-2128-7 (Obra completa)
ISBN: 84-241-2044-2 (Tomo I)
Depósito legal: LE. 835-1993
Printed in Spain - Impreso en España

EDITORIAL EVERGRÁFICAS, S. L.
Carretera León-La Coruña, km 5
LEÓN (España)

ÍNDICE

CAPÍTULO II: TIPOLOGÍA DE LA PRIMITIVA LÍRICA PENINSULAR Y EL PROBLEMA DE LOS ORÍGENES 74-108

CAPÍTULO VII: LA LITERATURA CASTELLANA EN EL SIGLO XV..... 336-460

PRÓLOGO

PRÓLOGO GENERAL DE LA OBRA

El lector tiene ante sí una nueva historia de la literatura española. Desde la Carta-Prohemio *del Marqués de Santillana al Condestable de Portugal, primer esbozo de una historia de la literatura española, fueron muchos los intentos, unas veces en apretadas síntesis, otras, en numerosos volúmenes, de ofrecer el devenir del hecho literario español desde la Edad Media hasta las nuevas tendencias actuales.*

Fueron, asimismo, muy diversas las metodologías y criterios de acercamiento al hecho histórico y literario que se sucedieron, a partir, sobre todo, del siglo XIX. Los criterios externos y eruditos, acusados por algunos como excesivamente extrínsecos, dieron paso a exposiciones más inmanentistas, que fueron, asimismo, objetadas por olvidar aspectos irrenunciables para explicar nuestra historia literaria. Dos extremos naturales en una disciplina que sufrió y sufre los vaivenes de las modas y de las corrientes críticas; historia de la literatura y teoría literaria, quiérase o no, han de vivir en armonía y defender al unísono sus propios objetivos, porque mutuamente se necesitan. Es, pues, algo esperado que los manuales de historia de la literatura se hayan dejado infiltrar en el pasado y se abran, asimismo, en el presente a las vicisitudes —a veces veleidades tornadizas y caprichosas— que vive la teoría literaria. El historicismo decimonónico, el biografismo freudiano, el sociologismo marxista y, más recientemente, el inmanentismo textual, se fueron sucediendo como soporte ideológico en la explicación del hecho literario.

Es difícil, pues, no tomar posiciones partidistas. Hasta cierto punto diríamos que una total asepsia no es deseable. Todo profesional de la literatura tiene una determinada manera de entender y explicar la obra literaria, un objeto polisémico que admite un pluralismo de lecturas. Las distintas opciones críticas están, pues, justificadas.

Es difícil que nuestro manual de historia de la literatura española no esté sometido a estas vicisitudes, al pluralismo de opciones críticas de los autores que nos hemos responsabilizado de cada una de las parcelas en que se ha dividido la obra. Unidad dentro de una armoniosa diversidad no sólo es legítima, sino deseable. Así lo admitimos desde el primer momento, y de ello somos conscientes. Con todo, hay una serie de puntos de partida comunes:

1. Admitimos como algo axiomático que la obra literaria debe situarse en su contexto histórico. De ahí que con frecuencia se expongan las características político-sociales que rodearon al autor y a los primeros destinatarios.

2. No desdeñamos las referencias biográficas de los autores en tanto en cuanto sirvan para explicar los aspectos de su creación literaria.

3. Una vez situada la obra o el autor en sus coordenadas cronológicas y existenciales se resumen los aspectos críticos tratados por la investigación histórico-literaria: crítica textual, substancia del contenido, estructura, etc.

4. La fundamentación bibliográfica que respalda las opciones interpretativas aparece expuesta, primero en notas a pie de página y, asimismo, al final de cada capítulo, estableciéndose una distinción entre ediciones de texto y estudios críticos, una división hoy admitida de manera general en los medios universitarios. Estas secciones bibliográficas tratan de conjugar lo viejo y lo nuevo, nova et vetera. *Lo reciente no es mejor por su carácter novedoso, y lo viejo no debe desecharse por no estar de moda. Estudios de finales del siglo XIX o principios del XX pueden no haber sido superados por la investigación crítica actual y conservar la misma vigencia y la misma actualidad que tuvieron en el momento de salir a la luz pública. Sus autores acertaron, en algunos casos de forma definitiva, en poner de relieve aquellos códigos referenciales (biográficos, sociales, lingüísticos) que nos siguen ayudando a desvelar los interrogantes críticos que suscita la obra. ¿Habrá que desdeñarlos por haberse convertido ya en tópicos explicativos? Creemos que no.*

Tampoco deben mirarse con recelo las nuevas corrientes de crítica literaria ante el temor de caer en frágiles esnobismos. La historia de la literatura, en cuanto ciencia que es, está sometida a revisiones y abierta a las contribuciones que, bien desde sí misma, bien desde otras disciplinas, pueden provenir.

El lector podrá observar que se trata de un manual que, sin renunciar a lo tradicional —si así lo hiciéramos, habríamos perdido la dimensión prioritariamente didáctica que nos hemos propuesto— no ha olvidado las nuevas aportaciones, no por su carácter novedoso —las modas son tornadizas y efímeras—, sino porque se presentan ya con visos de permanencia explicativa.

5. La sistematización es pluriforme. Los tradicionales géneros literarios sirven de base estructural a una buena parte de los tres volúmenes. Sin embargo, no hemos excluido otros criterios de sistematización. Así, hemos mantenido el criterio generacional, de siglos, de estilos o de épocas, porque tienen tras sí una fecunda tradición que los hace insustituibles.

Junto a estos presupuestos metodológicos, el lector podrá encontrar determinadas singularidades justificables tanto por la naturaleza misma de la materia literaria de las distintas épocas como por los gustos y preferencias de cada colaborador.

Durante la Edad Media y el Renacimiento, la creación literaria fue con frecuencia instrumento al servicio de intereses eclesiásticos. Esto quiere decir que los códigos religiosos y teológicos son referentes ineludibles para la comprensión del texto literario. Asimismo, la lengua medie-

val, en sus distintos niveles, representa la primera dificultad para el lector primerizo de textos medievales. Poner de relieve la importancia de estas características genéticas y funcionales de nuestra literatura medieval y renacentista, así como la caracterización tipológica de los distintos géneros, fueron algunas de mis preocupaciones.

El profesor Arellano traza el panorama genérico y cronológico de la literatura del siglo XVII prestando atención a las dos vertientes de los textos, en tanto que creaciones individuales, y en tanto representaciones sujetas a un espacio y tiempo históricos, insertas en modelos y códigos que suponen determinados horizontes de recepción, los cuales trata de recuperar con la mayor precisión posible dentro de la perspectiva de un manual con ambición de síntesis. Igualmente, la atención a las dimensiones espectaculares del texto teatral o la recuperación de los mecanismos de producción textual (conceptismo, etc.) y del tono de la vida barroca (sociedad, mentalidad, cultura) ayudan a captar en su complejidad el conjunto literario más abundante y multiforme de nuestra historia.

El profesor Caso González se acerca a la literatura del siglo XVIII desde una estructuración sincrónica, en segmentos diacrónicos, establecidos en virtud de fechas significativas, poniendo así de relieve los cambios que se van sucediendo en un siglo de crisis, en el que se pasa de la cultura barroca a la modernidad.

En lo que atañe a los siglos XIX y XX el profesor Martínez Cachero recurrió a una variada ordenación del contenido que, según los casos, tiene en cuenta principalmente el esquema proporcionado ya por los géneros literarios —poesía (lírica y narrativa), novela, teatro, crítica y erudición literarias—, ya por la sucesión de las generaciones —por ejemplo: noventayochista, novecentista y de 1927 a lo largo del primer tercio de nuestro siglo—; en cualquier caso, se acotan períodos temporales como amplios marcos dentro de los cuales se desarrollan los hechos, en más de una ocasión señalados también por la historia política. La bibliografía de y sobre *en estos dos siglos,donde prima la variedad y la actualidad, es una bibliografía comentada en ambos apartados. Próxima ya la conclusión del siglo XX fue propósito del profesor Martínez Cachero acercarse lo más posible en su historia literaria —escritores, obras y tendencias— a nuestros días, pese al riesgo que en ello se corre por falta de la llamada perspectiva histórica.*

Con estas singularidades no creemos que nuestro manual pierda coherencia estructural, antes bien podría ganar en riqueza de perspectivas críticas y metodológicas, avaladas por la polifonía que ofrece la creación literaria de las distintas épocas estudiadas.

Nuestro objetivo definitivo es ayudar tanto al estudiante universitario como a todas aquellas personas que se interesen por el hecho litera-

rio buscando una visión de conjunto, a la vez sintética y científica, del devenir histórico de la literatura española.

Pero nuestra labor sería estéril si la lectura de este manual no suscitase el interés por leer los propios textos literarios. Ellos han de ser nuestro objetivo último y la razón primera de nuestro propósito. Tan sólo somos simples guías dentro de la tupida selva que es el vasto corpus *de obras de una tradición literaria tan abundante como la nuestra.*

La síntesis ha sido nuestra constante preocupación y nuestra consigna. En los últimos años se han publicado muy útiles manuales sobre nuestra historia literaria en numerosos volúmenes y a cargo de afamados especialistas. Sin embargo, el profesional de la literatura echa de menos una visión sintética y, a la vez, con el suficiente rigor científico que sirva de guía a nuestros estudiantes. Hemos estructurado la obra en numerosos epígrafes con el objeto de que el lector pueda fácilmente encontrar aquellos aspectos de las distintas unidades temáticas que más le interesen; en este mismo sentido, cada volumen lleva un índice de obras y autores que permitirán localizar prontamente determinadas curiosidades inherentes al hecho literario. Asimismo, las ilustraciones tienen una doble finalidad: 1. Rebajar la densidad conceptual que pueda tener un texto científico, destinado a un público que busca claridad expositiva del hecho literario, sin renunciar a la tonalidad y al rigor universitarios; y 2. Ambientar al lector, desde una perspectiva visual, en las distintas épocas por donde se encaminó el devenir crítico y literario.

Por todo ello confiamos en que nuestra obra alcance los objetivos que nos hemos propuesto, y de antemano agradecemos cuantas sugerencias y críticas nos sean formuladas.

Jesús Menéndez Peláez
Coordinador de la obra

CAPÍTULO I: INTRODUCCIÓN A LA LITERATURA MEDIEVAL ESPAÑOLA

I.1. HACIA UNA DELIMITACIÓN DEL CONCEPTO DE LITERATURA MEDIEVAL

Si no es fácil delimitar, de modo genérico y unívoco, el concepto de literatura, mucho menos lo será determinar el concepto de literatura en la Edad Media. La pregunta ¿qué es literatura? nos remite a la esencialidad de dicha disciplina, a sus elementos entitativos y diferenciadores respecto a otras disciplinas. Sin negar esta orientación de una parte de la crítica actual, parece más oportuno, desde la perspectiva histórica, seguir la vía de la "descripción" y no de la "definición" para acercarnos a ese concepto de literatura medieval. La categoría temporal es, pues, esencial a la hora de conseguir una comprehensión exhaustiva del hecho literario.

Por otra parte, conocer la evolución semántica sufrida por el propio término "literatura" puede ser útil. Esta reflexión ofrecerá algunas luces, sobre todo, desde la perspectiva u orientación diacrónica de una disciplina como la literatura[1].

En el latín "litteratura" significaba instrucción, saber relacionado con el arte de escribir y leer; también gramática, alfabeto, erudición, etc. Se puede afirmar que, fundamentalmente, fue éste el contenido semántico de la palabra castellana "literatura" hasta el siglo XVIII, ya se entendiese por "literatura" la ciencia en general, ya, más específicamente, la cultura del hombre de letras. Esto explica el hecho de que, la que pudiera ser calificada como primera historia de la literatura española, escrita en el siglo XVIII, sea más bien lo que hoy entendemos por una historia de la cultura[2].

A finales del siglo XVIII, el vocablo "literatura" cobra un nuevo e importante matiz semántico, por el que pasa a designar el fenómeno de las Bellas Artes, en oposición a las Ciencias Experimentales. La palabra, artísticamente tratada, empieza a configurar el concepto de literatura; el vocablo engloba, asimismo, los aspectos teóricos (retórica, gramática y poética). Se comprende que esta transformación semántica del término "literatura" se haya producido a finales del siglo XVIII; por un lado, el

1 ESCARPIT, R., "La définition du terme littérature", en *Actes du IIe. Congres de Littérature Comparée*, The Hague Mouton, 1962, reproducido en el Vol. *Le littéraire et le social. Éléments pour une sociologie de la littérature*, dirigido por R. ESCARPIT, Paris, Flammarion, 1970, pp. 259-272; también G. DÍAZ PLAJA, "Esquema historiográfico de la literatura española", en *Historia General de las Literaturas Hispánicas*, t. I, Barcelona 1949, pp. LXI-LXXV.

2 RODRÍGUEZ MOHEDANO, P. y R., *Historia Literaria de España*, Madrid, Antonio Pérez Soto, 1766-1791, 11 vols. Véase también URZAINQUI MIQUELEIZ, I., "El concepto de historia literaria en el siglo XVIII", en *Homenaje a Álvaro Galmés de Fuentes*, Madrid, Gredos, 1987, t. III, pp. 565-589.

término "ciencia" se especializa fuertemente, al acompañar el desarrollo de la ciencia inductiva y experimental, y, así, deja de ser posible incluir en la literatura los escritos de carácter científico; por otro lado, se asiste a un amplio movimiento de valoración de géneros literarios en prosa, desde la novela hasta el periodismo, por lo que resultaba necesaria una designación genérica que pudiera abarcar todas las manifestaciones del arte de escribir. Esta designación genérica fue, pues, la "literatura".

La historia de la evolución semántica de la misma palabra "literatura" nos revela inmediatamente la dificultad de establecer un concepto uniforme, unívoco e incontrovertible de la literatura, en general, y de la literatura medieval, en particular. Por eso, parece aconsejable seguir no la vía del esencialismo literario, sino la descripción, a nivel fenomenológico, de los distintos aspectos que en sí encierra la obra literaria.

I.1.1. LA OBRA LITERARIA MEDIEVAL COMO OBRA HUMANA

La delimitación del concepto de literatura desde una perspectiva biográfica ha sido, con frecuencia, una metodología muy socorrida en la investigación literaria (*Vida y obra de...* es un sintagma que encabeza muchos trabajos universitarios). Inspirada esta metodología en el principio de que a un determinado temperamento correspondería forzosamente una determinada obra, el estudio biográfico de la literatura se preocupa fundamentalmente de indagar los pormenores más íntimos de la vida del escritor.

Sin embargo, pocas son las aportaciones que esta orientación metodológica puede ofrecer para delimitar el concepto de literatura medieval, ya que los códigos biográficos, a donde pudieran remitir los textos literarios, nos son, en buena parte, desconocidos. No obstante, huellas de esta visión de la literatura se perciben en la insistencia de la crítica tradicional en determinar la autoría de obras tan capitales como el *Cantar de Mio Cid*, el *Libro de Buen Amor* o *La Celestina.*

Una de las notas que caracteriza la creación literaria en la Edad Media es la anonimia, cuyas repercusiones se estudiarán más adelante. En aquellas ocasiones en las que se conoce el nombre del autor, las referencias existenciales quedan reducidas al estamento al que pudiera haber pertenecido.

I.1.2. LA OBRA LITERARIA MEDIEVAL COMO REFLEJO DE UNA SOCIEDAD

Parece algo axiomático lo que se acaba de enunciar. Todo autor es hijo de la sociedad en la que vive. Por eso, consciente o inconscientemente, dejará huellas del modo de ser y existir de la sociedad en su creación literaria. No obstante, la orientación sociológica de la literatura suele ser, si no despreciada, sí, al menos, minusvalorada en determinados círculos universitarios. Críticos tan reconocidos como R. Wellek y A. Warren han subrayado, a nuestro juicio, en su justa medida, las relaciones entre literatura y sociedad en un trabajo lleno de sugerencias metodológicas y, al mismo tiempo, de amenidad; a él remitimos en algunas de las ideas que a continuación expondremos[3].

Fueron los románticos (Mme. Staël, Larra, etc.) quienes subrayaron claramente las relaciones entre literatura y sociedad con expresiones como: "La literatura es una expresión, el testimonio de un pueblo", o "la literatura es la expresión del progreso de un pueblo".

Las relaciones entre literatura y sociedad son muy amplias y abarcan perspectivas casi innumerables. Ante todo, la literatura refleja costumbres, ambientes, modos de pensar y problemas colectivos. Por tanto, parece obvio que la literatura sea la expresión de una sociedad.

Por otra parte, la obra literaria ya concluida, comenta A. Amorós, se convierte en producto social, e influye, a su vez, sobre la sociedad de la cual ha surgido, suscitando reacciones en cadena, adhesiones y repulsas, contradicciones y prolongaciones, que muchas veces se expresan por escrito, dando lugar a nuevas obras literarias[4].

Estas reflexiones, tomadas del crítico anteriormente citado, cuya validez se puede aplicar a cualquier época literaria, cobran mayor importancia, si cabe, a la hora de precisar el concepto de literatura medieval. Un renombrado medievalista alemán, E. Köhler, acentúa la dimensión sociológica de la literatura hasta considerar su conocimiento como "conditio sine qua non" para la comprensión del fenómeno literario en aquella época[5].

No obstante, la consideración de la obra medieval como reflejo de una sociedad no debe llevar a concluir que la complejidad de la creación

3 WELLEK, R.-WARREN, A., *Teoría Literaria*, Madrid, Gredos, 4ª edic., 1969; también AMORÓS, A., *Introducción a la literatura*, Madrid, Castalia, 1979; WELLEK, R., *Historia literaria, problemas y conceptos*, Barcelona, Laia, 1983; ALSINA, J., *Problemas y métodos de la literatura*, Madrid, Espasa-Calpe, 1984.

4 AMORÓS, A., o. c., p. 92.

5 KOEHLER, E., "Literatursociologische Perspectiven", en G.R.L.M., Heidelberg, 1978, Band IV, pp. 81-103; en el mismo sentido, véase DE STEFANO, L., *La sociedad estamental de la Baja Edad Media Española a la luz de la literatura de la época*, Caracas, Universidad Central de Venezuela, 1966; ZERAFFÁ, M., *Roman et Société*, Paris, 1971; CASO GONZÁLEZ, J. M., "Algunas notas para la interpretación de la literatura medieval", *Archivum*, XXXIII (1977)178-185; BOASE, R., *The Trouvadour Revival. A Study of Social Changeand Traditionalism in Late Medieval Spain*, London, Routledge-Kegan Paul, 1978; VOVELLE, M., *Ideologías y mentalidades*, traduc. española, Barcelona, Ariel, 1985; y, en general, todos aquellos autores defensores de la llamada "historia de las mentalidades".

literaria medieval pueda explicarse con un método entera y exclusivamente sociológico. La obra literaria no es sólo un producto social, sino obra de arte. Los dos aspectos no se excluyen, sino que se complementan. Frente a una concepción puramente inmanentista de la obra literaria hay que recordar los condicionamientos sociales de la obra literaria medieval, pero, al mismo tiempo, hay que huir y evitar una concepción política de la obra literaria. Un maestro en sociología de la literatura, como A. Hauser, explica perfectamente la conjunción de estas dos orientaciones: "Todo arte está condicionado socialmente, pero no todo arte es definible sociológicamente"[6]. Buscar, pues, el justo medio entre un inmanentismo radical y un burdo sociologismo será el camino real para comprender lo que fue la creación literaria en la Edad Media.

I.1.3. LA OBRA LITERARIA MEDIEVAL COMO VEHÍCULO IDEOLÓGICO

Íntimamente relacionado con el punto anterior está la consideración del nivel propagandístico que tuvo la obra literaria medieval. No es algo exclusivo de la Edad Media. En todas las épocas, con mayor o menor intensidad, con mayor o menor fortuna, la obra literaria tuvo y tiene esta propiedad. La literatura moderna nos ofrece un claro ejemplo con las doctrinas existencialistas difundidas universalmente a través de los dramas y novelas de Sartre o Camus; en este sentido, se puede decir que una gran parte de la literatura actual se puede estudiar, bien dentro de una historia de la literatura, bien dentro de una historia de la filosofía. Hasta tal punto fue seguida esta orientación crítica que la obra literaria fue estudiada como fuente auxiliar de la "historia de las mentalidades". Incluso determinados estudios de la historia de la filosofía recurren con frecuencia a las obras literarias[7].

La cultura dominante en la época medieval, unas veces el estamento eclesiástico, otras la caballería, utilizará la creación literaria al servicio de sus propios intereses. El *Cantar de Mio Cid*, por ejemplo, se podrá considerar, como veremos, "poesía comprometida", en el sentido de que el

---

6 Cito por AMORÓS, A., o. c., p. 93.

7 Véase ABELLÁN, J. L., *Historia Crítica del pensamiento Español*, Madrid, Espasa-Calpe, 3 vols. con distintas fechas; son, asimismo, bien conocidas las interpretaciones de la obra literaria medieval realizadas, en su polémica sobre la configuración de lo hispánico, por Américo CASTRO (*La realidad histórica de España*, México, Porrúa, 6ª edic. 1975) y Claudio SÁNCHEZ ALBORNOZ (*España, un enigma histórico*, Buenos Aires, Edit. Sudamericana, 1971). Desde el campo de la antropología histórica, la obra literaria medieval también puede ser objeto de atención (BAJTIN, M., *La cultura popular en la Edad Media y en el Renacimiento*, traduc. española, Barcelona, Barral, 1974); en España, los estudios de Julio CARO BAROJA significan una singular manera de acercarse al hecho literario.

autor difunde unas determinadas ideas en favor de un estamento; el mester de clerecía podría ser caracterizado, asimismo, "arte de compromiso", al difundir en sus obras los principales núcleos temáticos de la doctrina cristiana, por lo que estos poemas adquieren una fuerte intencionalidad propagandística de naturaleza catequística, sin olvidar, en algunos casos, claras referencias a una propaganda más pragmática en favor de mejorar la economía monástica de algunos cenobios medievales.

I.1.4. LA OBRA LITERARIA MEDIEVAL COMO OBRA DE ARTE

Todos los críticos convienen en afirmar que la literatura es, en primer lugar, un arte. De ahí que la intencionalidad artística expresa, o tácita, sea esencial para que una obra pueda ser considerada como literaria. La literatura es, pues, un arte que se singulariza, dentro de las "Bellas Artes", por emplear, como instrumento expresivo, la palabra. No sólo la palabra escrita, sino también oral[8]. Este último aspecto es particularmente importante en la época medieval, cuando una gran parte de la creación literaria vivió en tradición oral[9]. En la actualidad, la "literatura oral" constituye un aspecto menor de la creación literaria. En la Edad Media, por el contrario, la literatura escrita (lírica, narrativa, dramática) puede transmitirse oralmente a través de la lectura en público. La escasez de copias y la abundancia de analfabetos propiciaban este tipo de difusión literaria, cuyos testimonios nos recoge la tradición monástica de leer en el refectorio; una práctica análoga, aplicada a los caballeros, la recogen las *Partidas* (II, Tit. XX, Ley XX): "Por esso acostumbravan los cavalleros, quando comían, que les leyessen las estorias de los grandes fechos de armas" Esta singular forma de difusión, cuya práctica sigue vigente en las actuales sesiones públicas, anunciadas como "lecturas de poemas", o a través de guiones radiofónicos sobre novela, poesía, teatro, en la época medieval fue lo común. Esto viene atestiguado por el término "leer" que aparece, como modo de difusión, en muchos poemas medievales[10].

Por otra parte, música y literatura viven íntimamente relacionadas. La música, junto con la lectura en público, solía ser el modo de difusión lite-

---

8 ZUMPTHOR, P., *Introduction à la poésie orale*, Paris, Seuil, 1983 [traduc. española, Madrid, Taurus, 1991].

9 Véase FRENK ALATORRE, M., "Los espacios de la voz", en *Amor y cultura en la Edad Media*, (edit. Concepción COMPANY), México, Universidad Autónoma Nacional- Instituto de Investigaciones Filológicas, 1991, pp. 9-17.

10 AUERBACH, E., *Lenguaje literario y público en la baja latinidad y en la Edad Media*, traduc. española, Barcelona, Barral, 1969; CASO GONZÁLEZ, J. M., "Algunas notas...".

Los juglares contribuyeron decisivamente a difundir la cultura y la literatura medievales

raria más socorrido en la Edad Media. Esto condicionará, en ambos casos, el estilo artístico de la obra literaria medieval[11]. Por otra parte, los recursos fónicos (ritmo, rima) del significante serán particularmente reglamentados en las artes poéticas medievales, cuyo conocimiento resulta indispensable para determinar la literariedad del texto[12].

La consideración artística de la obra literaria medieval exige algunas consideraciones más. ¿Qué es lo que singulariza al lenguaje literario para poder saber cuándo un mensaje verbal puede ser considerado como artístico? La respuesta no es uniforme entre los críticos y los teóricos de la literatura. Mientras unos insisten en los elementos connotativos del lenguaje, otros ven la literariedad del texto en lo que comporta de extrañamiento o desvío del lenguaje cotidiano. Frente al lenguaje estereotipado del lenguaje coloquial, el lenguaje literario explora nuevas posibilidades de la lengua para salir del hábito y la rutina en busca de resonancias insólitas con mayor fuerza expresiva.

---

11 SALAZAR, A., *Poesía y música en lengua vulgar y sus antecedentes en la Edad Media*, México, Revista de "Filosofía y Letras", 1943; JAMMERS, E., "Die Role der Musik im Rahmen der romanischen Dichtung des XII und XIII Jahrhunderts", en G.R.L.M., Heidelberg, Band, I, 1972, pp. 483-535.

12 FARAL, E., *Les artes poétiques du XIIe. et XIIIe siècle*, Paris, H. Champion, 1971.

No es fácil delimitar, sin embargo, la frontera entre lo literario y lo no literario. Esto resulta, si cabe, más problemático cuando se aplica a la creación literaria medieval. Una historia universal o de España, una obra jurídica, un libro de ciencia, difícilmente admitirían hoy ser catalogados como obras literarias. Sin embargo, todos los manuales al uso, que se ocupan de la creación literaria medieval, incluyen la obra de Alfonso X el Sabio y un buen número de obras jurídicas, pedagógicas, teológicas, etc., para configurar la llamada "prosa medieval". ¿Hubo voluntad artística en estas obras para ser catalogadas como literarias? Evidentemente que sí. Alfonso X el Sabio nos da testimonio de ello. Pero, al mismo tiempo, ha de tenerse en cuenta que los historiadores de la literatura, ante las lagunas que ofrece la época medieval, motivadas por expolios y destrucciones de aquellas primeras producciones, adoptaron una actitud laxista, y consideraron como arte esos primeros intentos de plasmar en la nueva lengua romance contenidos temáticos de naturaleza histórica, jurídica o filosófico-teológica. Esto no infravalora el concepto de literatura medieval, sino, más bien, lo singulariza. Por otra parte, dentro de las dos finalidades que desde antiguo se asignaron a la literatura (deleite y aprovechamiento), una gran parte de la literatura medieval intensifica más el adoctrinamiento que el deleite; es más, los recursos retóricos y estilísticos de la poética medieval están siempre al servicio del contenido temático. No se debe olvidar que todo el organigrama de la formación intelectual medieval estaba en función de la teología; de ahí que las llamadas "artes sermocinales", que engloban la Poética, la Retórica y la Gramática, disciplinas en las que se apoya la literatura culta medieval, fueran consideradas, como todas las demás ciencias, "siervas de la teología" ("ancillae theologiae").

I.1.5. LA OBRA LITERARIA MEDIEVAL COMO LENGUAJE POLISÉMICO

Existe una expresión consagrada ya en los programas de Enseñanzas Medias: "La polisemia de la obra literaria". Esto significa que toda obra literaria está abierta a un pluralismo de lecturas; la diversidad de códigos, a donde remiten las múltiples unidades de significación del texto literario, le confieren una fuerte dosis de ambigüedad. De ahí que la obra literaria tenga la propiedad de ser inagotable.

Esta caracterización general de la obra literaria cobra plena realidad cuando el lector se acerca a las obras medievales. Por muy exhaustivo que sea el análisis que hagamos de una determinada obra, nunca se agotan las posibilidades de interpretación. Cada lector, cada época, cada siglo, de acuerdo con su propia manera de ver el mundo, aportará una nueva visión, parcialmente distinta en algo a las anteriores. El Romanticismo, por ejemplo, vio en el héroe épico la encarnación de unos ideales político-religiosos, el restaurador de la vieja monarquía visigótica y el líder de una cruzada religiosa; hoy, por el contrario, se interpreta el *Cantar de Mio Cid* como "literatura comprometida", con un héroe que lucha simplemente por crecer en "ondra", al margen de cualquier idealismo político o religioso.

Si cada lector de obras medievales puede descubrir algo parcialmente diferente, ¿cuál es la realidad de la obra literaria? Lo esencial es que los nuevos elementos, las nuevas interpretaciones estén efectivamente en el libro. En esto se fundamenta la crítica literaria. ¿Cómo explicar los torrentes bibliográficos, a veces contradictorios y opuestos en sus visiones, sobre el *Cantar de mio Cid*, el *Libro de Buen Amor*, o *La Celestina*? Precisamente porque la obra literaria medieval, como toda obra literaria, es polisémica.

Todos estos aspectos, a los que acabamos de aludir, han de tenerse en cuenta a la hora de delimitar el concepto de literatura medieval.

I.2. HACIA UNA POÉTICA MEDIEVAL

La caracterización de la poética medieval vendrá determinada desde dos ángulos o perspectivas, no excluyentes, sino complementarios.

De una parte, la literariedad de los textos medievales estará en relación con la concepción de la literatura en la época medieval. Si la literatura es primordialmente el arte de la palabra, tendremos que conocer cuáles eran las normas o modelos que los medievales consideraban artísticas. Esto nos ha de llevar a esbozar brevemente una teoría de la literatura en la Edad Media.

De otra parte, la moderna concepción de la literatura podrá también delimitar, desde una perspectiva más diacrónica, otros aspectos de literariedad textual, particularmente en creaciones populares sometidas a las leyes de la tradición oral, desconocidas o despreciadas por los poetas cultos. La favorable acogida que estas composiciones tuvieron entre el público receptor les confiere un grado de literariedad que conviene subrayar. En este sentido, determinadas orientaciones metodológicas actuales han de tenerse en cuenta a la hora de pergeñar lo que bien pudiera llamarse poética medieval, entendiéndose por tal todos aquellos recursos que han elevado a la categoría literaria algunas de las creaciones lingüísticas medievales.

I.2.1. HACIA UNA TEORÍA DE LA LITERATURA EN LA EDAD MEDIA

La concepción de la literatura en la Edad Media es una herencia de la Antigüedad Clásica. Los medievales no hacen otra cosa que adaptar las teorías de la literatura formuladas por los griegos y romanos.

Particularmente la literatura latina actuará a modo de espejo en donde se miran los autores de las nuevas lenguas románicas; ella será norma y modelo para el autor románico en todas sus creaciones cultas; la literatura popular, de tradición oral, seguirá otras leyes y otros códigos, al margen, con frecuencia, de los teóricos de la literatura; no es este el lugar para estudiar esta otra dimensión de la poética medieval; baste señalar que su tratamiento exige una metodología diferente a la que aquí planteamos.

La Poética y la Retórica, junto con la Gramática, fueron los tratados de teoría literaria que la Edad Media heredó, asimiló y adaptó en función de los tres grandes géneros medievales: el *Ars poetriae*, el *Ars dictaminis* y el *Ars praedicandi*. Cada una de estas tres "artes de la palabra" tenía su propia funcionalidad; el "arte de la poesía" elevaba a la categoría literaria determinados contenidos históricos, sociales o sicológicos; el "arte de escribir cartas" era de gran utilidad para las relaciones políticas y diplomáticas, labor que se realizaba en las cancillerías; y el "arte de predicar" formaba parte de la instrucción de los clérigos, una de cuyas obligaciones era la de predicar el mensaje evangélico. El deleite y el aprovechamiento actuaban como denominadores comunes en todo este quehacer literario. Cada una de estas parcelas del arte de la palabra tenía sus propias normas y preceptos; es esta una de las características más sobresalientes de la teoría literaria en la Edad Media: su formulación normativa y preceptiva.

Los teóricos de la literatura medieval toman como punto de partida aquellos tratados clásicos que tenían tras sí una autoridad, ratificada por una larga tradición. Esta actitud comienza con San Agustín quien, una vez convertido al cristianismo, aprovechará su amplia y profunda formación en la retórica clásica para ponerla al servicio de la nueva doctrina; esta disposición será una constante a lo largo de la Edad Media, y se introduce en la retórica sagrada de los Siglos de Oro. Los tratados de retórica de Cicerón quien, a su vez, recogía las ideas de la *Poética* de Aristóteles, y la *Institutio oratoria* de Quintiliano, serán algunos de los textos de máxima autoridad para el arte de la palabra hablada. Asimismo, la *Poética* de Horacio, juntamente con el *Ars minor* y *Ars maior* de Donato, completan las fuentes para el tratamiento de una teoría de la literatura en la Edad Media.

Todos estos materiales, provenientes de la tradición clásica, fueron los textos que utilizaron los teóricos de la literatura medieval. Eran, a su vez, la norma que servía al receptor para valorar la literariedad artística de aquellas creaciones. El intelectual medieval, el clérigo, principal protagonista como autor y destinatario de la obra literaria, adquiría estos conocimientos de teoría literaria en los estudios del *Trivium* (Gramática, Retórica y Dialéctica, las llamadas "artes sermocinales" o "artes de la palabra").

Los teóricos de la literatura medieval, al tiempo que recogen la herencia de la Antigüedad Clásica, intentan adaptarla a los "nuevos tiempos". Particular interés tienen, en este sentido, los tratados de Poética entre los trovadores provenzales, teorías que repercutirán en toda la poesía europea medieval. Para una teoría de la literatura medieval en la península, aunque los testimonios son escasos, la nómina abarcaría desde el breve fragmento de la poética galaico-portuguesa, conservada en el Cancionero de Colocci-Brancuti, hasta el *Arte de la poesía castellana* de Juan del Encina, o el "Prólogo" al Cancionero de Baena, sin olvidar la *Carta-proemio*, del Marqués de Santillana y el *Arte de Trovar* de Enrique de Villena, obra perdida, de la cual sólo se conservan algunos fragmentos publicados en el siglo XVIII por Mayans y Siscar en sus *Orígenes de la lengua española*[13]. Mención especial merecen determinados tratados de gramática y poética, como el llamado *Verbiginale*, utilizado como manual en la Universidad de Palencia, posible taller poético del mester de clerecía[14].

I.2.2. HACIA UNA POÉTICA MEDIEVAL EN LA TEORÍA LITERARIA MODERNA

Determinar la literariedad de los textos medievales exige una preparación que no reclaman las creaciones literarias de otras épocas más cercanas a la nuestra. Los materiales manuscritos, a través de los cuales llegaron hasta nosotros aquellas obras de arte, postulan un tratamiento metodológico de lectura no necesario en literatura moderna y contemporánea. De ahí que la poética medieval no podrá prescindir nunca, como punto de partida, de aquellas disciplinas auxiliares provenientes del área filológica.

A estos problemas específicos, inherentes al texto medieval, habría que añadir otros más bien extrínsecos al hecho literario, si bien condicionaron y orientaron la crítica medieval hacia posiciones hoy puestas en tela de juicio. La crítica literaria del siglo XIX, preocupada por el origen de las nacionalidades según los postulados románticos, se fijó en los textos medievales como materiales al servicio de la historia. Se explica, de esta manera, el hecho de que una gran parte de las investigaciones de finales de dicha centuria sobre literatura medieval se refieran al tema de los orígenes con interés prioritario. ¿Cómo nacieron los distintos géneros literarios? ¿Qué pueblo o comunidad actuó como centro difusor de aque-

13 Véase LÓPEZ ESTRADA, F., *Las poéticas castellanas de la Edad Media*, Madrid, Taurus, 1984.

14 RICO, F., "La clerecía del mester" *Hispanic Review*, 53, n. 1 (1985)1-23, y n. 2 (1985)127-150; y, sobre todo, GÓMEZ-BRAVO, A. M.,"El latín de la clerecía: Edición y estudio del *Ars dictandi* Palentina" *Euphrosyne*, XVIII (1990)99-144; PÉREZ RODRÍGUEZ, E., *El verbiginale. Una gramática castellana del siglo XIII. Estudio y edición crítica*, Universidad de Valladolid-Caja de ahorros y M. P. de Salamanca, 1990.

llas formas literarias? Eran estas las preguntas que apasionaron a los eruditos de aquella época. Paralelamente a la búsqueda de la dependencia genética en la experiencia literaria, la investigación literaria se orientó hacia la indagación de la dependencia textual; actitud crítica que desembocó en la calificada, no sin cierto sarcasmo, crítica hidráulica o fluvial, por su fervor por localizar las fuentes de la obra.

Desde hace algunos años, el medievalismo literario intenta nuevas orientaciones metodológicas, encaminadas a determinar la literariedad de los textos medievales. No interesa tanto el origen del género, desde una perspectiva histórica y genética (crítica externa), cuanto el fenómeno literario en sí y por sí, desde una consideración puramente estética (crítica interna). En definitiva, se trata de acercarse a los textos medievales a la luz de la poética y la retórica clásica, dos disciplinas devaluadas durante muchas décadas en el medievalismo literario.

A nuestro juicio, la poética medieval debe configurarse teniendo presentes estas dos orientaciones, sin dicotomías dualistas. Sin olvidar lo genético y lo histórico —ya que la temporalidad es una categoría esencial a la obra literaria—, dar un paso hacia lo estilístico-formal; en el pasado, el medievalismo concedió quizás excesiva importancia a los métodos que buscaban la génesis de la obra con el convencimiento de que, una vez conocido el origen, quedaba ya explicada la obra misma; de ahí, la importancia dada a la sociología o a la historia de las ideas. Todo ello desembocó en el llamado historicismo literario, injustamente desdeñado y combatido por muchos teóricos de la actual ciencia de la literatura.

La irrupción de los métodos inmanentistas pusieron en entredicho el valor de la categoría histórica aplicada al campo de la literatura. A partir del "New Criticism", toda una corriente crítica sostiene la atemporalidad de la obra literaria. Cada obra artística tendría, según esta concepción, una individualidad específica, sólo perceptible desde una óptica estética. La tradicional concepción de las "historias de la literatura" habría adulterado la auténtica visión del arte de la palabra. Surge, así, el debate y la polémica entre historicistas e inmanentistas[15]. Aunque, por el momento, son escasos los logros alcanzados por los métodos inmanentistas, en los excepcionales casos en que se han aplicado al texto medieval, sus posibilidades no deberían desdeñarse, siempre que se utilicen con la debida prudencia, al margen de actitudes mesiánicas antihistoricistas, sabedor el investigador de que son muchos los códigos, y de muy diversa naturaleza, a donde remiten las unidades de significación de los textos medievales. Asimismo, la informática está incidiendo en la configuración de la poética medieval; las primeras "ediciones unificadas", fruto del proce-

---

15 Actitud manifestada ya en el *I Congreso Internacional de Historia Literaria*, Budapest, 1931.

sador de textos, ya han aparecido en el mercado, no sin cierto excepticismo por parte de la crítica; sus posibilidades en la determinación de la literariedad de los textos medievales están aún por ver, si bien algunos muestran un esperanzado optimismo.

Conjugar "nova et vetera", desde una perspectiva amplia, no sólo románica, sino paneuropea, parecen ser las nuevas orientaciones encaminadas a delimitar la poética medieval; estas nuevas voces empiezan a dejarse oír en la década de los 70 con resultados muy positivos, tanto en la literatura latina medieval, como en las románicas y anglosajonas del mismo período[16].

Habida cuenta de la complejidad de los textos medievales y el pluralismo interdisciplinar al que remiten, la metodología que intente trazar las líneas básicas de la poética medieval ha de ser lo más integradora posible. A nuestro juicio, la "estética de la recepción", metodología literaria vinculada a la "escuela de Constanza", podría resultar útil para tipificar algunos géneros literarios. Jauss[17], considerado el principal responsable de esta orientación crítica, unifica con su método dos direcciones de la crítica literaria, hasta entonces en conflicto; la crítica literaria alemana siempre se caracterizó por la importancia que se debía asignar a la filología y a la historia en el estudio de la literatura medieval; las aportaciones que en este campo realizaron renombrados romanistas alemanes han marcado un hito en esta área filológica; a su vez, la crítica literaria alemana, fiel a la tradición filosófica, que singularizó a la cultura germánica, nunca olvidó la dimensión ideológica inherente, en mayor o menor medida, a la obra literaria. La estética de la recepción asume este doble aspecto de la crítica tradicional, al tiempo que incorpora las aportaciones de los métodos inmanentistas, bien de signo estructural, bien de orientación semiológica. Dicho de otra manera, la obra literaria es un conjunto de significaciones que remiten a códigos de muy diversa naturaleza (lin-

---

16 VINAVER, E., *À la recherche d'une poétique médiévale,* Paris, Nizet, 1970; ZUMPTHOR, P., *Essai d'une poétique médiévale*, Paris, Seuil, 1972.

17 Desde el discurso inaugural del curso académico pronunciado por Jauss en la Universidad de Constanza en 1967, y publicado bajo el título de "Literaturgeschichte als Provokation der Literaturwissenschaft", aparecieron numerosas aportaciones de esta orientación metodológica, entre las que destacamos las siguientes: AA. VV., *La actual ciencia literaria alemana. Seis estudios sobre el texto y su ambiente*, Salamanca, Anaya, 1971; JAUSS, H. R., *Pour une esthétique de la récepcion,* traducción francesa con prólogo de Jean Starobinski, Paris, Editions Gallimard, 1978; AA. VV., *Rezeptiongeschichte oder Wirkungsästhetik. Konstanzer Dikussionsbeiträge zur Praxis der Literaturgeschichtsschreibung*, herausgegeben von Heinz-Dieter Weber, Stuttgart, Klette-Cotta, 1978; DAELLENBACH, L. (Edit.), *Théorie de la recepcion en Allemagne*, número especial de la revista *Poétique*, 39 (1979); AA. VV., *Estética de la recepción*, compilación de textos y bibliografía de José Antonio MAYORAL, Madrid, Arco/libros, 1987; WARNING, R., (edit.), *Estética de la recepción,* traducción española, Madrid, Visor, 1989.

güísticos, relación con la literatura latina, ideológicos, filosóficos, teológicos, sociales), vistos por los defensores del método a través de la óptica del receptor.

Esta orientación metodológica puede ser complementada con las "Tipologías de fuentes de la Edad Media Occidental", dirigidas por L. Genicot[18] en la Universidad Católica de Bruselas; cada una de estas "tipologías", sobre las más diversas fuentes, ofrece notables concomitancias con los textos literarios; en la actualidad ya pasan del medio centenar las monografías publicadas, algunas de ellas de gran importancia metodológica para la caracterización de determinados géneros literarios en la Edad Media, problema este de suma transcendencia, y no menor dificultad, para caracterizar la poeticidad de los textos medievales.

La estilística podría seguir contribuyendo a caracterizar la literariedad de los textos medievales, puesto que el estilo puede ser el rasgo diferenciador y pertinente de la poética medieval. En este sentido, las contribuciones metodológicas de la escuela estilística española (Dámaso Alonso, Amado Alonso, Carlos Bousoño) o las de determinados hispanistas germánicos (Vossler, Hatzfeld) no deben desdeñarse por considerarlas ya antiguas. Efectivamente, la teoría de los estilos es tan antigua que ya fue conocida por los teóricos de la literatura medieval, quienes la recogen en su "teoría de los tres estilos". La encontramos en la retórica clásica de Cicerón ("magna", "modica", "parva"), pasa a los Santos Padres, principalmente a San Agustín, y, a través de él, entra en la retórica cristiana medieval. La poética medieval utilizó también la teoría de los tres estilos, formulada por Jean de Garlande en la célebre "rueda de Virgilio", en la que relaciona los tres estilos con tres clases sociales (el guerrero, el agricultor y el pastor) en íntima relación con el medio ambiente de la naturaleza, según el tratamiento que Virgilio había utilizado en las *Bucólicas*, las *Geórgicas* y la *Eneida*.

La interpretación de estos tres estilos no fue uniforme entre los medievales. Santillana, por ejemplo, utiliza la teoría de los estilos en función de las lenguas ("estilo sublime": griego y latín; "estilo mediocre": provenzal, francés e italiano; "estilo ínfimo": castellano). En otros autores, como Mena, la teoría de los estilos se refiere a los géneros dramáticos: tragedia (sublime), sátira (mediocre) y comedia (ínfimo). Todo ello nos indica que la teoría de los estilos, aunque fecunda, ha de ser utilizada con prudencia a la hora de determinar las bases metodológicas de la poética medieval.

18 *Typologie de sources du Moyen Âge Occidental*, Brepols-Turnhout, 1972.

I.2.3. HACIA UNA TEORÍA DE LOS GÉNEROS LITERARIOS EN LA LITERATURA MEDIEVAL

Uno de los aspectos más discutidos en historia de la literatura ha sido, con frecuencia, el que se refiere a su sistematización. El criterio de los géneros literarios gozó siempre de una funcionalidad práctica, favorablemente acogida desde una perspectiva pedagógica y didáctica; sin embargo, no le faltan detractores[19].

El concepto de género literario sufrió constantes variaciones desde la *Poética* de Aristóteles hasta el momento actual. Durante mucho tiempo los géneros literarios fueron concebidos como sustancias inmutables y permanentes, cuya aplicación era válida tanto para la literatura grecolatina como para las creaciones actuales; al tener un fundamento en la realidad esencial de las cosas, y, al ser éstas inmutables, aquéllos tendrían la misma inmutabilidad y duración que las propias esencias. El positivismo evolucionista del siglo XIX[20] rechazó esta concepción del género literario, a la vez que sostenía una concepción de género literario a la manera de un organismo animal que nace, se desarrolla, llega a su madurez para desaparecer o dar paso a otros géneros. Esta concepción parecía subestimar el valor intrínseco de la obra individual, cuyo valor estético se hacía depender de su acercamiento al género al que pertenecía.

Benedetto Croce[21] fue quizás el primero en combatir la consideración de los géneros literarios como entidades sustantivas y orgánicas. Cada obra artística tiene una individualidad específica, sólo perceptible desde una óptica estética e intuitiva, no lógica ni racional. De esta manera, niega la posibilidad de elaborar conceptos a partir de obras individuales o de erigir el concepto de género en entidad normativa a la cual haya de conformarse la creación individual bajo pena de imperfección. Croce, sin embargo, admitirá la noción de género literario como criterio de sistematización, al margen de los valores estéticos de la obra.

Estamos, pues, ante dos concepciones radicales sobre el género literario, que van desde una asignación dogmática y absoluta, hasta la negación de poder extraer conceptos generales de las obras individuales.

La teoría de la literatura actual ha rehabilitado de nuevo la noción de género literario, al margen de apriorismos absolutistas. El concepto de

19 Para una síntesis del problema, véase AGUILAR E SILVA, V. M. de, *Teoría de la literatura*, Madrid, Gredos, 1979, pp. 159-179.

20 BRUNETIÈRE, F., *L'évolution des genres dans l'histoire de la littérature*, Paris, Hachette, 1890.

21 CROCE, B., *Estetica come scienza dell'espressione e linguistica generale*, Bari, Laterza, 8ª edic., 1946; Idem, *La poesía*, Bari, Laterza, 5ª edic. 1953; Idem, *Breviario de estética*, Madrid, Espasa-Calpe, "Colección Austral", n. 41, 7ª edic., 1967.

género literario se ha de fundamentar en la historia concreta de la creación literaria; "es principalmente la reflexión de lo genérico —dirá Kaiser[22]— lo que nos conduce a las leyes eternas por las que se rige la poética".

La aplicación de una teoría de los géneros a la literatura medieval plantea numerosos problemas; superada la concepción sustancialista del género literario, se intenta esbozar una poética de los géneros medievales más funcional e histórica[23]; sin embargo, resulta imposible establecer una clasificación lógica y apriorística de los géneros literarios; su configuración es siempre histórica y, como tal, válida para una época dada; de ahí que más que definir resulte más práctico y operativo describir los distintos géneros literarios para un segmento temporal concreto, en este caso el medieval[24]. Desde estos planteamientos, la literatura medieval tendrá su propia conformación de géneros literarios. ¿Cuáles son éstos? Su determinación y clasificación es uno de los objetivos de una parte de la crítica actual[25].

I.3. HACIA UNA DELIMITACIÓN CRONOLÓGICA DE LITERATURA MEDIEVAL

La pregunta de cuándo empieza y cuándo termina la Edad Media se la hacen todas aquellas disciplinas que miran al pasado de nuestra historia. No es, pues, exclusiva de la historia de la literatura, sino de todas las áreas de conocimiento que incluyen la categoría temporal o diacrónica como método de investigación. Es bien sabido que toda fecha o aconte-

---

22 KAISER, W., *Interpretación de la obra literaria*, Madrid, Gredos, 4ª edic., 1972, p. 517.

23 JAUSS, R., "Theorie des Gattungen und Literatur des Mittelalters", en G.R.L.M., Band, I, Heidelberg, 1972, pp. 107-138; traducción parcial del mismo artículo, bajo el título "Littérature médiévale et théorie des genres", *Poétique* (1970)79-101.

24 LÁZARO CARRETER, F., *Estudios de Poética*, Madrid, 1979.

25 ZUMPTHOR, P., *Essai de poétique médiévale*, Paris, Seuil, 1972, pp. 157-185; la ya señalada *Typologie de Sources du Moyen Âge Occidental*, Turnhout-Belgium, Brepols, a partir de 1972, bajo la dirección de L. GENICOT en la Universidad Católica de Bruselas, incluye algunas monografías sobre determinados géneros literarios, como el dedicado al *L'Exemplum*, fascículo 40. El origen y la historia de un género literario, como el milagro en las literaturas románicas, fue estudiado por EBEL, U., *Das altromanische Mirakel. Ursprung und Geschichte einer literarische Gattung*, Heidelberg, Carl Winter-Universitätverlag, 1965. En el Departamento de Filología Española de la Universidad de Oviedo se está llevando a cabo un programa de investigación sobre "Tipología de géneros literarios en la Edad Media", con algunos trabajos, unos ya publicados, —como el realizado por BAÑOS VALLEJO, F., *La hagiografía como género literario en la Edad Media. Tipología de doce "vidas" individuales castellanas*, Oviedo, Departamento de Filología Española, 1989—, otros en fase de realización como tesis doctorales.

cimiento que se utilice, como criterio de segmentación histórica, tiene un valor puramente didáctico y pedagógico; es algo funcional y relativo.

Lo más usual es delimitar el concepto cronológico de Edad Media en el período que se extiende desde la llegada de los bárbaros (s. V); dicho término "a quo" habría significado una ruptura con todo lo anterior; las invasiones germánicas constituirían la gran ruptura, la gran catástrofe no sólo a nivel de escala nacional sino europea, pues darían paso a una nueva concepción del mundo (*Weltanschauung*). Sin embargo, este acontecimiento referencial no es asumido por muchos historiadores (Pirenne, Toynbee), quienes retrasan el comienzo de los tiempos medievales ("Media Aetas", "Medium Aevum") al siglo VIII. La llegada de los bárbaros no habría supuesto un corte tan radical para que se inicie una nueva época; el mundo romano, que constituye el eje primordial en torno al cual gira nuestra historia antigua, no sufre una transformación tan radical con la llegada de los pueblos germanos. Los visigodos, cuando llegan a la Península, están ya fuertemente romanizados: tienen la misma lengua y practican una religión cristiana (arrianismo). La verdadera ruptura se habría producido en el siglo VIII con la llegada de los árabes. Con ellos se instaura una nueva cultura que suplantará, poco a poco, a la cultura romana en distintos aspectos: a) *En el campo religioso*, una mayoría de la población peninsular practicó la religión musulmana: "el abuelo número treinta de cada español tiene más posibilidad de que fuera musulmán que cristiano"[26]. b) *En el aspecto comercial*, la llegada de los árabes provoca la desaparición del comercio. Al ocupar los árabes el mar Mediterráneo, principal vía comercial, este acontecimiento hace que los mercaderes abandonen su actividad. Esto llevará consigo un predominio de la actividad agrícola y ganadera en Europa, y un estancamiento de la vida urbana; la ciudad ya no será el centro de la actividad comercial, sino que se mantendrá, más bien, como centro residencial del obispo. c) *Desde el punto de vista lingüístico*, los árabes dejarán una fuerte impronta, sobre todo, en el aspecto léxico de nuestro idioma; antes de convertirse el castellano en lengua nacional, el mozárabe será uno de los grandes sistemas lingüísticos de la Península. Por su parte, la literatura aljamiada, desdeñada comúnmente en los manuales de literatura medieval, merecería una mayor atención.

Matizaciones en esta búsqueda del término "a quo" del concepto cronológico de Edad Media las encontraremos en otros autores; para Curtius lo que él denomina la "Edad Media Latina" comienza en el siglo IX con el llamado Renacimiento Carolingio, y se prolonga hasta el siglo XVI; para ello toma como criterio de segmentación la importancia que tiene la cultura legada por Roma en ese período. A. Hauser se fija, más

---

26 UBIETO, A.-REGLÁ, J.-JOVER, J. M.-ECO, C., *Introducción a la historia de España*, Barcelona, Teide, 1970, p. 57.

bien, en las transformaciones sociales que tienen lugar en el siglo XII, cuando se inicia el verdadero renacimiento de la cultura occidental, merced al resurgimiento de la actividad comercial.

Con todo, al restringir el concepto a la literatura española o castellana, tal restricción plantea algunos problemas, ya que con ello se delimita el sistema lingüístico de las obras literarias; sólo serán objeto de nuestra atención las obras literarias escritas en romance castellano. Las referencias a otras literaturas peninsulares (latina, gallego-portuguesa, mozárabe, aljamiada, catalana) tendrán la función de esclarecer la significación de la literatura castellana. Ahora bien, ¿cuándo aparecen los primeros testimonios literarios en lengua romance castellana? Si dejamos a un lado las llamadas "glosas Emilianenses" (s. X), cuyo interés es más lingüístico que literario, las jarchas constituirán esas primeras manifestaciones de nuestra historia literaria, y ocuparán el término "a quo" de nuestra exposición.

El término "ad quem" del concepto de Edad Media, en general, y de la Historia de la Literatura Medieval, en particular, planteó menos problemas a la investigación histórico literaria. Podemos afirmar que a finales del siglo XV la literatura medieval ha llegado a su madurez, y apunta a una nueva concepción. *La Celestina* puede ser considerada como el término "ad quem" del concepto cronológico de literatura medieval castellana.

Dentro de este segmento cronológico que va del siglo XI al siglo XV, resulta útil —por no decir imprescindible— establecer unidades más breves, a modo de periodizaciones internas, que ayuden a ordenar el vasto y complejo material de literatura medieval. Conviene decir que los distintos criterios utilizados tienen un valor puramente funcional; de ahí que no se les pueda configurar de una manera ni rígida, ni exclusiva, ni uniforme. Así, por ejemplo, el criterio de periodización por siglos puede aportar elementos importantes para una concepción global de la literatura medieval; el siglo XIII, con Berceo como figura aglutinante, y un mester de clerecía con una cuaderna vía uniforme, tiene una entidad diferente al siglo XIV, en el que el *Libro de Buen Amor* marca los inicios de una nueva poética, métricamente más pluriforme, y un público más secular, una orientación que culminará en el siglo XV, cuya creación literaria estará marcada por la influencia del amor cortés y la escuela italiana del "dolce stil nuovo". A su vez, en determinados momentos se utilizarán criterios políticos para segmentar la producción literaria; así se suele hablar de "la poesía en tiempos de Juan II" o la "literatura en la época de los Reyes Católicos". Junto a estos criterios de naturaleza más bien extrínseca, se emplearán códigos más inmanentes al texto, como es el concepto de género literario, no exento, asimismo, de problemas; no obstante, resulta útil el distribuir la materia por los tradicionales géneros literarios, y así lo haremos bajo el título de "La primitiva lírica peninsular", "La épica medieval", "La prosa medieval", "El teatro medieval", dentro de una concepción funcionalista del género literario.

I.4. LA FILOLOGÍA EN EL ESTUDIO DE LA LITERATURA MEDIEVAL CASTELLANA

La obra literaria es siempre un hecho lingüístico, es decir, una comunicación que se establece entre un autor o intérprete y unos lectores o espectadores. No se puede, pues, considerar como distintos lenguaje y creación literaria. Son dos entidades íntimamente relacionadas.

Esta afirmación, válida para cualquier literatura y época, cobra, si cabe, una mayor importancia si la aplicamos a la literatura medieval. Desde la época medieval hasta nuestros días la lengua castellana ha experimentado modificaciones, tanto en el sistema fonológico-fonético, como en el semántico. De ahí que el lector moderno, si quiere lograr una comprensión de las obras medievales, ha de tener un conocimiento en grado suficiente de la situación lingüística en la España medieval.

I.4.1. ASPECTOS DE LA LENGUA MEDIEVAL CASTELLANA

Como bien es sabido, el castellano no es más que el resultado de la evolución sufrida por el latín hablado en la Castilla medieval. Es, pues, una lengua románica o romance, es decir, derivada del latín. Por tanto, todo estudio sincrónico o diacrónico de nuestra lengua remitirá, como punto de partida, al latín. ¿Cómo se fue operando esa transformación?

El *sistema vocálico* del latín clásico tenía diez fonemas vocálicos, cuyos rasgos distintivos más relevantes eran la cantidad larga/breve, aspecto cuya realización fonética resulta difícil de precisar. Esta primera etapa del sistema vocálico latino fue evolucionando y dio paso a un elemento, en un primer momento con un valor fonético, que vino a ser la cualidad o timbre, de tal manera que las vocales largas se pronunciaban cerradas y las breves abiertas. En una tercera fase, la cualidad o timbre sustituye a la cantidad que desaparece como rasgo configurador. Esto provoca una reestructuración, debido a que el punto de articulación entre algunos de estos fonemas era muy próximo, por lo que la lengua propende a la igualación. De esta manera, se llega al sistema vocálico del llamado "románico común occidental", aquel estadio al que llega la lengua latina, de donde van a derivar todas las lenguas románicas, incluido el castellano. Era un sistema de siete fonemas con cuatro grados de abertura. No obstante, este sistema sufre alteraciones y reajustes en Castilla, cuyos hablantes lo reducen a cinco fonemas vocálicos con tres grados de abertura:

Sistema vocálico del románico común	*Sistema vocálico del castellano actual*
/i/ /u/	/i/ /u/
/ẹ/ /ọ/	/e/ /o/
/ę/ /ǫ/	/a/
/a/	

La explicación, que suele ofrecerse entre los romanistas para comprender este proceso, es la siguiente. Al penetrar el sistema vocálico latino en la Península Ibérica, dos de sus fonemas en posición tónica (/ę̆/, /ę̆/ (<ae), /ǫ̆/) plantean problemas articulatorios a los hábitos lingüísticos de los autóctonos, que sólo conocerían los correspondientes cerrados (ẹ - ọ). En su intento de imitar el sonido foráneo, lo bimatizan:

ę̆>ẹ ę>ie
ǫ̆>ọǫ>uo>ue

De esta manera, aparece la diptongación en el romance castellano y se reducen a tres los grados de abertura del sistema vocálico del español, característica esta no sólo de los textos medievales, sino también del español moderno. En algunas obras literarias medievales se podrán todavía encontrar huellas de la fase -[wo, we, wa, wö]- producto de la diptongación de la ǫ̆; parecidas fluctuaciones sufre la ę̆ -[je, ja].

El *sistema consonántico* latino era muy semejante al del español actual, con la excepción de las palatales y sibilantes. Esta casilla del sistema hará su aparición merced a las repercusiones que provocará la yod, un elemento fonético de realización palatal y muy cerrado. Fruto de esta revolución fonética, suscitada por la yod, será la aparición de determinados fonemas medievales desconocidos tanto para el latín como para el español moderno. El siguiente cuadro sinóptico representa las características fonológicas, fonéticas y ortográficas de esos fonemas caracterizadores del llamado "español alfonsí", por corresponder a la prosa de Alfonso X el Sabio. Los restantes fonemas coinciden con la naturaleza fonética y fonológica del español actual; por tanto, no presentan problemas de lectura en las obras literarias medievales:

ORTOGRAFÍA	FONÉTICA	FONOLOGÍA
s-; cons. + s; -ss-	[s]	/s/
-s-	[z]	/z/
b	[b]	/b/
u-v	[v]	/v/
c + e,i ç + o,u,a	[ts]	/ŝ/
z	[ds]	/ẑ/
x	[š]	/š/
j + vocal g + e,i	[ž]	/ž/

Por tanto, el sistema consonántico medieval conoce la "s" sonora, cuando el grafema está en posición intervocálica -s-; asimismo, la "v" es labiodental (el grafema "u" puede tener el mismo valor consonántico), mientras la casilla de las palatales y zonas afines, desconocidas en el latín, empiezan a saturarse con fonemas provenientes del influjo de la yod (š/ž, ŝ/ẑ).

Sin embargo, este sistema no fue duradero, por la confusión que propiciaban determinados sonidos cercanos en su realización fonética; de ahí que se produzcan igualaciones. Así, en la Baja Edad Media asistimos a la pérdida de la sonoridad en favor de la sordez y otros fenómenos articulatorios, que buscan una mayor simplificación del sistema:

s/z> /s/
ŝ/ẑ> /ŝ/
š/ž> /š/
b/v> /b/

Poco a poco se va configurando el sistema fonológico del español actual. La riqueza en sonidos palatales o próximos a este punto de articulación, que caracteriza a la lengua medieval, provocó una cierta congestión lingüística; esto ocurrirá con los fonemas /ŝ/ y /š/ que serán desplazados, el primero a la zona interdental, y el segundo a la zona posterior o velar del aparato fonador:

/ŝ/> /θ/
/š/> /X/

Este fenómeno se consolida en los Siglos de Oro. Así se explica el error que pueden cometer quienes se inician en la lectura de textos medievales, si pronuncian los grafemas "z" o "j" como las actuales /θ/ y /X/, respectivamente.

Todo esto pone de manifiesto la importancia que la filología tiene en el estudio de las obras literarias medievales. Por ello, manuales ya clásicos en esta materia resultan indispensables[27].

I.4.2. LA ORTOGRAFÍA MEDIEVAL

El primer desconcierto que sufre quien se acerca por primera vez a la lectura de textos medievales es la divergencia entre la ortografía medieval y las actuales normas ortográficas. Para comprender el aparente caos

27 MENÉNDEZ PIDAL, R., *Manual de Gramática Histórica Española*, Madrid, Espasa-Calpe, numerosas ediciones desde 1904; Idem, *Orígenes del español. Estado lingüístico de la Península Ibérica hasta el siglo XI*, Madrid, Espasa-Calpe, 7ª edic., 1972; LAPESA, R., *Historia de la lengua Española*, Madrid, Gredos, 1980; ALARCOS, E., *Fonología Española*, Madrid, Gredos, 1968; ALVAR, M.-POTTIER, B., *Morfología Histórica del español*, Madrid, Gredos, 1983.

ortográfico, que caracteriza a los textos medievales, el lector moderno ha de tener en cuenta algunas consideraciones:

1. El español o castellano es una lengua que empieza a adoptar el código escrito en la Edad Media. Hasta entonces era el latín el sistema lingüístico utilizado para las obras escritas. Ahora bien, las reglas ortográficas del latín no servían para la nueva lengua que nace con una serie de fonemas (los palatales) que no existían en latín. ¿Cómo representar los sonidos de [c̬], [n̬], [l̬]. Era lógico que existiesen vacilaciones, y que distintos grafemas representasen el mismo o parecido sonido.

2. Hasta la actividad literaria desarrollada por el equipo de Alfonso X el Sabio no quedó establecido un sistema ortográfico. Por otra parte, no fueron nunca normas fijas y rigurosas.

3. Conviene tener en cuenta, como ya se puso de manifiesto, que estamos ante un sistema fonológico distinto al sistema fonológico actual, por lo menos en unos cuantos fonemas. Por ejemplo, la distinción entre b/v, entre s/z o la pérdida fonética de la "h", proveniente de la f- latina.

4. La ortografía medieval se guía prioritariamente por criterios fonéticos: se escribe generalmente lo que se pronuncia. Este principio es sumamente valioso a la hora de establecer una diacronía en la evolución del castellano. Las grafías nos remiten al sonido y éste, finalmente, al fonema.

I.4.3. LA SEMÁNTICA MEDIEVAL

Otro de los problemas que plantean los textos medievales se refiere a la significación de las palabras, a la *semántica*. La lingüística medieval carece, por el momento, de una semántica histórica, auxiliar indispensable para el estudioso de la literatura medieval. Por una parte, hay palabras muy frecuentes en el español medieval que posteriormente cayeron en desuso, por lo que hoy resultan desconocidas para el lector actual no especializado. Por otra parte, las palabras cambian su significación; piénsese en la acepción que palabra "ondra" y sus derivados tienen en el *Cantar de Mio Cid*, y compárese con la dimensión ético-moral hacia donde se especializa finalmente.

I.4.4. LA DIALECTOLOGÍA

Es otra de las ramas de la filología que se ha de tener en cuenta en el estudio de la literatura medieval castellana. Para comprender esto, tengamos en cuenta lo siguiente. El latín, a medida que va evolucionando en la Península, da como resultado distintos sistemas lingüísticos que, si bien tienen sus propias particularidades, están unidos en cuanto derivan de un tronco común. Estas entidades lingüísticas cobran mayor autonomía, al configurarse en reinos políticamente distintos. Surgen, así, los

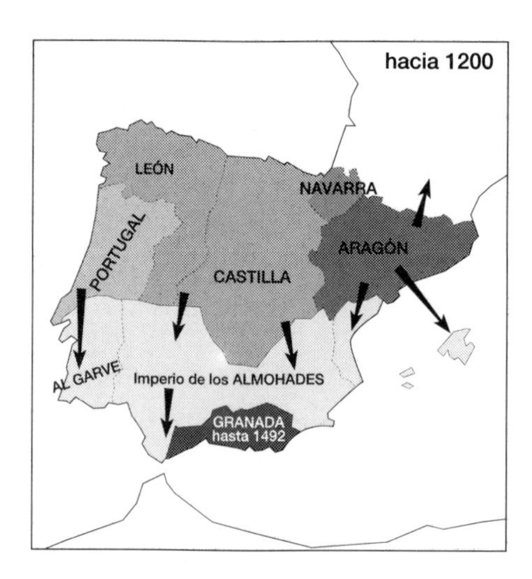

Extensión de los distintos reinos peninsulares en dos momentos de la Reconquista

principales sistemas lingüísticos de la España medieval: el castellano, el gallego, el catalán, el mozárabe, a los que habría que añadir el leonés y el navarroaragonés. Por razones políticas y sociales, el castellano se impone a los demás, hasta convertirse en la lengua nacional. Pero esto no ocurre hasta el siglo XV aproximadamente. Este hecho hizo que se identificase la literatura medieval española con la literatura medieval castellana. El gallego, el catalán, juntamente con la tradición latina y la literatura aljamiada (literatura castellana en caracteres árabes) son los soportes de una intensa y esplendorosa literatura medieval que no se puede eludir, aunque sólo sea referencial, en un acercamiento global a la literatura medieval castellana. Muchas veces, sobre todo en zonas idiomáticamente fronterizas, un autor utiliza insconscientemente vocablos que no son castellanos, por lo que pueden dificultar la exégesis de un texto. De ahí, la importancia que tiene la dialectología medieval, como ciencia auxiliar, en el estudio de la literatura medieval[28].

I.5. LITERATURA MEDIEVAL Y CRÍTICA TEXTUAL

Las peculiares condiciones de elaboración, difusión y transmisión de los textos medievales exigen que el medievalista utilice toda una serie de disciplinas encaminadas a dar a las fuentes la credibilidad textual que salió del primigenio autor. Esto no es fácil. Muchos de nuestros textos se conservan en códices, cuya versión dista, en ocasiones, siglos de la ver-

28 ZAMORA VICENTE, A., *Dialectología española*, Madrid, Gredos, 2ª edic., 1970.

sión original. Es importante separar la fecha de composición de la obra original respecto a la fecha del manuscrito que ha llegado hasta nosotros. La transmisión manuscrita, a partir de copias, provocó numerosas alteraciones en los textos. El amanuense o copista no se contenta con reproducir mecánicamente lo que tiene delante; unas veces, ante las dificultades que presenta la copia, interpreta a su manera; otras, modifica, cambia o altera el texto de acuerdo con sus propios gustos; el escribano medieval posee con frecuencia una formación muy superior a los propios autores; es lógico que sienta la tentación de corregir aquellos defectos que, a su juicio, presenta el texto, y puede llegar a suplantar, de esta manera, la personalidad del autor. La conciencia de autoría no fue, por otra parte, un derecho muy reivindicado por el artista medieval; la anonimia es la nota caracterizadora. Además, el autor medieval invita muchas veces a que otros completen lo que él ha iniciado; desde esta perspectiva, pues, la obra medieval es una creación abierta. Todo esto produjo corrupciones textuales de las obras originales, de las que algunos autores medievales son conscientes y recelosos de que a ellos les ocurra lo mismo. Piénsese en la actitud que adopta Don Juan Manuel para evitar que sus obras sufran las adulteraciones de los copistas. Así se explican las divergencias entre los manuscritos conservados de una misma obra. ¿Cómo conocer la versión original o, por lo menos, la más cercana a la que salió de manos del autor? Es esta la gran pregunta con la que se enfrenta el medievalista. La crítica textual es la disciplina encargada de dar respuesta a este interrogante[29]. Existe, pues, una técnica que enseña los principios fundamentales para lograr unos textos fidedignos, dotados de una credibilidad que permita al lector o investigador utilizar la versión más auténtica. La certeza, sin embargo, nunca será absoluta.

Todas estas circunstancias han de poner en guardia al lector o investigador de literatura medieval. No todas las ediciones tienen la misma garantía y credibilidad. Es este uno de los rasgos que diferencian los textos medievales de otros más cercanos o modernos que no plantean serios problemas de crítica textual. El lector, aficionado o estudioso de literatura medieval, puede encontrarse con distintas formas de presentar las ediciones de textos medievales:

I.5.1. EDICIÓN FACSÍMIL

Es la reproducción fotográfica, sea de un manuscrito, sea de una edición impresa (por ejemplo, un incunable), tal cual aparece en el códice o en la versión original que se pretende reproducir. Tiene el valor práctico y funcional de poner a disposición manuscritos o ediciones que, de otra

29 BLECUA, A., *Manual de crítica textual*, Madrid, Castalia, 1983.

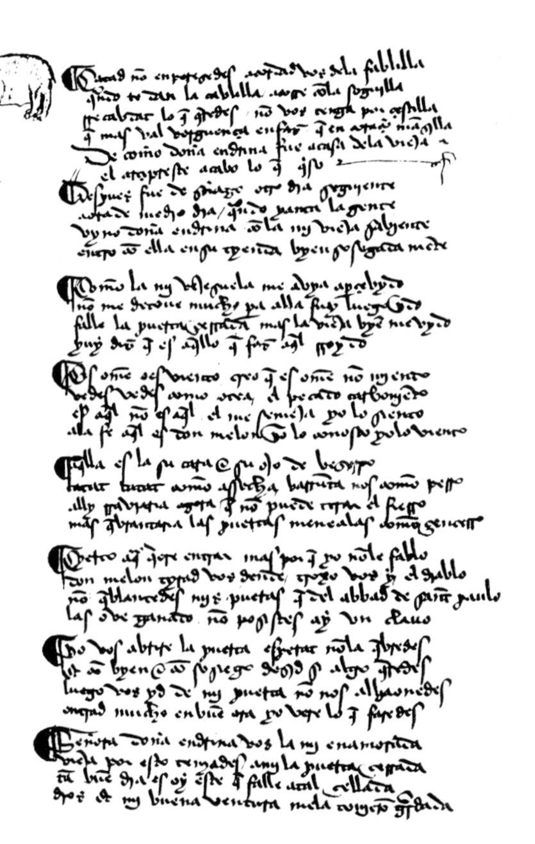

Edición facsímil de una página del Libro de Buen Amor

manera, resultan inaccesibles. En este sentido, se han hecho ediciones facsímiles del manuscrito del *Cantar de Mio Cid*, de las tres versiones que nos transmitieron el *Libro de Buen Amor* y de la primera edición impresa de *La Celestina*.

I.5.2. EDICIÓN PALEOGRÁFICA

Pretende reproducir, a través de los actuales signos grafemáticos y ortográficos, todos los rasgos gráficos que se encuentran en el texto original manuscrito. La falta de una normativa ortográfica clara y precisa en la época medieval permitió que los amanuenses realizasen variaciones gráficas que dificultan hoy la lectura y la interpretación de dichos textos. El criterio fonético, que reguló la ortografía medieval, es, con frecuencia, signo de particularismos articulatorios o fonológicos de gran importancia para el conocimiento de la lengua medieval.

Esta dimensión de los textos medievales pone de relieve la importancia que la paleografía tiene para el medievalista, hasta convertirse en una ciencia auxiliar imprescindible.

I.5.3. EDICIÓN CRÍTICA

Es aquella que, a partir de las distintas versiones existentes de una obra, intenta acercarse a la versión original y primigenia que salió de las manos del autor. Para ello se reúnen todas las versiones conservadas de una obra; se someten a un tratamiento específico, cuyas normas regula y establece la crítica textual, para lograr esa versión, siempre hipotética, que presumiblemente realizó el autor original. En ocasiones, solamente se conserva una versión, alejada en el tiempo del momento en que la escribió el autor, sometida, por tanto, a las adulteraciones de los copistas; en este caso, el texto se somete a un profundo análisis lingüístico para corregir aquellos añadidos o adaptaciones realizados por los amanuenses.

Este tipo de ediciones son las más estimadas y valiosas, desde el punto de vista de la investigación literaria; suelen ir acompañadas de abundantes notas y comentarios que pueden, incluso, dificultar o distraer una lectura continuada del texto. Sin embargo, por muy sazonado que esté el aparato crítico, la versión presentada siempre será deudora al subjetivismo del crítico que la realiza; es por ello, por lo que algunos críticos prefieren las ediciones paleográficas o facsímiles de manuscritos que tienen como garantía el haber tenido una existencia real como hecho literario.

I.5.4. EDICIÓN MODERNIZADA

Es una edición en versión lingüística moderna de un texto medieval. Esta modernización puede abarcar varios niveles (ortográfico, léxico, morfosintáctico), que pueden convertirla en una verdadera traducción, lo que exige del "traductor" una auténtica especialización para verter en lengua moderna todos los valores que encierra el texto medieval. Suelen ser ediciones destinadas a un público no especializado que desconoce la lengua medieval.

I.5.5. EDICIÓN INCUNABLE

Es aquella edición impresa antes del año 1500, o impresa durante el siglo XVI de obras anteriores. Suelen ser muy escasas las obras de literatura medieval que se conservan en este tipo de ediciones. Su valor bibliográfico es muy estimado y prestigia a las bibliotecas donde se conservan.

I.6. LITERATURA MEDIEVAL CASTELLANA Y LITERATURA LATINA

Uno de los aspectos que debería reclamar una mayor atención por parte del estudioso actual de la literatura medieval castellana es, sin duda, la relación existente entre la creación literaria en las nuevas lenguas neolatinas y la literatura latina, clásica y medieval. Por el momento, se echa de menos esa gran obra que ofrezca cómo y de qué manera el hombre medieval bebe en los textos de la Antigüedad Clásica. Es bien conocido el prestigio que el latín tuvo en la Edad Media; era la lengua culta por excelencia frente a las nuevas lenguas romances. El prestigio de la lengua y de la literatura latina llega a la Edad Media por una doble vía:

1. *Por vía intelectual:* El hombre medieval culto (el clérigo) ve en los clásicos de la literatura latina unos modelos de imitación y unas fuentes de autoridad. Era, pues, lógico que en sus creaciones romances hubiese prestaciones, unas, temáticas, otras, estilísticas, provenientes todas ellas del acerbo cultural latino[30]. Un mismo autor podía escribir y utilizar indistintamente una lengua u otra; la misma facilidad de acomodación tenía un determinado público. Esto lleva a la conclusión de que las literaturas románicas medievales coexisten con una intensa tradición latina, no sólo clásica, sino también medieval[31]. De todo esto se deduce que habrá influencias en la literatura medieval castellana no sólo de los grandes clásicos latinos (Virgilio, Ovidio), sino también de la poesía latina medieval (poesía goliárdica, colecciones de exempla, dramas litúrgicos, antifonarios, etc.).

2. *Por vía litúrgica:* El poder cultural de la Iglesia fue determinante para la expansión de la cultura latina en la Edad Media. Como cultura dominante, la Iglesia absorbe la mayor parte de la actividad cultural del medioevo. El latín será no sólo la lengua oficial de la investigación teológica, sino también de una liturgia con amplias resonancias populares; el drama litúrgico al igual que determinados himnos religiosos, dejarán sus huellas tanto en el naciente teatro medieval románico como en la creación poética[32]. Esto no significa, ni mucho menos, que todo clérigo tuviera un profundo conocimiento de la lengua latina y de las ciencias teológicas. Las medidas disciplinares de determinados concilios eclesiásticos sobre las exigencias para ser ordenados "in sacris" testimonian una cierta pobreza intelectual en la formación de una gran parte de los clérigos medievales, particularmente en las zonas ru-

---

30 CURTIUS, E .R., *Literatura Europea y Edad Media Latina*, traduc. española, México, 1955, 2 vols; más recientemente: DEBOUILLE, M., "Tradition latine et naissance des littératures romanes", en G.R.L.M., Band, I, Heidelberg, 1972, pp. 3-56.

31 Para la tradición hispano-latina, véase DÍAZ Y DÍAZ, M. C., *Index Scriptorum Latinorum Medii Aevii Hispanorum*, Salamanca, Universidad, 1958-59, 2 vols; también MORALEJO, J. L., "Literatura hispano-latina siglos VI-XVI", en *Historia de las literaturas Hispánicas no Castellanas*, Madrid, Taurus, 1980, pp. 13-137; desde otra perspectiva, RICO, F., "Las letras latinas del siglo XII en Galicia, León y Castilla", *Ábaco*, 2 (1962)9 y ss.

32 La importante colección *Analecta Himnica Medii Aevii* ofrece abundantísimos materiales de poesía litúrgica medieval.

rales[33]. El conocimiento del latín, dentro de la clerecía medieval, tenía, pues, un carácter elitista y selectivo[34].

Será el clérigo regular, quien, al amparo de la biblioteca conventual, se convertirá en el heredero directo de la tradición latina. Conocer, por medio de inventarios, los fondos de las bibliotecas medievales será un excelente auxiliar para valorar la significación del mundo clásico latino en los intelectuales medievales.

I.7. LITERATURA MEDIEVAL CASTELLANA Y LITERATURA COMPARADA[35]

El método de la literatura comparada no suele tener demasiados adeptos en la enseñanza del hecho literario en la Universidad. Una excesiva especialización en cada una de las ramas de las distintas áreas filológicas impide esta confrontación de la creación literaria entre comunidades geográficas o lingüísticas afines.

Estas dificultades se acrecientan, si cabe, en el tratamiento de la literatura medieval. Tal metodología exige un sólido conocimiento de lenguas, algunas en fase de evolución primitiva: español, francés, provenzal, italiano, inglés, alemán, todas ellas en su configuración medieval; las traducciones no suelen abundar, y, cuando existen, muchas veces no son fiables para un análisis comparativo. Por tanto, la naturaleza de los materiales representa una seria dificultad.

Asimismo, si la literatura comparada se entiende como la historia de las relaciones literarias internacionales, establecer las condiciones en las que la creación literaria de un área geográfica se expande más allá de las fronteras lingüísticas no resulta fácil. No abundan las fuentes de información a este respecto, lo que representa otra notable dificultad.

A pesar de ello, la literatura comparada es un método que encierra grandes posibilidades para poder comprender muchos aspectos de la literatura medieval. ¿Por qué la literatura medieval se muestra más propicia para este tipo de tratamiento metodológico? Por el cosmopolitismo que sazona la cultura medieval; esta visión unificadora en la sociedad

---

33 BELTRÁN DE HEREDIA, V., "La formación del clero en la España durante los siglos XII, XIII y XIV", *Revista Española de Teología*, VI (1946)313-357.

34 MORALEJO, J. L., "Latín y cultura en la España Medieval", *Studium Ovetense*, XII (1984)7-26; un libro clásico sobre el clérigo como intelectual en la Edad Media es el de LE GOFF, J., *Los intelectuales en la Edad Media*, traduc. española, Barcelona, Gedisa, 1986. Sobre las bibliotecas medievales, FAULHABER, CH. B., *Libros y bibliotecas en la España medieval: una bibliografía de fuentes impresas*, Londres, Grant & Cutler, 1987; puede verse también DÍAZ Y DÍAZ, M., *Libros y librerías en la Rioja Altomedieval*, Logroño, Instituto de Estudios Riojanos, 1979, aunque el período estudiado corresponde a la Alta Edad Media.

35 FRAPPIER, F., "Littérature médiévale et littérature comparée", en G.R.L.M., Band I, Heidelberg, 1972, pp. 139-162.

europea occidental tiene sus raíces principalmente a causa de haber sido informada por la misma tradición lingüística; el latín fue, ya lo indicamos, el medio de expresión de la cultura dominante; de un extremo a otro de Europa el latín aseguraba el intercambio de ideas; de esta cultura latina, elemento unificador, nacerán las nuevas literaturas romances; la literatura latina actuó a modo de institutriz de todas ellas. Establecer las relaciones entre las distintas filiaciones que nacen de ese tronco materno común es el primer objetivo de una literatura medieval comparada; pero, a su vez, algunas de estas literaturas en lengua vulgar consiguen un prestigio y una autoridad que las convierte en ejemplares e influyentes. La misma realidad social del hecho literario medieval favoreció este intercambio; la movilidad de juglares y trovadores que van de feria en feria, de castillo en castillo, sin que las fronteras políticas ni lingüísticas representen un grave problema, fue otro elemento unificador; las distintas lenguas romances no están aún lo suficientemente apartadas del tronco común latino para impedir la comunicación. El Camino de Santiago, una de las grandes aspiraciones del hombre medieval, favoreció este hibridismo cultural y artístico; trovadores provenzales amenizan las fiestas palatinas peninsulares, y, a la vez, segreles gallegos hacen la misma fun-

Distribución de las lenguas románicas en Europa, que empezaron a separarse del latín en la Edad Media

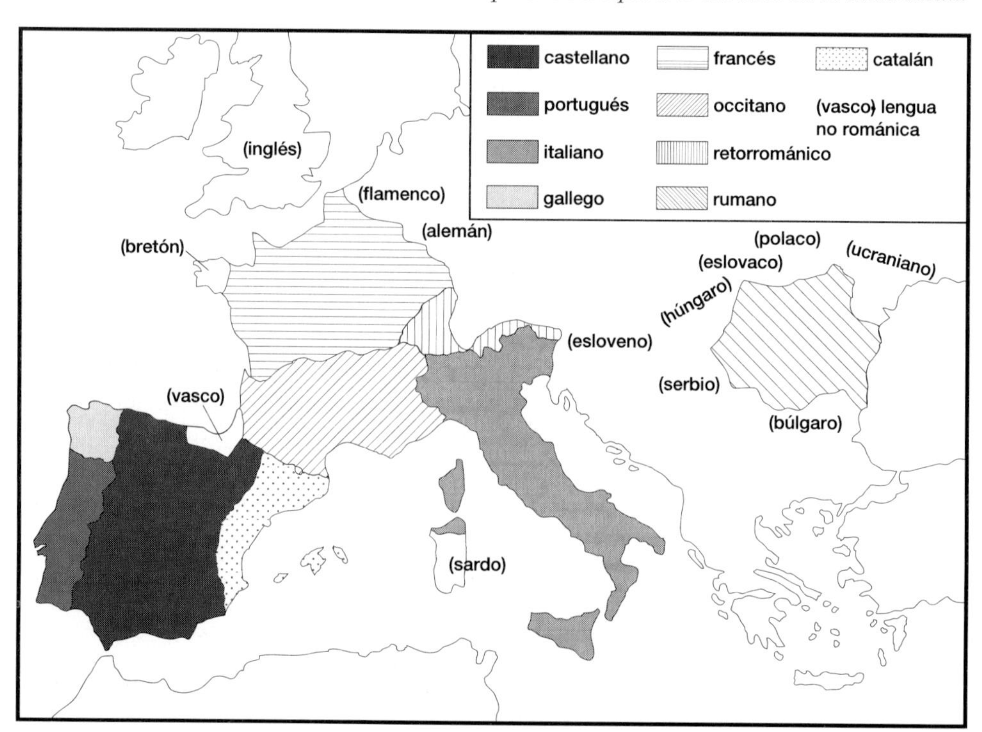

ción en Francia y Provenza. La corte episcopal de Santiago en el siglo XII, la corte real de Alfonso X el Sabio en el siglo XIII, o la corte papal de Avignon en el siglo XIV, fueron auténticos centros de intercambios literarios de proyección internacional. Las universidades medievales tuvieron, asimismo, esta misma dimensión; por ejemplo, la universidad de Palencia, la primera que se funda en España, acogió a un buen número de profesores franceses[36], cuyas huellas parecen innegables en el quehacer literario del "mester de clerecía", taller literario nacido al socaire, según parece, de dicha universidad. Lo mismo se podría decir de la influencia ejercida por la Orden de Cluny en su embajada, destinada a sustituir la liturgia hispánica por la liturgia romana; una presencia que ha sido utilizada para explicar determinados aspectos del teatro medieval castellano.

La Península Ibérica estará, por otra parte, en estrecha relación con la cultura árabe y judía, una impronta de capital importancia no sólo para la creación literaria, sino también en la determinación de lo hispánico[37]. La primera manifestación lírica peninsular nace en un cruce cultural hispano-arábigo-hebraico: las jarchas.

Este cosmopolitismo medieval explica y justifica el tratamiento de muchos temas comunes en las distintas literaturas europeas del medioevo.

El tema de Alejandro Magno o del rey Apolonio son claros ejemplos de dos tradiciones que, nacidas en la literatura de la Antigüedad Clásica, conocen abundantes adaptaciones, con singulares particularismos, tanto en el mundo románico como en el anglosajón.

La poesía de los trovadores provenzales, después de conocer su máximo esplendor en Occitania, durante el siglo XII y principios del XIII, incidirá en la lírica medieval catalana y en la corriente italiana del "dolce stil nuovo", pasará a la poesía cancioneril castellana del siglo XV, a la vez que extiende su radio de acción hasta los "Minnesänger" alemanes.

Mención particular merece la llamada "materia de Bretaña" y la novela artúrica, cuyas huellas se encuentran en la mayor parte de las literaturas europeas.

Un acercamiento a la literatura medieval, desde la óptica de la literatura comparada, no sólo se circunscribe a lo temático o a reseñar otros motivos comunes de naturaleza mítica o folclórica; el estudio de estructuras, técnicas de adaptación, modos de versificación, símbolos, etc., pueden ofrecer valiosos elementos para conocer las bases de la poética medieval.

36 SAN MARTÍN, J., *La antigua universidad de Palencia*, Madrid, Afrodisio Aguado, 1942.

37 CASTRO, A., *La realidad histórica de España*, México, Porrúa, 1954; SÁNCHEZ ALBORNOZ, C., *España, un enigma histórico*, Buenos Aires, Editorial Sudamericana, 1956, 2 vols.

I.8. ESTILO INDIVIDUAL Y ESTILO COLECTIVO EN LA EDAD MEDIA

Menéndez Pidal[38] ha trazado los fundamentos distintivos entre la poética culta (estilo individual) y la poética popular (estilo colectivo). Su diferenciación resulta muy fecunda para poder interpretar y disfrutar de las creaciones literarias en la Edad Media.

En los comienzos de las literaturas —en nuestro caso de la castellana, aunque el fenómeno se puede constatar en otras literaturas— las obras literarias suelen ser anónimas; no se tiene en cuenta la personalidad del autor que, por su parte, no pretende perpetuar su obra de manera permanente, sino que su obra tenga una finalidad puramente funcional: satisfacer fugazmente las necesidades lúdicas de un público que se concentra en los mercados medievales o en el atrio de las iglesias, después de asistir a los oficios litúrgicos. El poeta concreto (estilo individual) está, pues, en el principio de este proceso; muchas de estas interpretaciones —diríamos la mayor parte de ellas— sucumben al olvido, al tener la vía oral como principal vehículo difusor; no obstante, algunas de estas creaciones, las más privilegiadas, consiguen el favor de un público que las aprende de memoria, las repite y las considera patrimonio de la colectividad; de esta manera, el primitivo estilo individual se convierte en estilo colectivo, según las leyes de la tradición oral. Este proceso genético es el que caracteriza a una buena parte de la creación literaria medieval (lírica, épica, romancero).

Desde la óptica de las artes plásticas, H. Hatzfeldt[39] insiste en esta diferenciación estilística para la comprensión de la creación literaria medieval. El románico, el gótico y el flamígero, conceptos básicos de la estilística en el arte medieval, tendrían sus correspondientes estilos literarios. El estilo colectivo sería característico de la creación literaria en el románico, un estilo que está al servicio de la gran masa popular, en consecuencia con sus orígenes cluniacenses; a partir del gótico, el autor literario busca criterios más selectivos y restringe su público a las gentes de la corte; esta tendencia se acentúa en el "barroquismo gótico" o "gótico flamígero", con lo que el estilo individual se acrecienta en busca de una notoria originalidad.

I.9. RELIGIOSIDAD Y CREACIÓN LITERARIA EN LA EDAD MEDIA

Una gran parte de la literatura medieval, tanto culta como popular, es predominantemente clerical, esto es, hecha por clérigos. Estos clérigos se formarán primero en las escuelas catedralicias y, posteriormente, en

38 Véase bibliografía en la nota 5 del Capítulo II sobre "La primitiva lírica peninsular".

39 HATZFELDT, H., "Le style collectif et le style individuel" en G.R.L.M., Band I, Heidelberg, 1972.

los Estudios Generales o Universidades; parece, pues, lógico suponer que, directa o indirectamente, estos autores proyecten en sus creaciones literarias la problemática religiosa del momento y de la circunstancia histórica en la que viven, a la vez que utilizarán la literatura en función de sus propios intereses.

Por otra parte, los criterios estéticos están tomados, en buena parte, del libro considerado fuente no sólo de las doctrinas religiosas sino también artísticas y científicas: la Biblia[40].

Asimismo, la sociedad medieval se mueve dentro de unos esquemas teocéntricos; Dios es para el hombre medieval una categoría social. De ahí que la ciencia sobre Dios, la teología, ocupe un puesto de privilegio en el organigrama de la cultura medieval; todas las disciplinas artísticas y científicas que constituyen el *Trivium* y el *Quadrivium* estarán al servicio de la teología; son sus "siervas" ("ancillae theologiae")[41].

Esto explica el hecho de que la literatura medieval rezume problemas religioso-teológicos en todas las direcciones; unas veces será una teología especulativa, culta y erudita ("alta theología, sçiençia muy escura", según Pero López de Ayala), otras, más bien, la literatura satisface las necesidades religiosas de la piedad del hombre medieval[42].

Dado el pluralismo religioso de la comunidad medieval, habría que tener en cuenta no sólo el influjo de la religiosidad cristiana, sino también el ejercido por los credos judío y musulmán, cuyas improntas son, asimismo, innegables en la creación literaria de la España medieval[43].

---

40 DRUYNE, E., *La estética de la Edad Media*, traduc. española, Madrid, Visor, 1987; Idem, *Estudios de Estética Medieval*, Madrid, Gredos, 1958-1959, 3 vols.; Idem, *Historia de la estética, t.II. La antigüedad cristiana. La Edad Media*, Madrid, Biblioteca de Autores Cristianos, 1963. AA. VV., *The Bible and Medieval Culture*, Leuven University Press, 1979; SAUGNIEUX, J., "Bible et culture dans l'Espagne du Haut Moyen Âge", en *Les mots et les livres*, Lyon, Presses Universitaires, 1986, pp.77-85.

41 Es útil la consulta de una historia eclesiástica de la Edad Media, por ejemplo, *La Iglesia en la España de los siglos VIII-XIV*, II-1 y II-2, dentro de la obra general *Historia de la Iglesia en España*, bajo la dirección de Ricardo GARCÍA VILLOSLADA, Madrid, Biblioteca de Autores Cristianos, 1982; desde otro punto de vista: PÉREZ DE URBEL, Fr. J., *Los monjes españoles en la Edad Media*, Madrid, ediciones Ancla, 1934, 2 vols; MOLINER, J. M., *Espiritualidad Medieval. Los mendicantes*, Burgos, Editorial "El Monte Carmelo", 1974.

42 MENÉNDEZ PELÁEZ, J.,"Catequesis y literatura en la España Medieval", *Studium Ovetense*, VIII (1980)7-41. Desde hace algunos años el Departamento de Filología Española de la Universidad de Oviedo y el Centro de Estudios Teológicos del Seminario Metropolitano de Oviedo vienen celebrando periódicamente unas "Jornadas sobre religiosidad y creación literaria en la Edad Media y los Siglos de Oro", en las que se abordan temas fronterizos entre literatura y teología en las épocas señaladas.

43 MILLÁS VALLICROSA, J. M., *Literatura hebraico-española*, Barcelona, Labor, 3ª edic. 1973; GONZÁLEZ PALENCIA, A., *Historia de la literatura arábigo-española*, Barcelona, Labor, 1945.

I.10. FUENTES DE INFORMACIÓN SOBRE LITERATURA MEDIEVAL

Hoy ya es fácil resolver los problemas bibliográficos en lo que se refiere a cualquiera de los períodos de nuestra historia literaria. No sólo hay varias obras de bibliografía de uso imprescindible, editadas en los últimos años, sino que diversas revistas publican habitualmente secciones de esta naturaleza. Las terminales del banco de datos comienzan a ser ya una realidad en la universidad española. Por ello, se puede decir que cualquier investigador o estudioso de la literatura tiene fácil acceso a una información detallada y puesta al día.

En estas condiciones, nos parece inútil ofrecer aquí amplias listas de obras relacionadas con las distintas unidades temáticas programadas en este manual; quizás fuese más interesante hacer una bibliografía comentada, pero, en este caso, no sería fácil tampoco prescindir de un subjetivismo y convertir el comentario bibliográfico en el núcleo prioritario del manual.

Nos limitaremos, pues, a señalar en cada tema sólo aquellas aportaciones más significativas, que sirvan de soporte científico a la finalidad preferentemente didáctica y pedagógica, como apoyo para que el alumno haga suyos estos temas. En este empeño hemos querido conjugar "nova et vetera", lo nuevo y lo viejo; aportaciones de finales del siglo XIX o principios del XX pueden conservar su validez; lo nuevo no es mejor por su carácter novedoso, sino en cuanto que aporta nuevos elementos de perspectiva para acercarse a la obra literaria. Toda selección lleva implícita un innegable subjetivismo, por una parte; las lagunas, posibles olvidos e, incluso, errores, por otra, son inevitables en este tipo de preferencias bibliográficas.

Se han estructurado todos los contenidos en ocho grandes unidades temáticas, cada una de las cuales tendrá una trabazón interna entre los distintos subtemas que la componen. Esto quiere decir que habrá una bibliografía fundamental que se repitirá en las sucesivas unidades menores; presentar los capítulos como un todo orgánico ha sido el criterio, tanto a la hora de redactar, como de seleccionar la bibliografía.

La literatura medieval, a diferencia de la literatura de otras épocas, tiene unas particularidades, genéticas, funcionales y temáticas, que han de tenerse en cuenta a la hora de precisar las fuentes de información. Por otra parte, el medievalismo no tiene unas fronteras bien delimitadas, como ocurre en el estudio de la literatura de otras épocas; durante la Edad Media el desarrollo de la sociedad occidental siguió cauces muy parecidos en los distintos países, ya que todavía no se habían diferenciado de manera espectacular los modos de vida, de conducta y de existencia. Se trata, pues, de una tarea común en la que puede colaborar todo el medievalismo occidental. Esta es la razón por la que la bibliografía introductoria a la literatura medieval tiene un cierto aire más internacional que la de los restantes períodos de nuestra historia literaria.

I.10.1. PUBLICACIONES PERIÓDICAS

Al-Andalus, Madrid, desde 1932; especializada en temas relacionados con la cultura árabe.

Al-jamía, (Universidad de Oviedo); boletín de información bibliográfica sobre literatura aljamiada.

Anales de Historia Antigua y Medieval, Buenos Aires, desde 1955.

Anuario de Estudios Medievales, Barcelona, Instituto de Historia Medieval de España; desde 1964.

Bibliography of Old Spanish Text (BOOTS), Madison, The Hispanic Seminar of Medieval Studies (Literary Text, Edition 3), 1984, bajo la dirección de Charles Faulhaber.

Boletín Bibliográfico de la Asociación Hispánica de Literatura Medieval; desde 1987; anual.

Cahiers de Civilisation Médiévale, Poitiers, Centre d'Études Supérieures de Civilisation Médiévales; desde 1958; bimestral.

Incipit, Buenos Aires, desde 1981.

La Corónica. Spanish Medieval Language and Literature Journal and Newsletter, recoge principalmente las aportaciones medievales del hispanismo anglosajón (U.S.A.); desde 1972; semestral.

Le Moyen Âge, Bruselas; desde 1888; trimestral.

Mediaeval Studies, Toronto; desde 1938.

Medievalia et Humanistica (U.S.A.); desde 1934.

Medievo Romanzo, Nápoles; desde 1932.

Revista de Literatura Medieval. Madrid, Gredos; desde 1989.

Schede Medievali (Italia); desde 1981.

Sefarad, Madrid, desde 1941; especializada en temas relacionados con la cultura hebrea.

Speculum. Journal of Medieval Studies..., Boston; desde 1926; trimestral.

Studi Medievali, Turín; desde 1960; semestral.

A estas publicaciones, específicas sobre la literatura y la época medieval, habría que añadir otras que, desde una perspectiva más amplia, recogen abundantes materiales críticos para el período que nos ocupa. Desde finales del siglo XIX, prestigiosas revistas extranjeras dedicaron muchas de sus páginas a la literatura medieval, ya fuera desde una perspectiva románica, en íntima relación con la filología, ya abarcando todo el devenir literario español: *Zeitschrift für romanische Literatur*, *Romania*, *Revue Hispanique*, *Bulletin Hispanique*, *Hispanic Review*, *Bulletin of Spanish Studies*, son algunas de estas publicaciones. Desde el ámbito estrictamente hispánico, merecen mención especial publicaciones como la *Revista de Filología Española*, que nació con clara vocación medievalista; *Revista de Filología Hispánica* (Buenos Aires); *Nueva Revista de Filología Hispánica* (Méjico); la *Revista de Literatura* (C.S.I.C.); *Berceo*; *El Crotalón. Anuario de Filología Española*; *Ínsula* (sobre todo en su última etapa), y otras nacidas al amparo de determinados centros universitarios: *Archivum* (Facultad de Filología de la Universidad de Oviedo), *Anuario de Literatura Española* (Universidad de Alicante), *Cuadernos para la Investigación de la Literatura Hispánica* (Fundación Universitaria Española "Menéndez Pelayo"), *Cuadernos de Filología* (Universidad de Valencia), *Dicenda* (Facultad de Filología de la Universidad Complutense), etc. ofrecen con frecuencia secciones dedicadas a la literatura medieval española.

I.10.2. OBRAS GENERALES. FUENTES Y GUÍAS DE INVESTIGACIÓN

Existen, asimismo, determinadas informaciones generales sobre la literatura medieval; algunas de ellas han marcado un hito histórico y, a pesar del tiempo transcurrido desde su aparición, conservan validez y autoridad, en muchos campos aún no superados; las bibliografías son, asimismo, un instrumento indispensable; por otra parte, determinadas síntesis críticas ofrecen al estudioso de la literatura medieval visiones de conjunto, unas veces desde la óptica nacional, otras desde una perspectiva románica, que favorecen, sin duda, una mejor comprensión de los textos. Las técnicas de investigación literaria cobran en los estudios medievales particular significación, por las peculiaridades lingüísticas y funcionales de los textos. A modo de ejemplificación citamos las siguientes:

Biblioteca de Autores Españoles (B.A.E.), conocida genéricamente bajo la denominación de "Colección Rivadeneira", Madrid, desde 1846, 71 vols. Dentro de esta misma orientación hay que citar la *Nueva Biblioteca de Autores Españoles*, bajo la dirección de Menéndez Pelayo, M., y Bailly-Baillière, Madrid, 1905-1918, 25 vols; a pesar de ser ediciones no realizadas con las orientaciones de la crítica textual moderna, siguen siendo muy valiosas.

CÁRDENAS, A., *Bibliography of Old Spanish Texts* (Literary Texts, Edition), Wisconsin, 1977.

DÍAZ Y DÍAZ, M. C., *Index Scriptorum latinorum medii aevi hispanorum*, Salamanca, Universidad, 1958-59, 2 vols.

GALLARDO, B. J., *Ensayo de una biblioteca española de libros raros y curiosos*, reimpresión de la edición de 1863-69, Madrid, Gredos, 1968, 4 vols.

Grundriss der romanischen Literaturen des Mittelalters, Heidelberg, Carl Winter, 1972. Obra en curso de publicación. Las referencias a esta obra se realizan en este manual bajo las siglas G.R.L.M.

JAURALDE POU, P., *Manual de investigación literaria*, Madrid, Gredos, 1981; la parte medieval abarca las pp. 236-266.

Medieval Hispanic Research Seminar Newsletter, Westfield College (Londres), nº 1, 1985, bajo la dirección de Alan DEYERMOND; aunque modesta en sus pretensiones editoriales, la información bibliográfica ofrecida resulta útil.

PALAU Y DULCET, A., *Manual del librero Hispano Americano*, Barcelona, 1948-1977; colección de gran interés que registra numerosas ediciones de libros raros y de uso poco frecuente; recientemente ha sido complementada por varios volúmenes de índices temáticos.

Repertorio de Historia de las ciencias eclesiásticas en España, Salamanca, Universidad Pontificia, 1967-1979, 7 vols.

Repertorio de Medievalismo Hispánico, bajo la dirección de E. SAENZ, Barcelona, Albir, desde 1976.

SÁNCHEZ, Tomás Antonio, *Colección de poesías castellanas anteriores al siglo XV*, Madrid, 1779-1790.

SERIS, H., *Manual de bibliografía de la literatura española*, I, Syracuse, University, 1948-1954; del mismo autor también es útil su *Guía de nuevos temas de literatura española*, Madrid, Castalia, 1973, pp. 115-156.

SIMÓN DÍAZ, J., *Bibliografía de la literatura hispánica* (desde 1950); el volumen tercero se dedica a la literatura medieval; del mismo autor resulta muy útil, por ser resumen de los tomos publicados, su *Manual de bibliografía de la literatura española*, Madrid, Gredos, 1980.

Typologie du sources du Moyen Âge Occidental, bajo la direc. de I Genicot, Universidad Católica de Bruselas, Turnhout-Belgium, Brepols, desde 1972; se trata de publicaciones monográficas por fascículos sobre distintas fuentes medievales, muchas de las cuales tienen un gran interés para la historia literaria.

I.10.3. MANUALES

La historia de los manuales sobre literatura medieval española podría comenzar con el *Proemio* del Marqués de Santillana, obra escrita a mediados del siglo XV para satisfacer la curiosidad intelectual del Condestable de Portugal; durante el siglo XVIII encontramos una visión muy interesante del hecho literario medieval realizada por el Padre Sarmiento en sus *Memorias para la historia de la poesía española y poetas españoles* [1775]. Sin embargo, será a partir del siglo XIX cuando se dedique una mayor atención a los estudios medievales, fruto del entusiasmo romántico por aquellos remotos tiempos: Antonio GIL Y ZÁRATE, José AMADOR DE LOS RÍOS, Marcelino MENÉNDEZ PELAYO, sin olvidar a determinados hispanistas como George TICKNOR, Alfred MOREL-FATIO o James FITZMAURICE-KELLY, son autores de manuales de historia de la literatura española, en cuyas páginas se pueden encontrar valiosas referencias a la época medieval[44]. Esta nómina será enriquecida por otras aportaciones más modernas, entre las que destacamos las siguientes:

ALBORG, J. L., *Historia de la Literatura Española*, t. I. Edad Media y Renacimiento, Madrid, Gredos, 2ª edic., 1981.

AMADOR DE LOS RÍOS, *Historia Crítica de la Literatura Española*, Madrid, 1862-65, 7 vols; edición facsímil, Madrid, Gredos, 1969.

AA. VV., *Historia general de las literaturas hispánicas*, bajo la dirección de Guillermo DÍAZ PLAJA, Barcelona, Vergara, t. 1 y t. 2, 1949 y 1953, respectivamente. Sigue siendo muy útil en muchos de sus capítulos.

AA. VV., *Historia de la Literatura Española, vol. I. Desde los orígenes al siglo XVII*, Madrid, Cátedra, 1990.

BLANCO AGUINAGA, C.-RODRÍGUEZ PUÉRTOLAS J.-ZAVALA, I. M., *Historia social de la literatura española* (en lengua castellana), Madrid, Castalia, 1978, t. I, pp. 9-193.

CEJADOR Y FRAUCA, J., *La historia de la lengua y la literatura castellana*, Madrid, 1915-1922, 14 tomos.

DEYERMOND, A. D., *Historia de la literatura española. t. 1. La Edad Media*, Barcelona, Ariel, 4ª edic. 1974.

DEYERMOND, A. D., *Edad Media en Historia Crítica de la Literatura Española*, dirigida por Francisco RICO, Barcelona, Editorial Crítica, 1979.

DEYERMOND, A. D., *Edad Media. Primer suplemento* en *Historia Crítica de la Literatura Española*, Barcelona, Editorial Crítica, 1991.

DIEZ BORQUE, J. M., (coordinador), *Historia de la literatura española (hasta s. XVI)*, Madrid, Guadiana, 1974, Taurus, 1980.

HURTADO, A.-GONZÁLEZ PALENCIA, A., *Historia de la literatura española*, Madrid, 1921.

LÓPEZ ESTRADA, F., *Introducción a la literatura medieval española*, Madrid, Gredos, 4ª edic., 1979.

LÓPEZ MORALES, H., *Historia de la literatura medieval española, I*, Madrid, Hispanova de Ediciones, 1974.

MENÉNDEZ PELAYO, M., *Historia de la poesía castellana en la Edad Media*, Madrid, Edición ordenada y anotada por Adolfo BONILLA

44 Un estudio más detallado sobre la historia de los manuales de la literatura española en SIMÓN DÍAZ, J., *Bibliografía de la literatura hispánica*, Madrid, 3ª edic., 1983, pp. 1-65.

Y SAN MARTÍN, Librería General de Victoriano Suárez, 1914, 3 vols. Menéndez Pelayo, a pesar de ser "el mayor historiador de la literatura española" no escribió un manual, propiamente tal, de esta disciplina; su visión de la historia literaria española está dispersa en obras como *Historia de las ideas estéticas* u *Orígenes de la novela.*

PEDRAZA JIMÉNEZ, F.-RODRÍGUEZ CÁCERES, M., *Manual de literatura española. I. Edad Media,* Pamplona, Cénlit Ediciones, 1981.

VALBUENA PRAT, A., *Historia de la Literatura Española, T. I. Edad Media,* 9ª edic., ampliada y puesta al día por Antonio PRIETO, Barcelona, Gustavo Gili, 1981.

I.10.4. EDICIONES DE TEXTOS

En los últimos años la industria editorial viene multiplicando las ediciones de textos clásicos. De algunas obras las versiones se cuentan por decenas; sin embargo, los criterios comerciales seguidos no favorecen la edición de obras consideradas de segundo rango que siguen siendo de difícil consulta, permaneciendo muchos textos aún en manuscritos sin publicar.

Algunas colecciones ya se han ganado el prestigio de la crítica especializada. A modo de guía enumeramos algunas de ellas. "Clásicos Castellanos" y "Colección Austral" (Edit. Espasa-Calpe); "Clásicos Castalia" (Edit. Castalia); "Letras Hispánicas" (Edit. Cátedra); "Biblioteca Universitaria Everest" (Edit. Everest); "Clásicos Alhambra" (Edit. Alhambra), "Clásicos Planeta" (Edit. Planeta); "Clásicos Taurus" (Edit. Taurus); "Biblioteca Clásica" (Edit. Crítica), etc.

I.11. BIBLIOGRAFÍA

I.11.1. HACIA UNA DELIMITACIÓN DEL CONCEPTO DE LITERATURA MEDIEVAL

ALSINA, J., *Problemas y métodos de la literatura*, Madrid, Espasa-Calpe, 1984.

AMORÓS, A., *Introducción a la literatura*, Madrid, Castalia, 1979.

AUERBACH, E., *Lenguaje literario y público en la baja latinidad y en la Edad Media*, traduc. española, Barcelona, Barral, 1969.

CASO GONZÁLEZ, J. M., "Algunas notas para la interpretación de la literatura medieval", *Archivum*, XXXIII, 1971, pp. 178-185.

ESCARPIT, R.,"La définition du terme littérature", en *Le littéraire et le social. Éléments pour une sociologie de la littérature*, Paris, Flammarion, 1970, pp. 259-272.

KOEHLER, E.,"Literatursoziologische Perspectiven", en G.R.L.M., Heidelberg, Band IV, 1978, pp. 81-103.

MONTOYA MARTÍNEZ, J., "La literatura medieval española (siglo XIII). Algunos criterios metodológicos", *Glosa*, nº 1 (1990)31-58.

SCHOLZ, M. G., *Hören und Lesen. Studien zur primärien Rezention der Literatur im 12. und 13 Jahrhundert*, Wiesbaden, 1980.

WELLEK, R., *Historia literaria, problemas y conceptos*, Barcelona, Laia, 1983.

I.11.2. HACIA UNA POÉTICA MEDIEVAL

I.11.2.1. Retóricas y poéticas en la tradición latino-romance

BALDUWIN, C., *Medieval Rhetoric and Poetic*, New York, 1928.

BRUYNE, E. de, *Estudios de estética medieval*, traduc. española, Madrid, Gredos, 1958, 3 vols.

CAMARGO, M., *Ars Dictaminis. Ars Dictandi*, en *Tipologie de Sources du Moyen Âge Occidental*, fasc. 60, Tourhout-Belgium, Brepols, 1991.

FARAL, E., *Les arts poétiques du XIIe. et XIIIe siècle*, Paris, H. Champion, 1971.

KELLY, D., *The Arts of Poetry and Prose*, en *Tipologie des Sources du Moyen Âge Occidental*, fasc. 55, Tournhout-Belgium, Brepols, 1991.

LAUSBERG, H., *Manual de retórica literaria*, traduc. española, Madrid, Gredos, 1966-1968, 3 vols.

LÓPEZ ESTRADA, F., (edit.), *Las poéticas castellanas de la Edad Media*, Madrid, Taurus, 1984.

MURPHY, J., *La retórica en la Edad Media*, traduc. española, Méjico, 1986.

PÉREZ RODRÍGUEZ, E., *El Verbiginale. Una gramática castellana del Siglo XIII (Estudio y edición crítica)*, Universidad de Valladolid - Caja de Ahorros y M. P. de Salamanca, 1990.

ZUMPTOR, P., "Rhetorique et poétique médiévale", en G.R.L.M., I, 1970, pp. 57-91.

———, *Essai de poétique médiévale*, Paris, Seuil, 1972.

———, *Le masque et la lumière: poétique des grands rhétoriqueurs*, Paris, Seuil, 1975.

———, *Introduction à la poésie oral*, Paris, Seuil, 1983.

———, *La letra y la voz de la "Literatura" medieval*, traduc. española, Madrid, Cátedra, 1989.

I.11.2.2. Géneros literarios medievales

BRUNETIÈRE, F., *La doctrine évolutive et l'histoire de la littérature*, Paris, 1899.

BULTMANN, R., *Die Geschichte der synoptischen Tradition*, Göttingen, 1964.

COSERIU, E., "Thesen zum Thema 'Sprache und Dichtung'", en *Beiträge zur Textlinguistik*, München, 1971, pp. 183-188.

FUBINI, M., *Entstehung und Geschichte der literarischen Gattunguen*, Tübingen, 1971.

GARRIDO GALLARDO, M. A. (ed.), *Teoría de los géneros literarios*, Madrid, Arco, 1988.

HANKISS, J., "Les genres littéraires et leur base psychologique", *Helicon*, 2 (1939)117-129.

HERNADI, P., *Teoría de los géneros literarios*, Barcelona, Bosch, 1978.

JAUSS, H. R., "Theorie der Gattungen und Literatur des Mittelalters", en G.R.L.M., I, Heidelberg, 1970, pp. 107-138; la versión francesa del mismo trabajo se puede ver en *Poétique*, 1(1970)79-101.

RUTTKOWSKI, W., *Die literarischen Gattungen*, Bern, 1968.

SALVADOR MIGUEL, N., "Mester de clerecía, marbete caracterizador de un género literario", en *Revista de Literatura*, T. XLII, n. 82, julio-diciembre (1979)5-30.

STRELKA, J. P. (edit.), *Theories of Literary Genre. Yearbook of Comparative Criticism*, The Pennsylvania State University, 1978.

I.11.3. HACIA UNA DELIMITACIÓN CRONOLÓGICA DE LA LITERATURA MEDIEVAL

AMORÓS, A., "La periodización", en *Introducción a la literatura*, Madrid, Castalia, 1979, pp. 145-193.

CASTRO, A., *La realidad histórica de España*, México, Porrúa, 6ª edic. 1975.

CROCE, B., "La selección y división en períodos", en *Teoría e Historia de la historiografía*, Buenos Aires, Imán, 1957.

CYSARS, H., "El principio de los períodos en la ciencia literaria", en *Filosofía de la ciencia literaria*, México, Fondo de Cultura Económica, 1946.

HUIZINGA, J., *El otoño de la Edad Media*, Madrid, Revista de Occidente, 1967.

LÓPEZ ESTRADA, F., "Periodicidad, historia y cultura en relación con la literatura medieval", en *Introducción a la literatura medieval española*, Madrid, Gredos, 1979, pp. 84-116.

I.11.4. LA FILOLOGÍA EN EL ESTUDIO DE LA LITERATURA MEDIEVAL

ALARCOS LLORACH, E., "Diacronía del español", en *Fonología española*, Madrid, Gredos, 1965, pp. 209-281.

ALONSO, A., *De la pronunciación medieval a la moderna en español*, Madrid, Gredos, I, 1955; II, 1969.

ALVAR, M., *Dialectología española*, Madrid, C.S.I.C., 1962.

BUSTOS TOVAR, J., *Contribución al estudio del cultismo léxico medieval (1140-1252)*, Madrid, Real Academia Española, 1974.

COROMINAS, J., *Diccionario crítico etimológico de la lengua castellana*, Madrid, Gredos, 1954, 4 vols; resulta también útil al alumno un resumen del mismo autor con el título *Breve diccionario etimológico de la lengua castellana*, Madrid, Gredos, 2ª edic. 1967.

GONZÁLEZ OLLÉ, F., *Lengua y literatura españolas medievales. Textos y glosario*, Barcelona, Ariel, 1980.

LAPESA, R., *Historia de la lengua española*, Madrid, Gredos, 1979.

MENÉNDEZ PIDAL, R., *Orígenes del español*, Madrid, Espasa-Calpe, 1946.

———, *Manual de gramática histórica española*, Madrid, Espasa-Calpe, numerosas ediciones desde 1904.

REAL ACADEMIA ESPAÑOLA, *Diccionario histórico de la lengua española*, Madrid, R.A.E., 1960. Obra en curso de publicación.

I.11.5. LITERATURA MEDIEVAL Y CRÍTICA TEXTUAL

AVALLE, A. S. d', *Principi di critica testuale*, Padova, 1972.

———, "La critica testuale", en G.R.L.M., I, Heidelberg, 1972, pp. 538-558.

BLECUA, A., *Manual de crítica textual*, Madrid, Castalia, 1983.

BRAMBILLA, A. F., *L'edizione critica dei testi volgari*, Parma, 1967, 2 vols.

FROGER, J., *La critique des textes et son automatisation*, Paris, 1968.

MARICHAL, R., "La critique des textes", en *L' histoire et ses méthodes*, Paris, 1961, pp. 1247-1366.

I.11.6. LA TRADICIÓN LATINA (CLÁSICA Y MEDIEVAL) EN LA LITERATURA MEDIEVAL

ARIAS Y ARIAS, R., *La poesía de los goliardos*, Madrid, Gredos, 1970.

———, *Cantos de Goliardo. Carmina Burana*. Prólogo de C. YARZA y traducción de Lluís MOLES, Barcelona, Seix Barral, 1978.

BEZZOLA, R., *Les origines et la formation de la littérature courtoise en Occident (500-1200)*, Paris, 1944-1963, 3 vols.

BOLGAR, B. R. *Clasical Influences on European Culture A. D. 500-1500*, Cambridge, University Press, 1971.

CURTIUS, E. R., *Literatura Europea y Edad Media latina*, traduc., española, México, Fondo de Cultura Económica, 1976.

DELBOUILLE, M., "Tradition latine et naissance des littératures romanes", en G.R.L.M., I, pp. 3-56.

DREVES, G. M.-BLUME, C., *Analecta Hymnica Medii Aevii*, Leipsig, 1886-1922, 55 vols.

DRONKE, P., *Medieval Latin and the Rise of European Love-Liric*, Oxford, 1965-1966, 2 vols.

GARCÍA VILLOSLADA, R., *La poesía rítmica de los goliardos medievales*, Madrid, Fundación Universitaria Española, 1975.

HASKINS, Ch. H., *The Renaissance of the Twelfth Century*, Cambridge, Harvard University Press, 7ª edic. 1979.

HIGHET, G., *La tradición clásica. Influencias griegas y romanas en la literatura occidental*, México, Fondo de Cultura Económica, 1954.

LIDA DE MALKIEL, R. M., *La tradición clásica en España*, Barcelona, Ariel, 1975.

RICO, F., "Las letras latinas del siglo XII en Galicia, León y Castilla", *Ábaco*, II (1969)9-91.

SPANKE, H., *Studien zur lateinischen und romanischen Lyrik des Mittelalters*, Hildesheim, Georg Olms, 1983.

SZÖVERFFY, J., *Latin Hymns*, en *Typologie des sources du Moyen Âge Occidental*, fasc. 55, Turnhout-Belgium, Brepols, 1989.

I.11.7. LITERATURA MEDIEVAL CASTELLANA Y LITERATURA COMPARADA

BALDENSPERGER, F.-FRIEDICH, W. P., *Bibliography of Comparative Literature*, Chapel Hill, 1950-1960.

FRAPPIER, J., "Littérature médiévale et Littérature Comparée", en G.R.L.M., I, Heidelberg, 1972, pp. 139-162.

KRAPPE, A. H., "Medieval Literature and the Comparative Method", *Speculum* (Cambridge) (1965)178-225.

RODDIER, H., "Principes d'une histoire comparée de littératures européennes", *Revue de Literature Comparée*, (1965)178-225.

THOMPSON, S., "Comparative Problems in Oral Literature", *Yearbook of Comparative and General Literature*, 7 (1958) 6-16.

I.11.8. ESTILO INDIVIDUAL Y ESTILO COLECTIVO EN LA EDAD MEDIA

ASTON, S. C., "Stil- und Formprobleme in der Literatur", en *Vorträge des VII Kongresses des Internationalen Vereinigung für moderne Sprachen und Literatur in Heidelberg*, Heidelberg, 1959, pp. 142-147.

BORDIEU, P., "Der habitus als Vermitlung zwischen Structur und Praxis", en *Zur Sociologie der symbolischen Formen*, Frankfurt, 1970.

CHAYTOR, H. J., *From Script to Print. An Introduction to Medieval Literature*, Cambridge, Heffer, 1945.

DE CHASCA, E., *El arte juglaresco en el 'Cantar de Mio Cid'*, Madrid, Gredos, 1967.

DORFMAN, E., *The Narreme in the Medieval Romance Epic*, Toronto, 1969.

FARNHAM, F., "Romanesque design in the Chanson de Roland", *Romance Philology*, 18 (1964)143-164.

HATZFELDT, H.,"Le style collectif et le style individuel", en G.R.L.M., Band, I, Heidelberg, 1972, pp. 92-106.

MENÉNDEZ PIDAL, R., "Poesía popular y poesía tradicional" y "El estilo tradicional", en *Romancero Hispánico*, Madrid, Espasa-Calpe, 1953, t. I, pp. 11-57, y 58-80. Son varias las publicaciones de Menéndez Pidal en las que desarrolla estos conceptos básicos en su teoría neotradicionalista.

I.11.9. RELIGIOSIDAD Y CREACIÓN LITERARIA EN LA EDAD MEDIA

AA.VV., *La religion populaire au Moyen Âge. Problèmes de méthode et d'histoire*, Montreal, Paris, 1975.

ARADEMAGNI, Enrica J., "La penitencia en las obras de Gonzalo de Berceo", *Revista de Literatura Medieval*, 2 (1990)131-140.

ARNAU GARCÍA, R., "Don Juan Manuel y la Teología del siglo XIV", *Anthologica Annua*, 30-31 (1983-84) 325-354.

BRAYER, E., "Catalogue des textes liturgiques et des petits genres religieux", en G.R.L.M., VI, 1., Heidelberg, 1968, pp. 1-21.

GARROSA RESINA, A., *Magia y superstición en la literatura castellana medieval*, Universidad de Valladolid, 1987.

GIORDANO, O., *Religiosidad popular en la alta edad media*, Madrid, Gredos, 1983.

LOMAX, D., "The Lateran Reforms and Spanish Literature", *Ibero-Romania*, 1 (1969) 299-313.

MALDONADO, L., *Génesis del catolicismo popular. El inconsciente colectivo de un proceso histórico*, Madrid, Ediciones Cristiandad, 1979.

MENÉNDEZ PELÁEZ, J., "Catequesis y literatura en la España medieval", *Studium Ovetense*, VIII (1980)7-41.

———, *Nueva visión del amor cortés. El amor cortés a la luz de la tradición cristiana*, tesis doctoral dirigida por José Miguel CASO GONZÁLEZ, Oviedo, Universidad, 1980.

———, *El Libro de Buen Amor: ¿Ficción literaria o reflejo de una realidad?*, Gijón, Noega, 1980.

———, "La tradición mariológica en Berceo", *Actas de las III Jornadas de Estudios Berceanos*, Logroño, Instituto de Estudios Riojanos, 1981, pp.113-127.

———, "El IV Concilio de Letrán, la Universidad de Palencia y el mester de clerecía", *Studium Ovetense*, XII (1984)27-39.

OYOLA, E., *Los pecados capitales en la literatura medieval española*, Barcelona, Puvill- Editor, 1979.

SAUGNIEUX, J., *Berceo y las culturas del siglo XIII*, Logroño, Instituto de Estudios Riojanos, 1982.

VAUCHEZ, A., *La espiritualidad del Occidente Medieval (siglos VIII-XII)*, Madrid, Cátedra, "Historia minor", 1985.

———, *La sainteté en Occident aux derniers siècles du Moyen Âge*, Roma, École Française, 1988.

I.11.10. ASPECTOS GENERALES DE LA CULTURA MEDIEVAL

ARIES, Ph.-DUBY, G., *Historia de la vida privada. De la Europa feudal al renacimiento*, t. 2., Madrid, Taurus, 1988.

CARRERAS Y ARTAU, T. y J., *Filosofía cristiana de los siglos XIII al XV*, Madrid, Real Academia de Ciencias Exactas, Físicas y Naturales, 1939, 2 vols.

CASTRO, A., *La realidad histórica de España*, México, Porrúa, 6ª edic., 1975.

CRUZ HERNÁNDEZ, M., *Filosofía Hispanomusulmana*, Madrid, Asociación Española para el Progreso de las Ciencias, 1957, 2 vols.

DOMÍNGUEZ ORTIZ, A., (edi.), *Al-Andalus: musulmanes y cristianos*, t. 3., y *De la crisis medieval al renacimiento*, t. 4., en Historia de España, Barcelona, Planeta, 1989.

DUBY, G., *San Bernardo y el arte cisterciense (el nacimiento del gótico)*, traduc. española, Madrid, Taurus, 1981.

———, *El caballero, la mujer y el cura. El matrimonio en la Francia feudal*, traduc. española, Madrid, Taurus, 1982.

FERNÁNDEZ CONDE, J., (edi.), "La Iglesia en la España de los siglos VIII al XIV", 2 vols, en *Historia de la Iglesia en España*, bajo la dirección de Ricardo GARCÍA-VILLOSLADA, Madrid, Biblioteca de Autores Cristianos, 1982.

GILSON, E., *La filosofía en la Edad Media. Desde los orígenes patrísticos hasta el fin del siglo XV*, Madrid, Gredos,1958.

HAUSER, A., "La Edad Media", en *Historia de la literatura y el arte*, traduc. española, Madrid, Ediciones Guadarrama, 1969, pp. 167-341.

LE GOFF, J., *Los intelectuales en la Edad Media*, traduc. española, Barcelona, Gedisa, 1986.

———, *Lo maravilloso y lo cotidiano en el Occidente medieval*, traduc. española, Barcelona, Gedisa, 1985.

———, *El nacimiento del purgatorio*, traduc. española, Madrid, Taurus, 1981.

———, *Tiempo, trabajo y cultura en el Occidente medieval*, traduc. española, Madrid, Taurus, 1983.

MENÉNDEZ PIDAL., R., *La España del Cid*, Madrid, Espasa-Calpe, 1929, 2 vols.

———, *Historia de España bajo la dirección de*...; se trata, sin duda, del mayor proyecto historiográfico sobre nuestra península; se la conoce en los círculos universitarios como la "Historia de España de Pidal", por haber sido el gran maestro el impulsor y director de este gran proyecto. Los tomos dedicados a la Edad Media son, quizás, la mejor contribución de conjunto al medievalismo historiográfico y cultural. Obra en curso de publicación.

RUIZ DE LA PEÑA, I., *Introducción a la Edad Media*, Madrid, Siglo XXI, 1984.

SÁNCHEZ ALBORNOZ, C., *España un enigma histórico*, Buenos Aires, Editorial Sudamericana, 3ª edic., 1971, 2 vols.

———, *Instituciones Medievales Españolas*, Madrid, Espasa-Calpe, 1976, 2 vols.

CAPÍTULO II: TIPOLOGÍA DE LA PRIMITIVA LÍRICA PENINSULAR Y EL PROBLEMA DE LOS ORÍGENES

TIPOLOGÍA DE LA PRIMITIVA LÍRICA PENINSULAR
Y EL PROBLEMA DE LOS ORÍGENES

II.1. DOS TEORÍAS EN PUGNA: INDIVIDUALISMO Y TRADICIONALISMO

El nacimiento de la lírica en los pueblos románicos tiene una doble explicación en el campo de la crítica medieval.

II.1.1. TEORÍA INDIVIDUALISTA

Supone que la lírica surge en los pueblos románicos por obra de poetas individuales que plasmaron por escrito sus propias creaciones, fruto del genio individualizado de sus autores. Quienes así piensan parten de la idea de que la creación lírica es siempre una creación escrita, no oral. Para ellos la poesía artística (*Kunstpoesie*) tiene que ser individual, personal, hasta poder ser identificado y localizado su autor en sus coordenadas espacio-temporales concretas. La unidad de autor es otra de las premisas básicas de esta teoría. Asimismo, esas primeras creaciones líricas no serían fruto espontáneo del vivir cotidiano del pueblo, sino que supondrían una deliberada actividad intelectual, y exigirían un conocimiento y unos estudios de corrientes poéticas precedentes. Por eso, la teoría individualista trata de explicar el nacimiento de la lírica románica como una consecuencia o derivación de la literatura latina antigua o medieval, en la que se habrían inspirado esos primitivos poetas de la Romania. Esa vinculación con la tradición latina podría ser doble: bien relacionada con la poesía amorosa de los goliardos, bien inspirada en la poesía litúrgica o mariana.

Por ello, las primeras manifestaciones de poesía romance estarían testimoniadas en los documentos escritos conservados, sin que, con anterioridad a los mismos, haya habido una experiencia lírica. De esta manera, en esta teoría se adopta una actitud positivista: hay que partir de los testimonios tangibles[1].

Al aplicar estos presupuestos a la Península, los individualistas argumentan de la siguiente manera. Como la ausencia de documentos, de hechos tangibles, es casi total en Castilla, se da por cierto que esta región no conoció la poesía lírica hasta los últimos siglos medievales, muy en concreto hasta el *Cancionero de Baena*, compilado en el siglo XV, en el que figuran algunos autores que, a lo sumo, pueden remontarse a finales del siglo XIV.

---

1 Esta teoría, aquí esbozada, inspira la magna obra de E. R. CURTIUS, *Literatura Europea y Edad Media Latina*, traduc. española, México, Fondo de Cultura Económica, 2ª reimpr., 1976, 2 vols.; en este sentido, es bien ilustrativo el epígrafe "Los comienzos de las literaturas en lengua vulgar", t. II, pp. 549-555. Asimismo, la orientación crítica de P. DRONKE se basa en esta concepción de la poesía medieval; véanse, por ejemplo, sus obras: *Medieval Latin and the Rise of European Love-Lyric*, Oxford University Press, 1968, 2 vols. Idem, *La individualidad poética en la Edad Media*, traduc. española, Madrid, Alhambra, 1981; Idem, *La lírica en la Edad Media*, traduc. española, Barcelona, Seix Barral, 1978.

¿Por qué en Castilla habría florecido tan tardíamente la lírica? La crítica individualista parte también del hecho según el cual la experiencia lírica sólo puede desarrollarse en un ambiente de paz y de sosiego. La actividad guerrera en la que se encontraba Castilla, empleada en la reconquista, habría favorecido el desarrollo del cantar de gesta, pero habría sido un obstáculo para el desarrollo de la lírica.

Tomando como base esta explicación, se ponen en boga dos tesis: 1) La lírica se desarrolla más tardíamente que la épica; exige una reflexión mayor y una introspección. 2) Como los primeros testimonios líricos conservados (antes del descubrimiento de las jarchas) pertenecían al mundo provenzal, se afirmaba que la lírica de los trovadores era la primera de toda la Romania. En la región de Provenza, gracias al clima benigno y a sus hermosos paisajes, unidos a la ausencia de actividad guerrera, habría brotado la primera manifestación de la lírica en los pueblos románicos. De esta manera, Guillermo de Aquitania pasaba por ser el primer poeta en lengua romance.

II.1.2. TEORÍA TRADICIONALISTA

La idea básica de esta actitud crítica se fundamenta en la afirmación de que las primeras manifestaciones de la lírica en los pueblos románicos son muy anteriores a los textos conservados. Dicho de otra manera, la lírica popular precede a la lírica culta conservada en los manuscritos medievales.

II.1.2.1. El tradicionalismo romántico

La valoración de la lírica popular tiene una larga trayectoria crítica, que se remonta al Neoplatonismo[2] renacentista, sirve de inspiración creadora a muchos de los poetas del Barroco, para, una vez superadas las categorías estéticas de los ilustrados, desembocar en el Romanticismo, desde cuya óptica se exaltará la poesía natural (*Naturpoesie*). Esta actitud crítica cobra cuerpo doctrinal en Alemania con Herder, se continúa con Göthe, pasa a los hermanos Schlegel, a los hermanos Grimm, para encontrar en Ludwig Uhland el primer sistematizador[3]. Con el Romanticismo se llega a la máxima revalorización de la llamada poesía natural. Esta poesía nace del pueblo a través de fuerzas mecánicas e inconscientes. Es una poesía dominada por la emotividad, la espontaneidad y la sencillez. La poesía artística es, por el contrario, in-

---

2 FRENK ALATORRE, M., *Las jarchas mozárabes y los comienzos de la lírica románica,* El Colegio de México, 1955; de la misma autora "Dignificación de la lírica popular en el Siglo de Oro", *Anuario de Letras* (México), (1962)27-54.

3 Una historia de la evolución sufrida por el concepto de lírica popular puede verse en LEVY, P., *Geschichte des Begriffes Volkslied,* Berlín, 1911; hay una breve síntesis de este libro en MENÉNDEZ PIDAL, R., *Romancero Hispánico,* Madrid, Espasa-Calpe, 1953, t. I, pp. 10-57.

telectual, arbitraria, supeditada al artificio de la retórica. El Romanticismo representará un canto de exaltación a lo medieval en busca de las señas de identidad de cada pueblo (*Volksgeist*). El alma de un pueblo, con sus peculiaridades espirituales, se reflejaría en estas viejas canciones, porque son fruto de una espontánea emanación del espíritu de un grupo en su etapa más genuina. Por tanto, la *Naturpoesie* se coloca frente a la *Kuntspoesie*.

La poesía popular nace en el momento en que se configura la identidad de un pueblo. Por ello, nos remite a un momento muy antiguo en la edad de una comunidad étnica. Este tipo de poesía es un privilegio de las sociedades primitivas[4].

A partir de estas consideraciones, se llega a la afirmación de que la poesía popular representa la primera experiencia poética de un pueblo, o dicho de otra manera, la poesía popular es anterior a la poesía culta.

II.1.2.2. El neotradicionalismo

El vocablo ilustra, por sí mismo, la vinculación de la teoría con el romanticismo, pero al mismo tiempo el prefijo matizará algunos de los radicalismos en que habían caído los críticos de finales del siglo XIX. Esta nueva actitud crítica adoptará una posición conciliadora entre el individualismo radical y el romanticismo exarcebado. Menéndez Pidal[5], para el caso peninsular, podría tomarse como el representante más cualificado de esta tendencia, dentro de una nómina mucho más amplia.

Los puntos básicos de esta posición se podrían resumir en los siguientes enunciados:

• *II.1.2.2.1. La anonimia* caracteriza el comienzo de las literaturas. Los monumentos literarios de la Baja Edad Media, obras de arte personal, en las que el autor aspira a que su nombre merezca el aprecio de los literatos, van precedidos de una larga época enteramente anónima en la que no se tiene en cuenta el valor individual de la creación literaria, ni se considera para nada la personalidad del autor. Durante esta época anónima, el autor no pretende perpetuar su obra en los libros, sino que se contenta con satisfacer fugazmente las apetencias de un público que se reúne, bien en la plaza pública, bien en los atrios de las iglesias, bien en los castillos.

---

4 BOWRA, C. M., *Poesía y canto primitivo,* traduc. española, Barcelona, A. Bosch, 1984.

5 La teoría neotradicionalista, en la perspectiva de Ramón MENÉNDEZ PIDAL, aparece reiteradamente en muchos de sus escritos, entre otros: "Cantos románicos andalusíes" en *España, eslabón entre la cristiandad y el Islam,* Madrid, Espasa-Calpe, "Colección Austral", n. 1280, 1968, 2ª edic., pp. 61-153; "La primitiva lírica española" en *Estudios Literarios,* Madrid, Espasa-Calpe, "Colección Austral", n. 28, 1938, pp. 157-212; *Poesía árabe y poesía europea,* Madrid, Espasa-Calpe, "Colección Austral", n. 190, 1941.

Don Ramón Menéndez Pidal

• *II.1.2.2.2. Poesía individual, poesía popular, poesía tradicional.-* El neotradicionalismo pidaliano utiliza una serie de nociones y conceptos, cuya definición puede ayudar a entender el desarrollo de su teoría, enmarcada en un armazón estructural que por su claridad expositiva recuerda la metodología escolástica. *Poesía individual* es aquella que resulta de la actividad propia de un individuo, íntimamente vinculado a la colectividad: el juglar, esencialmente indocto e inculto[6]. *Poesía popular* es aquella que el pueblo repite con gusto durante largo tiempo, pero no la modifica porque tiene conciencia de que es obra ajena. *Poesía tradicional* es aquella que es considerada como patrimonio común. El pueblo la recibe como suya y por eso la cambia constantemente.

En la teoría de Menéndez Pidal se pueden distinguir tres etapas en el proceso de tradicionalización de una canción:

6 El concepto de juglar, ampliamente desarrollado por Pidal en *Poesía juglaresca y orígenes de las literaturas románicas,* Madrid, Instituto de Estudios Políticos, 1957, es quizás el más criticable en su teoría, pues la investigación actual ve más bien a éstos poetas populares, dotados de una relativa cultura, a la vez que son colaboradores de la actividad de los clérigos.

Primera etapa: Una poesía nace un día concreto, en un lugar concreto y es obra de un autor-juglar concreto. En un principio es obra individual, fechada en un momento de la historia.

Segunda etapa: El profesional la canta en público. Algunas de esas canciones tienen cierto éxito entre la colectividad que las repite, en principio, con la misma letra y la misma música que oyeron al juglar.

Tercera etapa: Durante la etapa de popularización mueren la mayor parte de las canciones. Aquellas que consiguen pervivir entran en la fase de tradicionalización, en la que la transformación se hace por el no profesional, a través de la vía oral, viviendo en constantes variantes.

• *II.1.2.2.3. El testimonio de las Crónicas.*- Es otro de los fundamentos de la teoría de Menéndez Pidal. Determinadas crónicas de la primera mitad del siglo XII nos hablan de una experiencia lírica en Castilla. Para el propósito que nos ocupa, son importantes la *Historia Anónima de Sahagún*, la *Historia Compostelana* y la *Chrónica Adefonsi Imperatoris*. Las tres son de la primera mitad del siglo XII, es decir, muy anteriores al *Cancionero de Baena*, considerado por los individualistas como término "a quo" de la lírica castellana. En ellas se cuenta que el pueblo castellano cantaba cantos colectivos en todas aquellas situaciones de alegría o de dolor. Así, la *Chrónica Adefonsi Imperatoris*, cuando narra la llegada de Alfonso VII a Toledo, victorioso sobre los almorávides en 1139, dice que todo el vecindario de la ciudad, compuesto de tres pueblos (cristianos, moros y judíos) salió al encuentro con laúdes, cítaras, atabales y muchos otros instrumentos, cantando loores a Dios y al vencedor cada uno en su lengua (*Unusquisque eorum secundum linguam suam*)[7]. En la *Historia Anónima de Sahagún* se dice, asimismo, que cuando la reina Urraca llegó a la ciudad en 1116 "todos los burgueses con las mujeres e fijos salieron a recebir e con sones e cantos de cítaras e otros instrumentos la metieron en la villa"[8].

De estos testimonios se desprende que el pueblo castellano tenía en aquellos siglos una actividad poética, cuyas producciones se han perdido, por lo que no han podido llegar hasta nosotros. Antes de que el autor del *Cantar de Mio Cid* compusiera su obra, la poesía lírica surgía en todos los momentos emotivos de la vida en los reinos de Castilla y León. Las crónicas anteriormente citadas lo respaldan. Es, por tanto, un argumento positivo. Por otra parte, el descubrimiento de las jarchas vino a demostrar que el villancico, que florece en Castilla en los siglos XV y XVI, no procede de una imitación de las cantigas de amigo galaico-portuguesas, como repetía la crítica individualista, sino que está enraizado en la misma tradición de estas composiciones de los siglos XI y XII.

7 Texto citado por MENÉNDEZ PIDAL, R. "Cantos románicos...", p. 76.

8 *Ibidem*, p. 77.

II.2. TIPOLOGÍA DE LA PRIMITIVA LÍRICA EN EL AL-ANDALUS: LAS JARCHAS

II.2.1. IMPORTANCIA DEL DESCUBRIMIENTO DE LAS JARCHAS

Fueron los hebraístas los que sorprendieron a los estudiosos de la filología románica con el más sensacional descubrimiento de la primera mitad del siglo XX para el estudio de las literaturas románicas. Abre el camino J. M. Millás Vallicrosa[9]. Pero el verdadero artífice de este hallazgo, a quien la crítica considera autor del descubrimiento, es el también hebraísta Stern, quien en 1948 publica un breve *corpus* de jarchas hispano-hebreas[10]. Sin embargo, la noticia quedó reducida a los especialistas en hebreo. Habrá que esperar al año siguiente, cuando Dámaso Alonso[11] escribe un artículo en el que ya se señala la importancia que tal hallazgo tenía para los estudiosos de las literaturas románicas. El asombro y el entusiasmo, por las consecuencias que de él se derivaban, estaban plenamente justificados.

II.2.2. NATURALEZA DE LAS JARCHAS

Desde el punto de vista de la estructura externa, forman la jarcha los últimos versos de una composición hispano-árabe, inventada por Muccadan de Cabra a comienzos del siglo X, conocida con el nombre de moaxaja[12]. Esta composición estrófica fue adaptada más tarde por los hispanohebreos, hecho que explica el que las jarchas descubiertas por Stern se encuentren precisamente en moaxajas hebreas. Posteriormente, se descubrieron un buen número de jarchas en moaxajas árabes[13].

---

9 MILLÁS VALLICROSA, J. M., "Sobre los más antiguos versos en lengua castellana", *Sefarad,* IV (1946)362-391.

10 STERN, S., "Les vers finaux en espagnol dans les muwassahas hispano hebraïques", *Al-Andalus,* XIII (1948)299-346.

11 ALONSO, D., "Cancioncillas de amigo mozárabes. Primavera temprana de la lírica europea", *Revista de Filología Española,* XXXIII (1949)297-349.

12 El lector podrá encontrar en otras publicaciones un pluralismo de grafías para este término: muasaha, moaxaha... Por simple convencionalismo aceptamos el término "moaxaja"; la diversidad ortográfica radica en la realización fonética árabe que se pretende trasladar al castellano.

13 HEGER, K., *Die bisher veröffentlichten hargas und ihre Deutungen,* Tübingen, 1960; GARCÍA GÓMEZ, E., *Las jarchas romances de la serie árabe en su marco,* Madrid, 1965; 2ª edic., Barcelona, 1975; El estudio más completo de las jarchas quizás sea el de SOLA-SOLÉ J. M., *Corpus de poesía mozárabe (las Hargas andalusíes),* Barcelona, Ediciones Hispania, 1973; recientemente se reeditó este libro, con carácter más divulgativo, bajo el título *Las jarchas romances y sus moaxajas,* Madrid, Taurus, 1990.

La estructura estrófica predominante de la jarcha es la cuarteta, aunque también pueden encontrarse pareados y trísticos monorrimos. Por su parte, el número de sílabas de los versos oscila entre diez y doce; las isometrías son poco frecuentes. En cuanto a la rima, se puede encontrar tanto la asonancia perfecta como el versolibrismo.

Desde el punto de vista lingüístico, lo más llamativo de las jarchas es el arcaísmo de la lengua y la presencia abundante de arabismos, característica fácilmente explicable, habida cuenta del hibridismo social en el que se gestan. "En árabe se expresan generalmente las evocaciones sensuales; los sentimientos de angustia amorosa, en romance"[14].

La naturaleza lingüística de las jarchas viene dificultada por el pluralismo de lecturas que ofrecen los propios textos, escritos en caracteres árabes y hebreos, lenguas que no utilizan, en ese momento, más que signos consonánticos. A esto hay que añadir el descuido de los propios copistas, quienes, al no conocer la lengua romance, no podían ofrecer una transcripción exacta, sometiendo el texto a numerosas confusiones. Esto explica la diversidad de lecturas que ofrecen las distintas ediciones, en las que se observan notables divergencias.

Desde el punto de vista temático, el amor es el núcleo predominante. La jarcha se pone en labios de una mujer que se lamenta con frecuencia de la ausencia de su amado, a quien se le nombra con el apelativo árabe de "habib", amigo. Las jarchas son, por tanto, canciones de "habib" o de amigo.

En cuanto a la naturaleza de ese amor, la crítica no es uniforme. Unos críticos hablan de un amor virginal, casto y puro[15]; otros, por el contrario, ven en la jarcha la poetización del amor en su dimensión más real y física, con un cierto aire de impudor[16]. No faltan críticos[17] que descubren en estas cancioncillas un símil o ficción, dentro de un contexto de amor homosexual, en el que el poeta, sin la protección de su dueño, es como una doncella privada de su amante. Otros autores, como P. Dronke, ven el amor poetizado en las jarchas como una dimensión más del amor cortés, tal como lo entiende el investigador inglés[18].

Conviene notar que en la poetización de ese amor existen notas tan comunes que se encuentran tanto en la lírica galaico-portuguesa como en el villancico castellano de los siglos XV y XVI: la madre como confi-

---

14 FRENK ALATORRE, M., *Las jarchas mozárabes y los comienzos de la lírica románica*, El Colegio de México, 1975, p. 113.

15 ALONSO, D., *Obras Completas*, t. II, Madrid, Gredos, 1973.

16 SOLA-SOLÉ, J. M., o. c., p. 28.

17 DEYERMOND, A., *Historia de la Literatura Española. I-La Edad Media*, traduc. española, Barcelona, Ariel, 1978, pp. 30-31.

18 DRONKE, P., *Medieval Latin and the Rise of European Love-Liryc. Vol. I. Problems and Interpretations,* Oxford, 2ª edic. 1968, pp. 26-32.

dente (en algunos casos lo son también las hermanas), el mal de amores, el amor como fuente del bien, el alba como momento del encuentro amoroso, con alusiones al tiempo primaveral, elemento constitutivo del "locus amoenus", tópico generalizado en la poesía amorosa medieval.

II.2.3. LAS JARCHAS Y SU CARÁCTER TRADICIONAL

Cuando Stern publicó las jarchas por él descubiertas, calificó a estas canciones como una especie de "finida" o "tornada", composiciones que en la lírica provenzal se ponían al final de una estrofa larga, sin ningún tipo de interdependencia ni métrica, ni rítmica. No ocurre esto con la jarcha.

La relación entre la jarcha y el resto de la moaxaja, desde el punto de vista genético o cronológico, ha sido ampliamente discutida, debido a las consecuencias que de tal cuestión se derivan. La opinión, cada vez más apoyada por la crítica, sostiene la preexistencia de la jarcha respecto del resto de la composición. El testimonio de los preceptistas orientales, recogidos por los estudiosos[19], así parece confirmarlo. El "moaxajero" ha de partir de la jarcha, y la estructura externa de ésta (medida y rima) la proyectará al resto de la moaxaja. Asimismo, esta preexistencia de la jarcha sobre el resto de la canción parece confirmarse por su diversidad temática, observada en algunas composiciones, por lo que se configura la jarcha como una especie de cita, quizás ya conocida por el público. De ahí el estilo directo en que se enmarca el texto de las jarchas.

Admitida la preexistencia de la jarcha sobre el resto de la moaxaja, queda aún por determinar la pertenencia de estas breves canciones a una poética culta o al patrimonio del pueblo. Parece innegable, como apunta Frenk Alatorre[20] que la unidad de estilo, de temas, de sustrato sicológico, propugnan una tradición y una escuela poética de contornos bien definidos y precisos. Ahora bien, ¿esta escuela poética está vinculada a la tradición oral o a la tradición escrita? La respuesta está condicionada por la actitud que el crítico adopte frente a las dos metodologías que dividen la crítica literaria medieval: el individualismo y el tradicionalismo. La escuela individualista explica la génesis de esta escuela poética como nacida al calor de una tradición letrada, escrita, jamás oral. El tradicionalismo, bajo el magisterio, entre otros, de Menéndez Pidal, viene defendiendo el carácter popular y tradicional de estas primeras manifestaciones líricas, cuyos autores serían cantores espontáneos de la

19 GARCÍA GÓMEZ, E., "Estudio del Dar at-tiraz, preceptiva egipcia de la Muwssaha", *Al-Andalus,* XXVII (1962)48.

20 FRENK ALATORRE, M., *Las jarchas mozárabes y los comienzos de la lírica románica,* El Colegio de México, 1975, p. 135.

comunidad hispanoárabe o hispanohebrea, impulsores de los gustos y sentimientos de la colectividad, sin ningún tipo de dependencia con la tradición latina.

Las consecuencias que de aquí se derivan para determinar la prioridad cronológica en los orígenes de las literaturas románicas se intuyen fácilmente. La mayoría de las moaxajas están fechadas entre la segunda mitad del siglo XI y mediados del XII. Si las jarchas correspondientes son anteriores, ello equivale a datar, con relativa anterioridad, la referida escuela poética en la que se generan estas cancioncillas, con unos márgenes cronológicos que varían, según se acepten los presupuestos metodológicos del individualismo o del tradicionalismo.

II.2.4. EL LENGUAJE POÉTICO DE LAS JARCHAS

Desde el punto de vista del estilo, la brevedad de los textos impide que se pueda extraer un *corpus* coherente de las propiedades de su lenguaje poético. No obstante, se observan algunos rasgos que pueden ser significativos, si los comparamos con otros géneros, como las cantigas o el villancico, lo cual quizás deba tenerse en cuenta a la hora de determinar la naturaleza de la poética medieval. Estos rasgos serían los siguientes:

— Carencia de una localización concreta en la que puedan enmarcarse. Es esta una nota distintiva con otros géneros medievales, como las cantigas y las serranillas.

— Comienzo "ex abrupto" o diversidad temática, observada en algunas de ellas, entre la jarcha y el resto de la moaxaja; no hay referencias a antecedentes que nos introduzcan en la situación; es esta una consecuencia de la diversidad temática, ya señalada.

— Lo poético se reduce, a veces, a una simple exclamación; son muy abundantes, en este sentido, los vocativos.

— El subjetivismo es la nota más característica del lenguaje poético de las jarchas, con predominio de la introspección de los sentimientos, los puros estados anímicos.

— Abundan las referencias al corazón de la joven enamorada.

— A esto debe añadirse el estilo callejero que obligatoriamente caracteriza la lengua de la jarcha, según la preceptiva de los teóricos: "Que sea cálida, abrasadora, penetrante, asada al fuego del populacho y de los ladrones"[21].

21 Tomo la cita de FRENK ALATORRE, M., *Estudios sobre lírica antigua*, Madrid, Castalia, 1978, p. 135.

II.3. TIPOLOGÍA DE LAS CANTIGAS DE AMIGO DE LA LÍRICA GALAICO-PORTUGUESA

II.3.1. LA POESÍA GALLEGA EN LA POLÉMICA SOBRE LOS ORÍGENES DE LA PRIMITIVA LÍRICA PENINSULAR

Según los presupuestos metodológicos de la crítica tradicional, heredera del romanticismo, la experiencia lírica de un pueblo sólo podía desarrollarse en un ambiente de paz y de sosiego. Galicia reunía, desde la Alta Edad Media, estos condicionamientos para el despertar de la actividad lírica: ausencia de actividad guerrera, ya que muy temprano quedó liberada del poder musulmán; posee un sistema lingüístico propio (el gallego-portugués); asimismo, la especial disposición sentimental de los habitantes de la región, unida a la naturaleza privilegiada, eran unos ingredientes muy favorables para el despertar de la actividad poética.

II.3.2. EL PAPEL DE COMPOSTELA EN EL DESARROLLO DE LA LÍRICA GALLEGO-PORTUGUESA[22]

A principios del siglo IX, bajo el reinado de Alfonso II el Casto, se atribuye a Compostela un fenómeno prodigioso que muy pronto atraerá la atención de toda la cristiandad: el descubrimiento de tres cuerpos que los compostelanos dicen ser del apóstol Santiago y de sus discípulos. Este hecho atrajo rápidamente la atención de la cristiandad occidental, hasta tal punto que la Orden de Cluny, brazo del Papa, y una de las más importantes de la Edad Media, tuvo, entre otras finalidades, la de fomentar las peregrinaciones a Santiago de Compostela. Pronto Santiago se erige en lugar común de la cristiandad occidental. Se multiplican las donaciones y los privilegios, hasta alcanzar la diócesis de Santiago una importancia análoga a Roma o Jerusalén.

Desde el punto de vista de los orígenes de la lírica gallega, es preciso resaltar tres aspectos que van a favorecer el desarrollo de la actividad poética:

— El culto al apóstol Santiago prodiga una liturgia popular, que se irradiará a través de toda la red de santuarios, tanto marianos como de otras advocaciones hagiográficas, hasta convertirse esta liturgia en célula engendradora de actividad poética. Creación poética y religiosidad popular son dos aspectos íntimamente interrelacionados en este momento.

22 Para una visión de conjunto, sigue siendo válido el estudio de FILGUEIRA VALVERDE, J., "La lírica medieval gallega y portuguesa", en *Historia General de las Literaturas Hispánicas,* dirigida por Guillermo Díaz Plaja, t. I, Barcelona, 1969, pp. 543-642.

Santiago según el maestro Mateo. A Compostela llegaron ya en la Edad Media multitud de peregrinos, convirtiéndola en un foco cultural de primer orden

Carolina Michäelis hizo el inventario de aquellos poemas que hacen referencia a ermitas y peregrinaciones, a la vez que describió el marco de la romería y sus resonancias poéticas. El hecho de que sean escasas las composiciones sobre Santiago no resta importancia a su papel en la configuración de la lírica gallega.

— Santiago se convirtió muy pronto en un centro a donde llegaron todas las tendencias artísticas europeas, muy en particular las francesas. Esto explicará el influjo provenzal que se comentará más adelante.

— Asimismo, Compostela pasa a ser un foco de intensa cultura latino-medieval, particularmente a partir de las reformas programadas en los sínodos locales que se convocan a lo largo del siglo XI y, sobre todo, bajo el pontificado de Don Diego Gelmírez. La presencia de artistas franceses e italianos, llamados por la corte arzobispal, así como la salida de clérigos gallegos, que van a universidades europeas, explica muchas de las concomitancias entre la lírica gallega y la poesía de los trovadores.

II.3.3. EL INFLUJO PROVENZAL EN LA LÍRICA GALLEGO-PORTUGUESA

Se ha convertido ya en un tópico el hablar de las semejanzas geográficas entre Provenza y Galicia: "Galicia fue un día la Provenza hispánica", señaló determinada crítica. Las dos regiones tienen en común el poseer una naturaleza privilegiada que, en la época que nos ocupa, fue acompañada de una ausencia de actividad guerrera, una circunstancia que disponía el ánimo para el goce, la alegría o la tristeza, ingredientes de todo quehacer poético.

Esta disposición natural se vio incrementada por las relaciones políticas, religiosas y culturales entre las dos regiones. Alfonso III mantuvo vínculos epistolares con el clero de Tours. La Abadía de Cluny, como ya se indicó, se convirtió en propagandista de las peregrinaciones a Compostela. Se intensificaron los matrimonios franco-galaicos. Por otra parte, la presencia de clérigos franceses fue uno de los acontecimientos culturales más importantes del siglo XII peninsular. Si a esto añadimos el hecho legendario, según el cual Carlomagno viene a España para dejar libre la ruta de peregrinación a Compostela, sę comprenderá fácilmente que había un clima favorable para los influjos en la creación literaria entre estas dos regiones.

Las visitas de trovadores provenzales a las cortes de la España noroccidental está atestiguada suficientemente[23]. Asimismo, el hibridismo lingüístico (galleguismos en las poesías de los trovadores, y provenzalismos en la poesía galaico-portuguesa) es un hecho comprobado. En aquel momento, las lenguas romances, que empezaban a diversificarse, estaban todavía muy unidas al tronco común. El trovador provenzal y el segrel gallego no tenían un fuerte obstáculo de fronteras lingüísticas que hubo más tarde, a medida que las lenguas romances se fueron diferenciando más. El juglar medieval viajaba por cualquier parte de la Romania sin dificultades idiomáticas[24]. Por ello, no es de extrañar este intercambio lingüístico entre los poetas provenzales y gallegos.

Lo dicho viene a confirmar que, si bien la lírica provenzal no puede considerarse como la fuente de la que derivan las líricas románicas, incluyendo la gallega, sin embargo, su influjo debe tenerse en cuenta, no tanto para explicar los orígenes, cuanto para esclarecer determinados rasgos comunes.

II.3.4. LOS CANCIONEROS DE LA LÍRICA GALLEGO-PORTUGUESA

La palabra cancionero, como compilación de las letras de canciones medievales, alude ya al modo de difusión de una gran parte de la poesía medieval. Los cancioneros recogen, pues, las letras de las canciones que interpretaban los cantautores medievales. No estaban destinadas a la lectura, sino que se transmitían, bien a través de simples recitados, bien por

---

23 HEUR, J-M de, *Troubadours d'oc et troubadours galiciens-portugais,* Paris, 1973; ALVAR, C., *La poesía de los trovadores en España y Portugal,* Barcelona, 1977.

24 MENÉNDEZ PIDAL, R., *Poesía juglaresca y orígenes de las literaturas románicas,* Madrid, Instituto de Estudios Políticos, 1957, p. 359.

medio de estructuras musicales más complejas, hasta llegar incluso a la polifonía en el Renacimiento. Una vez más se debe insistir en el papel que jugó la música en la creación poética medieval, un aspecto con frecuencia olvidado por la crítica.

La época feudal, que sirve de telón de fondo a esta experiencia lírica, nos ayuda a comprender cómo se fueron formando estos cancioneros. El "dominus" del castillo contrataba los servicios de cantautores (juglares, trovadores, segreles) para amenizar determinadas fiestas de la corte. De esta manera, se van depositando en las bibliotecas palatinas y episcopales los originales de aquellas interpretaciones para ser posteriormente compiladas, labor que fue llevada a cabo principalmente por la corte eclesiástica de Compostela, por la corte portuguesa del rey don Denis y por la corte castellana del rey Alfonso X el Sabio.

El siglo XIII podría ser considerado como la época más esplendorosa de la lírica galaico-portuguesa. Con la hegemonía de la lírica castellana, a partir del siglo XV, y con el predominio de la poesía italiana en el siglo XVI, la lírica de los cancioneros gallego-portugueses quedó relegada en el olvido. Tan sólo quedaban noticias eruditas, como la recogida por el Marqués de Santillana en su *Carta-Proemio al Condestable de Portugal*, en la que afirma que en los "reynos de Galicia e Portugal, donde non es de dubdar que el exercicio destas sciencias más que en ningunas otras regiones e provincias de España se acostumbró, en tanto grado que non ha mucho tiempo qualesquier dezidores destas partes, agora fuessen castellanos, andaluces o de Extremadura, todas sus obras componían en lengua gallega o portuguesa"[25].

Este florecimiento de la lírica gallega, testimoniado por esta cita del Marqués de Santillana, no se correspondía con la documentación conocida en aquel momento. En el siglo XVIII el Padre Sarmiento intenta justificar, con aportaciones documentadas, las palabras del Marqués de Santillana, pero no encontró luz alguna. Hubo que esperar a que el espíritu romántico exhumase aquellas viejas composiciones. El romanticismo con su idealización de la época medieval orientó la investigación hacia los viejos archivos y bibliotecas. Así se descubrieron tres importantes códices, que recogían un abundante *corpus* de aquel esplendor poético, bajo las denominaciones de:

. *Cancionero de Ajuda:* contiene principalmente cantigas de amor, de origen cortesano, cuyos autores son poetas prealfonsíes muy influenciados por la poética de los trovadores provenzales.

. *Cancionero de la Vaticana:* se trata de un códice copiado por mano italiana a principios del siglo XVI, de un original gallego perdido. La

25 MARQUÉS DE SANTILLANA, *Proemios y cartas literarias*, edic. de Miguel GARCÍA-GÓMEZ, Madrid, Editora Nacional, 1984, p. 91.

presencia de estos códices en Italia se explica fácilmente si se tienen en cuenta las intensas relaciones que mantuvieron los reinos de la Península con Italia. En él se recogen los tres géneros de la lírica gallego-portuguesa: canciones de amigo, de amor y de maldezir.

. *Cancionero de Colocci-Brancuti* (el primero copista del manuscrito, el segundo propietario de la biblioteca donde se descubrió el códice). Como el anterior, contiene canciones representativas de los tres géneros, e incluye, como novedad, un fragmento de poética galaico-portuguesa.

Estos tres cancioneros forman el "cancionero general" profano de la lírica galaico-portuguesa con un total de cerca de dos mil canciones; habría que añadir algunos rótulos y cuadernos sueltos, como los que contienen las cantigas de amigo de Martín Codax y las trovas de don Alfonso Sánchez. Con estas referencias documentales se cierra el inventario de fuentes directas en donde se conserva el importantísimo *corpus* de la poesía lírica galaico-portuguesa.

II.3.5. TIPOLOGÍA DE LAS FORMAS LÍRICAS DE LA POESÍA GALAICO-PORTUGUESA

Tradicionalmente —ya se alude a ello en el fragmento de la poética de Colocci-Brancuti— se vino clasificando la lírica gallega en tres categorías genéricas principales: cantigas de amigo, cantigas de amor, cantigas de escarnio y de maldezir. La tipología de estos tres géneros se caracteriza por los siguientes rasgos:

II.3.5.1. Cantigas de amigo.- Este grupo genérico tiene las siguientes notas pertinentes:

a) Carácter femenino: La canción se pone en labios de una mujer que se dirige a su madre, a una amiga o a determinados elementos de la naturaleza.

b) El paralelismo[26]: Es quizás el recurso formal más característico de las cantigas de amigo. Esta técnica tiene como finalidad intensificar el tema. Para ello, la segunda estrofa repite exactamente el texto de la primera, sin más variantes, a veces, que el cambio de una palabra por un sinónimo. El proceso se va repitiendo, con variaciones mínimas, en las estrofas siguientes. De esta manera, la cantiga adopta así una arquitectura muy simple, muy adecuada para la repetición y el apredizaje. Una técnica semejante, que aparece también en las cantigas, es el "leixa-pren": el encadenamiento estrófico se consigue, en este procedimiento, por la repetición, al comenzar una estrofa con el verso final de la anterior.

26 Sobre la dimensión poética del paralelismo, véase ASENSIO, E., *Poética y realidad en el cancionero peninsular de la Edad Media*, Madrid, Gredos, 2ª edic. 1970.

c) Base popular y arcaica de la expresión: Las cantigas de amigo son el género de la lírica galaico-portuguesa que mayores coincidencias presenta con la poesía más tradicional de la Romania, como las jarchas, los villancicos, los *refrains* franceses e, incluso, con los *Frauenlieder* de la lírica medieval alemana. Estas concomitancias son tanto temáticas como formales (uso de tópicos y lugares comunes, propios de la poesía amorosa). Sin pretender enfrentar las cantigas de amigo a las cantigas de amor, las primeras representan una experiencia poética más espontánea y sencilla, alejadas del artificio y la afectación del lenguaje. En este sentido, se podría hablar del primitivismo y arcaísmo poético de la canción de amigo.

d) El sentimiento de la naturaleza: Se personifican con frecuencia los árboles, las flores, los pájaros, los ciervos, las olas ("ondas"), a quienes la enamorada se dirige para preguntarles por el amigo ausente.

• *II.3.5.1.1. Clasificación temática de las cantigas de amigo*

— *II.3.5.1.1.1. Cantigas de romería.-* El santuario o ermita fue, según la frase de Rodrígues Lapa, "fecunda oficina de poesía popular". Sin pretender exagerar su función, no se puede negar su importancia. La ermita se convertía en un lugar de encuentro, en donde se realizaban el cortejo y las entrevistas amorosas. Los propios documentos históricos nos ofrecen abundantes elementos para comprender la función que los santuarios tuvieron en el nacimiento y desarrollo de la lírica popular. Lo sacro y lo profano, lo sublime y lo grotesco se daban la mano en la liturgia que tenía lugar en torno a la ermita. El intento de rodear la liturgia popular de un ambiente festivo daba lugar a una serie de excesos que son denunciados por moralistas y por las sinodales eclesiásticas: "Mandamos... que daquí en adelante en vigilias o festividades de algún sancto o sancta no permitan que se hagan los tales ajuntamientos ni vigilias ni veladas prophanas; e por evitar las tales vigilias mandamos a los clérigos de las yglesias... a do se acostumbran fazer... que no reçiban dentro de las yglesias a los que así vinieren para que en ellas velen ni estén de noche ni para que se hagan bayles ni danças ni cantares dentro ellas... E si la yglesia fuese hermita, la cierre al tiempo como dicho es. E queremos e permitimos que en otros días feriales que non sean bísperas de advocaciones e fiestas... que puedan velar e tener novenas en ellas para complir su devoción e voto... con tal que no se hagan las dichas danças ni bayles ni cantares ni otros juegos prophanos e deshonestos"[27].

Esta documentación renacentista no hace más que repetir viejos anatemas que se recogen en la literatura eclesiástica desde la Alta Edad Media. En otras ocasiones, es la propia creación literaria la que sale al paso de los peligros que acechan a las jóvenes que van a las romerías[28].

27 *Constituciones de Badajoz,* s. l., 1501, Tit. II, Cap. II. Tomamos la referencia de ASENSIO, E., o. c., p. 33.

28 Textos en ASENSIO, E., o. c. pp. 33-34.

Todo ello nos ofrece el telón de fondo que, sin duda, ayuda a comprender la génesis y la significación de muchas de las cantigas que tienen a la romería y al santuario como lugar literario del encuentro amoroso.

— *I.3.5.1.1.2. Cantigas de mayo.*- Es un tema que aparece en la lírica universal, con frecuencia asociado a los ritos de la fecundidad. De ahí la vinculación que, a veces, tiene con la religiosidad popular. El escenario primaveral será uno de los ingredientes del tópico del "locus amoenus", entorno idealizado para el encuentro amoroso.

Sin embargo, el ambiente primaveral, que rezuma optimismo existencial, no aparece con la intensidad que se observa en otras literaturas. La cuita, la tristeza, la nostalgia y la soledad sazonan, con frecuencia, estas composiciones gallegas. Falta en ellas el gozo de los sentidos ante la nueva faz que ofrece el paisaje. La crítica, que se ocupó de esta nota singular de las cantigas de amigo, intenta explicarla, bien por ser mayo el mes en que se reclutaba a los jóvenes para luchar contra los moros a fin de ensanchar las fronteras hacia el sur —serían, por tanto, canciones de despedida—, bien recurriendo a una vieja tradición nórdica, según la cual el corazón está alegre en invierno y triste en primavera.

— *II.3.5.1.1.3. Cantigas marineras.*- La canción puesta en labios de una muchacha trata el tema de la ausencia del amado. La nota pertinente que da nombre al género radica en localizar la acción en un lugar muy concreto y explícito, a la orilla del mar (rías de Vigo, riberas de Lisboa o un santuario próximo a la costa). La abundancia de estas composiciones y la singularidad de algunos de sus elementos funcionales hacen de este género uno de los más representativos de la lírica galaico-portuguesa.

II.3.5.2. Cantigas de amor.- Se caracterizan por los siguientes elementos:

a) Carácter masculino: son canciones puestas en labios de un hombre, quien se dirige a su amada o habla de ella en un contexto amoroso.

b) Claro influjo provenzal: Es el género literario de la lírica galaico-portuguesa, en donde aparecen con mayor claridad las huellas de la lírica ocitánica, particularmente de la *cansó*. Esta presencia de lo provenzal afecta tanto al campo puramente léxico como a determinados tópicos. Es significativa la coincidencia en las dos líricas de la utilización del término "señor", con intensa carga semántica en el sistema feudal, para dirigirse a la amada: "senhor" en gallego; "midons" ("meus dominus") en provenzal. Asimismo, la coincidencia afecta también a términos como "mesura", cuyo concepto implica un equilibrio entre lo racional y lo sentimental, nota esta que atraviesa toda la poesía de los trovadores.

c) Ausencia de paralelismo: El refinamiento y el convencionalismo cortesano no propiciaban una técnica popular, como era el paralelismo, recurso nemotécnico que facilitaba el aprendizaje y la memorización.

d) No hay presencia de elementos naturales; éstos quedan relegados a las cantigas de amigo. El entorno de las cantigas de amor es más bien urbano o palatino, dentro de las estructuras de la "poesía feudal".

II.3.5.3. Cantigas de escarnio y de maldezir.- Aunque cuantitativamente es el género menos numeroso, tiene, sin embargo, aires de tradicionalidad en la cultura gallega, habiendo sido cultivado por los trovadores más antiguos.

La Poética fragmentada de Colocci-Brancuti establece una diferencia teórica entre la cantiga de escarnio y la de maldezir. En la primera, la sátira aparece velada "per palabras cubertas"; el doble sentido y la ambigüedad caracterizan el estilo de este género, en el que el juego de palabras, el simbolismo y la equivocidad daban a la composición un cierto aire de agudeza que convertía a la composición en un acertijo, dándose, a veces, la circunstancia que la persona a quien se dirigía no se daba por aludida.

La cantiga de maldecir, por el contrario, utilizaba un lenguaje más directo que permitía conocer fácilmente al posible destinatario, a quien se dirigía. Esta sátira individual se convertía, en ocasiones, en caricatura colectiva, cuyos protagonistas solían ser las distintas profesiones o estamentos de la época, con lo que la composición adquiere una fuerte carga de realismo social. Los excesos de agresividad verbal fueron motivo para que Alfonso X el Sabio prohibiese en *Las Partidas* este tipo de composiciones, por considerar que atentaban contra la honra: "que ningún ome non sea osado de cantar cantigas, nin dezir rimas, nin dictados que fuessen por deshonrra o por denueso de otro"[29].

Otra dimensión del cancionero de burlas, según señala Filgueira Valverde, son las parodias épicas o "gestas de maldezir". Galicia, como algunos otros pueblos de la Romania, no cultivó el género épico; es más, cuando trata el tema de la epopeya, se acerca a él desde la óptica de lo burlesco, el humor y la parodia.

La crítica no valoró de la misma manera estos géneros de la lírica galaico-portuguesa; rebajó el interés de las cantigas de amor, deudoras a la poética de los provenzales, y destacó la calidad estética de las cantigas de amigo, así como el valor histórico y lingüístico del "cancionero de burlas" (denominación genérica que evitaría, según Asensio, "la inútil distinción entre las cantigas de escarnio y maldezir"[30]). Las cantigas de amigo fueron, sin duda, las que atrajeron el centro de atención de los críticos como testimonios más representativos del genuino lirismo autóctono.

---

29 ALFONSO X EL SABIO, *Las Partidas,* VII, Tit. 9, Ley 3.

30 ASENSIO, E., o. c., p. 9.

A estos géneros mayores habría que añadir "otros géneros de adaptación", a veces simples variantes o técnicas de composición de los anteriores, como el *planto* (lamentación funeraria que, en ocasiones, tiene connotaciones paródicoburlescas), la *tensón* (debates improvisados entre poetas, dentro de una justa poética, sobre temas amorosos, que había sido muy del gusto provenzal), *lais* de Bretaña, *descordos, serventesios, pastorelas*[31].

II.3.6. EL OCASO DE LA LÍRICA GALAICO-PORTUGUESA

Se puede decir que la época áurea de la lírica galaico-portuguesa abarca desde 1200 hasta 1350; en la segunda mitad del siglo XIV la lengua castellana comienza a sustituir a la canción lírica en lengua gallega. Filgueira Valverde[32] señala algunas causas que explicarían este relevo lingüístico en el lirismo peninsular: a) El abandono de la música como vehículo de difusión y la tendencia a la lectura como fórmula de expansión literaria en Castilla. b) Decadencia de las peregrinaciones a Santiago de Compostela ante la peculiar situación de inestabilidad política que vive el reino de Galicia. De esta manera, Galicia pierde paulatinamente el protagonismo cultural que había disfrutado en épocas anteriores.

II.4. TIPOLOGÍA DEL VILLANCICO DE LA TRADICIÓN LÍRICA CASTELLANA

II.4.1. EL ESTADO DE LATENCIA

Ya se ha indicado cómo los defensores del individualismo retrasaban la experiencia lírica en Castilla hasta finales del siglo XIV. Su actitud positivista, unida a la particular situación existencial de la meseta (actividad guerrera), explicaría este retraso del lirismo castellano.

El tradicionalismo, bajo el magisterio de Menéndez Pidal, explicará el fenómeno de manera muy diferente. Frente al positivismo radical del individualismo (hay que partir de los textos escritos), Menéndez Pidal sostenía que detrás de los primeros testimonios conservados por escrito, había existido una tradición oral, no escrita. Antes de pasar a ser consignados por escrito (*Redaktiongeschichte*), las primeras manifestaciones líricas tuvieron una etapa previa (*Traditiongeschichte*), durante la cual las canciones vivieron en estado de latencia, y se transmitieron a tra-

31 FILGUEIRA VALVERDE, J., o. c., pp. 576-578.

32 *Ibidem*, pp. 612-613.

vés de las leyes de la tradición oral[33]. Resulta llamativa la coincidencia entre el planteamiento de Pidal y el realizado por la crítica alemana de finales del siglo XIX.

El "estado de latencia" es uno de los conceptos más importantes y, a la vez, más fecundos en la teoría del tradicionalismo para explicar la vida de la literatura tradicional. Menéndez Pidal toma este concepto de la biología, ciencia en la que se aplica a la existencia de una serie de organismos, cuya realidad no es perceptible ni se puede demostrar, en un momento determinado, y, sin embargo, existen por las consecuencias posteriores. En estado de latencia viven, por ejemplo, los virus en su período de incubación.

El símil, trasladado a la literatura, es fácilmente inteligible. Las canciones líricas castellanas, que aparecen en la documentación de los siglos XV y XVI, tuvieron una etapa previa, la denominada "silencio de los siglos" (expresión que alude a la carencia de documentos literarios en la Alta Edad Media), en la que esas canciones ya existían, viviendo en estado de latencia, según las leyes de la tradición oral. En la perspectiva de Pidal, el estado de latencia servía para explicar otros procesos relacionados con la filología, como determinado léxico del latín vulgar, no testimoniado en el latín escrito, cuya existencia es innegable por el resultado a donde confluyeron las diversas lenguas románicas. Asimismo, el proceso formativo del romancero no se explica sin recurrir a este concepto. Los romances más antiguos son de finales del siglo XIV y, sobre todo, del XV. Muchos de los temas cantados por el romancero son muy anteriores, de los siglos correspondientes a la Alta Edad Media. Hay que suponer que durante ese largo lapso de tiempo vivieron en estado de latencia

II.4.2. EL VILLANCICO, FORMA POÉTICA TRADICIONAL DE CASTILLA

II.4.2.1. La moaxaja, el zéjel y el villancico

La forma estrófica peculiar de Castilla es el villancico, cuyas analogías métricas, temáticas y lingüísticas con otras formas líricas conviene subrayar.

---

33 Estos términos han sido acuñados por la crítica alemana que, a finales del siglo XIX, aplicó el célebre método de la "historia de las formas" (*Formgeschichtlichemethode*) a la literatura bíblica. La utilización de esta metodología a la literatura medieval románica podría aportar nuevas luces para conocer la génesis y posterior tipificación de muchos géneros literarios de la época medieval. A modo de reseña bibliográfica se podrían citar: ROHDE, J., *Redaktiongeschichtliche Methode. Einfürung und Sichtung des Forschungsstandes,* Hamburg, 1966; KOCH, K., *Was ist Formgeschichte*, Neukirche, 1967; SCHURMANN, H., *Traditiongeschichtliche Untersuchungen zu den synoptischen Evangelien,* Düsseldorf, 1968.

La moaxaja y el zéjel se diferenciaban en que la moaxaja estaba escrita en árabe o hebreo clásicos con un cantarcillo vulgar al final (jarcha), mientras que el zéjel no tenía cantarcillo final, pero usaba formas vulgares en todas sus estrofas. Pidal define el zéjel en los siguientes términos: "La muasaha compuesta con estas estrofas se llamó también zéjel cuando usaba árabe andaluz más dialectal"[34].

El villancico, por su parte, es simplemente la castellanización de la moaxaja y del zéjel; su estructura estrófica es semejante a la moaxaja, admitiendo también la estructura paralelística; fue el villancico la forma estrófica más popular de la lírica castellana hasta el siglo XVII, época en la que fue sustituida por la seguidilla.

II.4.2.2. El villancico y la glosa

El villancico, tal como se conserva en las compilaciones renacentistas, suele tener dos partes claramente diferenciadas: el cantarcillo inicial (la cabeza) y una ampliación o desarrollo del mismo (glosa). El término villancico se utiliza unas veces para designar a la composición completa, mientras en otras ocasiones es utilizado en sentido restringido para referirse sólo al cantarcillo inicial. Las dos partes merecen un tratamiento crítico diferente.

Desde el punto de vista genético, lo más antiguo y tradicional es el cantarcillo inicial; la glosa es una especie de comentario y explicitación del tema inicial, realizada por un poeta culto con adecuación a los presupuestos de la poética culta; en ocasiones, puede ocurrir que la glosa haya sido tan favorablemente acogida que se haya tradicionalizado, formando entonces una unidad semántica y estilística con el cantarcillo inicial. Si bien no son muchas estas glosas tradicionales, sí podemos encontrar un número lo suficientemente amplio, según el estudio realizado por Frenk Alatorre[35].

Desde la óptica estilística, el mayor encanto estético reside en el cantarcillo inicial; en él se concentra la esencia del lirismo. Dámaso Alonso[36] utilizó la comparación de la perla y su engaste para significar la relación entre el cantarcillo inicial y su glosa; "el símil es muy exacto. Nuestro interés se dirige a toda la joya, que ha de ser un conjunto armónico, pero se concentra en la perla o diamante"[37].

---

34 MENÉNDEZ PIDAL, R., *Poesía árabe y poesía europea,* Buenos Aires, Espasa-Calpe, "Colección Austral", n. 190, 1946, p. 20.

35 FRENK ALATORRE, M., "Glosas de tipo popular en la antigua lírica", *Revista de Filología Hispánica,* XII (1958)301-334.

36 ALONSO, D., "Cancioncillas de amigo mozárabes. Primavera temprana de la lírica europea", *Revista de Filología Española,* XXXIII (1949) 333-334.

37 PEDRAZA JIMÉNEZ, F.-RODRÍGUEZ CÁCERES, M., *Manual de la Literatura Española. I-Edad Media,* Pamplona, Cenlit Ediciones, 1981, p. 125.

Desde el punto de vista métrico, cantarcillo inicial y glosa presentan sus particularidades. La glosa reviste principalmente dos estructuras estróficas, tipo zéjel y tipo paralelístico, esquemas estróficos que ya hemos visto, mientras que el cantarcillo inicial admite una mayor flexibilidad (dísticos, trísticos y hasta estrofas de cuatro versos)[38].

II.4.2.3. El amor, núcleo temático del villancico

Como en el caso de las jarchas y de las cantigas de amigo de la lírica galaico-portuguesa, el amor es la sustancia del contenido poético del villancico castellano, dentro de las diversas variaciones y motivos, comunes en la lírica tradicional. La morenica, que se lamenta del color de su piel curtida por el aire y el sol; los ojos, cuyo papel en la relación amorosa es muy activo, indicándose, asimismo, los colores preferidos (verdes, garzos y morenos); el cabello con claras y llamativas connotaciones eufemísticas (por ejemplo, la expresión "niña en cabellos" para significar la virginidad de la doncella), por eso la muchacha se preocupa de lavarlos y cuidarlos; los tópicos encuentros amorosos (el alba, el agua, los baños de amor, la noche de San Juan, la romería...); las penas del amor (el insomnio, la ausencia, la infidelidad, la malmaridada); el desenfado y la protesta de la muchacha precoz, a quien su madre protege en exceso; la muchacha que no quiere ir al monasterio, alusión a un problema existencial que se les plantea a las jóvenes de la época: matrimonio o profesión religiosa, etc., son algunas de las distintas variaciones con que se reviste el tema amoroso.

II.4.2.4. El carácter poético del villancico castellano

La poética tradicional en la que se enmarca el villancico castellano se caracteriza por la carencia de aquellos elementos ornamentales que prodiga la poética culta. De aquí se deriva una austeridad estilística con la única finalidad de describir llana y escuetamente el estado anímico.

La lengua poética del villancico tiene algunas notas que conviene subrayar. La sintaxis se caracteriza por la "yuxtaposición como sistema de enlace oracional", como indica Sánchez Romeralo, con lo que "las relaciones oracionales quedan a expensas de los recursos fónicos". Las oraciones del villancico son breves y sueltas, con pocos grupos fónicos por oración. El excelente y detallado estudio de Sánchez Romeralo es bien significativo.

Asimismo, el villancico muestra una preferencia por la construcción activa con predominio de verbos de movimiento. Es llamativa, por otra parte, la ausencia de adjetivación, ya que el villancico utiliza con parquedad estos determinantes.

A esta austeridad formal se añade una "sobriedad de sentimientos", que no está reñida con una honda carga de contenido afectivo. Las ex-

---

38 SÁNCHEZ ROMERALO, A., *El villancico. Estudios sobre la lírica popular en los siglos XV y XVI,* Madrid, Gredos, 1969, pp. 128-145.

clamaciones, así como la abundancia de diminutivos, de oraciones exhortativas y desiderativas son signos claros de esta afectividad expresiva. Repeticiones, paralelismos, aliteraciones, completarían aquellos elementos estilísticos que potencian el carácter poético del villancico castellano.

II.4.2.5. Los cancioneros de la lírica tradicional castellana

De la misma manera que la lírica galaico-portuguesa se conserva en tres grandes cancioneros, gracias al gusto renacentista, la lírica tradicional castellana se transmitió en numerosos cancioneros, regalo, asimismo, del Renacimiento. Si bien estas compilaciones son esencialmente cortesanas y, por tanto, reflejo de una poética culta, recogen con frecuencia una serie de cancioncillas, cuya naturaleza lingüística y estilística se aparta de la poesía cortesana de la época. Son los villancicos tradicionales de la lírica castellana, que pasan a la tradición escrita del Renacimiento, aunque habían vivido en estado de latencia en los siglos anteriores. La nómina de estos cancioneros es amplia y compleja[39]. Para el tema que nos ocupa merecen particular atención el *Cancionero musical de Palacio*[40]; asimismo, aparecen canciones tradicionales castellanas en el *Cancionero Herberay des Essarts*[41], el *Cancionero de la Colombina*[42] y el *Cancionero de Upsala*[43]

Canciones tradicionales castellanas aparecen en las obras de poetas cultos, quienes añaden glosas y crean partituras para la difusión musical de estas composiciones; es el caso de Juan del Encina, Lucas Fernández, Gil Vicente y otros poetas y músicos del Renacimiento. El Barroco acogerá igualmente la canción tradicional para incorporarla al teatro, tanto profano como religioso, con sus versiones a lo divino.

Superados los cánones estéticos e ideológicos del Neoclasicismo, el Romanticismo, sensible a las señas de identidad de los pueblos, ve en la canción tradicional una fuente imprescindible para conocer y determinar el *Volksgeits* de cada nación.

En el siglo XX asistimos a una revalorización de lo popular con la publicación de numerosas antologías de poesía tradicional[44]. Dada la re-

---

39 Véase el tema sobre la poesía cancioneril del siglo XV.

40 Edic. de Asenjo BARBIERI, *Cancionero musical de los siglos XV y XVI*, Madrid, 1890, edic. facsímil, Granada, 1985.

41 Edic. de Charles AUBRUN, Burdeos, 1951.

42 Edic. de Miguel QUEROL, Barcelona, 1971.

43 Edic. de Leopoldo QUEROL ROSSO, Méjico, Instituto de España, 1980.

44 ALONSO, D.-BLECUA, J. M., *Antología de poesía española. Poesía de tipo tradicional,* Madrid, Gredos, 1956; FRENK ALATORRE, M., *Lírica española de tipo tradicional. Edad Media y Renacimiento,* Madrid, Cátedra, 1977; Idem, *Corpus de Antigua Lírica Popular Hispánica (siglos XV a XVII)*, Madrid, Castalia, "Nueva Biblioteca de Erudición y Crítica", 1987; ALIN, J. M., *Cancionero español de tipo tradicional,* Madrid, Taurus, 1968 (nueva edición en Madrid, Cátedra, 1991); SÁNCHEZ ROMERALO, A., *El villancico. Estudios sobre la lírica popular en los siglos XV y XVI,* Madrid, Gredos, 1969; BERLANGA, A., *Poesía tradicional. Lírica y Romancero,* Madrid, Clásicos Arce, 1978.

lación inseparable entre música y poesía tradicional, es necesario subrayar la publicación de varios discos en los que se recoge un abundante *corpus* de canciones tradicionales castellanas[45].

La tradición sefardita representa una importante fuente de poesía tradicional, que se conservó a través de la tradición oral desde 1492 fuera de nuestra Península; en muchos casos estas cancioncillas tienen una mayor antigüedad que las conservadas en los cancioneros renacentistas; si bien la estructura externa manifiesta su predilección por el esquema paralelístico, hay, sin embargo, abundantes coincidencias temáticas con la canción tradicional castellana[46].

II.5. HACIA UNA HIPÓTESIS SOBRE LOS ORÍGENES DE LA LÍRICA PENINSULAR

El descubrimiento de las jarchas supuso un nuevo planteamiento sobre los problemáticos orígenes no sólo de la lírica en la Península, sino también en la Romania, con proyección, incluso, a la lírica de otros pueblos no románicos. A partir de entonces se pusieron de relieve una serie de puntos comunes en toda la lírica tradicional.

II.5.1. MITO Y FOLCLORE DEL AGUA Y EL CIERVO EN LA LÍRICA TRADICIONAL

Con frecuencia, la canción tradicional peninsular (jarchas, cantigas y villancicos) remite a códigos míticos y folclóricos, en los que el simbolismo, en ocasiones con claras connotaciones eufemísticas para significar la relación amorosa, es la clave de lectura[47]. El origen de este simbolismo ha sido explicado de muy diversa manera. Para unos críticos[48] se trataría de un tópico más de la cinegética, aplicado al sentimiento amoroso;

45 *Cancionero de Upsala o del Duque de Calabria*, Hispano Vox; JUAN VÁZQUEZ, *Canciones y Villancicos*, Monumentos Históricos de la Música Española; *Cancionero musical de la Colombina*, Monumentos Históricos de la Música Española; MATEO FLECHA, *Ensaladas*, Monumentos Históricos de la Música Española. Asimismo, la sociedad DIAL DISCOS, con motivo del V centenario del descubrimiento de América, está publicando una serie de "compact disc" en una sección titulada "La música en la Era del Descubrimiento".

46 LEVY, I., *Chants judéoespagnols*, Jerusalén, 1969; Idem, *Antología de liturgia judeo-española*, Jerusalén, 1969; ALVAR, M., *Endechas judeoespañolas*, Granada, 1953; Idem, *Cantos de boda judeoespañoles*, Madrid, C.S.I.C., 1971; MARTÍNEZ RUIZ, J., "Poesía sefardí de carácter tradicional", *Archivum*, XIII (1963) 79-215.

47 MORALES BLOUIN, E., *El ciervo y la fuente. Mito y Folklore del Agua en la Lírica Tradicional*, Madrid, Porrúa, 1981.

48 ASENSIO, E., o. c., p. 50.

El ciervo ha sido uno de los protagonistas de la lírica tradicional y ello ha dado lugar a diversas teorías sobre el origen de esta presencia

otros críticos recurren al influjo bíblico veterotestamentario, en donde se utilizó el símil del ciervo sediento para significar el deseo que el alma tiene de Dios[49]. No faltan especialistas en el tema que atribuyen el simbolismo fálico del ciervo a una vieja herencia pagana en España, según la cual mozos y mozas se revestían de ciervos para entregarse a las relaciones sexuales; esta costumbre aparece condenada en algunos homiliarios que consideran "turpissimam consuetudinem de anniculam vel cervulum exercere"[50]; parece haber sido este el telón de fondo de la obra de San Paciano, obispo de Barcelona en el siglo IV, al escribir su *Cervus*, en el que, según San Gerónimo, se condenaría la costumbre anteriormente descrita. Sin embargo, el simbolismo del ciervo sufrió una evolución se-

49 BELL, A. F. G., "The Hill Songs of Pero Meogo", *Modern Language Review*, 17 (1922)258.

50 Tomamos la referencia de ASENSIO, E., o. c., p. 52.

mántica, como apunta Asensio, puesto que "si bien en la poesía arcaica el ciervo era una figura decorosa del amante, hacia 1500 había sucumbido a las grotescas asociaciones con el marido engañado"[51].

Las tres corrientes de la literatura tradicional peninsular tienen abundantes composiciones en las que se personifica al ciervo. Baste citar la jarcha de Josef Ibn Saddio ("Un día el ciervo golpea a su puerta..."); o la cantiga de Meogo ("Digades, filha, mia filha velida"); en el villancico castellano el fálico ciervo se cambia en cervatilla ("Cervatica, que no me la vuelvas/ que yo me la volveré").

El tema del agua es también otro de los tópicos, igualmente con innegables connotaciones simbólicas y eufemísticas, que aparecen en la canción tradicional. "El motivo del agua turbia, escribe Morales Bluin, se halla bastante difundido en la poesía tradicional europea... El agua revuelta o turbia precede al encuentro sexual o es símbolo de ese contacto... La sencilla mención del agua turbia inmediatamente suple a nuestra imaginación los otros motivos que normalmente se encuentran en constelación: la posible presencia del ciervo, el amante, el río, la fuente, la primavera"[52]; este sería el marco en el que se sitúa el siguiente villancico: "Turbias van las aguas, madre,/ turbias van/ mas ellas se aclararán".

Otras veces, la canción amorosa remite a otros esquemas eufemísticos en torno a una serie de expresiones, como lavar la cara o el cabello, la camisa del amado, todas ellas dentro del ámbito del simbolismo erótico. Los baños rituales, principalmente en la fiesta de San Juan, son muy frecuentes en la lírica tradicional con amplias e intensas reminiscencias paganas.

Juntamente con el simbolismo del ciervo y del agua, se encuentran otras expresiones para referirse a la relación amorosa, como estar bajo un árbol, particularmente el avellano, el manzano o la encina; como señala Peter Dronke, la relación entre el avellano y la fertilidad es común a toda una tradición europea aún vigente[53].

II.5.2. ANALOGÍAS Y DIVERGENCIAS ENTRE LAS JARCHAS, LAS CANTIGAS Y EL VILLANCICO

Al leer, en conjunto, el *corpus* de jarchas, cantigas y villancicos, se encuentran rápidamente unas analogías que parecen remitir a un denominador lírico común, al tiempo que se perciben algunas diferencias.

51 *Ibidem,* p. 52, nota 47.

52 MORALES BLOUIN, E., o. c., p. 172.

53 DRONKE, P., *La lírica en la Edad Media,* Barcelona, Seix Barral, 1978, p. 250.

Las afinidades entre las tres líricas se pueden enumerar en los siguientes términos; tanto las jarchas como las cantigas o el villancico son, con frecuencia, canciones puestas en labios de una mujer que se lamenta de su situación amorosa, en particular de la ausencia del amigo, y toma a la madre (o a las hermanas, en el caso de una jarcha) como confidente. Junto a estas analogías temáticas se descubren coincidencias métricas, como el paralelismo. En relación con esta última característica, se planteó una polémica sobre su filiación y su antigüedad[54]. Como conclusión, se podría decir que el paralelismo en la lírica castellana tiene una mayor flexibilidad y no sigue la rigidez y la precisión del paralelismo en las cantigas de amigo. "Esta última diferencia se debe, en gran medida, a la naturaleza de una y otra tradición: oral-popular, en el caso de la castellana; culta, en el caso de la galaico-portuguesa"[55]. Estas dos tradiciones peninsulares fueron favorablemente acogidas por la tradición cortesana, que las puso de moda en la cultura palatina: "la galaico-portuguesa, en los siglos XIII y XIV; la castellana, a finales del XV y durante todo el siglo XVI"[56].

Las jarchas, por su parte, están más cerca, desde el punto de vista estrófico, del villancico que de las cantigas, al no encontrarse ninguna huella de paralelismo en ellas.

II.5.3. LA CRÍTICA ANTE EL DESCUBRIMIENTO DE LAS JARCHAS Y EL PROBLEMA DE LOS ORÍGENES

¿Estas coincidencias señaladas, tanto desde una perspectiva temática como formal, son puramente fortuitas y fruto del azar o, por el contrario, existe entre los distintos géneros un lazo de unión? Una vez más nos encontramos con los dos presupuestos metodológicos que dividen a la crítica literaria medieval: individualismo y tradicionalismo.

Rodrígues Lapa[57], renombrado investigador portugués en el tema que nos ocupa, especialista en lírica galaico-portuguesa y máximo representante de los orígenes litúrgicos para la lírica peninsular, acepta la vinculación entre las cantigas y las jarchas, en cuanto que los autores de las jarchas habrían imitado los temas de las cantigas, aunque no el sistema versificatorio del paralelismo. Esta curiosa estructura tampoco sería de

54 FIGUEIRAS, R., "El cousante en la lírica de los cancioneros musicales españoles de los siglos XV y XVI" *Anuario Musical,* V (1950)15-61; ASENSIO, E., "Los cantares paralelísticos castellanos. Tradición y originalidad", *Revista de Filología Española,* (1953)130-167, reeditado en *Poética y realidad*... pp. 181-224.

55 SÁNCHEZ ROMERALO, A., o. c., p. 334.

56 *Ibidem*, p. 343.

57 RODRIGUES LAPA, *Liçones de Literatura Portuguesa*, Coimbra, 1952, p. 105.

origen litúrgico, sino que los cantos paralelísticos litúrgicos tendrían su origen en la poesía popular, si bien la recitación salmódica, a dos coros, favoreció el paralelismo, por lo que contribuyó, de esta manera, a que perdurase en la canción tradicional.

La crítica italiana, con Silvio Pellegrini[58] a la cabeza, autor conocido por sus tesis individualistas, niega la vinculación entre las jarchas, las cantigas de amigo y el villancico. Las analogías y afinidades pertenecerían a situaciones genéricas de la literatura universal. Asimismo, niega el carácter tradicional de la jarcha, al ser, según él, creación de los propios "moaxajeros". Parecida actitud crítica adopta Roncaglia[59].

La crítica francesa, por su parte, de la mano de Jeanroy[60], de Gastón Paris[61] y de Pierre Le Gentil[62], siempre intentó buscar el origen primero, la "ameba lírica", según la expresión de Sánchez Romeralo, desde una preocupación nacionalista francesa, de la que derivaría toda la lírica europea; las primeras manifestaciones del lirismo europeo estarían relacionadas con los "refrains" (canciones de danza) y los "reverdies" (canciones de primavera); la relación entre los "refrains" y las jarchas ya fue señalada por Leo Spitzer, para quien los dos esquemas responderían a un género común, los "Frauenlieder" (canciones de mujer), y serían "restos de canciones primaverales de danza femenina".

La crítica española, particularmente la escuela pidaliana, saludó con gozo el descubrimiento de las jarchas, como prueba de su tesis tradicionalista. Para Pidal las tres líricas son ramificaciones de un tronco común, cuya prolongación en el tiempo es difícil de precisar. Las jarchas, desde esta posición, serían el testimonio más antiguo no sólo de la lírica peninsular, sino de toda la Romania. No obstante, esto no quiere decir que toda la lírica posterior provenga de esa lírica creada en el siglo XI. Las jarchas no son más que una rama de un tronco común de donde habrían derivado las cantigas galaico-portuguesas y el villancico castellano. Las analogías y divergencias se explicarían, así, mucho mejor. Cada región moldea esa raíz común con unas peculiaridades, bien autóctonas, bien provenientes de otras regiones. Todos los pueblos románicos tuvieron

---

58 PELLEGRINI, S., *Studi su trove e trovatori della prima lirica ispano-portoghese,* Bari, 1959.

59 RONCAGLIA, A., *Dalle Karge mozarabiche a Lope de Vega,* Modena, 1953.

60 JEANROY, A., *Les origines de la poésie lyrique en France au Moyen Âge,* Poitiers, 1889.

61 PARIS, G., "Les origines de la poésie lyrique en France au Moyen Âge", *Journal des Savants,* nov. y dic. (1891) y julio (1892).

62 LE GENTIL, *Le virelai et le villancico. Le problème des origines arabes,* Paris, Institut Français au Portugal-Les Belles Letres (Collection Portugaise, IX), 1954; Idem, "La strophe zadjalesque, les khardjas et le problème des origines du lyrisme roman", *Romania,* LXXXI (1963)1-27; 209-250; 409-411.

en la Edad Media cantos líricos, aunque no se conserven. Esos cantos nacen indiscutiblemente a la vez que nacen las lenguas romances. El descubrimiento de las jarchas corroboraría esta deducción lógica de Pidal: "Las cancioncillas andalusíes primitivas, las cantigas de amigo y los villancicos castellanos aparecen claramente como tres ramas de un tronco enraizado en el suelo de la Península Ibérica. Las tres variedades tienen aires de familia inconfundible, y, sobre todo, las tres tienen su mayor parte, y la mejor, con un doble carácter diferencial común; el ser puestas en boca de una doncella enamorada, y el acogerse la doncella confidencialmente a su madre. Además, se confirma que en el conjunto tripartito la forma andalusí se asocia más íntimamente con el villancico castellano que con la cantiga galaico-portuguesa"[63].

El hecho de que las jarchas sean, hoy por hoy, el testimonio escrito más antiguo de la lírica románica, no quiere decir que sean el primer eslabón. Pidal, cuyas teorías se vieron fuertemente afianzadas por dicho descubrimiento, no canta victoria; no dice: he aquí la primitiva lírica peninsular, sino que, fiel a su teoría tradicionalista, el tronco común se remonta más allá: "Al lado de la poesía latina escrita por clérigos de la Alta Edad Media, hubo una lírica en lengua latina vulgar y románica primitiva, poesía cantada por el pueblo iletrado, lírica que nadie pensaba escribir"[64]. Ese tronco común se pierde en la noche de los tiempos. Una corriente latina de canciones de amigo se rastrea en la Península en el siglo VI, al anatematizar los sínodos y concilios contra los trovadores de los "puellarum cantica", por considerarlas "cantica turpia et luxuriosa"[65]. La moda parece haberse extendido por toda Europa; la hemos visto al referirnos a los "refrains" franceses; en el año 789 Carlomagno publica una orden por la que se prohibe a las abadesas que permitan a sus monjas componer "Winileodas" (canciones de amigo). Más todavía; también se han encontrado canciones de amigo en la lírica griega[66]. El tema, pues, se convierte en un apasionante programa de investigación para la literatura comparada.

---

63 MENÉNDEZ PIDAL, R., "Cantos románicos andalusíes", *Boletín de la Real Academia Española,* XXXI (1951)187-270; reproducido en *España, eslabón entre la cristiandad y el Islam,* Madrid, Espasa-Calpe, "Colección Austral", n. 1280, p. 108.

64 *Ibidem*, p. 147.

65 DRONKE, P., *La lírica en la Edad Media...*, p. 112.

66 GANGUTIA ELICEGUI, E.,"Poesía griega 'de amigo' y poesía arábigo-española", *Emérita,* 40 (1972)329-396.

II.6. BIBLIOGRAFÍA

II.6.1. EDICIONES DE TEXTOS

II.6.1.1. Jarchas

BORELLO, R. A., *Jaryas andalusíes*, Bahía Blanca, Universidad Nacional del Sur, 1959.

GARCÍA GÓMEZ, E., *Las jarchas romances de la serie árabe en su marco*, 2ª edición, Barcelona, Seix Barral, 1965.

HEGER, K., *Die bisher veröffentlichen Hargas und ihre Deutungen (Zeitschrift für romanische Philologie, Beihefte CI)*, Tübingen, 1960.

HITCHCOCK, R., *The Kharjas: a critical Bibliography*, Londres, Grant-Cutler (Research Bibliographies and Checklists, 20), 1977.

Poesía Femenina Hispanoárabe, edición, introducción y notas de María Jesús RUBIERA MATA, Madrid, Castalia, Instituto de la mujer, 1990.

SOLA-SOLÉ, J. M., *Corpus de poesía mozárabe (las harga-s andalusíes)*, Barcelona, Hispam, 1973.

———, *Las jarchas romances y sus moaxajas*, Madrid, Taurus, 1990.

II.6.1.2. Cantigas

Antología de la poesía gallego-portuguesa, edic. de Carlos ALVAR y Vicente BELTRÁN, Madrid, Alhambra, 1984.

Cantigas d'amigo, edic. de J. J. NUNES, Coimbra, 1928, 3 vols., reedic. Lisboa, 1973.

Cantigas d'amor dos trovadores galego-portugueses, edic. de J. J. NUNES, Coimbra, Universidad, 1932, reedic., Lisboa, 1973.

Canción de mujer, canción de Amigo, traduc., edic. y notas por Vicente BELTRÁN, Barcelona, PPU, 1987.

II.6.1.3. Villancico

FRENK ALATORRE, F., *Corpus de Antigua Lírica Popular Hispánica (siglos XV a XVII)*, Madrid, Castalia, "Nueva Biblioteca de Erudición y Crítica", 1987.

Lírica tradicional española, edición de María J. P. ELBERS, Madrid, Taurus, 1987.

II.6.1.4. Antologías misceláneas

ALIN, J. M., *Cancionero español de tipo tradicional*, Madrid, Taurus, 1968; nueva edición, Madrid, Cátedra, 1991.

ALONSO, D.-BLECUA, J. M., *Antología de la poesía española: poesía de tipo tradicional*, Madrid, Gredos, 1956.

BERLANGA, A., *Poesía Tradicional. Lírica y romancero*, Madrid, Clásicos Alce, 1978.

CARMONA, F.-HERNÁNDEZ, C.-TRIGUEROS, J. A., *Lírica Románica Medieval, I. Desde los orígenes hasta finales del siglo XIII*, Universidad de Murcia, 1986.

FRENK ALATORRE, M., *Lírica Española de Tipo Tradicional. Edad Media y Renacimiento*, Madrid, Cátedra, 1977.

Goliardos y goliardismo, Introducción, traducción y notas por Pedro PASCUAL, Madrid, Torre Manrique Publicaciones, 1988.

LÓPEZ ESTRADA, F., *Lírica medieval española,* Cádiz, UNED, 1977.

Poesía Española Medieval, edición, introducción, notas y vocabulario de Manuel ALVAR, Barcelona, Planeta, 1978.

Poesía medieval castellana, edición de Francisco LÓPEZ ESTRADA, Madrid, Taurus, 1984.

RODRÍGUEZ PUÉRTOLAS, J., *Poesía de protesta en la Edad Media Castellana. Historia y Antología,* Madrid, Gredos, 1968.

II.6.2. ESTUDIOS CRÍTICOS

ALONSO, D., "Cancioncillas 'de amigo' mozárabes (primavera temprana de la lírica europea)", *Revista de Filología Española,* 33 (1949)297-349.

ALVAR, C.-GÓMEZ MORENO, A., *La poesía lírica medieval,* Madrid, Taurus, 1987.

ÁLVAREZ PELLITERO, A. Mª., "La configuración del doble sentido en la lírica tradicional", en *Actas del I Congreso de la Asociación Hispánica de Literatura Medieval,* Barcelona, PPU, 1988, pp. 145-155.

ARIAS Y ARIAS, R., *La poesía de los goliardos,* Madrid, Gredos, 1970.

———, *Cantos de Goliardo. Carmina Burana,* Prólogo de C. YARZA y traducción de Lluís MOLES, Barcelona, Seix Barral, 1978.

ARMISTEAD, S. G.,"Some Recent Development in 'kharja' Scholarship", *La Corónica,* 8 (1980)199-203.

ASENSIO, E., "Los cantares paralelísticos castellanos. Tradición y originalidad", *Revista de Filología Española,* 37 (1953)130-167.

———, *Realidad y poética del cancionero peninsular de la Edad Media,* Madrid, Gredos, 2ª edic., 1970.

CABO ASEGUINOLAZA, F., "Sobre la perspectiva masculina en la lírica tradicional", en *Actas del I Congreso de la Asociación Hispánica de Literatura Medieval,* Barcelona, PPU, 1988, pp. 225-233.

CLARK, D. C., *Early Spanish Lyric Poetry: Essays and Selections,* Nueva York, 1967.

CRESPO, F., "Temas de poesía lírica popular", *Estudios de Castelao Branco,* 15 (1965)86-91.

DÍAZ, J., *Palabras ocultas en la canción folklórica,* Madrid, Taurus, 1971.

DÍAZ ESTEBAN, F.,"La moaxaja y su jarcha como punto de confluencia de tres lenguas y tres culturas", en *Congreso Internacional Encuentro de tres Culturas,* Toledo, 1988, pp. 49-59.

DRONKE, P., *Medieval Latin and the Rise of European Love-lyric,* Oxford, Claredon, 1965, 2 vols.

———, *La Lírica en la Edad Media,* traduc. española, Barcelona, Seix Barral, 1978.

———, *La individualidad poética en la Edad Media,* traduc. española, Madrid, Alhambra, 1981.

FILGUEIRA VALVERDE, J., "Lírica medieval gallega y portuguesa", en *Historia General de las Literaturas Hispánicas,* bajo la dirección de Guillermo DÍAZ PLAJA, Barcelona, Vergara, 1969, reimpresión, t. I, pp. 545-642.

———, *Sobre lírica medieval gallega y sus perduraciones,* Valencia, Editorial Bello, 1977.

———, "Rasgos popularizantes en los cancioneros galaico-portugueses", en *Actas del I Congreso de la Asociación Hispánica de Literatura Medieval,* Barcelona, PPU, 1988, pp.73-85.

FRADEJAS, J., *La forma litánica en la poesía popular,* Madrid, UNED, 1988.

FRENK ALATORRE. M., *Las jarchas mozárabes y los comienzos de la lírica románica,* México, El Colegio de México, 1975.

———, *Estudios sobre lírica antigua,* Madrid, Castalia, 1978.

———, "Glosas de tipo popular en la antigua lírica", *Nueva Revista de Filología Hispánica,* XII (1958)301-334.

———, *La lírica pretrovadoresca,* en G.R.L.M., Vol. II, T. 1. Fascíc. 2, Heidelberg, 1979.

GARCÍA VILLOSLADA, R., *La poesía rítmica de los goliardos medievales,* Madrid, Fundación Universitaria Española, 1968.

GONZÁLEZ PALENCIA, A., *La maya,* Madrid, C.S.I.C., 1944.

HUERTA CALVO, J., *La poesía en la Edad Media: Lírica,* Madrid, Editorial Playor, 1982.

HASKINS, Ch. H., *The Renaissance of the Twelfth Century,* Cambridge, Harvard University Press, 7ª edic., 1979.

JENSEN, F., *The Earliest Portuguese Lyrics,* Odense, University Press, 1978.

LE GENTIL, P., "La strophe zadjalesque, les khardjas et le problème des origines du lirisme roman", en *Romania,* (1963) 1-27; 209-250; 409-411.

LORENZO GRANDÍN, Pilar, *La canción de mujer en la lírica medieval,* Universidad de Santiago de Compostela, 1990.

MARCOS MARÍN, F., *Literatura castellana medieval. De las jarchas a Alfonso X,* Madrid, Editorial Cincel, 1980.

MARTÍNEZ TORNER, E., *Cancionero musical de la lírica popular asturiana,* Madrid, 1910, edic. facsímil Oviedo, Principado de Asturias-Instituto de Estudios Asturianos, 1986

———, *Lírica Hispánica. Relaciones entre lo popular y lo culto,* Madrid, Castalia, 1966.

MENÉNDEZ PIDAL, R., *Poesía árabe y poesía europea,* Madrid, Espasa-Calpe, "Colección Austral", n.190, 1941.

———, *De primitiva lírica española y antigua épica,* Madrid, Espasa-Calpe, "Colección Austral", n. 1051, 1951.

———, "Cantos románicos andalusíes, continuadores de una lírica latina vulgar", *Boletín de la Real Academia Española,* XXXI (1951)187-270; publicado más tarde en *España, un eslabón entre la Cristiandad y el Islam,* Madrid, Espasa-Calpe, "Colección Austral", n. 1.280, 1956, pp. 61- 153.

———,"La primitiva lírica europea. Estado actual del problema", *Revista de Filología Española,* XLIII (1960)279-354.

MONROE, J, T., "The muwashaha", en *Collected Studies in Honour of Americo Castro's Eightieth Year,* Oxford, Lincombe Lodge Research Library, 1965, pp. 335-371.

———, "Formulaic diction and the common origins of Romance lyric traditions", *Hispanic Review* (1975)335-371.

———, "Estudio sobre las jaryas: las jaryas y la poesía amorosa popular norafricana", *Nueva Revista de Filología Hispánica,* XXV (1976)1-16.

———, "Studies on the Hargas: The Arabic and the Romance Hargas", *Viator,* VIII (1977)95-125.

MUNDI, F.-SAIZ, A., *Las prosificaciones de las cantigas de Alfonso X el Sabio,* Barcelona, P.P.U., 1987.

PELLEGRINI, S.-MARRONI, G., *Nuevo repertorio bibliográfico della prima lirica galego-portughesa,* L'Aquila, Japadre Editore, 1981.

RECKERT, S., "La semiótica de la cantiga: cantigas medievales como significantes poéticos de significado antropológico", *Crítica semiológica* (1986)35-42.

RUIZ DOMÉNEC, J. E., *La mujer que mira (Crónicas de la cultura cortés),* Barcelona, Sirmio, 1989.

SÁNCHEZ ROMERALO, A., *El villancico. (Estudios sobre la lírica popular en los siglos XV y XVI),* Madrid, Gredos, 1969.

SPANKE, H., *Studien zur lateinischen und romanischen Lyrik des Mittelalters,* Hildesheim, Georg Olms, 1983.

STEGANO PICCHIO, L., *La méthode philologique. Écrits sur la littérature portugaise, vol. I (La poésie),* Paris, 1982.

TARRIO-VARELA, A., *Literatura gallega,* Madrid, Taurus, 1988.

TAVANI, G., *La poesía lírica galego-portoghese,* en G.R.L.M., Vol. II, *Les Genres Lyriques,* T. 1, Fasc. 6, Heidelberg, Carl Winter-Universitätsverlag, 1980.

ZUMPTHOR, P., *Introduction á la poésie orale,* Paris, Seuil, 1983.

———, *La letra y la voz de la "literatura" medieval,* traduc. española, Madrid, Cátedra, 1989.

CAPÍTULO III:
LA ÉPICA MEDIEVAL CASTELLANA

III. 1. EL PROBLEMA DE LOS ORÍGENES DE LA ÉPICA ROMÁNICA

Al estudiar los orígenes de la épica románica[1], en general, y de la épica castellana, en particular, conviene delimitar tres aspectos, mutuamente relacionados en las distintas hipótesis explicativas u opciones de escuela: 1. Orígenes en cuanto al estamento protagonista: ¿clérigos o juglares? 2. Orígenes en cuanto al proceso formativo del canto épico: ¿poesía culta o poesía tradicional? 3. Orígenes en cuanto al foco difusor: ¿dónde se puede localizar la región o el pueblo, cuyo influjo se hizo sentir en toda la Romania? ¿origen latino? ¿origen germánico? ¿origen árabe?

III.1.1. ORIGEN ESTAMENTAL DE LA ÉPICA ROMÁNICA

¿Fueron los clérigos o los juglares los primeros difusores del cantar de gesta en la Romania? La respuesta a esta pregunta está íntimamente vinculada a la opción que el crítico adopte sobre cuál fue la función de estos dos estamentos en el nacimiento de las literaturas románicas. Menéndez Pidal[2] fue quizás el crítico que dedicó una mayor atención a este problema del medievalismo literario. Comienza por establecer una definición de los términos "juglar" y "clérigo". ¿Quiénes formaban parte de la juglaría? Para delimitar este concepto, analiza las distintas definiciones, dadas por otros críticos, que él va discutiendo y criticando. Así, para Menéndez Pelayo[3], por ejemplo, "la juglaría era el modo de mendicidad más alegre y socorrido"; esta definición no sería acertada, a juicio de Pidal, al tomar la mendicidad como esencia de la juglaría, ya que había juglares de posición social aventajada. Sigue Pidal analizando otras definiciones como la ofrecida por Fray Liciano Saez, para quien la palabra en cuestión designaría "a todos los que causaban alegría", definición esta que vendría a coincidir con la del renombrado medievalista E. Faral, al designar por juglares "a todos los que hacían profesión de divertir a los

1 Un intento de establecer una tipología genérica de la épica románica se encuentra en WEBER, R. H., "Towards the Morphology of the Romance Epic", en *Romance Epic: Essays on a Medieval Literary Genre,* Medieval Institut, Western Michigan Univ. (Studies in Medieval Culture, XXIV), Kalamazoo, 1987, pp. 1-19; también: VICTORIO, J. (coord.), *L'épopé,* fasc. 49 de *Typologie des Sources du Moyen Âge Occidental,* Turhout-Belgium, Brepols, 1987; desde otro punto de vista, ALVAR, C., "Tipología de la tradición de los cantares de gesta", en *Actes du XIè Congrès International de la Société Rencesvals* (Barcelona, 22-27 de agosto de 1988), Barcelona, II, 1990, Memorias de la Real Academia Buenas Letras de Barcelona, 22.

2 MENÉNDEZ PIDAL, R., *Poesía juglaresca y orígenes de las literaturas románicas,* Madrid, Instituto de Estudios Políticos, 1957; también *Poesía juglaresca y juglares,* Madrid, Espasa-Calpe, "Colección Austral", n. 300, 6ª edic., 1969.

3 MENÉNDEZ PELAYO, M., *Antología de poetas líricos..,* XI, pp. 33-34, cito por MENÉNDEZ PIDAL, R., o. c., p. 2.

hombres"[4]. Pidal está de acuerdo con estas dos últimas definiciones, pero con la condición de que se añada la noción de "espectáculo público"; esta sería la nota diferenciadora, pues "el literato que escribe una obra para alegrar o divertir a los hombres no es un juglar si él no la recita ante un grupo de oyentes". En resumen, "juglares eran todos los que se ganaban la vida actuando en público". Por tanto, los juglares tenían como oficio divertir a la gente. Las mismas leyes civiles se hacían eco de este estamento social. Así, por ejemplo, el rey Jaime II en sus *Leges palatinae,* al hablar de los juglares, se refiere a ellos para significar que "illorum officium tribuit laetitiam"[5]. De ahí que los vocablos más usados, cuando se habla de la actividad de los juglares, sean los términos "recreo", "solaz", "solazar". El juglar, sin embargo, no es una figura exclusiva de la Edad Media, ni del mundo social peninsular; tiene sus orígenes en los mimos e histriones de la Antigüedad Clásica y conserva sus paralelos tanto entre los germanos (el "scopa"), como entre los musulmanes, sin olvidar al segrel gallego o a los rapsodas griegos.

Personaje análogo al juglar es el trovador, término que se relacionará, con carácter restringido, al mundo provenzal, a partir del siglo XI. Aunque tienen puntos comunes, el juglar y el trovador presentan notas diferenciadoras. Cronológicamente el trovador es posterior al juglar; artísticamente, aunque también puede interpretar en público, su función es más bien la de compositor; socialmente suele pertenecer a una clase superior, lo que denota, al mismo tiempo, un mayor grado de cultura.

¿Qué acepción tiene la palabra clérigo en la Edad Media? Es uno de los conceptos que conviene delimitar con precisión para evitar errores de interpretación en determinados textos literarios. Originariamente el "clérigo" se relaciona con el latín "clerus" (conjunto de sacerdotes) y con la significación restringida de miembro de ese clero. En este sentido, "clérigo" significa hombre de iglesia, ordenado "in sacris" y heredero de la cultura clásica, que utilizará con preferencia el latín. Posteriormente, la voz "clérigo" amplió su campo semántico como sinónimo de "hombre de letras", prototipo del intelectual medieval[6]; de la misma manera, la palabra "clerecía" pasa a significar la "litterarum scientia", que utiliza el latín como vehículo de difusión de las artes liberales[7].

---

4 *Ibidem*, p. 3.

5 *Ibidem*, p. 3.

6 Es esta la acepción utilizada, por ejemplo, por Jacques LE GOFF en su obra *Los intelectuales en la Edad Media,* traduc. española, Barcelona, Gedisa, 1985. Sin duda, llamará la atención del lector no especializado la nominación de "clérigos" a determinados protagonistas laicos de importantes obras medievales como el *Libro de Alexandre* o el *Libro de Apolonio*; de ellos se dirá que estudiaron "clerecía".

7 Véase LÓPEZ ESTRADA, F., "Sobre la repercusión literaria de la palabra clerecía en la literatura vernácula primitiva", en *Actas del I Simposio de Literatura Española,* Salamanca, 1981, pp. 251-262.

Una vez delimitada la acepción o extensión conceptual de los términos "juglar" y "clérigo" en la Edad Media, surge de nuevo la pregunta: ¿quiénes fueron los pioneros de las literaturas románicas, en general, y del canto épico, en particular, los juglares o los clérigos?

La tesis individualista sostiene que las literaturas románicas empiezan en los siglos XI y XII, muy poco antes de los textos conservados, dirigidas por los clérigos, imitadores de la literatura latina medieval y de la Antigüedad Clásica. Al mismo tiempo, esta tesis afirma que los juglares y los clérigos tenían una interdependencia y colaboración, en el sentido de que los juglares habrían sido formados técnicamente en las escuelas de los clérigos, a quienes podían ofrecer su colaboración, al servicio de la cultura eclesiástica, en temas propagandísticos de naturaleza monástica. El cantar épico romance habría nacido al calor y de la mano de la cultura clerical. Los clérigos habrían sido los verdaderos artífices del nacimiento de las literaturas románicas en un intento de imitar los distintos géneros literarios de la Antigüedad Clásica y de la latinidad medieval. La aplicación concreta y detallada de esta tesis al ámbito del cantar de gesta se encuentra en la obra de Bédier[8], estudio al que más adelante se hará referencia.

La tesis tradicionalista, por el contrario, explica el nacimiento de las literaturas románicas de manera muy diferente. Títulos como "El espectáculo juglaresco en el origen de las literaturas románicas", "Los juglares preceden a los clérigos" o "Los juglares abren camino a los clérigos" son bien significativos de la posición de Menéndez Pidal[9].

Según Menéndez Pidal, fueron los juglares quienes iniciaron el cultivo literario en las lenguas neolatinas, al continuar toda una tradición que se remonta a los mimos e histriones latinos. Los juglares llevaron la iniciativa en el momento más difícil y decisivo, simplemente por una razón vital. El juglar es un hombre inculto, según la perspectiva pidaliana. Esta nota la acentúa constantemente nuestro gran crítico. Para ganarse la vida, el juglar ha de divertir al pueblo sencillo, que entiende cada vez menos el latín. Era necesario darse a entender en todo momento, haciendo que el habla cotidiana formase parte de la prosa narrativa y de la canción musical. Así, habrían nacido los primeros balbuceos de nuestras literaturas románicas en el marco ambiental de la plaza pública, del atrio de la iglesia, de las romerías en honor de tal o cual santo o advocación mariana. Allí donde el pueblo buscaba placer recreativo, allí estaba la actividad de los juglares. Y todo esto de espaldas a la actividad de los clérigos. Pidal recalca este carácter laico en el nacimiento de las literaturas románicas con expresiones como "los juglares... echaron seis llaves al arte de

8 BÉDIER, J., *Légendes épiques,* Paris, 1908-1913, 4 vols.

9 MENÉNDEZ PIDAL, R., *Poesía juglaresca y orígenes...,* pp. 334, 336 y 357.

los clérigos, continuadores de una tradición latina docta, extremadamente empobrecida y dejándose conducir del gusto vulgar"[10]. ¿Por qué los clérigos no pudieron ser los primeros en la utilización de las lenguas romances? El clérigo, sigue afirmando Pidal, no se propone divertir, sino adoctrinar. No busca el deleite, sino divulgar el mensaje revelado. Predica y divulga una teología y una moral, formuladas desde antiguo con una terminología latina muy peculiar, con unos tecnicismos ya consagrados e imposibles de alterar. La dificultad de exponer conceptos abstractos, cargados de intensa reflexión teológica, en una lengua que nace, era evidente. Habrá que esperar al siglo XIII para que un clérigo, Berceo, exponga en la nueva lengua toda una catequesis teológica, como se verá más adelante.

En resumen, la primera manifestación de la poesía románica sería, según Menéndez Pidal, fundamentalmente recreativa, laica y esencialmente indocta, cuyos protagonistas serían no los clérigos, sino los juglares, dos categorías sociales muy distanciadas entre sí en su origen y que sólo tardíamente tendrían contactos literarios.

Sin pretender someter a crítica la tesis de Pidal, conviene ya señalar que sus conceptos de juglar y de clérigo resultan excesivamente dicotómicos. Por otra parte, la formación de una gran parte de la clerecía medieval, particularmente la del clero secular, distaba mucho de poseer un soporte intelectual y humanístico, y mucho menos una seria formación filosófica y teológica, como parece presuponer Pidal[11]. Además, la categoría de clérigo ajuglarado es incuestionable. En el mismo libro, al que se viene haciendo referencia, se hace alusión a un clérigo-juglar, famoso en el Bierzo, durante el siglo VII, por sus habilidades en el arte de tocar la cítara[12]. Asimismo, se cita el caso del clérigo burgalés, Tello de Castrovido, quien practicaba la juglaría, como reclamo para sus actividades eclesiásticas[13]. Esta clase de clérigos pueden ser castigados y condenados por la jerarquía eclesiástica, pero, ¿no habrán influido en mayor o menor medida tanto en el nacimiento de las literaturas románicas, en general, como del cantar de gesta, en particular?

---

10 *Ibidem*, p. 336.

11 Véase BELTRÁN DE HEREDIA, V., "La formación del clero en España durante los siglos XII, XIII y XIV", *Revista Española de Teología,* VI (1946)313-357; también MENÉNDEZ PELÁEZ, J., "Literatura y Catequesis en la España Medieval", *Studium Ovetense,* VIII (1980)7-41; Idem, "El Concilio IV de Letrán, la Universidad de Palencia y el Mester de Clerecía", *Studium Ovetense,* XII (1984)27-39.

12 MENÉNDEZ PIDAL, R., *Poesía juglaresca y orígenes...*, p. 29.

13 *Ibidem*, p. 29.

III.1.2. ORIGEN DEL CANTAR DE GESTA EN CUANTO AL PROCESO FORMATIVO

Los primeros estudios sobre el proceso formativo del cantar de gesta se remontan al siglo XIX, como consecuencia de los gustos románticos. Surge, de esta manera, la "teoría romántico-tradicionalista", llamada así por estar impregnada de las teorías románticas y por el condimento del espíritu tradicional que la sazona. Nace esta tendencia crítica en Alemania, cuna del romanticismo. El punto básico de esta actitud es la consideración de que la primitiva literatura de un pueblo es la expresión más genuina del sentimiento popular. En aquel momento romántico hay una tendencia a explicar el origen de las cosas rodeándolas de misterio. El pueblo, impulsado inconscientemente por fuerzas ocultas y mecánicas, es el mejor poeta. Junto con Herder, Grimm y Uhland, el autor más representativo es Wolf, quien, al explicar el proceso formativo de la épica griega, habla de la aglutinación de poemas breves, creados por el pueblo y unidos por los rapsodas. El éxito de esta teoría fue tal que se llegó a negar la existencia de Homero, conocido hasta entonces como el autor genial de la épica griega.

Partiendo de los postulados de Wolf, Gastón Paris[14] intentará aplicar aquella metodología a la épica románica y, más en concreto, al proceso de gestación de los cantos épicos franceses. Según esta hipótesis, la épica francesa no nace en el siglo XII, sino en la época de Carlomagno (siglo X) o quizás antes. En la Alta Edad Media existían ya en embrión muchos cantares de gesta que no han llegado hasta nosotros por ser transmitidos oralmente. Los cantares del siglo XII se conservan por pertenecer a una época literaria más perfecta y, por ello, fueron recogidos por escrito. Gastón Paris señala el origen de estos cantares de gesta en breves cantos épico-líricos, llamados "cantilenas", compuestas por los mismos guerreros, a raíz de los hechos que narran. Estas cantilenas, transmitidas de generación en generación, se van alterando y novelando. En el siglo X dejan de producirse nuevas cantilenas; los juglares se dedican entonces a recoger las ya formadas; reúnen y organizan aquellas que tratan de un mismo tema o de la misma persona, mediante un hilo argumental, naciendo de esta manera el cantar de gesta. Una vez constituido, el cantar épico sigue conservando su carácter de popularidad y anonimia; de esta manera, se va refundiendo de siglo en siglo para adaptarse al gusto de cada generación. El romancero español proporcionaba a Gastón Paris las pruebas positivas de estas hipotéticas cantilenas; a partir de estas breves unidades épico-líricas, se habría formado, por ejemplo, el *Cantar de Mio Cid* (CMC), por una simple yuxtaposición o aglutinación de la mate-

14 PARIS, G., *Les épopés françaises,* Paris, 1865.

ria cidiana; además, las "tiradas similares" o "estrofas gemelas" (repetición de tiradas que tratan el mismo tema), muy frecuentes en la épica francesa y también presentes en el CMC, se interpretaban como testimonio de la génesis del cantar épico por yuxtaposición de materiales precedentes: el juglar, a la hora de aglutinar todos aquellos breves cantos, en algunos casos, por falta de pericia o por despiste, yuxtapuso dos de aquellas cantilenas que repetían el mismo acontecimiento.

Frente a esta manera de concebir la génesis del cantar de gesta, se sitúa Milá y Fontanals[15]. Su teoría no tiene ningún afán polémico, actitud que contrasta con la mayor parte de las monografías que se escriben en aquel momento sobre los orígenes de la épica. No obstante, sus conclusiones resultan contrarias a las posiciones del tradicionalismo. El crítico catalán pone de manifiesto, en primer lugar, que la modernidad de la lengua de los romances no permite situarlos en el origen del canto épico, en el caso del CMC, sino, por el contrario, nacen los romances por fragmentación del cantar de gesta. Asimismo, las "tiradas similares" o "estrofas gemelas" se podrían explicar como elementos estéticos, intencionadamente utilizados por el juglar, bien con el fin de poner de relieve una escena clave (ya que suele haber cambio de asonancia entre ellas), bien para facilitar, con estas repeticiones, la comprensión de la recitación a aquellos espectadores que llegasen tarde a la audición. Por otra parte, para Milá y Fontanals la épica no es poesía popular, sino que nace espontáneamente de la aristocracia militar y de la mano de un poeta individual. Sólo, cuando la clase noble la abandona, entonces pasa al pueblo. De esta manera, Milá y Fontanals contradice las teorías románticas en dos puntos: frente al origen popular y colectivo, origen aristocrático e individual; frente al carácter tradicional, recalca la importancia del poeta individual.

Las ideas de Milá y Fontanals encontraron eco en la crítica en un momento en el que la reacción anti-romántica se imponía. Pio Rajna[16] desarrollará estas ideas para combatir la tesis romántico-tradicionalista, explicando el origen del canto épico vinculado a un autor individual, si bien afirma también una prolongada tradicionalidad literaria del género épico desde la época merovingia a la carolingia para desembocar en la épica románica. El libro de Pio Rajna hizo tal mella en Gastón Paris que su conocido y reeditado manual sobre literatura medieval francesa[17] no volvió a mencionar las cantilenas primitivas.

15 MILÁ Y FONTANALS, M., *De la poesía heroicopopular castellana,* Barcelona, 1874.

16 RAJNA, P., *L'origini dell'epopea francese,* Florencia, 1884.

17 PARIS, G., *Littérature française au moyen âge,* Paris, 1888.

Somport. Los puertos pirenaicos fueron escenario literario de algunos Cantares de Gesta

Sin embargo, el pontífice de las tesis individualistas[18], para explicar el proceso formativo del cantar de gesta, es Bédier[19]. El crítico francés parte del siguiente principio estético: una obra de arte, como lo es el canto épico, no se puede explicar recurriendo a fuerzas misteriosas, inconscientes y colectivas; para que una obra sea artística, tiene que tener unidad de autor. A esto hay que añadir su actitud positivista: se debe partir de hechos y testimonios tangibles. Con estos presupuestos metodológicos, Bédier somete a encuesta toponímica el extenso *corpus* de cantares de gesta franceses, llegando a la conclusión de que existe una relación muy estrecha entre los lugares citados y las rutas de peregrinación, pudiendo establecerse tres grandes esquemas: París-Jerusalén, París-Roma, París-Santiago de Compostela. A partir de esta constatación, Bédier formula su tesis de esta manera: los cantares de gesta nacen al calor de las peregrinaciones; antes de que se formase el canto épico, existían leyendas eclesiásticas locales. En el principio del cantar de gesta está, pues, el

18 Un balance de los estudios individualistas aplicados al campo de la épica en GERLI, E. M., "Individualism and the Castilian Epic: A Survey, Sinthesis, and Bibliography", *Olifant,* IX, 3-4 (primavera-verano)1982, pp. 18-131.

19 BÉDIER, J., *Les legendes épiques*, Paris, 1908-1913, 4 vols.

camino de peregrinación, bordeado de santuarios y monasterios, depositarios de viejas leyendas y reliquias de héroes de los siglos VIII al X. Los monjes, con un afán publicitario y propagandístico, tratarán de ennoblecer estas leyendas y reliquias con el objeto de atraer la atención de los peregrinos. Los juglares serán los encargados de exaltar aquellos recuerdos de tiempos pasados. En los agrestes puertos pirenaicos, frecuentados por los peregrinos, las viejas leyendas eran un reclamo muy eficaz para atraer a los fieles a sus hospederías. De la colaboración entre clérigos y juglares habrían nacido los cantares de gesta. Aquéllos quieren atraer peregrinos a sus monasterios y abadías, porque eran fuente muy importante de ingresos económicos. El cantar de gesta se convierte así en instrumento de propaganda al servicio de la cultura dominante de la época.

Ferdinand Lot, coetáneo y buen amigo de Bédier, pone en marcha las bases de un fuerte criticismo al individualismo; primero, al negar el carácter propagandístico del primer ciclo de Guillermo; en segundo lugar, Lot inicia un nuevo camino para demostrar la antigüedad de la *Chanson de Roland*, anterior a la asignada por Bédier, al descubrir en un documento de 1096 la existencia de dos hermanos que llevaban los nombres de los dos grandes héroes del célebre cantar francés, Rolando y Oliveros. En principio, esta constatación no parecía tener importancia, pero en años sucesivos otros investigadores siguieron descubriendo una serie de documentos en los que aparece la misma pareja. La explicación no parece ser otra que admitir la existencia de una moda onomástica en el siglo XI en torno a la célebre pareja del cantar francés, a raíz de la fama alcanzada por la *Chanson de Roland*, por lo menos a finales del siglo X.

Las posiciones del tradicionalismo van a ganar nuevos adeptos con el descubrimiento de la llamada “Nota Emilianense”[20]. Se trata de un breve texto de dieciséis líneas sobre el tema de la *Chanson de Roland*, escrito en prosa latina, localizado por Dámaso Alonso en un códice del Monasterio de San Millán de la Cogolla, y cuya letra se puede fechar entre 1065 y 1075. La nota parece tener en la base uno o varios relatos poemáticos en lengua romance, ya que aparecen nombres como Roladne y Beltrane, con inflexiones no latinas, que podrían tener su origen en una rima romance en -e. La conclusión, derivada de este descubrimiento, puso en tela de juicio otro de los presupuestos del individualismo respecto a la antigüedad de la *Chanson de Roland*, poema que los individualistas situaban a finales del siglo XII, datación del manuscrito de Oxford: en la segunda mitad del siglo XI se conocía ya, en el norte de España, una versión del más conocido cantar épico francés.

Las constantes y continuas críticas y objecciones que se venían haciendo al individualismo ponen de moda las viejas tesis tradicionalistas,

20 ALONSO, D., “La primitiva épica francesa a la luz de una nota emilianense”, *Revista de Filología Española*, XXXVII (1953)1-94.

matizadas y orientadas ahora por la sabia mano de Menéndez Pidal con su neotradicionalismo. Son varias las obras en las que el ilustre investigador expuso sus ideas sobre este punto[21]. Pidal trata conjuntamente el origen del cantar de gesta tanto desde la perspectiva del proceso formativo como desde el foco difusor. Empieza por afirmar la existencia de una epopeya en los pueblos germánicos, hecho atestiguado por Tácito y Jordanes. La epopeya germánica, testificada por los historiadores romanos anteriormente citados, tenía un carácter eminentemente histórico y una finalidad noticiera. Estos cantos noticieros serían las primeras células engendradoras del cantar épico, unidades literarias, en principio de creación individual, pero, al tradicionalizarse, adquieren variantes por diversas causas (gustos, fallos en la memoria, etc.). Por ello, el primitivo canto noticiero, esencialmente histórico y muy breve, va incorporando nuevos episodios, a la vez que pierde historicidad y verismo. La producción de cantos noticieros tuvo lugar en la época que Pidal llama "edad heroica" de los pueblos, es decir, aquel momento histórico en el que un pueblo está llamado a realizar una gran hazaña nacional, para lo cual se necesita mantener muy unida a la comunidad. Se recuerdan los hechos de los antepasados para enardecer los ánimos y lograr este sentimiento patriótico, conservando vivo el sentimiento de la historia. Esta edad heroica se da en una época precaria, de gran incultura; por ello, se recurre al verso y al canto para que el recuerdo del pasado siga vivo en la mente de los ciudadanos. Con la invasión visigoda, la epopeya germánica pasó a la Península Ibérica. Aunque no hay testimonios directos, como en Inglaterra (El "Waldere", el "BeoWul") o en Francia (testimonios del llamado "poeta sajón"), sí existen noticias indirectas, que testifican que los visigodos continuaron sus cantos épicos en España. Así, en la obra de San Isidoro de Sevilla, *Institutionum disciplinae*, se dan normas para la educación de los jóvenes nobles, recomendándose "cantar al son de la cítara los cantos de los antepasados (*carmina maiorum*), por los cuales se sienten los oyentes estimulados a la gloria". Conviene notar la coincidencia terminológica entre los *carmina maiorum*, término utilizado por San Isidoro, los *carmina antiqua*, que, según Tácito usaban los germanos en el siglo I, y los *carmina facta*, cantados, según Jordanes, en el siglo VI por los godos en el oriente de Europa.

Constatada la universalidad del canto épico entre los germanos, hay que suponer que hubo también una epopeya visigoda en la Península. Menéndez Pidal vincula tres temas literarios más tardíos con esta hipotética épica: 1. La leyenda sobre la destrucción de la monarquía visigótica. 2. La tradición del héroe germánico Waltario, que se encontraría en el romance de "Gaiferos y Melisenda", cuya antigüedad se remonta al siglo XV. 3. El tema del "precio del caballo", leyenda recogida por Jordanes,

21 Para este punto, véase MENÉNDEZ PIDAL, R., *La 'Chanson de Roland' y el neotradicionalismo. (Orígenes de la épica medieval)*, Madrid, Espasa-Calpe, 1959.

según la cual el pueblo godo había sido sometido a esclavitud en una isla, siendo posteriormente liberado por el precio de un caballo; esta leyenda parece guardar relación con el *Poema de Fernán González,* cuyo autor la recoge para explicar la independencia de Castilla respecto del reino de León, también por el precio de un caballo[22]. Los tres temas habrían vivido en estado de latencia desde la época visigótica, como restos de hipotéticos cantares de gesta. Menéndez Pidal trata de explicar por qué no se conservaron aquellos cantares de gesta. Tres son sus razones: 1. *De orden lingüístico:* La lengua romance estaba en un período de evolución muy activo; no había estabilidad en ella; esto dificultaría la escritura. 2. *De orden económico:* El material empleado para la escritura era el pergamino, caro y difícil de obtener; teniendo en cuenta el desprestigio que tenían las obras en romance, de escribirse aquellos cantares, se habrían empleado materiales poco consistentes y perecederos. 3. *De orden paleográfico:* En el siglo XI desaparece la letra visigótica, en la que presumiblemente se habrían escrito, y es sustituida por la letra carolina; al perderse el conocimiento de la visigótica, aquellos códices, por otra parte, de escasa calidad, fueron destruidos.

Una variante del neotradicionalismo se podría ver en la llamada "tesis oralista". Su punto de partida son los estudios sobre los cantos épicos orales que se recogieron a principio de siglo en Yugoslavia[23]. Esta metodología parte de la afirmación de que las leyes de génesis y transmisión de la épica moderna en Yugoslavia son las mismas que regularon el proceso formativo del cantar de gesta medieval. Conocida la génesis del cantar épico moderno, se conocería, al mismo tiempo, la génesis de la canción medieval. Estas leyes se podrían estructurar, según los defenso-

22 Estrofas 575-581 del *Poema de Fernán González,* edic. de Juan VICTORIO, Madrid, Cátedra, 1981, pp. 148-150.

23 BOWRA, C. M., "L'épopée orale", *La table ronde*, n. 132 (1958)18-41. El concepto de oralidad, aplicado también a otros géneros, mereció la atención de una buena parte de la crítica; véase, entre otros, la obra conjunta *Oral Tradition in Literature: Interpretation in Context,* edi. John MILES FOLEY, University of Missouri Press, Columbia, 1986. Asimismo, la identificación del formulismo épico, como recurso estilístico, es una de las líneas actuales de investigación en los estudios de la épica; por ejemplo: MILETICH, J. S., "The Quest for the 'Fórmula': A Comparative Reappraisal", *Modern Philology,* LXXIV (1976-1977)111-123; Idem, "Repetition and Aesthetic Function in the *Poema de Mio Cid* and South-Slavic Oral Literary Epic", *Bulletin of Hispanic Studies,* LVIII (1981)189-196; Idem, "Oral Aesthetics and Written Aesthetics: The South Slavic Case and the Poema de Mio Cid", en *Hispanic Studies in Honor of Alan D. Deyermond: A North American Tribute,* Madison, 1986, 183-204. También DUTTON, B., "Las fórmulas juglarescas: una nueva interpretación", en *La juglaresca: Actas del I Congreso Internacional sobre la Juglaresca,* edic. de Manuel CRIADO DE VAL, EDI-6, Madrid, 1985, pp. 139-149. Una comparación entre el lenguaje formulario del *Poema de Fernán González* y *Las Mocedades de Rodrigo,* en GEARY, J. S., *Formulaic Diction in the "Poema de Fernán González" and the "Mocedades de Rodrigo": A Computer-Aided Analysis,* Potomac, Maryland, Studia Humanitatis, 1980.

res de la tesis, de la siguiente manera: el juglar-recitador no aprende de memoria todo el texto, sino unas fórmulas, a partir de las cuales improvisa. Esto quiere decir que habría tantas versiones como interpretaciones. La materia de cualquier cantar de gesta habría vivido en constantes variantes; la versión que llegó hasta nosotros sería el resultado de la recitación de un juglar oralista a un escribano.

III.1.3. ORIGEN DEL CANTAR DE GESTA EN CUANTO AL FOCO DIFUSOR

III.1.3.1. Origen germánico

Ya se ha indicado este aspecto al exponer la tesis de Menéndez Pidal sobre el proceso formativo del canto épico, una cuestión que el gran investigador trata conjuntamente con los orígenes respecto al foco difusor. La experiencia épica de los pueblos románicos hunde sus raíces en los cantos épicos de los germanos, quienes tenían esta costumbre antes de llegar a occidente, según los testimonios ya aludidos de Tácito y de Jordanes. A pesar de la carencia de fuentes, Pidal cree en una épica visigótica en la Península, cuyos restos literarios quedarían en temas que aparecen con posterioridad: la leyenda de la pérdida de España, la pervivencia de Walter de España en el romance de Gaiferos y Melisenda y el tema del precio del caballo.

Esta tesis fue contestada, después de la muerte del gran maestro de nuestra literatura medieval. Así, por ejemplo, el "precio del caballo" para la liberación de un pueblo y otros aspectos del derecho germánico en la épica castellana fue estudiado por García Gallo y otros investigadores que pusieron algunos reparos a la tesis pidaliana[24].

III.1.3.2. Origen francés

No debe olvidarse que el problema de los orígenes de la épica nace al calor del entusiasmo romántico de las nacionalidades. Este aspecto quedará reflejado en alguna de las hipótesis explicativas, como, por ejemplo, la del francés Gastón Paris[25], cuyas teorías no están exentas de un fuerte nacionalismo. Así nacerá la idea de una prioridad épica del pueblo francés, de donde derivarían todas las demás épicas románicas, en particular, la castellana. Como argumentos se aducen la similitud métrica entre las dos

24 GARCÍA GAYO, A., *El germanismo de la épica románica,* Madrid, 1955; también SALVADOR MARTÍNEZ, H., *El Poema de Almería y la épica románica,* Madrid, Gredos, pp. 72-77; HARVEY, L. P., "Fernan González's Horse", *Medieval Hispanic Studies,* presented to Rita Hamilton, Edited by A. D. Deyermond, London, Tamesis Books, 1976, pp. 77-86.

25 Célebre fue su ponencia "La Chanson de Roland et la nationalité française", con motivo de la inauguración del curso académico de 1870 en el Collège de France.

épicas (rima asonántica, tiradas similares) y la prioridad cronológica de la épica francesa. La moda del cantar de gesta se impondría en Castilla cuando hacía mucho tiempo que ya existía en Francia.

Menéndez Pidal admite un influjo francés en nuestra épica, aunque no antes del siglo XII, momento en el que la cultura francesa se intensifica en la Península, merced a una serie de acontecimientos históricos (residencia de la orden de Cluny, intensificación de peregrinos a Santiago de Compostela, presencia de trovadores provenzales en las cortes castellanas). Por todo ello, habrá huellas literarias francesas en el CMC, pero no en cantares anteriores, como el *Poema de Fernán González, Los Siete Infantes de Lara* y otros, que, en la hipótesis de Pidal, existieron con anterioridad al influjo de la presencia francesa[26].

No faltan críticos —y no españoles, por cierto— que explican las analogías entre la épica francesa y la épica castellana, asignando una prioridad cronológica y causal a la épica española, con lo que la épica francesa sería deudora en préstamos concretos a nuestra épica[27].

Con todo, si bien no parece verosímil que la épica francesa fuese la causa original de la épica castellana, su influjo parece innegable.

III.1.3.3. Origen arábigo-andaluz

Es bien sabido que, a partir del siglo VIII, el mundo árabe es el principal foco difusor de cultura para todo el occidente europeo: filosofía, medicina, agricultura, etc. Es este un hecho incuestionable. Ahora bien, si existe este influjo árabe en estas áreas culturales, ¿por qué no puede ser el mundo árabe el foco difusor de la épica? Esta fue la intuición de Julián Ribera, quien formuló por primera vez, en 1915, el origen árabe para la épica castellana. El único argumento positivo que ofrecía Ribera eran ciertas huellas en crónicas árabes, que parecen estar prosificando antiguos cantares de gesta. Sin embargo, hasta la fecha no se ha descubierto ninguno de esos hipotéticos cantos épicos mozárabes. Según esta hipótesis, estaríamos ante una situación semejante a aquella intuición pidaliana que fue corroborada más tarde por el descubrimiento de las jarchas, respecto a los orígenes de la poesía lírica. Para este último caso, operamos ya con textos, mientras que la argumentación sobre la épica arábigoandaluza es sólo, por el momento, una hipótesis.

---

26 MENÉNDEZ PIDAL, R., *La epopeya castellana a través de la literatura,* Madrid, Espasa-Calpe, 1959, p. 19; también HERSLUND, M., "Le Cantar de Mio Cid et la chanson de geste", *Revue Romane,* IX (1974)69-121; HOOK, D., "The Poema de Mio Cid and the Old French Epic: Some Reflections", en *The Medieval Alexander Legend and Romance Epic: Essays in Honour of David J. A. Ross,* Millwood, Nueva York, Krauss International, 1982, pp. 107-118.

27 RICHTHOFEN, E. von, *Nuevos estudios épicos medievales,* Madrid, Gredos, 1970, pp. 132-134; también del mismo autor, *La metamorfosis de la épica medieval,* Madrid, Fundación Universitaria Española, 1989.

A pesar de ello, el origen, o, por lo menos, determinados influjos del mundo árabe en la épica castellana fueron señalados por Marcos Marín[28], incidiendo su estudio en las *archuzas*, cantos historiales árabes. También Álvaro Galmés de Fuentes[29] insistió en el mismo tema; su propósito, así lo afirma en el prólogo, es tan sólo señalar "algunos rasgos de los poemas épicos castellanos atribuibles a influencia árabe, de la misma manera que Menéndez Pidal, supuesto el origen germánico, señala influencias francesas". Desde el apelativo "mio Çid Campeador", semejanzas entre el "sayyidi" árabe y el héroe épico castellano, pasando por las costumbres de poner nombre a las armas, el episodio de Vidas y Raquel, así como determinadas situaciones en la trama, serían, entre otros, "elementos temáticos de la epopeya árabe reflejados en la épica castellana".

No faltaron autores que intentaron explicar el origen de la épica románica buscando sus raíces, bien en la cultura latina clásica[30], bien en la literatura latina medieval[31], bien en la tradición litúrgica de las actas de los mártires[32].

Como conclusión, se podría afirmar que no hay una causa única que explique el nacimiento y desarrollo de la épica románica en las tres direcciones en que se ha estructurado el tema de los orígenes: estamentales, genéticos y de prioridad geográfica. Más bien habría que hablar de un poligenismo causal, una interferencia o colaboración de clérigos y juglares, un cierto hibridismo de poesía culta y poesía tradicional, sin caer en radicalismos nacionalistas, que nada tienen que ver con el aperturismo que caracterizó a la creación literaria medieval[33].

III.2. LOS CANTARES DE GESTA EN LA LITERATURA MEDIEVAL CASTELLANA

III.2.1. EL PROBLEMA DE LAS FUENTES: LAS CRÓNICAS Y LOS CANTARES DE GESTA

Una de las divergencias más notorias que se presentan en literatura medieval comparada es la diferencia cuantitativa entre las fuentes de la

---

28 MARCOS MARÍN, F., *Poesía narrativa árabe y épica hispánica. Elementos árabes en los orígenes de la épica hispánica,* Madrid, Gredos, 1971.

29 GALMÉS DE FUENTES, Á., *Épica árabe y épica castellana,* Barcelona, Ariel, 1978.

30 WILMOTTE, M., *L'épopé française,* Paris, 1939.

31 SALVADOR MARTÍNEZ, H., *El "Poema de Almería" y la épica románica,* Madrid, Gredos, 1975.

32 WALSH, J. K., "Religiosous Motifs in the Early Spanish Epic" *Revista Hispánica Moderna,* XXX (1970)165-172.

33 Véase RICHTHOFEN, E. von, *La metamorfosis...,* pp. 125-137.

épica castellana y los testimonios directos que sobre el mismo género existen en la literatura francesa[34]. Mientras en Francia se conservan alrededor de cien cantos épicos, en literatura castellana la nómina es muy exigua: el *Cantar de Mio Cid* (mutilado, según parece, el códice en su primer folio), un fragmento del *Cantar de Roncesvalles*, un hipotético *Cantar sobre los Siete Infantes de Lara*, extraído de las crónicas por Pidal, y las *Mocedades de Rodrigo*. ¿A qué se debe esta disparidad entre las fuentes francesas y las castellanas? Se quiso explicar el fenómeno debido a que en España los manuscritos estarían destinados a los juglares, es decir, a la declamación; para ello se habrían empleado materiales más pobres; mientras en Francia los manuscritos en pergamino se destinarían a las bibliotecas privadas, esto es, a la lectura privada.

Esta explicación se asienta en la afirmación de que el público del cantar de gesta francés era totalmente distinto del público del cantar de gesta castellano, lo que no parece verosímil en dos países vecinos.

Sin embargo, esta escasez de las fuentes podría ser sólo aparente, si se tienen en cuenta las crónicas. Los cronistas medievales utilizaban los cantares de gesta como fuentes históricas. Dado el verismo del canto épico, los historiadores medievales incorporaban las canciones épicas, prosificándolas en sus composiciones historiográficas. Algunos de estos cantares aparecen en la doble versión, en verso, según el primitivo cantar y en prosa, según las crónicas. Otros, por el contrario, tan sólo se conservan en las crónicas. Si el cronista no conocía bien su arte de prosificar, se limitaba a copiar el cantar de gesta con muy pocas modificaciones. Esto hace que se perciban en las crónicas huellas de versificación que testifican que el autor tuvo delante de sí cantares de gesta, a los que expresamente denomina "cantares", "fablas" o "romances".

Basándose en estos testimonios, Menéndez Pidal llevó a cabo un minucioso trabajo sobre las crónicas medievales, como fuentes de reconstrucción de poemas épicos[35]. En él distingue cuatro grupos de crónicas, tomando como criterio su relación con los cantares de gesta:

III.2.1.1. Crónicas generales en romance (siglos XII-XV)

Serían la *Primera Crónica General*, *Crónica de veinte Reyes*, *Crónica de Castilla o del Emperador*, *Crónica de 1344*, etc. Todas estas crónicas dan gran importancia al cantar de gesta. Expresamente aluden a estas fuentes juglarescas, como criterio de información verídica. En ellas se encuentran prosificados varios cantares de gesta, como el *Cantar de Mio*

34 Sobre los manuscritos que de la épica románica se conservan, véase DUGGAN, J. J., "The Manuscripts Corpus of The Medieval Romance Epic", en *Essays Ross* (1982)29-42.

35 MENÉNDEZ PIDAL, R., *Reliquias de poesía épica española*, Madrid, Espasa-Calpe, 1951.

Cid, los *Infantes de Lara*, *Cantar del rey don Fernando*, el *Cantar de Sancho II*, etc.

III.2.1.2. Crónicas castellanas del siglo XII en latín

Las más importantes son: El *Toledano* y La *Najerense*. En ellas se incluyen varios temas épicos, muy resumidos y traducidos del romance al latín.

III.2.1.3. Crónicas independientes

(Llamadas de esta manera por no formar serie continua, ni con las castellanas ni con las asturleonesas): *Crónica Silense* (s. XII) y *Crónica Mozárabe* o *Pseudoisidoriana* (s. X). Aunque no recogen cantares de gesta, aluden al verismo de los juglares castellanos, frente al carácter fabuloso de los cantares de gesta franceses sobre la conquista de España por Carlomagno.

III.2.1.4. Crónicas asturleonesas de los siglos IX-XII

Son la *Chronica Visegothorum*, la *Chronica Albeldense* y la *Chronica Tudense*. Tampoco prosifican cantos épicos; sin embargo, incorporan dos tipos de redacción complementarios; uno, escueto, lacónico y sintético; y otro, de estilo novelesco y fabuloso, que podía tener su origen, según el tradicionalismo, en la novelización de cantos épicos.

En resumen, las crónicas más importantes para la reconstrucción de cantares de gesta serían las del primer grupo, correspondientes a los siglos XIII, XIV y XV, las cuales heredan de la *Najerense* la costumbre de prosificar cantares de gesta, técnica narrativa usual también en las crónicas asturleonesas.

III.2.2. ÉPOCAS DE LA ÉPICA CASTELLANA

A partir del trabajo, anteriormente resumido, Pidal establece cuatro períodos en la épica castellana:

III.2.2.1. Primera época (siglos VIII-XI)

En esta primera etapa habría que incluir relatos juglarescos sobre temas épicos del siglo VIII, en torno a la pérdida de España con un posible *Cantar del rey Rodrigo* (*Chronica Gothorum*); relatos novelescos del siglo X (*Cantar de Fernán González, La Condesa traidora, Infantes de Lara*), y algunos relatos del siglo XI (*Infante García, Cerco de Zamora*). Los cantares de esta época se caracterizan por su breve extensión y su gran historicidad.

III.2.2.2. Época de auge (siglos XI-XIII)

El contacto de la juglaría castellana con la francesa, que por aquel entonces recorre el camino de Santiago, influyó en el desarrollo de los cantares de gesta peninsulares, que se harán más extensos. De esta época serían el *Cantar de Mio Cid*, el *Cantar de Roncesvalles* y el

Cantar de Bernardo del Carpio. Las notas relevantes de estos cantares serían su considerable extensión, mayor difusión y reflejo de huellas francesas.

III.2.2.3. Época de refundición (mitad del siglo XIII-mitad del siglo XIV)

Se cultivan los mismos cantares anteriores, ampliándolos con nuevos temas. Se empiezan a desgajar algunas piezas autónomas del cantar extenso, dando origen a los primeros romances.

III.2.2.4. Época de decadencia (mediados del siglo XIV- siglo XV)

De esta etapa se conserva el *Cantar de las Mocedades de Rodrigo.* Los cantares de gesta de este período son cada vez más extensos, debido a los ingredientes de la novelización, en donde los elementos fantásticos abundan con frecuencia.

III.2.3. CICLOS DE LA ÉPICA CASTELLANA

Las "reliquias de la poesía épica española" permitirían, siempre desde la óptica pidaliana, establecer la existencia de toda una larga tradición épica que se podría agrupar en tres grandes ciclos temáticos:

III.2.3.1. Ciclo de don Rodrigo y la pérdida de España

La hipótesis de Pidal sobre un ciclo de esta temática se basa en algunas resonancias de estos temas en determinadas crónicas (*Crónica del moro Razis*); en la presencia del mismo asunto en la épica francesa (*Chanson de Aureis de Cartage*, cuya primera parte no es más que un reflejo de la leyenda de Rodrigo y la Cava), y en la tradición legada por el romancero sobre la misma temática.

III.2.3.2. Ciclo de los Condes de Castilla

Pertenecerían a este grupo el *Cantar de Fernán González, Los Siete Infantes de Lara, La Condesa Traidora* y el *Roman del Infant García.* Este ciclo tendría las siguientes características: un cierto verismo histórico y su vinculación genética con una liturgia sepulcral en torno a determinados monasterios que compiten entre sí por el protagonismo de las reliquias de Fernán González, Sancho García o los Infantes de Lara (San Pedro de Arlanza, San Salvador de Oña y San Millán de la Cogolla). La presencia activa de la mujer es otra nota que los caracterizaría[36]. De todos ellos merecerían una particular atención el *Cantar de los Siete Infantes de Lara* y el *Cantar de Fernán González.*

---

36 DEYERMOND, A., "Medieval Spanish Cycles: Observations on their Formation and Development", *Kentuckly Romance Quaterly,* XXIII (1976)281-303.

El *Cantar de los Siete Infantes de Lara* fue reconstruido por Menéndez Pidal[37], a partir de las crónicas (*Crónica de 1344* y de la *Interpolación de la Tercera Crónica General*); la llamada por Pidal segunda versión del cantar[38] habría pasado por dos fases (el mismo planteamiento aplicará al *Cantar de Mio Cid*); la primera versión, en torno al año 1000, habría sido compuesta a raíz de los hechos históricos que narra; el verismo histórico sería su nota relevante; a principios del siglo XIV, se habría refundido, perdiéndose la historicidad inicial.

La trama del argumento es una larga concatenación de muertes y venganzas, provocadas por el ajuste de cuentas entre dos familias. Las constantes traiciones y venganzas familiares dan al relato un intenso dramatismo que mantiene siempre tensa la atención. El tema tuvo una fecunda tradición literaria, que recoge el romancero, e inspiró a un buen número de dramaturgos, desde los Siglos de Oro (Juan de la Cueva, Lope de Vega, entre otros) hasta el Romanticismo (Duque de Rivas, García Gutiérrez)[39].

Sobre la existencia de un *Cantar de Fernán González*, como soporte y punto de partida del mismo tema en versión del mester de clerecía, véase esta cuestión en el tema correspondiente.

III.2.3.3. Ciclo del Cid

La figura del Cid, personaje histórico, fue la materia poética de dos cantares de gesta: el *Cantar de Mio Cid,* al que dedicaremos una atención especial, y *Las Mocedades de Rodrigo.*

Las Mocedades de Rodrigo forma parte de la materia cidiana, ennoblecida en el más importante poema épico en lengua castellana; esta materia literaria siguió alimentando la poesía épica en la etapa de decadencia. La demanda del público, que se va desviando hacia una prosa novelesca y legendaria, a lo largo de la Baja Edad Media, hace que los juglares intenten refundir el asunto épico en torno al Cid para despertar el interés de sus oyentes o lectores hacia los viejos temas de la épica heroico-popular. A principios del siglo XIV se realiza un intento de actualizar la materia cidiana dentro de los moldes de los antiguos cantares de gesta. La técnica utilizada por el poeta consistió fundamentalmente en la *amplificatio.* Este procedimiento había sido desarrollado también en Francia, dando lugar a un gran número de poemas épicos tardíos en la li-

---

37 MENÉNDEZ PIDAL, R., *La leyenda de los Infantes de Lara,* Madrid, 3ª edic., Espasa-Calpe, 1971.

38 Sobre esta cuestión, véase RICHTHOFEN, E. von, "La epopeya del Cid y los Infantes de Lara en la versión de las crónicas", en *Tradicionalismo épico-novelesco,* Barcelona, Planeta, 1972 pp. 55-65.

39 Sobre esta cuestión, véase CUENCA CABEZA, M., *La leyenda de los infantes de Lara en el teatro español,* Córdoba, Monte de Piedad y Caja de Ahorros de Córdoba-Universidad de Deusto, 1990.

teratura francesa. La materia cidiana conoció en España una suerte parecida. El proceso formativo y genético de *Las Mocedades de Rodrigo* fue muy discutido[40]; parece que la finalidad de su autor fue claramente propagandística: restablecer la hegemonía cultural de la diócesis de Palencia, primer centro universitario de la Península, si bien en el siglo XIV había perdido todo influjo y protagonismo cultural[41].

El tema se centra en la juventud, en "las mocedades", de un Cid que nada tiene que ver con el personaje del primitivo cantar que había servido de ejemplaridad a los castellanos de los siglos XII y XIII. El Cid de este poema es un jovenzuelo temerario, bravucón y pendenciero, paradigma del antihéroe épico[42].

III.2.3.4. Ciclo carolingio

La materia literaria sobre Carlomagno también fue difundida en España, siendo el soporte del algunos cantares épicos.

— *El Cantar de Roncesvalles:* Ya se aludió, a propósito de los orígenes de la épica románica, a la "nota Emilianense", descubierta por Dámaso Alonso, un documento que demostraba que la materia carolingia era conocida en la Península con anterioridad al siglo XI. Según Martín de Riquer, era "bien natural que una leyenda que tenía como punto culminante el desfiladero de Roncesvalles fuese muy apreciada en Navarra"[43]. Así parece haber sucedido. A mediados del siglo XIII, se difundió por tierras de Navarra un canto épico de notable extensión, del cual sólo se conserva un fragmento de cien versos. La temática de este poema proviene de textos franceses y provenzales, pero con la impronta

---

40 DOZY, R., *Recherches historiques: Le Cid, textes et résultats nouveaux*, Leyden, 1849; ARMISTEAD, S. G., "The Mocedades de Rodrigo and neotraditionalist theory", *Hispanic Review*, XLVI (1978)313-327; Idem, "The structure of refundición de las Mocedades de Rodrigo", *Romance Philology*, XVII (1963) 338-345.

41 DEYERMOND, A., *Epic Poetry and the Clergy: Studies on the "Mocedades de Rodrigo"*, London, Tamesis Books, 1969; WILLIS, R., "*La Crónica Rimada del Cid*: a School Texts", en *Studia Hispanica in Honorem R. Lapesa*, Madrid, Gredos, t. I, 1972, pp. 587-595.

42 Los aspectos críticos en torno a los cuales se circunscribe la crítica se refieren principalmente a la procedencia del autor, a los problemas de crítica textual y a la relación con el *Poema de Mio Cid*. Como ejemplificación bibliográfica, véase: ARSMISTEAD, S. G., "The Mocedades de Rodrigo and neo-traditionalist theory", *Hispanic Review*, XLVI (1978)313-327; WEBBER, R. H., "Formulaic Language in the *Mocedades de Rodrigo*", *Hispanic Review*, XLVIII (1980)195-221; VICTORIO, J., "Introducción" a la edición..., Madrid, Espasa-Calpe, 1982; MONTGOMERY, T., "The Lenghtened Lines of the *Mocedades de Rodrigo*", *Romance Philology*, XXXVIII (1984-1985)1-14; FUNES, L., "Gesta, refundición, crónica: deslindes textuales en las *Mocedades de Rodrigo* (razones para una nueva edición crítica), *Incipit*, VII (1987)69-94.

43 RIQUER, M. de, *Historia de la literatura universal*, Barcelona, Planeta, 1986, t. 3, p. 234.

Estatua ecuestre de Carlomagno, protagonista del ciclo Carolingio de la épica castellana

y las características de la tradición rolandiana en España. Esta materia literaria sobre Carlomagno será recogida, asimismo, en el romancero, lo que demuestra la vitalidad que en su día hubo de tener[44].

— *Mainete:* Las mocedades de Carlomagno y su estancia en España constituyeron el tema de un cantar francés, *Mainet*, que parece haber tenido una gran difusión por la Península, ya que ha dejado sus huellas en la "Crónica de Rodrigo de Toledo" y en la "Primera Crónica General", lo que da pie para pensar en la existencia de un cantar de gesta sobre el mismo asunto en romance castellano[45].

— *Cantar de Bernardo del Carpio:* La versión francesa sobre la batalla de Roncesvalles provocó una reacción nacionalista en la Península, cuyo héroe habría sido Bernardo del Carpio, una especie de anti-Roland, quien en la célebre batalla de Roncesvalles, con la ayuda de los navarros, habría dado muerte al héroe francés. La fábula y la leyenda parecen ser

44 Edición en MENÉNDEZ PIDAL, R., *Tres poetas primitivos.* "Elena y María", "Roncesvalles", "Historia Troyana", Madrid, Espasa-Calpe, "Colección Austral", n. 800, 1968.

45 Sobre la autoría y la génesis del mismo, véase MORENO BÁEZ, E., "Prólogo" a *Leyendas épicas españolas*, Madrid, Castalia, "Odres Nuevos", 5ª edic., 1976, p. 23; también MENÉNDEZ PIDAL, R., "Galiène la Belle y los Palacios en Toledo", en *Poesía árabe y poesía europea*, Madrid, Espasa-Calpe, "Colección Austral", n. 190, pp. 69-89.

los ingredientes de un héroe ficticio que constituyó el tema de un hipotético cantar de gesta, del que se hacen eco tanto el romancero, como las crónicas[46].

III.2.4. LA NUEVA CRÍTICA ANTE EL VALOR DE LAS CRÓNICAS COMO FUENTES DE RECONSTRUCCIÓN DE CANTARES DE GESTA

La utilización de cantares de gesta como fuente de información para los cronistas medievales, costumbre iniciada esporádicamente ya en las crónicas asturleonesas y, de manera permanente, a partir de la *Najerense*, llevó a la conclusión de que era no sólo posible sino necesario poder utilizar estos documentos en la tarea de reconstrucción de antiguos cantares de gesta; esta tesis, sustentada de modo general por Menéndez Pidal, ha sido, si no negada, sí, al menos, matizada por la crítica moderna[47]. Diego Catalán[48] niega la posibilidad de utilizar, de manera general, las crónicas para conocer otros poemas épicos y sus diferentes versiones, ya que son dos medios diferentes de expresión literaria. René Cotrait[49] pone, asimismo, en tela de juicio la existencia de cantares de gesta con anterioridad a la *Najerense*; para él esas fuentes pudieron ser "cuentos prosísticos" de carácter eclesiástico o hagiográfico. Por su parte, Francisco López Estrada desconfía incluso de la "Crónica de Veinte Reyes", utilizada por Pidal para suplir el primer folio del códice de la Biblioteca Nacional de Madrid; para este investigador "el establecimiento de las relaciones (crónicas/cantares de gesta) tiene que ser muy cauto y siempre abierto a nuevos ajustes"[50]. Caso González, al estudiar las fuentes épicas de la "Primera Crónica General", concluye diciendo que "La Crónica no prosifica en ningún caso cantares de gesta, sino que se sirve de estorias en prosa. En algún caso pudo el compilador tener a la vista los cantares, pero los cita para negarles veracidad, no para seguirlos ni

46 ENTWISTLE, W. J., "The Cantar de Gesta of Bernardo del Carpio", *Modern Language Review*, XXIII (1928) 307-322, y 432-452; FRANKLIN, A. B., "A Study of the Origins of Legend of Bernardo del Carpio", *Hispanic Review*, V (1937) 286-303; DEFOURNEAUX, M., "La légende de Bernardo del Carpio", *Bulletin Hispanique*, XLV (1943) 116-138. Desde otro punto de vista, GONZÁLEZ GARCÍA, V., "Bernardo del Carpio y la batalla de Roncesvalles", en *VIII Congreso de la Société Rencesvals*, Pamplona, Institución Príncipe de Viana, 1981, pp. 185-195.

47 CHALON, L., *L'histoire et l'épopée castillan du moyen âge. Le cycle du Cid. Le cycle des comtes de Castille*, Paris, Honoré Champion, 1976.

48 CATALÁN, D., "Crónicas generales y cantares de gesta. El *Mio Cid* de Alfonso X y el pseudo Ben-Alfaray", *Hispanic Review*, XXXI (1963)195-306.

49 COTRAIT, R., *Histoire et poésie. Le comte Fernán González. Recherches sur la tradition gonzalienne dans l'historiographie et la littérature des origines au "poema"*, Grenoble, 1972.

50 LÓPEZ ESTRADA, F., *Panorama crítico sobre el Poema de Mio Cid*, Madrid, Castalia, 1982, p. 261

menos para prosificarlos. Las estorias han tenido en algunos casos presente el cantar de gesta anterior; en otros nada autoriza no sólo a pensar que los utilizó, sino ni siquiera a suponer su existencia"[51].

III.3. ANÁLISIS Y COMENTARIO DEL CANTAR DE MIO CID

El *Cantar de Mio Cid* (CMC) o *Poema de Mio Cid* constituye el monumento más importante que se conserva de la épica castellana. Dada la abundantísima bibliografía existente, se ofrecerá un breve "panorama crítico"[52]. Asimismo, se tratarán sólo aquellas cuestiones que han sido más discutidas por la crítica, intentando poner de relieve aquellos estudios que han marcado un hito en la historia crítica de la obra.

III.3.1. GÉNESIS DEL CMC Y FECHA DE COMPOSICIÓN

El CMC se conserva en un solo manuscrito, cuyo códice del siglo XIV se encuentra en la Biblioteca Nacional de Madrid, y fue publicado en varias ocasiones en ediciones facsímiles[53]. ¿La versión recogida en este códice fue la primera o representa una refundición de versiones más antiguas? ¿Cuándo se escribió? ¿Con qué fin? ¿De qué manera? ¿Quién fue su autor? Son cuestiones que ocuparon la atención de la crítica.

III.3.1.1. Origen estamental

Menéndez Pidal, fiel a su tesis sobre la prioridad y el protagonismo de los juglares en el nacimiento de las literaturas románicas, en general, y de la épica, en particular, vincula el origen estamental del autor del CMC al mundo de la juglaría. La versión definitiva del cantar sería el resultado de la actividad refundidora de dos poetas juglares. La primera versión, muy próxima a los hechos que narra, sería fruto de un juglar de San Esteban de Gormaz, conclusión a la que llega Pidal por la abundancia de topónimos que de aquella región geográfica se recogen en el "Cantar del destierro". De esta manera, los hechos narrados en el primer

51 CASO GONZÁLEZ, J., "La Primera Crónica General y sus fuentes épicas", en *Actas de las III Jornadas de Estudios Berceanos*, Berceo, 6, Logroño, Instituto de Estudios Riojanos, 1981, pp. 33-56. Otras contribuciones para esclarecer la relación entre las crónicas y los cantares de gesta, en PATTISON, D. G., *From Legende to chronicle: the Treatment of Epic Material in Alphonsine Historiography*, Society for Study of Mediaeval Language and Literature (Mae Monographs, n. s., XIII), Oxford, 1983; también en POWELL, B., *Epic and Chronicle: The "Poema de Mio Cid" and the "Crónica de veinte reyes", Modern Humanities Research Association* (Texts and Dissertations, XVIII), Londres, 1983.

52 LÓPEZ ESTRADA, F., *Panorama crítico sobre el Poema de mio Cid*, Madrid, Castalia, 1982.

53 Por ejemplo, la realizada por el Ayuntamiento de Burgos, 1982, 2 vols.

cantar serían los más históricos. Un segundo juglar, de tierras de Medinaceli, ya más alejado de los sucesos históricos, introduce adiciones novelescas. En definitiva, es el estamento de los juglares el que respalda la autoría literaria del CMC.

El individualismo, por su parte, basándose en su axioma artístico de que la unidad de autor es esencial para que una obra literaria sea considerada como tal, buscará las señas de identidad del autor del CMC en el estamento de los clérigos. El "explicit" final, "Per Abad le escribió", se interpretará en un sentido restringido, dándole al significante "escribió" la acepción de "componer". A partir de aquí, se tratará de buscar ese "genio" que, con la ayuda de una investigación erudita, creó y dio vida al poema. Una parte de la crítica individualista sitúa al autor dentro de la clerecía en su sentido más restringido, como hombre de iglesia, ordenado "in sacris", bien fuera un simple clérigo, perteneciente, por ejemplo, a la demarcación de Fresno de Caracena, del obispado de Burgos[54], o incluso atribuyendo la autoría al propio obispo don Jerónimo, que acompaña al Cid en sus empresas militares[55]. Para otra parte de la crítica, desarrollada principalmente por Colin Smith, el autor del CMC sería un laico, perito en leyes; Smith[56] rechaza la tesis de un autor clerical, por no haber indicios, si así fuera, de una esperada propaganda en favor de determinados intereses eclesiásticos; el citado hispanista inglés encontró un "Per Abad" en Carrión de los Condes, especialista en "leyes"[57], que vivió a finales del siglo XII y principios del XIII; él podría haber sido el autor genial del CMC; asimismo, Smith supone que el hipotético jurista, autor genial de la obra, se habría formado en determinados centros universitarios franceses (Montpellier, Orleans o París), lo que explicaría ciertas resonancias galaicas en el cantar; el CMC habría sido, según esta hipótesis, el primer poema épico que se escribió en castellano en torno a 1207 o poco antes; sería, además, una obra innovadora y experimental, sin dependencia alguna con una tradición preexistente de poesía épica en castellano ni en otra lengua o dialecto peninsular; Per Abad sería el verdadero hacedor y creador de la obra, erigiéndose en el primer autor importante

54 RIAÑO RODRÍGUEZ, T., "Del autor y fecha del *Poema de Mio Cid*", *Prohemio*, II (1971)467-500.

55 SAINZ MORENO, J., *Jerónimo Visqué de Perigord autor del Poema de Mio Cid*, Madrid, 1989.

56 Son varios los trabajos publicados por C. Smith, entre los que destacamos *Estudios cidianos*, Barcelona, Cupsa, 1977, y *La creación del Poema de Mio Cid*, Barcelona, Ariel, 1985.

57 Los conceptos jurídicos que rezuma el texto fueron estudiados en varios trabajos, entre otros: HOOK, D., "On Certain Correspondences between the *Poema de Mio Cid* and the Contemporary Legal Instruments", *Iberoromania*, XI (1980) 31-53; Idem, "The Legal Basics of Cid's Agreement with Abbots Sancho", *Romania*, CI (1980) 517-526; LACARRA, M. E., *El "Poema de Mio Cid": realidad histórica...*, pp. 1-102.

de la literatura española. Sin pretender avalar ni denostar esta tesis, se ha de reconocer que los trabajos de Colin Smith constituyen la alternativa que, con mayor argumentación, se ha presentado hasta ahora, desde los presupuestos individualistas, a la hipótesis neotradicionalista de Menéndez Pidal.

III.3.1.2. Origen en cuanto al proceso formativo del CMC

Para la escuela tradicionalista, los primeros elementos en el proceso formativo y genético del CMC serían breves "cantos noticieros", de naturaleza histórico-popular, que empezarían a gestarse ya en vida del Cid. Muy poco después de la muerte de Rodrigo Díaz (a. 1096), estos cantos noticieros cristalizarían, en torno a 1105, en la primera versión, fruto de la actividad compiladora del poeta-juglar de San Esteban de Gormaz. Desde 1105 hasta 1140, esta materia cidiana se tradicionaliza, vive en variantes, de acuerdo con las leyes de la tradición oral, y en 1140, según los presupuestos pidalianos, se configura la versión definitiva del CMC; la versión recogida en el códice del siglo XIV, copiada por el amanuense Per Abad, recoge adulteraciones lingüísticas, que Pidal trata de corregir en su edición del texto.

La génesis del CMC, a través de distintas fases, fue también defendida por Jules Horrent[58], quien especifica esa sucesión de poemas en tres etapas: 1ª: Un poema original, compuesto unos veinte años después de la muerte del Cid; 2ª: una segunda versión entre 1140-1150, y, finalmente, 3ª: la tercera versión, compuesta después de 1160, hacia 1207. El *Poema de Almería* (s. XII), que canta en lengua latina las gestas del Cid (vv. 220-222) sería un testimonio positivo de la popularidad que Rodrigo ya habría alcanzado en el siglo XII.

Los defensores de la tesis oralista parten, como ya se indicó, del proceso genético que el cantar épico actual tiene en algunos países modernos, concretamente en Yugoslavia, y aplican estas leyes a la génesis y proceso formativo del CMC. La materia cidiana, desde este presupuesto, habría vivido en constantes variantes en boca de juglares, quienes sólo aprenderían unas fórmulas, a partir de las cuales improvisarían su recitado; esto quiere decir que habría tantas versiones como actuaciones. La versión que ha llegado hasta nosotros sería el resultado de la recitación de un juglar oralista a un escribano. La materia cidiana habría vivido, así, en un constante devenir y fluir; lo único permanente serían esas fórmulas nemotécnicas[59].

El individualismo, por su parte, explicará el proceso formativo del CMC como fruto de la actividad de un individuo, que con amplia y ex-

---

58 HORRENT, J., *Historia y poesía en torno al "Cantar del Cid"*, Barcelona, Ariel, 1973. El poema sufriría una doble tradicionalidad, oral y escrita, según ORDUNA, G., "El texto del *Poema de Mio Cid* ante el proceso de tradicionalidad oral y escrita", *Letras* (Buenos Aires), diciembre, (1985) 57-66.

59 DE CHASCA, E., *El arte juglaresco en el Poema de Mio Cid*, Madrid, Gredos, 1979.

tensa cultura, unida a su capacidad creadora, supo dar vida a unos materiales que él conoce a través de una documentación.

III.3.1.3. Fecha de composición del CMC

En su edición de 1911, Menéndez Pidal asigna la fecha de 1140 para la composición definitiva del poema. La mayor parte de los historiadores de la literatura se contentaron durante mucho tiempo con repetir y seguir la tesis del gran maestro. Sin embargo, con anterioridad a 1911, ya se habían propuesto otras muchas fechas para la composición del CMC. Después de medio siglo de aceptación casi unánime de la tesis de Pidal, la polémica se plantea en determinados círculos hispanistas[60]. Sin embargo, estos primeros intentos de revisión se vieron anulados, debido al prestigio de Menéndez Pidal, cuya tesis siguió siendo favorablemente acogida entre los medievalistas.

A partir de la muerte del padre de nuestra filología, la crítica vuelve a revisar la tesis de Pidal. El punto de partida es el único manuscrito que se conserva en la Biblioteca Nacional de Madrid, cuyo códice fue escrito, según Pidal, en el siglo XIV. El manuscrito en su "explicit" final concluye de esta manera: "Per Abbat le escrivió en el mes de mayo/ en era de mill e CC XLV años". Estos versos finales plantean una serie de interrogantes: ¿Es Per Abad el autor o simplemente el copista? ¿La palabra "abad" es un apellido o una dignidad eclesiástica? ¿Qué significa "escrivió"? ¿Componer? ¿Copiar?

Menéndez Pidal piensa, en primer lugar, que en el espacio existente entre las dos "C" habría una tercera "C", que alguien habría borrado con el fin de dar al códice una mayor antigüedad, con lo que la copia no sería de 1207, sino de 1307 (téngase en cuenta que el manuscrito está en datación de la era hispánica —1345—, por lo que la fecha en su correspondiente era cristiana sería 1307, al haber 38 años de diferencia entre ambas). Asimismo, "Per Abad" sería un simple copista. La fecha de 1140 la deduce Pidal de los versos vv. 3.724-25: "oy los reyes d'España sos parientes son/ a todos alcança ondra por el que en buen ora nació". Pidal interpreta estos versos como significación de que el poema fue compuesto en el tiempo en que los descendientes del Cid llegan a ser reyes; e identifica esta situación con el año 1140, cuando Blanca, biznieta del Cid, se casa con Sancho, hijo de Alfonso VII, rey de Castilla y León; con ello se inaugura una época de paz, momento muy propicio para la versión definitiva del CMC[61].

---

60 RUSSEL, P. E., "Some problems of diplomatic in the *Cantar de Mio Cid* and their implications", *Modern Language Review*, XLVII (1952) 340-349, recogido en *Temas de "La Celestina" y otros estudios*, Barcelona, Ariel, 1978, pp. 15-33.

61 MENÉNDEZ PIDAL, R., "Dos poetas en el *Cantar de Mio Cid*", en *En torno al Poema del Cid*, Barcelona, Edhasa, 1970, pp. 115-174. El valor del "explicit" fue objeto de la atención de la crítica, véase MAGNOTA, M., "Sobre el explicit del Cantar de Mio Cid" *Olifant*, X, 1-2 (otoño, 1982-primavera, 1983) 50-60.

Fue un historiador, Ubieto[11], quien salió al paso de la argumentación histórica de Pidal. Para Ubieto el CMC tiene un eminente valor literario pero no histórico; todos los argumentos para fechar el CMC serían falsos; se inclina, no obstante, por la fecha de 1207, que se lee en el "explicit", sin la "C" añadida por Pidal. En general, la crítica postpidaliana[12] se inclina a fechar el poema, según la versión actual, a finales del siglo XII o principios del XIII.

Como conclusión, se podría decir que ninguna de las hipótesis hasta ahora formuladas para fechar el CMC ofrece argumentos definitivos. La fecha de 1207 tiene a su favor el que aparece en el único manuscrito que de la obra se conserva.

III.3.2. ACERCAMIENTO AL TEXTO DEL CMC

III.3.2.1. Estructura externa

• *III.3.2.1.1. Tres cantares*.- Menéndez Pidal, al estudiar el manuscrito, —que ha de ser siempre el punto de partida en todo estudio de crítica interna— suplió la falta de la primera hoja del códice con el relato de la *Crónica de Veinte Reyes*, en donde se contiene el motivo por el que el Cid fue desterrado, elemento narrativo que falta en la versión actual del poema. El mismo Pidal estructuró el poema en tres partes que designó como "Cantar del destierro" (vv. 1-1.086), "Cantar de las bodas" (vv. 1.087- 2.277), y "Cantar de la afrenta de Corpes" (2.278-3.730). La clave estructural para esta división la ofrecen los versos 1.085 ("Aqui conpieça la gesta de mio Cid el de Bivar") y 2.275-76 ("Las coplas deste cantar aquis van acabando/ el Criador vos vala con todos los sos santos"). A partir de estos versos, que indican un principio y un final, surge la cuestión sobre una posible estructura externa del CMC. ¿Quiere decir que cada cantar comportaba una unidad de recitación, de manera que cada parte tenía una cierta autonomía e independencia? o ¿más bien esta división responde a causas genéticas?

Menéndez Pidal, con su teoría de los dos autores, asignaba la prioridad cronológica al "Cantar del destierro", creación del juglar de San Esteban de Gormaz, mientras el "Cantar de las bodas" y el "Cantar de la afrenta de Corpes" serían obras del refundidor, juglar de Medinaceli[13].

11 UBIETO, A., "Observaciones al *Cantar de Mio Cid*", *Arbor*, 37 (1957) 145-170.

12 Un resumen en LOMAX, D., "The date of the 'Poema de Mio Cid'", en *Mio Cid Studies*, London, Tamesis Books, 1977, pp. 73-81.

13 Matizan esta perspectiva ORDUNA, G., "Las técnicas de estructura y la intervención de los dos juglares en el PMC", en *Studia in Honorem R. Lapesa*, Madrid, Gredos, t. II, 1972, pp. 411-431; HORRENT, J., *Chanson de mon Cid*, Gante, 1982, p. XII; GARCÍA GÓMEZ, M., *Cantar de Mio Cid*, Madrid, Cupsa, 1977, pp. X-XXXIII; asimismo, la división en tres partes, estructuralmente diferentes, fue sugerida por DE CHASCA, E., *El arte juglaresco en el Poema de Mio Cid*, Madrid, Gredos, 1972; y MOLHO, M., "Inversión y engaste de inversión. Notas sobre la estructura del CMC", en *Organizaciones textuales (textos hispánicos)*, Universidad de Toulouse-Le Mirail, 1981, pp. 193-202.

La jerarquía cronológica y genética del CMC, propuesta por Pidal, fue corregida por Von Richthofen[65], quien propone el "Cantar de las bodas" (vv. 1.085-2.277), como el centro poético original.

Como puede observarse, la estructura externa del CMC está íntimamente unida al proceso formativo del poema. Cualquiera que fuera el orden genético de las tres partes en que tradicionalmente se vino dividiendo, lo que parece fuera de duda es que la obra sufrió diferentes remodelaciones y refundiciones hasta que un último autor la configuró tal como hoy la conocemos, esto es, una obra literaria que sobresale por su unidad interna.

• *III.3.2.1.2. El verso épico.*- El verso del CMC o "verso épico" tiene como características métricas, según Navarro Tomás[66], el anisosilabismo, es decir, sin medida fija (entre 10 y 20 sílabas), y la división interna en hemistiquios, también de número desigual. Estas irregularidades métricas fueron objeto de numerosas explicaciones, desde quienes intentaron restablecer un isosilabismo primitivo, atribuyendo las oscilaciones del manuscrito a errores de los copistas[67], hasta aquellos que defendieron la versificación amétrica dentro de una poética tradicional, en la que la música era el vehículo difusor que marcaba la progresión rítmica[68]. Por otra parte, la asonancia es la característica del verso épico en el CMC; en ocasiones existen también rimas internas[69].

• *III.3.2.1.3. La "e" paragógica.*- Íntimamente relacionada con la rima está la llamada "e" paragógica. Es la "-e" con que terminan algunos de los versos del CMC (laudare, v. 335; Trinidade, v. 2.370). El fenómeno se da igualmente en el romancero. El problema se plantea en los siguientes términos: ¿es una "e" etimológica (recuerdo vivo de una antigua "e" latina) o una mera licencia poética para convertir en llana o grave una rima aguda, que se añadiría, en ocasiones, a palabras que no la tienen en el étimo latino? Menéndez Pidal[70] explica la cuestión de la siguiente manera. En el siglo X y primera mitad del XI, la lengua castellana era pro-

---

65 RICHTHOFEN, E. von, *Nuevos estudios épicos medievales*, Madrid, Gredos, 1970, pp. 136-146.

66 NAVARRO TOMÁS, N., *Métrica Española. Reseña histórica y descriptiva*, New York, Las Américas Publishing Company, 1966, p. 31.

67 AUBRUN, CH. V., "La métrique du *Mio Cid* est regulière", *Bulletin Hispanique*, XLIX (1947)322-372; Idem, "De la mesure des vers anisosyllabiques médievaux", *Bulletin Hispanique*, LIII (1951)351-374.

68 ZUMPTOR, P., *Essai de poétique médiévale*, Paris, Editions du Seuil, 1972, pp. 322-338; HARVEY, L. P., "The Metrical Irregularity of the CMC", *Bulletin of Hispanic Studies*, 40 (1963)137-143.

69 DE CHASCA, E., o. c., pp. 219-236.

70 MENÉNDEZ PIDAL, R., *Obras Completas. Cantar de Mio Cid. Texto, Gramática y Vocabulario*, Madrid, Espasa-Calpe, t, IV, pp.120-124. Idem, *Obras Completas*, t. IX, *Romancero Hispánico*, t. I, Madrid, Espasa-Calpe, 1968, pp. 108-121.

pensa a la conservación de la -e, proveniente del latín; sin embargo, en la segunda mitad del XI, el idioma propende a la decisión contraria: pérdida de la -e, abundando en el idioma, en ese momento, las terminaciones en consonante. A partir de esta constatación, que ofrecen los propios textos, aparece el fenómeno lingüístico de la ultracorrección. Al ponerse de moda, en el siglo XI, las terminaciones en -e, el hablante, que quiere presumir de culto, prodiga estas terminaciones incluso en palabras cuyo origen latino desconoce tal -e. La vitalidad que tiene la épica en el siglo XI fue tan intensa que esas formas lingüísticas se imponen en los siglos sucesivos.

Rafael Lapesa[71] adopta una actitud ecléctica, al afirmar que la "épica conserva usos lingüísticos arcaizantes, que daban sabor de antigüedad al lenguaje, a tono con la deseada exaltación del pasado, y que, a la vez, servían para facilitar asonancias... y añadían esta -e a palabras que originariamente no la tenían".

En definitiva, parece que el fenómeno ha de ser explicado, por una parte, debido a usos lingüísticos arcaizantes de "e" etimológica y, por otra, para facilitar asonancias, con lo que el signo lingüístico adquiere connotaciones de licencia poética.

Menéndez Pidal, buscando reconstruir la primitiva versión del poema, regularizó un buen número de rimas en su edición, con la adición de esta -e paragógica. Las nuevas ediciones del poema no suelen aceptar esta reconstrucción, y mantienen las rimas tal como aparecen en el manuscrito, calificando de originales las rimas imperfectas, ya que no se sabe si la regularidad de la rima era normal en la poesía épica castellana[72].

- *III.3.2.1.4. Las estrofas*.- En el CMC no hay estrofas definidas; los metros se agrupan en series irregulares de versos con rimas asonantadas. Estos conjuntos reciben el nombre de "tiradas" o "laisse". La extensión de estas agrupaciones es muy variable. Las hay de tres versos (tiradas 70 y 71), mientras otras sobrepasan los cien, no faltando también las llamadas "estrofas gemelas" (tirada 73).

III.3.2.2. Estructura interna

La primera consideración para comentar el CMC se refiere a la unidad constitucional de la obra. Una unidad que aparece en el "explicit", al ser calificada de "libro" por Per Abad, término que se aplicaba en la época sólo a una obra que tenía unidad interna[73].

---

71 LAPESA, R., *Historia de la lengua española*, Madrid, Gredos, 8ª edic., 1980, p. 222.

72 SMITH, C., "Prólogo" a su edición del *Poema de Mio Cid*, Madrid, Cátedra, 1972, pp. 48-50.

73 NEPAULSHINGH, C., "The concep 'Book' and Early Spanish Literatura", en *The Early Renaissance, Acta*, 5 (1978)133-155.

Esta unidad se observa desde la perspectiva del héroe que mantiene el desarrollo argumental, desde el comienzo hasta el final. Toda la acción se desenvuelve a través de un progresivo ascenso en la consideración social de Rodrigo. En el "incipit", el Cid se encuentra en una apurada situación de "ondra" (en la doble acepción éticomoral y económica que el término tiene en el poema); en el "explicit", el héroe se halla en la cima de su prestigio social y económico.

El poema se organiza, pues, siguiendo esta progresión de una parte de la vida del Cid, desde que pierde el favor real de Alfonso (en el cantar no se indica la causa) y sale desterrado "de los sos ojos tan fuertemente llorando" (v. 1), hasta que lo recobra ("oy los reyes d'España sos parientes son") (v. 3.724). A lo largo del poema asistimos a una constante tensión argumental, cuyos sucesivos desenlaces parciales constituyen la unidad de la obra. Esta unidad argumental se logra a base de tres orientaciones en cuanto a la materia narrativa: el destierro, la afrenta de Corpes y las Cortes de Toledo. Estas tres orientaciones de la materia narrativa son, a la vez, complementarias, y están en función de restablecer la perdida "ondra" del héroe, tema nuclear del cantar.

III.3.2.3. La lengua del CMC

En líneas generales se puede decir que el sistema fonológico, fonético y ortográfico del CMC coincide sustancialmente con el llamado "español alfonsí", cuyas notas relevantes se han expuesto en el tema introductorio, a donde remitimos.

Menéndez Pidal parte de la idea de que la actual versión, conservada en el códice del siglo XIV, no corresponde a la versión original, que él sitúa, como ya vimos, en 1140. Su edición crítica, publicada por primera vez en 1911, marcó un hito en los estudios del CMC. Su ingente labor se cifraba en restaurar la lengua y reconstruir el texto de la versión conservada, adulterada por las sucesivas copias, para acercarse a la versión original. En este empeño, sometió a estudio cada palabra del poema; de todo ello salió la edición, sin duda, más difundida del CMC. Sin embargo, esta actitud frente a la lengua del cantar fue contestada por las ediciones de Colin Smith (Oxford, 1972) y de Ian Michael (Madrid, 1973), una orientación que marcó las nuevas ediciones que sobre el cantar se vienen publicando[74].

La transmisión oral del cantar de gesta determina el "lenguaje épico", en el que el formulismo es su nota predominante[75]. Había, pues, una fraseología consagrada, grata a los juglares y aceptada por el público, lo que constituye uno de los rasgos que caracterizan al estilo épico oral.

---

74 Sobre los criterios utilizados por los distintos editores véase SMITH, C., "On Editing the *Poema de mio Cid*", *Iberoromania*, XXIII (1986)3-19.

75 LAPESA, R., *Historia de la lengua*, edic. cit., p. 221.

Consecuencia de este oralismo, según Lapesa, es una sintaxis en la que abundan la yuxtaposición y la escasez de nexos sintácticos. La morfología tiene también sus particularismos, como el uso anárquico de los verbos, la profusión de demostrativos, las perífrasis verbales (querer + infinitivo = "ir a", "estar a punto de"; el haber + infinitivo, sin sentido de obligación o necesidad). Asimismo, el léxico es una mezcla de lo popular y lo arcaico, pero sin caer en lo plebeyo, característica que postula un público señorial como receptor del canto épico; no se trataría, como sostiene J. Rychner[76], de un auditorio inquieto y movedizo, de rústicos bobalicones, de escasísima cultura; esta caracterización del público del canto épico no se corresponde con la categoría lingüística y literaria del CMC, ni quizás tampoco con el del cantar de gesta en general. "Los juglares épicos, dice Pidal, no se dirigen especialmente a un público tosco ni a un público refinado; cantan para toda la sociedad... y aun puede decirse que frecuentan más la clase caballeresca, cuyos hechos celebran"[77].

III.3.2.4. Hacia una poética del cantar de gesta

• *III.3.2.4.1. El CMC, ¿realidad histórica o ficción literaria?*

La primera cuestión que ha de abordarse a la hora de calificar al CMC como obra literaria es su autonomía artística. En este caso, nos encontramos con una sustancia poética que forma parte de la historia, en su sentido más positivista. La materia cidiana fue objeto de tratamiento en la historiografía medieval; el *Carmen Campidoctoris*, la *Historia Roderici* son fuentes históricas, cuya relación con la génesis del CMC fue ampliamente estudiada por Jules Horrent[78]. ¿Es el CMC historia o ficción? ¿Qué relación existe entre el Cid de la historia y el Cid del poema? Menéndez Pidal defendió el carácter esencialmente histórico de la épica castellana, y más concretamente del CMC[79]. Es una de sus afirmaciones básicas. Con su teoría de los dos autores, como ya se indicó, explicaba la historicidad esencial del poema en la primera versión del juglar de San Esteban de Gormaz, mientras que la carga de novelización y leyenda sería atribuible al juglar de Medinaceli.

---

76 RYCHNER, J., *La chanson de geste: essai sur l'art des jongleurs*, Ginebra, 1955.

77 MENÉNDEZ PIDAL, R., *La "Chanson de Roland" y el neotradicionalismo (Orígenes de la épica románica)*, Madrid, Espasa-Calpe, 1959, pp. 444-445; también MONTOYA, J., "Un testimonio español de lectura y de audición de épica", en *Actes de XIe. Congrès International de la Société Rencesvals* (Barcelone, 22-27 août 1988), publicación en *Memorias de la Real Academia de Buenas Letras de Barcelona*, XXII (1990)97-105.

78 HORRENT, J., o. c., pp. 7-123.

79 MENÉNDEZ PIDAL, R., "Poesía e historia en el Mio Cid: el problema de la poesía épica", *Nueva Revista de Filología Hispánica*, III (1949)113-129; reimpreso en *De primiva lírica y antigua épica*, Madrid, Espasa-Calpe, "Colección Austral", n. 1.051.

Leo Spitzer[80], primero, y Antonio Ubieto Arrieta[81], después, pusieron serios reparos a la concepción histórica que Pidal proyectaba sobre el CMC. Estos autores afirman que el CMC es una obra más bien de arte y de ficción que de autenticidad histórica; el poema es una obra eminentemente literaria que cita personajes históricos. Por su parte, Colin Smith[82], después de afirmar que la cuestión de la historicidad de la épica ha obsesionado a los críticos, complicando el estudio literario, sostiene que la intencionalidad del autor fue más bien artística que histórica; de ahí que la novelización estaría en función de dar al relato dramatismo y emotividad; asimismo, defiende la "historicidad" del CMC, pero dándole una acepción particular; tal concepto no significaría que la materia cidiana se refiera a hechos científicamente comprobados, sino que poseen verosimilitud narrativa, es decir, lo que se narra no entra dentro de lo fabuloso o legendario; tiene un realismo, que dentro del contexto histórico, consigue la verosimilitud artística. En este sentido, el CMC es un modelo único. María Eugenia Lacarra sostiene, por su parte, que las discrepancias entre el Cid histórico y el Cid del poema responden "a una manipulación intencionada del autor, motivado por su toma de posición en los acontecimientos"[83].

En resumen, la crítica está dividida. Unos autores siguen la tesis de Pidal, aunque con ciertas reservas en su defensa del carácter histórico del núcleo principal del poema, mientras otra parte de la crítica adopta una actitud más cercana a lo artístico que a lo histórico, acentuando la ficción literaria como nucleo narrativo.

- *III.3.2.4.2. El arte juglaresco en el CMC[84]: La caracterización de los personajes*

Partiendo de la ficción literaria como clave de lectura del poema, la crítica se fijó en la caracterización de los personajes como uno de los lo-

---

80 SPITZER, L., "Sobre el carácter histórico del *Cantar de Mio Cid*", *Nueva Revista de Filología Hispánica*, II (1948)105-117, reimpreso más recientemente en *Estilo y estructura en la literatura española*, Barcelona, Editorial Crítica, 1980, pp. 61-80.

81 UBIETO ARRIETA, A., "Observaciones al *Cantar de Mio Cid*", *Arbor*, 37 (1957)145-170; Idem, "El *Cantar de Mio Cid* y algunos problemas históricos", en *Homenaje a Rafael Benítez Claros, Ligarzas*, IV (1972)5-192; Idem, *El "Cantar de Mio Cid" y algunos problemas históricos*, Valencia, Anubar Ediciones, 1973.

82 SMITH, C., *Poema de Mio Cid*, edic. cit., pp. 22-36.

83 LACARRA, M. E., *El Cantar de Mio Cid: Realidad Histórica e Ideología*, Madrid, Porrúa, 1980, p. 265. Aunque excede las dimensiones críticas sobre el CMC, también resulta muy interesante, para conocer el valor de la épica como historiografía popular, el trabajo de DUGGAN, J. J., *Medieval Epic as Popular Historiography: Appropiation of the Historical Knowledge in the Vernacular Epic*, en G.R.L.M., t. I (Partie Historique), Heidelberg, Carl Winter-Universitätsverlag, 1986, pp. 285-311.

84 DE CHASCA, E., *El arte juglaresco en el Cantar de Mio Cid*, Madrid, Gredos, 1972; se trata de una de las más importantes contribuciones en el estudio del CMC sobre el valor artístico de una obra cuya poética se adecua a las leyes de la transmisión por vía oral.

El Cid, el gran héroe castellano, representado en la ciudad de Burgos

gros de la literariedad del texto y de la funcionalidad ideológica del poema. El Cid y los suyos llevan la mejor parte en esta caracterización, como era de esperar. El poeta presenta a su héroe como un ejemplo o espejo en donde había de mirarse el hombre castellano de la época: un caballero que con su esfuerzo personal, respetando las leyes del feudalismo, pasa de la nada al todo, de la deshonra a la más alta glorificación, de la miseria a la riqueza. El Cid es un dechado de virtudes, como señala López Estrada, "valeroso caballero, esposo bien queriente, padre amoroso, señor cuidadoso de la mesnada, súbdito ejemplar de su rey, fervoroso cristiano"[85]. Todo un "santo laico".

Al lado del héroe está su familia: su mujer y sus hijas. Son personajes que sirven para dar realce al héroe como esposo y como padre. La presencia de la mujer en la batalla (por ejemplo, en la conquista de Valencia), pone de relieve la cortesía del caballero, que no sólo sabe manejar la espada, sino también posee una sensibilidad amorosa que estimula para el combate. Las hijas del Cid potencian, asimismo, al héroe como padre que busca para ellas un buen matrimonio (v. 282)[86].

Las mesnadas del Cid son también calificadas con atributos positivos: hombres esforzados, valientes y dignos de servir al héroe. Como indica Lacarra, el poeta presenta a un Cid ejemplar, rodeado, a su vez, por una "sociedad también modelo"[87]: Alvar Fañez, Pedro Bermúdez, Martín Antolínez, Félix Muñoz, son sujetos de quienes se predican los más positivos atributos.

---

85 LÓPEZ ESTRADA, F., *Panorama crítico...*, p. 130.

86 En algunos estudios se ha destacado, asimismo, la fuerte presencia de la mujer dentro del público del cantar de gesta: RATCLIFFE, M., "Women and Marriage in the Medieval Spanish Epic", en *Journal of the Rocky Mountain Medieval and Renaissance Association*, VIII (1987)1-14.

87 LACARRA, M. E., o. c., p. 160.

Los dos personajes eclesiásticos que aparecen en el poema realzan también al héroe[88]. La acogida que el abad don Sancho dispensa al Cid es un claro desafío a las órdenes del rey que había prohibido que se diera hospedaje o comida al desterrado[89]. El obispo don Jerome participa, como el Cid, del ideal heroico, sobre todo, en la conquista de Valencia.

Esta distribución binaria, cuasimaniquea, en la estructura narrativa que caracteriza a los personajes, se proyecta también a las ciudades. El autor destaca la favorable acogida que dispensa al Cid la ciudad de Burgos (con el emotivo personaje de la niña de nueve años) y las villas de San Esteban de Gormaz, Medinaceli, Alcocer y Castejón.

El lado negativo en la caracterización literaria de los personajes se proyecta sobre los enemigos del Cid. El héroe ejemplar y modélico aumenta en bondad, presentando a unos enemigos, encarnación de las fuerzas del mal. Este esquema binario o bipartito es el que ofrece la tensión dramática a la estructura narrativa del poema. En el primer cantar el conflicto se apoya en la relación rey-vasallo, con la alusión a los "malos mestureros" (v. 267), cuya personificación más clara es el Conde García Ordóñez, el prototipo del antihéroe. Su enfrentamiento con el Cid así lo prueba. Sin embargo, serán los Infantes de Carrión el contrapunto de lo heroico. Su papel en la estructura de la obra lleva la peor parte; su caracterización no puede ser más negativa. La codicia, la cobardía y la traición son sus atributos. En este sentido el tercer cantar (con el episodio del león, la batalla con el rey Búcar y las Cortes de Toledo) tiene una perspectiva muy clara y manifiesta. La vileza de los condes se pone ya de manifiesto en el pasaje del moro Abengalbón, donde la bondad y la ejemplaridad se atribuye a un no cristiano. La comparación era bien significativa.

El episodio de Vidas y Raquel tiene la función de presentar la astucia del héroe, nota positiva en la caracterización de nuestro personaje, al tiempo que acentúa la pobreza real del Cid, cuando sale del destierro[90].

---

88 Aunque siempre se rebajó el influjo de la cultura eclesiástica en el cantar de gesta español, siguiendo la tesis de Pidal, tales reminiscencias no debieran desdeñarse. El influjo de la Biblia, por ejemplo, ha sido puesto de relieve en VALLADARES REGUERO, A., *La Biblia en la épica medieval española*, Úbeda, 1984. También se viene discutiendo la vinculación del poema con el monasterio de Cardeña (LACARRA, M. E.,"El Poema de Mio Cid y el monasterio de Cardeña", en *Homenaje a don José María Lacarra...*, Zaragoza, t. II, 1977, pp. 89-94; SMITH, C., "The Diffusion of the Cid Cult: A Survey and a Litle-Known Document", *Journal of Medieval History*, VI (1980-81)105-118; Idem, "Sobre la difusión del *Poema de Mio Cid*", en *Études de Philologie Romane et d' histoire littéraire offerts à Jules Horrent à l' occasion de son soixantième aniversaire*, Lieja, Comité d'Honneur, 1980; Idem, "Leyendas de Cardeña", *Boletín de la Real Academia de la Historia*, CLXXIX (1982)485-523.

89 *Ibidem*, p. 174.

90 SALVADOR MIGUEL, N., "Reflexiones sobre el episodio de Raquel e Vidas en el CMC", *Revista de Filología Española*, 59 (1977)183-223.

La caracterización del rey Alfonso se apoya en la estructura feudal que actúa como telón de fondo en toda la obra. En este sentido, hay críticos para quienes "la relación entre el rey y el Cid constituye el fundamento de la estructura"[91] de todo el poema. La personificación del rey, Alfonso VI, sufre una evolución; si bien no hay ataques directos contra el monarca, el tono con que comienza el poema es claramente antialfonsino; a medida que transcurre la acción, se nos presenta como un monarca ideal, gracias a la intercesión del héroe (vv. 3113-3116).

• *III.3.2.4.3. El verismo narrativo*

Junto con la caracterización de los personajes, el verismo o verosimilitud narrativa es otra de las claves de la literariedad del CMC, cualidad que participa del llamado realismo estético de la literatura española. ¿Qué significa esta nota aplicada al CMC? Esta cuestión está en íntima relación con el tema de la historicidad. Como ya se indicó, el poema es una obra más bien de ficción que de historia, aunque utilice personajes y acontecimientos históricos. La sublimación artística y literaria de esta sustancia del contenido se encontraría, precisamente, en que la novelización y lo legendario estarían en función de dar al relato emotividad y dramatismo. Lo artístico está, por tanto, en presentar toda la trama como algo que pudo haber sucedido, es decir, la obra tiene la cualidad de la "verosimilitud artística".

• *III.3.2.4.4. Otros recursos poéticos*

Un acercamiento a la poética del CMC no podría olvidar otros recursos por los que la sustancia del contenido se eleva a la categoría literaria.

El humor se utiliza muy acertadamente en determinados momentos para rebajar la tensión dramática, con lo que el contraste da al relato una variedad imprescindible en la creación artística literaria. Los personajes de "Vidas" y "Raquel", el relato sobre el Conde de Barcelona, el episodio del león y la batalla contra el rey Búcar son los soportes narrativos sobre los que se apoya este humor, que tiene una incuestionable dimensión literaria[92].

A la hora de caracterizar la poética del CMC, habría que destacar, asimismo, como recurso literario, la unidad rítmica bipartita[93], la estructura

91 DE CHASCA, E., o. c., p. 76

92 Sobre el humor en el CMC, véase: ALONSO, D., "Estilo y creación en el *Poema de Mio Cid*", *Escorial*, III (1941) 333-372, reimpreso en *Ensayos sobre poesía española*, Buenos Aires, 1941, y reeditado en *Obras Completas*, Madrid, Gredos, t. II, Madrid, 1972, t. I, pp. 107-143; MONTGOMERY, T., "The Cid and the Count of Barcelona", *Hispanic Review*, 30 (1962)1-11; OLEZA, J., "Análisis estructural del humorismo en el *Poema del Cid*", *Ligarzas*, IU (1972) 193-234.

93 DE CHASCA, E., o. c., p. 194-207.

bimembre[94], determinadas expresiones paralelas[95], así como la adjetivación epitética, ya puesta de relieve en algunos trabajos[96], sin olvidar el simbolismo al que parecen remitir algunas unidades de significación del texto épico[97].

III.3.2.5. El CMC, poesía comprometida

La significación ideológica del CMC atrajo también la atención de una buena parte de la crítica. El poema, desde esta perspectiva, sería "literatura propagandística" o "poesía comprometida".

Rodríguez Puértolas[98] califica al CMC como "arte propagandístico del feudalismo". Analiza el proceso narrativo del poema desde un triple proceso evolutivo, cuyo origen metodológico se inicia en Hegel e inspira las doctrinas del materialismo dialéctico. Para el citado autor la épica sería el instrumento de propaganda de la clase dominante, a la vez que se erige en factor corrector contra las fuerzas revolucionarias que atentan contra el sistema (en este caso, el feudalismo). Épica y feudalismo son, pues, dos categorías mutuamente interrelacionadas. Asimismo, el héroe épico desborda las barreras de lo individual para servir de dechado de perfección a quien han de imitar todos los ciudadanos que pertenezcan a esa comunidad. Según esta concepción marxista de la épica, en todo poema de esta naturaleza se daría este triple proceso:

orden	desorden >	orden
(feudalismo)	(movimiento revolucionario)	(restauración)

¿Cómo se aplicaría este triple proceso al CMC y cuál sería la finalidad del poema? El CMC serviría de propaganda al sistema feudal para subsanar el desorden iniciado por un vasallo que se rebela contra el sistema en tres niveles: a) Nivel político: enfrentamiento entre Castilla (el Cid y los suyos) y León (la vieja nobleza hereditaria, personificada en los Infantes de Carrión). b) Nivel socioeconómico: enfrentamiento entre el pueblo y la oligarquía aristocrática; los primeros luchan por defender el ascenso social; los segundos ponen coto cerrado a sus privilegios; el poeta, autor del CMC, tomaría partido claramente a favor de la naciente burguesía, arraigada en el pueblo; por ello ridiculiza a la aristocracia y a todo lo que no sea castellano. c) Nivel individual: el hé-

---

94 SMITH, C., "Realidad y retórica: el binomio en el estilo épico", en *Estudios Cidianos,* Madrid, Cupsa, 1977, pp. 161-217.

95 WALTMAN, F. M., "Parallel Expressions in the *Cantar de Mio Cid*", *Bulletin of Hispanic Studies,* 55 (1978)1-3.

96 HAMILTON, R., "Epic Epithets in the *Poema de Mio Cid*", *Revue de Littérature Comparée*, 36 (1962)161-178.

97 Véase el trabajo de GARCÍA MONTORO, A., *El león y el azor: simbolismo y estructura trifuncional en la épica medieval española,* Madrid, Ediciones Erre, 1972.

98 RODRÍGUEZ PUÉRTOLAS, J., "El 'Poema de Mio Cid': nueva épica y nueva propaganda", en *"Mio Cid" Studies,* edited by A. D. DEYERMOND, London, Tamesis Books, 1977. pp. 141-159.

roe, el Cid, sería la personificación de los ideales del hombre castellano; de ahí que la ejemplaridad sea una de las funciones más significativas de la obra. El nuevo orden al que se llega al final, después de las Cortes de Toledo, no coincide con el orden del comienzo. Se vuelve a un feudalismo, pero restaurado por la savia de la nueva nobleza. En este contexto, la caracterización del rey Alfonso sufre una evolución. Si bien no hay ataques directos contra el monarca, el tono con que comienza el poema es claramente antialfonsino; pero a medida que transcurre la acción se nos presenta como un monarca ideal, gracias a la intercesión del héroe (vv. 3113-3116).

José Miguel Caso González, primero en un breve artículo[99], y más recientemente en una monografía más extensa[100], califica al CMC como "literatura comprometida", planteamiento y conclusiones que asumimos en buena parte.

La crítica que se ocupó de la carga ideológica del CMC coincide en señalar que el núcleo central en torno al cual se estructuran todos los elementos temáticos y literarios es el tema de la honra, que actúa como catalizador de todos los acontecimientos narrativos. Pero, ¿qué significa la palabra "ondra" en el CMC? La extensión semántica es tan polisémica que va desde quienes dan a la honra del héroe una caracterización supraindividual, bien de naturaleza política (restaurador del antiguo reino visigodo), bien de signo religioso (cruzada), hasta quienes lo restringen a un nivel puramente individual, sea de dimensión moral (recuperar la confianza del rey), sea de signo exclusivamente familiar.

Sin negar el valor parcial de algunas de esas apreciaciones, quizás exageren la imagen demasiado idealizada que del héroe épico nos legó el romanticismo. Como señala E. Köhler[101], la primera lectura de un texto literario medieval ha de ser desde el ángulo de la sociología con el fin de conocer el telón de fondo sobre el que se asienta la creación literaria, puesto que, al ser la literatura medieval de naturaleza fundamentalmente social, muchas de las unidades de significación del texto literario, remitirán a códigos que sólo desde la sociología adquieren significación. Remontémonos, pues, a los siglos XII y XIII. Un nuevo estamento social irrumpe en el panorama medieval: la

99 CASO GONZÁLEZ, J. M., "El *Cantar de Mio Cid,* poesía comprometida", en *Estudios sobre literatura y arte dedicados al Profesor Emilio Orozco Díaz,* Universidad de Granada, 1979, pp. 251-267.

100 CASO GONZÁLEZ, J. M., *El Cantar de Mio Cid, literatura comprometida.* Discurso Inaugural del año académico 1989-1990, Oviedo, Universidad, 1989.

101 KOEHLER, E., "Literatursoziologische Perspectiven", en G.R.L.M., Band, IV, Heidelberg, 1978, pp. 81-103.

caballería[102]. Su profesión será la guerra. No actúan como mercenarios, sino por cuenta propia; su única finalidad será el enriquecimiento. Cuando una situación social depende del grado de riqueza que se posea, es evidente que toda profesión tienda a esa adquisición. Pero a medida que estos caballeros, generalmente de origen humilde, adquieren riquezas, exigen los mismos derechos que tiene la nobleza hereditaria. Por eso en los siglos XII y XIII habrá una serie de "luchas" entre los "nuevos nobles" y la "nobleza hereditaria", esto es, entre la naciente burguesía y la vieja aristocracia.

Este sería el telón de fondo, el "Sitz im Leben" que habría que tener en cuenta para comprender la significación ideológica que subyace en el CMC. El poema sería un canto de glorificación a ese nuevo estamento. Un caballero, cuyos ideales están muy lejos de los ideales que el romanticismo quiso ver en el héroe épico. Sus actos no tienen ni una dimensión política ni religiosa. Busca y lucha por su honra, esto es, por crecer en riquezas y, consecuentemente, en prestigio social.

Teniendo esto en cuenta, veamos algunos aspectos del cantar que corroboran lo que acabamos de decir. El juglar nos presenta a un Cid que sale al destierro muy pobre; por eso tiene que recurrir al engaño de las arcas de arena. Cuando se despide de su mujer y de sus hijas en el Monasterio de Cardeña, piensa en el casamiento que él con sus riquezas podrá ofrecer a sus hijas (vv. 282-284); durante todo el "Cantar primero", el autor trata de resaltar la preocupación económica en nuestro héroe. Él duplicará la ayuda que sus vasallos le dan al principio (vv. 247-254). Asimismo, la riqueza es el gran estímulo para la guerra: conquista de Castejón (vv. 480-492). Cuando una plaza conquistada no es rentable, no tiene inconveniente en venderla de nuevo a los moros: venta de Alcocer (vv. 836-850). Desde el punto de vista narrativo, llama la atención que el poeta dedica un mayor espacio a la descripción de las riquezas obtenidas que a las propias batallas. Cuando intenta conquistar Valencia y necesita reclutar nuevos guerreros, envía pregones por Navarra y Aragón, poniendo como estímulo el enriquecimiento (vv. 1.187-1.189). Una vez conquistada Valencia, las riquezas del Cid son ya tan grandes que forman parte de las apetencias de los Condes de Carrión (vv. 1.372-1.374). Por eso piden al rey Alfonso, quien ya se

---

102 Sobre la influencia de este estamento social en el arte medieval, véase HAUSER, A., *Historia social de la literatura y el arte*, Madrid, Guadarrama, t. I, 1969, pp. 253-299.

Otras lecturas desde la óptica ideológica, en LACARRA, M. E., *El "Poema de Mio Cid": realidad histórica...*; CATALÁN, D. "El Mio Cid: nueva lectura de su intencionalidad política", en *Symbola Ludovico Mitxelena septuagenario oblata*, Vitoria, Universidad del País Vasco, 1985, t. II, pp.807-818; DUGGAN, J. J., *The "Cantar de Mio Cid": Poetic Creation in its Economic and Social Contexts*, Cambridge, University Press, 1989.

ha reconciliado con su vasallo, que les dé en matrimonio a las hijas del Cid (vv. 1.879-1.893). Conviene notar el planteamiento que del matrimonio hacen los Infantes de Carrión. Desde el punto de vista del linaje, ellos son de "natura más alta", mientras que el Cid es un pobre infanzón; sin embargo, desde el punto de vista económico, el Cid les supera en riquezas; por eso dirán que con ese matrimonio "creçeremos en nuestra ondra". En el "Cantar tercero" el juglar nos presenta ya, de una manera muy clara, la oposición entre los dos estamentos sociales: el Cid y sus guerreros (nobleza por méritos) frente a los Infantes de Carrión (nobleza hereditaria). El juglar canta las virtudes y cualidades de los primeros, mientras ridiculiza a los segundos (episodio del león, vv. 2.278-2.310; y la batalla contra el rey Búcar, vv. 2.311 y ss.). Los de Carrión, al verse de esta manera ridiculizados, piensan en una venganza que llevarán a cabo en el robledar de Corpes. El juglar una vez más pone de relieve la vileza de los infantes, al maltratar a las hijas del Cid con espuelas y con cinchas, dos símbolos nobles para todo caballero (vv. 2.724-2.733). El Cid pide justicia. El rey convoca cortes en Toledo. Comienza la glorificación pública de Rodrigo ante Alfonso, quien admite la bondad y la inocencia de su vasallo, mientras le invita a que se siente a su lado, en su mismo escaño (vv. 3.114-3.116). Ya en el juicio, el juglar insiste en presentar la villanía de los infantes. El Cid reclama que le devuelvan sus dos espadas, Tizona y Colada (vv.3.153-3.158); al denominarlas por su nombre, les da prestigio y valoración, mientras que para los condes, carentes de la sensibilidad caballeresca, no tienen ningún valor; por eso aceptan gustosos (vv. 3.161-3.174). Continúa el juicio. Entre los defensores de los infantes está García Ordóñez, quien plantea la defensa, basándose en la diferencia de linaje: los de Carrión son de "natura tan alta" que las hijas del Cid no podrían siquiera ser sus "barraganas" (vv. 3.275-3.279); por eso lo que hicieron con ellas es justo.

Para comprender esto hay que tener en cuenta que en la idiosincrasia medieval el noble sólo puede casarse con una mujer que sea igual o superior en estamento social; de ahí que el infante Fernando insista en su alto linaje: sólo podrían casarse con hijas de reyes o de emperadores, nunca con las hijas de un infanzón (vv. 3.296-3.298). En este contexto, cobra toda su relevancia el episodio, que el juglar intercala en el mismo juicio, sobre los dos emisarios, quienes "piden sus fijas a mio Cid el campeador/ por ser reínas de Navarra e de Aragón" (vv. 3.997-3.999). Es el momento que marca la máxima glorificación de nuestro héroe. Si estos "rogadores" piden en matrimonio a las hijas del Cid para casarse con reyes, es porque están en una categoría de igualdad social. ¿De dónde les vino esta nobleza? No de la sangre de su padre, porque es un simple infanzón, sino por la honra (riqueza y prestigio social) que consiguió el Cid en su condición de caballero.

Por todo lo expuesto, se puede decir que en el CMC hay un "leivmotiv", un hilo conductor, con una carga ideológica muy clara. El poema es un canto al caballero que con sus méritos personales alcanza grandes riquezas y prestigio social ("ondra"), y, por ello, quiere tener los mismos derechos que la nobleza de sangre. Desde esta óptica, el CMC es "literatura comprometida", en cuanto que su autor toma partido en un agrio problema social que vieron los siglos XII y XIII.

III.4. BIBLIOGRAFÍA

III.4.1. EDICIONES DE TEXTOS

III.4.1.1. Cantar de Mio Cid

MENÉNDEZ PIDAL R., *El Cantar de Mio Cid. Texto, Gramática y Vocabulario*, Madrid, Espasa-Calpe, 1908-1911, 3 vols.

Poema de Mio Cid, edic. de MENÉNDEZ PIDAL, R., Madrid, "Clásicos Castellanos", n. 24, 1911 (con numerosas reediciones).

Poema de Mio Cid, edic. de C. SMITH, Madrid, Cátedra, 1972.

Poema de Mio Cid, edic. de I. MICHAEL, Madrid, Castalia, 1973.

Cantar de Mio Cid/Chanson de Mon Cid, edic. de Jules HORRENT, Gante, Story-Scientia (Ktemata, VI), 1982, 2 vols.

Poema de Mio Cid, edic. de Mª. E. LACARRA, Madrid, Taurus, 1983.

Poema de Mio Cid, edic. de P. M. CÁTEDRA, Barcelona, Planeta, 1985

Poema de Mio Cid, Edición facsímil del Códice de Per Abat conservado en la Biblioteca Nacional, Madrid, 1961.

Poema de Mio Cid, edic. facsímil, Ayuntamiento de Burgos, 1982, 2 vols; el v. 2 recoge la transcripción del códice así como otros estudios sobre el poema.

Poema de Mio Cid, edic. de Mª Ángeles RODRÍGUEZ ARANGO, León, Everest, 1991.

III.4.1.2. Otros cantares de gesta

Cantares de gesta medievales, edic. de Manuel ALVAR, México, Porrúa, 1969.

Cantar de Rodrigo, edic. de Luis GUARNER, Gerona, Ediciones AUBI, 1972.

Mocedades de Rodrigo, edic. de Juan VICTORIO, Madrid, Espasa-Calpe, 1982.

Épica española medieval, edic. de Manuel ALVAR, Madrid, Editora Nacional, 1981.

La leyenda de los Infantes de Lara, edic. de MENÉNDEZ PIDAL, R., 3ª edic., Madrid, Espasa-Calpe, 1971.

DEYERMOND, A. D., *Las Mocedades de Rodrigo, poema de Palencia*, Madrid, Ínsula, 1964.

MENÉNDEZ PIDAL, R., *Reliquias de la poesía épica española*, Madrid, 1951.

"Roncesvalles", edic. de MENÉNDEZ PIDAL, R., en *Tres Poetas Primitivos*, Madrid, Espasa-Calpe, "Colección Austral", n. 800 pp. 49-81.

ESTUDIOS CRÍTICOS

III.6.2.1. El problema de los orígenes de la épica

BOWRA, C. M., *Heroic poetry*, London, 1952.

CHAPLIN, M., "Oral-Formulaic Style in the Epic: a progress report", en *Medieval Hispanic Studies presented to Rita Hamilton*, edited by A. D. Deyermond, London, Tamesis Books, 1976, pp. 11-20.

DEYERMOND, A. D., "Medieval Spanish Epic Cycles: Observations on their Formation and Development", *Kentucky Romance Quarterly*, XXIII(1976)281-303.

DEYERMOND, A. D.-CHAPLIN, M., "Folks-motifs in the medieval Spanish Epic", *Philological Quaterly*, LI (1972) 36-53.

FAULHABER, Ch. B., "Neotradicionalism, Formulism, Individualism and Recent Studies on the Spanish Epic", *Romance Philology*, XXX (1976-1977) 83-101.

GALMÉS DE FUENTES, Á., *Épica árabe y épica castellana*, Barcelona, Ariel, 1978.

HORRENT, J., *Historia y poesía en torno al "Cantar de Mio Cid"*, Barcelona, Ariel, 1974.

MARCOS MARÍN, F., *Poesía narrativa árabe y épica hispánica. Elementos árabes en los orígenes de la épica hispánica*, Madrid, Gredos, 1972.

MARTÍNEZ SALVADOR, H., *El 'Poema de Almería' y la épica románica*, Madrid, Gredos, 1975.

MENÉNDEZ PIDAL, R., *Poesía juglaresca y orígenes de las literaturas románicas*, Madrid, Instituto de Estudios políticos, 1957.

———, *Los godos y el origen de la epopeya española*, Madrid, Espasa-Calpe, "Colección Austral", n. 1275, 1955.

———, *La 'Chanson de Roland' y el neotradicionalismo. (Orígenes de la épica medieval)*, Madrid, Espasa-Calpe, 1959.

MILETICH, J. S., "Medieval Spanish Epic and European Narrative Traditions", *La Coronica*, VI (1977-1978) 90-96.

RICHTHOFEN, E., von, *Estudios épicos españoles*, Madrid, Gredos, 1954.

———, *Nuevos estudios épicos españoles*, Madrid, Gredos, 1970.

———, *Tradicionalismo épico-novelesco*, Barcelona, Planeta, 1972.

———, *La metamorfosis de la épica medieval*, Fundación Universitaria Española, 1989.

RIQUER, M., *La leyenda del Graal y temas épicos españoles*, Madrid, Prensa Española, 1963.

III.4.2.2. El Poema de Mio Cid

ADAMS, K., "The Yugoslav Model and the Text of the 'Poema de Mio Cid'", en *Medieval Hispanic Studies presented to Rita Hamilton*, edited by A. D. DEYERMOND, London, Tamesis Books, 1976, pp.1-10.

CASO GONZÁLEZ, J. M., *El Cantar de Mio Cid, literatura comprometida.* Discurso inaugural del año académico 1989-1990, Oviedo, Universidad, 1989.

DE CHASCA, E., *El arte juglaresco en el "Cantar de Mio Cid"*, Madrid, Gredos, 1972.

DEYERMOND, A. D., edit., *Mio Cid Studies*, London, Tamesis Books, 1977.

———, "The Close of the *Cantar de Mio Cid*: Epic Tradition and Individual Variation", en *Essays Ross* (1982)11-18.

———, *El "Cantar de Mio Cid" y la épica medieval española*, Barcelona, Sirmio (Biblioteca General, II), 1987.

DUGGAN, J.,"The Manuscript Corpus of the Medieval Romance Epic", en *Essays Ross* (1982)29-42.

———, "Medieval Epic and Popular Historiography: Appropiation of Historical Knowledge in the Vernacular Epic", en G.R.L.M., I (Partie Historique), Heidelberg, Carl Winter-Universitätsverlag, 1986, pp.285-311.

———, *The "Cantar de Mio Cid": Poetic Creation in its Economic and Social Contexts*, Cambridge, University Press, 1989

GILMAN, S., *Tiempo y formas temporales en el Poema de Mio Cid*, Madrid, Gredos, 1961.

HORRENT, J., *Historia y poesía en torno al "Cantar de Mio Cid"*, Barcelona, Ariel, 1974.

LÓPEZ ESTRADA, F., *Panorama crítico sobre el Poema de Mio Cid*, Madrid, Castalia, 1982. Contiene una exhaustiva bibliografía.

MENÉNDEZ PIDAL, R., *El Cantar de Mio Cid. Texto, Gramática y Vocabulario*, Madrid, Espasa-Calpe, 1908-1911, 3 vols.

———, *En torno al "Poema de Mio Cid"*, Barcelona, EDHASA, 1963.

MONTANER FRUTOS, A., "El Cid: mito y símbolo", *Boletín del Museo e Instituto Camón Aznar*, XXVII (1987)121-340.

SMITH, C., *Estudios Cidianos*, Madrid, Cupsa, 1977.

———, *La creación del Poema de Mio Cid*, traduc. española Barcelona, Editorial Crítica, 1985.

III.4.2.3. Las crónicas medievales y su relación con los cantares de gesta

CASO GONZÁLEZ, J. M., "La Primera Crónica General y sus fuentes épicas", en *Actas de las III Jornadas de Estudios Berceanos*, Logroño, Instituto de Estudios Riojanos, 1980, pp. 33-56.

CATALÁN, D., "Crónicas generales y cantares de gesta. El *Mio Cid* de Alfonso X y el pseudo Ben-Alfaray", *Hispanic Review*, XXXI (1963)195-306.

CHALON, L., *L'histoire et l'épopée castillan du moyen âge. Le cycle du Cid. Le cycle des comtes de Castille*, Paris, Honoré Champion, 1976.

COTRAIT, R., *Histoire et poésie. Le comte Fernán González. Recherches sur la tradition gonzalienne dans l'historiographie et la littérature des origines au "poema"*, Grenoble, 1972.

CUMMINS, J. G., "The Chronicle Texts of the Legend of the Infantes de Lara", *Bulletin of Hispanic Studies*, LIII (1976)101-116.

FRAKER, Ch., "Sancho II: epic and chronicle", *Romania*, XCV (1974)467-507.

MENÉNDEZ PIDAL, R., *Reliquias de poesía épica española*, Madrid, C.S.I.C., 1951

SALVADOR MARTÍNEZ, H., "Tres leyendas heroicas de la "Najerense" y sus relaciones con la épica castellana", *Anuario de Letras* (Méjico), IX (1971)115-177.

WILLIS, R., "*La crónica rimada del Cid*: a School Text?", en *Studia Hispanica in Honorem R. Lapesa*, Madrid, Gredos, t. I. I, 1972, pp. 587-595.

CAPÍTULO IV:
EL MESTER DE CLERECÍA O LA POESÍA CLERICAL EN LOS SIGLOS XIII Y XIV

IV.1 GENERALIDADES

IV.1.1. MESTER DE CLERECÍA O POESÍA CLERICAL

El mester de clerecía o poesía clerical[1] es, sin duda la forma de hacer literatura más fecunda en los siglos XIII y XIV castellanos. La aparición de esta escuela o movimiento literario coincide con el auge cultural que tiene lugar en los reinos cristianos, durante este período. Los siglos XII y XIII son considerados, en el conjunto de la cultura medieval europea, como la edad de oro de la escolástica[2]; es el período de esplendor de la teología, cuya obra más representativa de este quehacer cultural es la *Summa Theologica* de Santo Tomás de Aquino (1224-1274).

Durante el siglo XII ya se vislumbran algunos focos de intensa actividad cultural, como la escuela de traductores de Toledo, el Monasterio de Ripoll o la corte arzobispal de Santiago de Compostela. Sin embargo, el verdadero resurgimiento cultural no se logra en nuestra Península hasta el siglo XIII; el fenómeno estuvo preparado por una serie de causas, unas de naturaleza económica (renacimiento del comercio), otras de índole política (dominio claro del mundo cristiano sobre el mundo árabe, a partir, sobre todo, de la batalla de las Navas de Tolosa en 1212), sin olvidar la renovación educativa y religiosa (reforma cultural programada en el IV Concilio de Letrán de 1215).

IV.1.2. EL IV CONCILIO DE LETRÁN, LA UNIVERSIDAD DE PALENCIA Y EL MESTER DE CLERECÍA

El IV Concilio de Letrán (a. 1215) marcó un hito en la creación literaria medieval[3]. Después de las invasiones bárbaras, los principales focos difusores de cultura quedan polarizados en torno a los monasterios y ca-

---

1 Admitimos los dos sintagmas para caracterizar la poesía culta de los siglos XIII y XIV; el marbete "mester de clerecía" fue puesto en tela de juicio por LÓPEZ ESTRADA, F., "Mester de clerecía: las palabras y el concepto", *Journal of Hispanic Philology*, 3 (1978) 165-174; también en *Introducción a la literatura medieval española*, Madrid, Gredos, 1979, 4ª edic., pp. 367-379. Tal sustitución fue replicada por SALVADOR MIGUEL, N., "Mester de clerecía, marbete caracterizador de un género literario", *Revista de Literatura*, t. XIII, n. 82 (1979) 5-30.

2 Sobre el renacimiento cultural del siglo XII europeo, véase el trabajo de conjunto titulado *Renaissance and Renewal in the Twelfth Century*, edited by Robert L. BENSON and Giles CONSTABLE with Carol D. LANHAM, Oxford, Clarendon Press, 1982.

3 LOMAX, D., "The Lateran reforms and Spanish Literature", *Iberoromania*, I (1969) 299-313; MENÉNDEZ PELÁEZ, J., "El IV Concilio de Letrán, la Universidad de Palencia y el Mester de Clerecía", *Studium Ovetense*, XII (1984)27-39.

tedrales. No obstante, la formación cultural no era uniforme entre los clérigos[4]. Había un clero culto (principalmente el clero regular), que vivía en los monasterios y abadías. El clero secular, por el contrario, sólo poseía escasos rudimentos culturales. No conocía ni la teología, ni el latín; su única formación se limitaba a la memorización de una serie de oraciones en función de una liturgia. Las actas de los concilios de Coyanza (a. 1055) y de Compostela (a. 1056), cuando se refieren a las cualidades intelectuales exigidas para ser ordenados "in sacris", se limitan a consignar la memorización de unos cuantos contenidos litúrgicos. Estas directrices pedagógicas y culturales fueron norma común canónica hasta la implantación en la Península de los decretos del IV Concilio de Letrán. La reforma educativa programada en este concilio llevará consigo un cambio sustancial en la formación de los clérigos y de los laicos; el concilio toma conciencia de que la ignorancia no es apta para obtener la salvación; es una aplicación del aforismo *fides quaerens intellectum*. Entre otras disposiciones, el concilio manda que en cada catedral sea nombrado un maestro de gramática y un maestro en teología. La aplicación más concreta de los cánones del IV Concilio de Letrán tendrá lugar para Castilla en el Concilio de Valladolid (a. 1228) y para Cataluña en el sínodo de 1229[5]. El latín será una de las disciplinas, cuyo nivel de exigencia se verá fuertemente impulsado; la ordenación y la prebenda estarán condicionadas "fasta que sepan [los clérigos] fablar latín". ¿Esto no significa que cuando los autores del mester de clerecía, como Berceo, adaptan al castellano o se inspiran en fuentes latinas no son deudores a esta reforma educativa? Creemos que sí.

Es precisamente, en este momento, cuando empieza a desarrollarse un tipo de literatura didáctica, que servirá de instrumento a los clérigos en su función catequística: los manuales o sumas de confesores, los "specula principum" y la literatura del "exemplum". El didactismo será la nota característica de esta literatura, que trata de proyectar una concepción de la existencia "sub specie aeternitatis". La teología moral y la teología dogmática servirán de telón de fondo a una gran parte de esta literatura. Sin embargo, los contenidos morales son superiores a los contenidos dogmáticos. Algo lógico y esperado. No se trataba de hacer una teología académica, excesivamente conceptual, poco asequible a mentes sencillas, sino una teología existencial con proyección en el más allá. Ahora bien, el clérigo, que compite con el juglar, tenía que presentar su mensaje cristiano de forma animada y viva, si quería mantener la atención de su pú-

---

4 BELTRÁN DE HEREDIA, V., "La formación del Clero en España durante los siglos XII, XIII y XIV", *Revista Española de Teología*, VI (1946)313-357.

5 Véanse las actas del IV Concilio de Letrán en MANSI, J. M., *Sacrorum Conciliorum nova et amplissima collectio*, Paris, 1902-1927, t. III; para las actas de los concilios españoles, véase TEJADA Y RAMIRO, *Colección de cánones y de todos los concilios de la Iglesia de España y América*, t. III, Madrid, 1851.

blico. De esta manera, la enseñanza del mensaje cristiano había de llevar consigo deleite y divertimiento. Para ello se recurre a los "exempla", cuentos tomados de la Biblia, de las fábulas, o bien, inventados por el propio catequista con la utilización de un "yo" autobiográfico de dimensiones exclusivamente literarias. Toda esta literatura, que nace al calor del IV Concilio de Letrán, adopta una actitud aperturista frente al mundo oriental, con el fin de aprovechar elementos culturales de aquellas religiones, cuyas categorías morales podían ser asumidas, igualmente, en la aplicación de los ideales de la cultura cristiana.

Otra de las consecuencias del IV Concilio de Letrán fue impulsar los estudios palentinos, según los cánones del concilio de Valladolid (a. 1228). El Estudio General de Palencia tenía tras sí una larga y fecunda tradición literaria[6] . Sin embargo, a pesar del apoyo papal, que incluso concedía a sus profesores y alumnos los mismos privilegios, libertades e inmunidades de que gozaba la Universidad de París, lo cierto es que la Universidad de Palencia tuvo una languidez existencial[7]. En el siglo XIV habrá, según la hipótesis de algunos críticos, un intento de dar a los estudios palentinos el protagonismo que habían tenido en otro tiempo; sería esta una de las significaciones del canto épico *Las Mocedades de Rodrigo*[8].

Sin embargo, la escasa importancia que tuvo Palencia en el campo de la teología especulativa y del derecho no impide atribuirle el haber sido el centro de un tipo de literatura didáctica en consonancia con las disposiciones del IV Concilio de Letrán, como era la creación literaria del mester de clerecía. El *Verbiginale*, manual de gramática y poética en el Estudio General de Palencia, en el primer cuarto del siglo XIII, corroboraría la existencia del taller poético del mester de clerecía[9]. El intento de

---

6 SAN MARTÍN, J., *La antigua Universidad de Palencia*, Madrid, Afrodisio Aguado, 1942.

7 *Ibidem*, pp. 45-58.

8 DEYERMOND, A. D., *Epic Poetry and the Clergy: Studies on the "Mocedades de Rodrigo"*, London, Tamesis Books, 1969.

9 Además de las referencias hechas por Francisco Rico en los artículos citados, véanse: BARRERO GARCÍA, A. M., "Un formulario de cancillería episcopal castellano leonés del siglo XIII", *Anuario de Historia del Derecho Español*, 46 (1976) 671-711; FAULHABER, Ch.,"Las retóricas hispanomedievales (s. XIII-XV)" en *Repertorio de Historia de las Ciencias Eclesiásticas en España*, Salamanca, Universidad Pontificia, 1879, t. 7, pp. 13-65; GÓMEZ BRAVO, A. M.,"El latín de la clerecía: Edición y estudio del *Ars dictandi* Palentina", *Evbrosyne*, XVIII (1990) 99-144; PÉREZ RODRÍGUEZ, E., *El Verbiginale. Una gramática castellana del siglo XIII (Estudio y edición crítica)*, Universidad de Valladolid-Caja de Ahorros y M. P. de Salamanca, 1990. El estudio de estos textos, directamente relacionados, según parece, con la antigua Universidad de Palencia sería de gran importancia para desvelar muchos de los interrogantes que plantea el taller poético de donde salieron los poemas del llamado "mester de clerecía".

relacionar una parte de la poesía clerical del siglo XIII con los estudios palentinos ha sido intuida por varios críticos[10], quienes bien desde la unidad literaria, como desde la perspectiva teológica, sin olvidar la propia erudición documental, aportan datos que hacen verosímil la consideración de ver en el centro universitario palentino el taller poético del movimiento literario tradicionalmente llamado mester de clerecía.

IV.1.3. NATURALEZA DE LA POESÍA DEL MESTER DE CLERECÍA

¿Cuál es el criterio diferenciador que caracteriza y singulariza a las obras del mester de clerecía? ¿Criterios formales? ¿Criterios temáticos? ¿Criterios estamentales? Analizaremos, por separado, cada uno de estos aspectos.

IV.1.3.1. Naturaleza formal

Tradicionalmente se vino utilizando la estrofa 2ª del *Libro de Alexandre* como una especie de manifiesto literario, aceptado por todos los poetas de dicho mester. Hay en dicha estrofa una reacción contra la forma de hacer literatura los juglares. El autor tiene una obsesiva preocupación métrica ("a sílabas contadas"), prosódica y rítmica ("fablar curso rimado"); frente al descuido y negligencia de los juglares, se ofrece un "mester sen pecado", esto es, sin errores contra el código artístico diseñado, dentro de una orientación moralizante. Y esta nueva forma de hacer literatura pertenece a los clérigos ("ca es de clerecía"). Por tanto, frente a la rima asonante del mester de juglaría, los nuevos literatos usarán la rima consonante; frente a la irregularidad métrica, un cómputo rígido de sílabas, marcadas con un perfecto ritmo, que recuerda el *cursus* de la prosa latina. Quien maneje correctamente estas características formales será un maestro y habrá conseguido un "mester fermoso". Esta exaltación del arte clerical, que se enfrenta al arte de los juglares, se encuentra, a modo de tópico, en muchos textos clericales franceses[11].

10 DUTTON, B., "French influences in the Spanish Mester de Clerecía", en *Medieval Studies in Honor of Robert White Linker*, Valencia, Castalia, 1973, pp. 73-93; Idem, "Gonzalo de Berceo: Unos datos biográficos", en *Actas del Primer Congreso Internacional de Hispanistas*, Oxford, 1964, pp. 249-254; MENÉNDEZ PELÁEZ, J., "La tradición mariológica en Berceo", en *Actas de las III Jornadas de Estudios Berceanos*, Logroño, Instituto de Estudios Riojanos, 1981, pp. 113-127; Idem, "El IV Concilio de Letrán, la Universidad de Palencia..."; URÍA MAQUA, I., "Sobre la unidad del mester de Clerecía", en *Actas de las III Jornadas...*, pp. 179-188; RICO, F., "La Clerecía del Mester", *Hispanic Review*, 53, 1 (1985) 1-23; y 2 (1985) 127-150.

11 Véase GÓMEZ MORENO, A.,"Notas al prólogo del *Libro de Alexandre*", *Revista de Literatura*, 46 (1984)117-127; también del mismo autor "Estudio comparativo de la segunda estrofa del *Libro de Alexandre*", en ALVAR, C.-GÓMEZ MORENO, A., *La poesía épica y de clerecía medievales*, Madrid, Taurus, 1988, pp.157-163.

De esta maestría se ufanan, asimismo, la mayoría de los autores de este mester: el *Libro de Alexandre* (estrofa 2ª); el *Libro de Apolonio* (estrofa 1ª); el *Libro de miseria de omne* (estrofa 4ª); Berceo, por su parte, alude a su condición de maestro para asegurar en sus oyentes o lectores la fiabilidad y credibilidad de lo que van a escuchar o leer (*Milagros*, estrofa 2ª); el mismo Arcipreste de Hita, a pesar de que la métrica y la prosodia pierden en el XIV la rigidez de las obras del XIII, en el prólogo en prosa al *Libro de Buen Amor*, afirma que va a dar una lección de bien rimar, medir y componer. Asimismo, los tradicionalmente mal llamados "poemas ajuglarados del mester de clerecía" no están exentos de esta preocupación formal.

En conclusión, a través de los testimonios expuestos, vemos cómo hay una conciencia en los autores citados de que la nueva forma de hacer literatura tiene como criterio diferenciador unos aspectos formales, que tipifican la estrofa denominada "cuaderna vía". Si bien no se puede emplear el término de "mester de clerecía" como equivalente al de cuaderna vía, esta estrofa es uno de los aspectos más característicos de la poesía clerical de los siglos XIII y XIV[12]. La cuaderna vía es una estrofa compuesta por cuatro versos alejandrinos (su nombre proviene de haber sido utilizados en las adaptaciones medievales de la leyenda de Alejandro Magno), que constan de catorce sílabas, divididas en dos hemistiquios de siete, con rima consonántica. En cuanto al origen y a la estructura de la cuaderna vía, parece que haya que vincular muchos de sus elementos a la poesía latino-eclesiástica de la Edad Media[13].

Siendo el "mester de clerecía" o la "poesía clerical" del siglo XIII y XIV, a nuestro juicio, una consecuencia de la reforma propugnada en el IV Concilio de Letrán, el origen de las características que informan las obras de sus autores habrían de ser estudiadas desde un enfoque panrománico, como señala Francisco Rico en el trabajo anteriormente citado[14]. Asimismo, el citado crítico rastrea en este trabajo las fuentes latino-medievales en busca de las concomitancias entre las creaciones latinas go-

---

12 No toda la crítica, sin embargo, está de acuerdo con esta interpretación; R. WILLIS ("'Mester de Clerecía'. A Definitio of the 'Libro de Alexandre'", *Romance Phylology*, X (1956-57) 212-214) niega el carácter de manifiesto a la citada estrofa 2ª del *Alexandre;* Alan D. DEYERMOND ("Mester es sen pecado", *Romanische Forschungen*, 77 (1965) 111-116) insiste en que no se puede utilizar dicha estrofa "to found on them a rigid classification of the narrative poetry of thirteenth and fourteenth century in Spain". La polémica fue continuada por F. López Estrada y N. Salvador Miguel en los trabajos anteriormente señalados.

13 MENÉNDEZ PELAYO, M., *Antología*..., t. I, pp. 158; también AVALLE, A. S. d', "Le origini della quartina monorrima di alessandri", en *Saggi e ricerche in memoria di Ettore Li Gotti*, Palermo, 1962, t. I, pp. 119-160.

14 RICO, F., "La Clerecía del Mester"...

liárdicas y la poesía clerical de la cuaderna vía. Poemas como el *Verbiginale*, manual de gramática y retórica, o el *Poema de Benevivere*, posiblemente dedicado a Alfonso VIII, benefactor de la Universidad de Palencia, y otros, que vendrían a configurar las "artes sermocinales" del Estudio General de Palencia, podrían ayudar a comprender la génesis de esta singular escuela poética, en la que los aspectos formales juegan un papel fundamental.

IV.1.3.2. Naturaleza temática

Otro de los rasgos diferenciadores de esta escuela poética es el tratamiento de la sustancia del contenido poético. No se puede decir que se ocupa de temas preferentemente religiosos. Quizás lo más significativo y esencial radique en el tratamiento que esta escuela confiere a los temas, en función siempre de la cultura dominante de la época. Unas veces serán asuntos específicamente eclesiásticos (divulgar una determinada religiosidad dentro de una concepción teológica particular, por ejemplo, en Berceo); otras veces, los autores utilizan temas profanos, sazonados de abundante erudición, a los que se les asigna una funcionalidad didáctica de orientación ideológica, netamente cristiana. Dentro del binomio "deleitar/aprovechar" ("delectare/prodesse"), se puede decir que el mester de clerecía busca prioritariamente el aprovechamiento. Incluso en temas profanos, como el *Libro de Alexandre*, o el *Libro de Apolonio*, aparece muy claro este didactismo.

Fruto de esta impronta didáctica, que poseen las obras de la poesía clerical en esta época, se enmarca la erudición de la que constantemente hacen gala los autores. Frente al poema épico que, según la hipótesis más generalizada, aunque cada vez más discutida, se inspira en hechos históricos coetáneos con una funcionalidad noticiera, los autores del mester de clerecía parten siempre de fuentes escritas, que citan de modo constante bajo denominaciones de "estorias", "dictados", "escriptos", "libriellos". Para estos clérigos, educados en una tradición erudita, el documento escrito tiene, de por sí, carácter de autoridad. En el uso de fuentes escritas los autores de la poesía clerical se insertan en una tradición culta propia de la Edad Media, que llegó a crear una especie de fetichismo y de exagerado respeto hacia los textos escritos. Hasta tal punto que, llegado el caso, algunos autores inventan fuentes a fin de que sus narraciones adquieran una mayor credibilidad. Fue este un recurso muy utilizado en la sermonística medieval. La palabra escrita tenía una "auctoritas" que aseguraba la fiabilidad.

Pues bien, en esta tradición están inmersos los autores de esta poesía clerical, destacando, en este sentido, el *Libro de Alexandre*, como máximo exponente de esta preocupación por las fuentes. Entre las fuentes utilizadas por este taller poético se encuentra la Biblia, como corresponde al carácter religioso del período y al estado clerical, en su sentido restrigido, de la mayor parte de sus componentes[15]; otras veces, son escritos latinos sobre las vidas de santos o milagros marianos, como en Berceo, o sobre espiritualidad (*De comtemptu mundi*, en el caso del *Libro de miseria de omne)*, libros de liturgia, sermonarios, fábulas de Esopo, versiones latino medievales de Ovidio (*Libro de Buen Amor*), leyendas de la Antigüedad Clásica, bien directamente, bien a través de versiones galorrománicas (*Libro de Alexandre, Libro de Apolonio, Vida de Santa María Egipcíaca...*).

En definitiva, el inspirarse en fuentes escritas es otra de las características fundamentales de esta escuela.

IV.1.3.3. Naturaleza estamental

¿Se pueden utilizar criterios estamentales para clasificar las obras y los autores en uno u otro mester? ¿Hay una dicotomía en la creación literaria entre clérigos y juglares en la Edad Media? Veamos cómo procedió la crítica.

Menéndez Pelayo quizás haya sido el crítico que con mayor rigidez, basándose, sobre todo, en la estrofa 2ª del *Alexandre*, formuló la dicotomía entre los dos mesteres: el mester ("ministerium" = oficio) de los clérigos frente al mester u oficio de los juglares. En el origen del nuevo mester estaría la intención de crear una nueva forma de hacer literatura culta y erudita "para marcar su distinción respecto del arte rudo de los juglares"[16]. Para Menéndez Pelayo el autor del *Alexandre* se enfrenta al arte de los juglares y este enfrentamiento conlleva una cuestión de prestigio. De ahí que pregone las excelencias del nuevo mester: "arte de nueva maestría", "mester sen pecado". Al hablar de los dos mesteres, Menéndez Pelayo afirma taxativamente que "coexistió el mester de clerecía con el de juglaría pero no se confundieron nunca"[17]. Existió entre ellos una auténtica dicotomía literaria y existencial, ya que socialmente considerado, "el mester de clerecía no fue nunca la poesía del pueblo, ni la poesía de la aristocracia militar, ni la poesía de las fiestas palaciegas, sino la poesía de los monasterios y de las nacientes universidades o estudios generales"[18].

Estas ideas del gran crítico, muy fecundas, sin duda, desde el punto de vista metodológico y didáctico, fueron favorablemente acogidas por

15 GORMLY, F., *The Use of the Bible in Representative Works of Medieval Spanish Literature (1250-1300)*, Washington, 1962; AA. VV., *The Bible and Medieval Culture*, Lovaina, 1979; GARCÍA DE LA FUENTE, O., *El latín bíblico y el español medieval hasta 1300*, Logroño, Instituto de Estudios Riojanos, 1981; REINHARDT, K.-SANTIAGO-OTERO, H., *Biblioteca Bíblica Ibérica Medieval*, Madrid, C.S.I.C., 1986.

16 MENÉNDEZ PELAYO, M., *Antología de poetas líricos castellanos*, Madrid, 1944, t. I, p. 151.

17 *Ibidem*, p. 153.

18 *Ibidem*, p. 154.

la crítica tradicional, llegándose a formar una auténtica dicotomía entre los dos mesteres, que funcionaba de manera antagónica:

Mester de juglaría	*Mester de clerecía*
1. Autores laicos que componen una literatura para ser cantada.	1. Autores clérigos que crean una poesía para ser leída.
2. Utilizan el verso irregular y la rima asonante, formando tiradas de versos irregulares	2. Utilizan un metro regular, según el esquema de la cuaderna vía.
3. Se inspiran en la tradición oral.	3. Se inspiran en fuentes escritas.

Aunque ya Menéndez Pidal[19] atenuó el antagonismo entre los dos mesteres, fue la crítica moderna la que cuestionó aquel cliché estereotipado. José Miguel Caso González[20] se pregunta si han de ser los criterios formales o los estamentales los que han de prevalecer a la hora de clasificar los poemas en uno u otro mester. Evidentemente, hay una fórmula popular de hacer literatura en los siglos XIII y XIV, distinta de la forma culta. ¿Quiere esto decir que la forma popular es patrimonio exclusivo de los juglares, mientras que la forma culta lo sería de los clérigos? El profesor Caso hace un análisis de los llamados "poemas juglarescos del mester de clerecía" (*Disputa del alma y el cuerpo, Razón feita d'amor, Elena y María*), cuya paternidad clerical es manifiesta. La conclusión a la que se llega es que sería más propio hablar de dos formas de hacer literatura en lugar de dos mesteres.

Francisco López Estrada fue otro de los pioneros en la revisión del concepto de mester de clerecía. Sustituye el marbete "mester de clerecía" por el más genérico "poesía de carácter clerical", dando, de esta manera, preferencia a lo estamental por encima de lo formal, como criterio unificador de toda una serie de poemas, desde las obras clericales en verso juglaresco, pasando por aquellos que adoptan con rigidez la cuaderna vía, hasta la polimetría de las obras de los siglos XIV y XV. Así, "el conjunto de las creaciones literarias de la clerecía en la literatura puede compararse con una ciudad medieval en la que, junto a las obras compuestas en la cuaderna vía, que son las dominantes, se hallan otras, de medida y

19 MENÉNDEZ PIDAL, R., *Poesía juglaresca y orígenes...*, p. 274.

20 CASO GONZÁLEZ, J. M.,"Mester de juglaría/mester de clerecía, ¿dos mesteres o dos formas de hacer literatura?" *Berceo*, 94-95 (1978) 255-263.

estrofa distintas, desde el pareado primitivo hasta la redondilla, constituyendo una entidad cerrada y relativamente bien conservada en contraste con el derruido grupo de los poemas épicos"[21]. Para López Estrada la unidad genérica del grupo debe conjugarse con la "variedad y las distintas corrientes poéticas que se hallan representadas en su interior"[22]; Nicasio Salvador Miguel, en réplica al planteamiento de López Estrada, puso de relieve que las obras, tradicionalmente conocidas como pertenecientes al mester de clerecía, constituyen un género literario en el que "la regularidad silábica y la rima son rasgos esenciales para los escritores que integran el grupo"[23].

En resumen, pues, al margen de estériles polémicas, más bien nominalistas que reales, se puede decir que el mester de clerecía es una escuela o movimiento literario que singulariza la creación literaria durante los siglos XIII y XIV. Esta escuela cultivará distintos géneros —dentro del concepto amplio que dicho término tiene al aplicarlo a la Edad Media—, como el milagro literario o la hagiografía, sin olvidar otros, cuya tipología no resulta fácil delimitar. A nuestro juicio, pues, el sintagma "mester de clerecía" sigue siendo válido, no tanto para caracterizar a un determinado género literario, cuanto para designar a un movimiento o grupo literario.

IV.1.4. EL PÚBLICO RECEPTOR Y LA FORMA DE DIFUSIÓN DE LOS POEMAS DEL MESTER DE CLERECÍA

Íntimamente relacionada con el problema estamental, como criterio sistematizador de la poesía clerical de los siglos XIII y XIV, está la cuestión sobre el público receptor y el modo de difusión de estos poemas.

Una parte de la crítica piensa que las obras del mester de clerecía estarían más bien destinadas a la lectura privada, habida cuenta de la naturaleza culta y erudita de sus autores; sería un público minoritario, cuyas reuniones en pequeños círculos, a modo de los modernos ateneos, en determinados locales eclesiásticos, serían amenizadas por esta lectura en voz alta. Esta dimensión elitista explicaría la escasa difusión que, según parece, alcanzaron una gran parte de estos poemas.

Otra parte de la crítica no acepta estas limitaciones del público receptor de los poemas de clerecía. "El público para quien escribe Berceo,

21 LÓPEZ ESTRADA, F., *Introducción a la literatura medieval española*, Madrid, Gredos, 4ª edic., 1979, p. 373.

22 *Ibidem*, p. 373. Véase también del mismo autor: "Mester de clerecía: las palabras y el concepto", *Journal of Hispanic Philology*, 3 (1978)165-174; y "Sobre la repercusión literaria de la palabra 'clerecía' en las literaturas vernáculas primitivas", en *Actas del I Simposio de Literatura Española*, Salamanca, 1981, pp. 251-262.

23 SALVADOR MIGUEL, N., "'Mester de clerecía', marbete caracterizador...", p. 24.

afirma Menéndez Pidal, es, en esencia, el mismo para quien cantan los juglares. Al público desigual de los iletrados quiere servir el clérigo piadosamente, hablándole en romance claro y llano... Se trata, pues, de una poesía escrita para el pueblo (pueblo en sentido amplio); por tanto, una poesía popular"[24]. El poeta del mester de clerecía, según Pidal, "quiere entonces servir de intermediario entre la ciencia de los clérigos y la ignorancia del vulgo, informando a éste, fiel y escrupulosamente de lo que halla en latín de vidas de santos, en los tratados piadosos"[25]. En resumen, los llamados poemas de clerecía habrían formado parte del espectáculo juglaresco. Su forma de difusión sería esencialmente la misma que tuvieron las obras juglarescas: una recitación, a modo de salmodia, con el acompañamiento de determinados instrumentos musicales y ante un público muy heterogéneo.

Pone en entredicho esta tesis Gybbon-Monypenny, quien realizó un minucioso análisis sobre las fórmulas juglarescas en los poemas de clerecía; de este estudio se deduce que muchos de los formulismos juglarescos, utilizados por los autores de clerecía, son meros tópicos, usados mecánicamente, carentes de la función apelativa que tenían en las obras juglarescas. Las supuestas llamadas al público serían restos de una fraseología que no implicaba una recitación a la manera juglaresca[26].

Esta última explicación guardaría correspondencia con la tradición manuscrita de los poemas. No parece que gozaron de gran difusión, fuera del entorno en que nacieron. Esto ocurre, por ejemplo, con las obras de Berceo, cuya obra manuscrita está casi exclusivamente vinculada al Monasterio de San Millán; por eso no la cita el Marqués de Santillana en su *Carta-Proemio*; de lo que parece deducirse que estos poemas no gozaron de gran popularidad en la Edad Media. Más favorable acogida tuvieron entre el público el *Alexandre* o *El Libro de Buen Amor*.

Con todo, se podría decir que los poetas de clerecía, al escribir sus obras, no piensan en una recitación juglaresca; si esto ocurrió, habría sido ocasional. La expresión "non es de joglaría", de la ya citada estrofa 2ª del *Alexandre*, podría referirse no sólo a la autoría, sino también al modo de difusión: ni los juglares son sus autores ni tampoco los encargados de su difusión. ¿Por qué? Porque desconocen las leyes de la prosodia que exige el recitado de los textos. Por tanto, habría que pensar en un público íntimamente relacionado con la cultura eclesiástica.

24 MENÉNDEZ PIDAL, R., *Poesía juglaresca y orígenes...*, pp. 274-275.

25 *Ibidem*, p. 274.

26 GYBBON-MONYPENNY, G. M., "The Spanish Mester de Clerecía and its intended Public: concerning the validity as evidence of passages of direct address to the audience", en *Medieval Studies presented to Eugene Vinaver*, Manchester University Press, 1965, pp. 230-244.

Monasterio de San Millán

No obstante, determinados contenidos temáticos propugnan más bien un pluralismo en la recepción. El didactismo catequístico y divulgador de una teología, que se observa en Berceo, parece exigir un público de amplia base popular, diferente al que parece presuponer el *Libro de Alexandre* o el *Libro de Apolonio*, que tienen muchos puntos en común con los tratados de *De regimine principum*, dentro de un entorno más refinado. Por tanto, quizás no se pueda buscar un público uniforme como destinatario y receptor de este género de poesía[27]. Un pluralismo que también afectaría al modo de difusión de estos poemas que tendría lugar, unas veces a través de la lectura, privada o colectiva, en otras ocasiones por medio de recitados, a la manera juglaresca, cuyo protagonismo pudieran, incluso, realizar determinados clérigos ("juglares a lo divino"). La naturaleza misma de los textos puede ser punto referencial, tanto del público receptor, como de los canales de difusión, sin tratar de buscar una rígida uniformidad ni en la naturaleza de los destinatarios ni en los modos de difusión.

27 RUFFINATTO, A., "Berceo agiografo e il suo publico", *Studi di Letteratura Spagnola*, V (1968-70)9-23; véase, asimismo, URÍA MAQUA, I., "La forma de difusión y el público de los poemas del "mester de clerecía" del siglo XIII", *Glosa* (Universidad de Córdoba), 1 (1989) 99-116.

IV.1.5. PERIODIZACIÓN DE LA POESÍA DEL MESTER DE CLERECÍA

La crítica suele distinguir dos grandes períodos en el desarrollo de este "grupo literario clerical". El primer período comprendería el siglo XIII, cuyos poemas presentan una mayor homogeneidad y una clara unidad poética dentro de una amplia variedad de asuntos (*Libro de Alexandre*, toda la obra de Berceo, *Libro de Apolonio*, *Poema de Fernán González*).

El segundo período quedaría configurado por las obras del siglo XIV, que se caracterizan por una polimetría en la forma, perdiéndose la rigidez de la cuaderna vía, a la vez que los temas adquieren un fuerte tratamiento satírico y moralizador (*Libro de Buen Amor*, *Vida de San Ildefonso*, *Rimado de Palacio*, *Libro de miseria de omne*). A estos dos períodos habría que añadir un grupo de "obras clericales en verso juglaresco", según la denominación de López Estrada, cuyas coordenadas temporales se sitúan tanto en el siglo XIII como en el XIV.

IV.2. EL MESTER DE CLERECÍA O LA POESÍA CLERICAL DEL SIGLO XIII

IV.2.1. CARACTERÍSTICAS GENERALES DEL MESTER DEL SIGLO XIII

La mayor homogeneidad y unidad poética que reflejan los poemas del siglo XIII se manifiesta en su rigidez métrica o "modus versificandi", recogido en la estrofa 2ª del *Alexandre*: "A sílabas contadas"; las obras de Berceo, el *Apolonio*, el *Poema de Fernán González*, siguieron con gran fidelidad este isosilabismo. El alejandrino del XIII tiene unas características muy singulares. Sus catorce sílabas se dividen en dos hemistiquios que pueden terminar en aguda, llana o esdrújula, siendo posible toda una serie de combinaciones o juegos silábicos que permiten establecer las estructuras rítmicas posibles de este alejandrino. Los minuciosos análisis realizados por una parte de la crítica[28] parecen confirmar que

---

28 FITZ-GERALD, J. D., *Versification of the cuaderna via as found in Berceo "Vidas de Santo Domingo de Silos"*, New York, 1905; HANSEN, F., "La elisión y la sinalefa en el *Libro de Alexandre*", *Revista de Filología Española*, III (1916) 345-356; BARRERA, C., "El alejandrino, sus irregularidades y las doctrinas métricas de don Federico Hansen", *Boletín de Filología*, VI (1950-51) 252-346; HENRÍQUEZ UREÑA, P., *Estudios de versificación española*, Universidad de Buenos Aires, 1961; RUFFINATTO, A., "Técnica versificatoria del 'mester de clerecía'", en *La Vida de Santo Domingo de Silos de Gonzalo de Berceo*, edic., Logroño, Instituto de Estudios Riojanos, 1978, pp. 39-51.

el hiato o dialefa (la imposibilidad de que vocales concurrentes entre dos hemistiquios pudiesen formar sinalefa) podría ser considerada como la base del "modus versificandi" que caracteriza a la mayoría de los poemas del XIII. Aunque no se conoce una regla poética que justifique este tratamiento técnico, lo que sí parece seguro es que fue utilizada con voluntad de estilo. La abundancia de ablativos absolutos, la ausencia de partículas relacionantes, la yuxtaposición sintáctica, determinados hipérbatons, características todas ellas fácilmente detectables en los poemas del XIII, podrían ser debidas a esta técnica versificatoria.

Desde el punto de vista temático y funcional, los poemas del XIII tienen una mayor impronta de didactismo catequístico, muy en consonancia con las orientaciones doctrinales del IV Concilio de Letrán. La obra de Berceo, como se verá, divulga y pone al alcance del hombre medieval muchos de los contenidos teológicos del academicismo universitario. El *Libro de Alexandre* o el *Libro de Apolonio* parecen guardar relación con la educación de los jóvenes nobles, a quienes se les presentan unos "exempla" o "specula" de la Antigüedad Clásica, ya bautizados por el estigma cristiano. En otras ocasiones, como en el caso del *Poema de Fernán González*, la propaganda se conjuga con el didactismo, al presentar la figura del príncipe cristiano, el héroe de la independencia castellana, íntimamente relacionado con el monasterio de Arlanza.

IV.2.2. EL LIBRO DE ALEXANDRE,PRIMER POEMA DEL MESTER DE CLERECÍA

Aunque es usual en los manuales de literatura medieval castellana comenzar el mester de clerecía con la poesía de Berceo, las nuevas tendencias críticas, que se están imponiendo cada vez con mayor trabazón lógica y argumental, parecen postular una revisión, y asignar la primacía cronológica al *Libro de Alexandre.*

IV.2.2.1. Datación, tradición manuscrita, autoría y fuentes

La fecha de composición ocupó una buena parte de la atención crítica[29]. Acabamos de señalar que es este uno de los puntos más problemáticos sobre el que, si bien no existe por el momento una cronología absoluta, uniformemente aceptada por la investigación, sí se observa una tendencia a adelantar su fecha de composición hasta considerarle el primer poema de la llamada escuela del mester de clerecía. La tesis más tradicional[30] vino sosteniendo que el *Alexandre* habría sido compuesto ha-

29 Un resumen de esta cuestión en CAÑAS MURILLO, J., edic. cit., Madrid, Cátedra, 1988, pp. 24-31.

30 MOREL-FATIO, A., "Recherches sur le texte et les sources du *Libro de Alexandre*", *Romania*, IV (1875)7-90.

cia la mitad del siglo XIII, en sincronía con el *Libro de Apolonio* y anterior al *Poema de Fernán González*[31]; argumentos de naturaleza extrínseca, principalmente, (alusiones en el poema a determinados acontecimientos, fenómenos o instituciones de la época) fueron con frecuencia la base para retrasar la fecha de composición a finales de la primera mitad del siglo XIII. No obstante, nuevas perspectivas críticas (lingüísticas, escolares y literarias[32]) sitúan la composición de la obra en el primer cuarto del siglo XIII, en fechas que van desde 1202 a 1225, según las distintas hipótesis. La *Alexandreis* de Gautier de Châtillon[33], fuente principal del poema castellano, gozó de gran prestigio en la enseñanza que se llevaba a cabo en las universidades medievales; es posible, pues, que en la Universidad de Palencia, taller poético donde se configuró el movimiento literario del mester de clerecía, se acometiese la empresa de verter en lengua castellana la historia de Alejandro Magno dentro de las orientaciones del IV Concilio de Letrán. Desde esta perspectiva, se entiende mejor el carácter vanguardista y de manifiesto poético que se extrae de la estrofa 2ª del *Alexandre*. Este poema marcaría, pues, el nacimiento de la nueva forma de hacer literatura.

Desde el punto de vista de la tradición manuscrita, el *Alexandre* puede ser un ejemplo de las dificultades que la crítica textual puede plantear al estudiar textos medievales. La obra se conserva en dos manuscritos: el Ms. O (perteneciente al Duque de Osuna), que en la actualidad se encuentra en la Biblioteca Nacional de Madrid, y el Ms. P (denominación justificada por hallarse en la Biblioteca Nacional de París); se conservan, asimismo, algunos otros fragmentos de escasa importancia para la crítica textual del poema. Las grandes divergencias entre uno y otro manuscrito dificultan notablemente una edición crítica que asegure la fiabilidad del texto[34].

---

31 CARROL MARDEN, C., *Poema de Fernán González*, Baltimore, 1904, pp. XXIX-XXXIV.

32 ALARCOS LLORACH, E., *Investigaciones sobre el Libro de Alexandre*, Madrid, C.S.I.C., 1948; RICO, F., "Orto y ocaso del mester de clerecía", conferencia leída, aunque no publicada, en San Millán de Yuso en las *II Jornadas de Estudios Berceanos*, Logroño, 1977; DEYERMOND, A. D., *Historia y crítica de la literatura española. Edad Media*, bajo la dirección de Francisco RICO, Barcelona, Editorial Crítica, 1979, p. 127; y, particularmente, URÍA MAQUA, I. "El *Libro de Alexandre* y la Universidad de Palencia", en *Actas del I Congreso de la Historia de Palencia*, Diputación de Palencia, t. IV, 1986, pp. 431-442; también MARCOS MARÍN, F., *Libro de Alexandre. Estudio y edición de*, Madrid, Alianza, 1987, pp. 24-26; GARCÍA GASCÓN, E., "Los manuscritos de P y O del *Libro de Alexandre* y la fecha de composición del original", *Revista de Literatura Medieval*, 1 (1989)31-39.

33 Véase PEJENAUTE RUBIO, F., "Una aproximación a la vida y a la obra de Gautier de Châtillon", *Archivum*, XXXIX-XL (1989-1990)393-418.

34 BERCEO, Gonzalo de, *Libro de Alexandre*, edic. de D. A. NELSON, Madrid, Gredos, 1978

Esta diversidad afecta, igualmente, a la autoría. ¿Quién es el autor del *Alexandre*? La última estrofa del Ms. O atribuye el libro al clérigo leonés, Juan Lorenzo de Astorga, mientras el Ms. P concede la paternidad a Berceo. Tal asignación, defendida por Arthur Dana Nelson, no deja de sorprender a una buena parte de la crítica, ya que el contenido del *Alexandre* no va de acuerdo con los temas propios de las obras de Berceo. Explicar la obra como poema de juventud, antes de operarse en Berceo una hipotética conversión, es muy problemático, cuando apenas tenemos datos biográficos sobre su persona. La citada estrofa del Ms. P pudo ser añadida por alguien que conocía la obra de Berceo, y tuvo interés en atribuir el libro al poeta riojano. Según el profesor Alarcos, en el estudio del hispanista inglés no se aportan datos suficientes para atribuir la autoría al poeta riojano; las similitudes se podrían explicar por pertenecer los dos autores a la misma escuela y utilizar las mismas técnicas poéticas. "En resumen, concluye Alarcos, la única prueba de que el *Alexandre* sea de Berceo es la estrofa final, tal y como la transmite P, siempre que tengamos la necesaria fe para considerarla auténtica"[35].

Más problemática resulta aún la atribución a Juan Lorenzo de Astorga, una vez demostrado[36] que el original no es leonés, sino castellano; de ahí que una buena parte de la crítica considere el *Alexandre* como de autor anónimo, bien porque haya sido compuesto por un equipo en colaboración bajo la supervisión de un maestro de la Universidad palentina, bien porque desconozcamos la identidad de un autor, de amplia erudición, que en ocasiones presume de ello, y lo pone de manifiesto al realizar la obra, sin duda, más compleja de toda la poesía clerical del siglo XIII[37].

El problema de las fuentes fue tratado con profusión y detallismo en varios trabajos[38]; a modo de síntesis, Jesús Cañas distingue tres grupos dentro de una "jerarquización de las fuentes utilizadas". El primero estaría formado por la *Alexandreis* de Châtillon; es, sin duda, la fuente principal; el segundo lo constituirían el *Roman de la Rose*, la *Historia de Praeliis* y la *Ilias* latina; mientras que el tercer grupo lo integrarían todo un conjunto de obras: las *Etimologías* de San Isidoro y obras de otros au-

---

35 ALARCOS LLORACH, E., "¿Berceo, autor del *Alexandre*?", en *Actas de las III Jornadas de Estudios Berceanos*, Logroño, Instituto de Estudios Riojanos, 1978, pp. 11-18.

36 ALARCOS LLORACH, E., *Investigaciones....*, pp. 15-46.

37 CAÑAS, J., "Introducción", edic. cit., 1978, pp. 65-68; MENÉNDEZ PELÁEZ, J., "El IV Concilio de Letrán, la Universidad de Palencia y el Mester de Clerecía", *Studium Ovetense*, XII (1984)27-39; RICO, F., "La clerecía del mester", *Hispanic Review*, 53 (1985)1-23; URÍA MAQUA, I., "El Libro de Alexandre...", pp. 438-439.

38 WILLIS, R., *The Relationship of Spanish Libro de Alexandre to the Alexandreis of Gautier de Châtillon*, Princeton University Press, 1934; MICHAEL, I., *The Treatement of Clasical Material in the Libro de Alexandre*, Manchester University Press, 1970.

tores, como Quinto Curtio, Flavio Josefo, Ovidio, Catón y un largo etc. El relato es además completado continuamente por otras fuentes de la tradición oral. Todo ello nos indica que el acopio de fuentes fue una de las máximas preocupaciones del autor del *Alexandre*; y, sin embargo, a pesar de esta diversidad y el número de fuentes utilizadas, el resultado no fue una obra inconexa, como cabría esperar, sino dotada de una perfecta unidad. Jesús Cañas explica, de manera singular, el "modo de composición" de la obra en estos términos: "El método empleado en el *Alexandre* es totalmente coincidente con el utilizado por los colaboradores alfonsíes en la redacción de sus obras"[39]. Gracias al estudio de Gonzalo Menéndez Pidal[40] conocemos la metodología utilizada por los colaboradores alfonsíes; se tomaba un texto como base y se añadían todas las noticias procedentes de otras fuentes que el equipo iba recopilando. "Es la misma postura básica que el autor del *Alexandre* muestra en su obra, —sigue diciendo el citado crítico— ...y justifica la enorme cantidad de fuentes empleadas para confeccionarlo"[41] . De ser este el modo de composición del *Alexandre*, el autor, como en el caso de las obras de Alfonso X el Sabio, lo sería en tanto que él planifica, coordina y corrige la obra[42]. De esta manera, la unidad estructural y temática vendría asegurada por el maestro que dirige al equipo. Esta coincidencia en el modo de composición entre el *Alexandre* y la obra de Alfonso X el Sabio plantea varios interrogantes, formulados por el mismo editor, de gran fecundidad para la comprender la autoría en literatura medieval. "El hecho de que existe coincidencia, ¿a qué puede deberse? ¿Es un simple caso de poligénesis, o entre ambas posturas [el *Alexandre* y la obra de Alfonso X el Sabio] existe algún tipo de vinculación? y, si es esta última la solución, ¿cuál es la obra influyente y cuál la influida?"[43]. Si la Universidad de Palencia fue, como ya se ha señalado, el taller poético del mester de clerecía, podría pensarse en algún tipo de colaboración con la escuela toledana, que en aquellos momentos realiza ya una importante actividad cultural.

IV.2.2.2. La lengua del Alexandre

Otra de las preocupaciones de la crítica en torno al *Alexandre* fue determinar la naturaleza lingüística del original, problema complicado y escabroso que suele ir unido a la autoría. Esta dificultad viene aumenta-

39 CAÑAS, J., edic. cit., 1978, p. 57.

40 MENÉNDEZ PIDAL, G., "Cómo trabajaban las escuelas alfonsíes", *Nueva Revista de Filología Hispánica*, V (1951)363-380.

41 CAÑAS, J., edic. cit. 1978, p.58. Véase también URÍA MAQUA, I., "El Libro de Alexandre..."

42 ALFONSO X EL SABIO, "Prólogo" a *Estoria de España*.

43 CAÑAS, J., edic. cit. I, 1978, p. 58.

da por la divergencia lingüística de los dos manuscritos; mientras que el Ms. O está contagiado de leonesismos, el Ms. P, por el contrario, presenta formas lingüísticas del navarroaragonés. ¿Cuál de los dos manuscritos recoge la tradición lingüística original y fidedigna? Para el profesor Alarcos "los argumentos aducidos hasta ahora en favor de un original leonés del poema no ofrecen solidez alguna, y debemos pensar que el elemento leonés de O ha sido introducido por copistas"[44]. Asimismo, no parece que el original haya sido escrito en dialecto riojano; aquellos rasgos que pudieran asociarse con aquel dialecto son más bien "un uso arcaizante de la poesía del mester de clerecía, o sencillamente otra muestra de numerosos cultismos de estos poetas. Por tanto, no hay ninguna prueba incontrovertible de que el original fuera escrito en dialecto riojano"[45]. Para el profesor Alarcos "el original empleaba los más típicos rasgos del castellano"; por ello cree "que su lengua original era el dialecto castellano, aunque con algún arcaísmo precastellano"[46].

IV.2.2.3. Estructura del relato

La vida de Alejandro Magno, leyenda que gozó de gran popularidad literaria durante la Edad Media[47], es la sustancia del contenido poético de una obra que se distribuye en tres grandes núcleos temáticos. Después de un breve *exordium* en el que el autor ofrece y justifica su "servicio" (estrofa 1ª), dentro de la nueva forma de hacer literatura (estrofa 2ª), que pretende deleitar ("habrá de mi solaz") y servir de aprovechamiento ("aprendrá buenas gestas"), se pueden distinguir tres partes en la materia narrativa, una distribución que recuerda la estructura tripartita de las hagiografías. En la primera (estrofas 5-195) se trata del nacimiento, infancia y formación del futuro héroe; el nacimiento tiene aires sobrenaturales, al ir acompañado de una alteración en muchas de las leyes de la naturaleza; su educación, dentro de claros anacronismos históricos, es la suma del hombre de letras ("clerecía") y del hombre de armas ("caballería"). La segunda parte se inicia con la coronación de Alejandro (estrofa 196) a la que sigue la narración de las grandes conquistas que marcan la glorificación del héroe. Por último, la tercera parte recoge las circunstancias de la muerte de Alejandro, con lo que el poema adquiere una fuerte impronta moralizadora.

---

44 ALARCOS LLORACH, E., *Investigaciones...*, p. 33.

45 *Ibidem,* p. 45.

46 *Ibidem,* p. 46.

47 FRAPPIER, J., "Le *Roman d'Alexandre* et ses divers versions au XIIe siècle", en *Le Roman en vers en France au XIIe. siècle,* en G.R.L.M., Heidelberg, C. Winter-Universitätsverlag, 1978, pp. 149-167. Para la difusión de la leyenda de Troya en la Península, véase GARCÍA SOLALINDE, A., "Las versiones españolas del *Roman de Troie*", *Revista de Filología Española,* III (1916) 121-165; también REY, A.-GARCÍA SOLALINDE, A., *Ensayo de una bibliografía de las leyendas troyanas en la literatura española,* Bloomington-Indiana, 1942.

Esta estructura tripartita afecta igualmente a la distribución interna, como observa Jesús Cañas. Aceptamos, en buena parte, sus reflexiones. El número tres es la base estructural de todo el relato. Las divisiones y subdivisiones tripartitas se van sucediendo a lo largo de las 2.675 estrofas. ¿Puro azar o tiene una explicación sociocultural? Tanto en el mundo greco-romano como en la tradición bíblica del Antiguo Testamento, los números impares estaban dotados de una significación religiosa muy especial. El número tres adquirió un fuerte simbolismo en el cristianismo primitivo, sobre todo, por ser tres las divinas personas del Dios Trinitario. De esta manera, el número tres fue adquiriendo una significación religiosa para el hombre medieval. Debido a este teocentrismo imperante, existía una clara intencionalidad de realizar el trabajo humano a imitación del efectuado por Dios.

IV.2.2.4. El Libro de Alexandre, manual de cortesanos

La finalidad última del *Alexandre*, como la mayoría de los poemas de la poesía clerical en los siglos XIII y XIV, tiene una fuerte orientación didáctica. El contenido de esta enseñanza es presentar el ideal de un caballero cristiano en el que se une el hombre de letras (sabe clerecía, por eso estudia el *Trivium* y el *Quadrivium*) y, a la vez, el hombre de armas (por eso es armado caballero). Si a esto se le añade el estar revestido de la dignidad real, se verá que el protagonista tenía muchos puntos positivos para ser considerado como un "speculum principum", como señaló R. Willis. El poema se reviste, de esta manera, con una funcionalidad educativa, mediante la presentación del modo de ser de un personaje, como Alejandro Magno, que atrajo la atención de los nobles medievales. De ahí la abundancia de adaptaciones del tema en la Europa Medieval.

El didactismo cristiano, que se desprende del libro, aparece muy claro; las aberraciones cometidas por Alejandro hubieron de ser aleccionadoras para el receptor o receptores de la obra. La soberbia y la traición,

Alejandro Magno conquistando una ciudad

atributos negativos de la conducta humana, surgen en determinados momentos del relato, en que bien el protagonista o algún otro personaje sufren sus consecuencias, llevándoles a su propia destrucción. La ejemplaridad resultaba evidente. El ejemplo de Alejandro así lo testimoniaba. Su persona había conseguido dominar toda la tierra, pero al final muere como todos los hombres: el mito del ídolo caído. Mediante el anacronismo, técnica utilizada constantemente a lo largo de la obra, se consigue actualizar un tema clásico y convertirlo en materia de ejemplaridad en la educación del príncipe cristiano medieval.

IV.2.3. LA CREACIÓN POÉTICA DE BERCEO

IV.2.3.1. Escasez de datos biográficos

Poco sabemos de la vida del primer poeta conocido del mester de clerecía. Se conservan algunos documentos en el Monasterio de San Millán[48], en los que, en 1221, nuestro poeta firma como diácono y, en 1237, como clérigo secular. En otros documentos del citado monasterio aparece también como cabezalero de un testamento y como confesor del testador. A partir de estos datos, habida cuenta de la normativa canónica[49], según la cual para ser diácono se exigía la edad de veintiséis años, se puede pensar que nació en los últimos años del siglo XII. Su vinculación con el Monasterio aparece explícitamente en sus obras (*Vida de San Millán*, estrofa 489; *Vida de Santo Domingo*, estrofa 757). Su posible formación y profesión, como notario, fue objeto de numerosas conjeturas. De la documentación tanto notarial como literaria se infiere que Berceo fue clérigo secular y mantuvo estrecho contacto con dicho monasterio[50]. Para el hispanista norteamericano, Brian Dutton, tomando como base la estrofa 2.675 del *Alexandre*, Gonzalo de Berceo habría sido notario del abad de San Millán, circunstancia que explicaría las continuas relaciones con dicho cenobio; asimismo, el título de maestro, que Berceo se da en ciertos pasajes de su obra, sería un título universitario, otorgado por la Universidad de Palencia en donde se habría formado, en la doble vertiente literaria y teológica, entre 1223 y 1236.

IV.2.3.2. La tradición manuscrita de los poemas de Berceo

En dos códices han llegado hasta nosotros los poemas de Berceo. El Ms. I (de Ibarreta), depositado en el Archivo de Santo Domingo de Silos (Ms. 93), fue copiado en el siglo XVIII, tomando como base el Ms. Q ("in

---

48 JANER, F., *Poetas castellanos anteriores al siglo XV*, Madrid, B.A.E., 1966, pp. XX-XXII.

49 ALFONSO X EL SABIO, *Partida Primera*, Tit. VI, Ley XXVII.

50 DUTTON, B., "The Profession of Gonzalo de Berceo and the manuscrit of *Libro de Alexandre*", *Bulletin of Hispanic Studies, XXXVII (1960)137-145.*

quarto"), del siglo XIII, hoy perdido. El Ms. F ("in folio"), conservado en la Real Academia Española, está fechado en el siglo XIV[51].

IV.2.3.3. Creación literaria y teología en Berceo

Ha sido frecuente, entre los críticos que se ocuparon de la obra de Berceo, calificar al autor riojano como poeta ingenuo y candoroso, que repite lugares comunes de una tradición, tanto literaria como teológica, de la que él participaría por simple ósmosis ambiental. Nada más lejos. A finales del siglo XVI, Prudencio de Sandoval califica a Berceo de "teólogo y poeta"[52]. Poco que nos adentremos tanto en su poética como en el tratamiento temático de sus poemas descubrimos rápidamente a un autor que maneja con maestría formal el nuevo "modus versificandi" con un esquema sistemático y coherente de las principales verdades teológicas (sustancia del contenido poético). Todo está como velado por la impronta popular con que supo sellar toda su creación.

Lo más significativo de la creación literaria de Berceo es que está escrita para el pueblo; con toda propiedad se le puede llamar poeta popular. Lo percibimos poco que nos adentremos en su lectura. De ahí la calificación o caracterización de "juglar a lo divino". Berceo es un vulgarizador. No crea, sino que divulga y explica, con clara intencionalidad catequística o propagandística.

Y, ¿qué es lo que divulga? Una teología dogmática y una teología moral. Ahora bien, Berceo, al dirigirse al pueblo sencillo, se aparta de los manuales clásicos de teología al uso, con sus tecnicismos difíciles de comprender y poco útiles para la religiosidad del hombre medieval. Enseña y difunde en sus poemas una teología existencial, no una teología conceptualista. Una teología que entre fácilmente por los ojos a su público riojano. Su actitud es la de un catequista, en el sentido teológico de la palabra. Pero detrás de este aparente ropaje de sencillez, se ve muy clara la mente de un poeta culto que maneja con maestría el "a sílabas contadas" y que, al mismo tiempo, tiene un conocimiento nada despreciable del quehacer teológico.

IV.2.3.4. Clasificación de la obra de Berceo

Tradicionalmente se vino clasificando la obra de Berceo en tres grandes apartados: obras doctrinales, obras hagiográficas y poemas marianos. Sin embargo, esta clasificación no tiene unas delimitaciones precisas, ya que, por ejemplo, tanto las hagiografías como las obras marianas tienen una fuerte carga e intencionalidad doctrinal. Por ello, pensamos que resultaría más clarificadora una clasificación de sus obras desde la sustan-

---

51 GARCÍA TURZA, C., *La tradición manuscrita de Berceo*, Logroño, Instituto de Estudios Riojanos, 1979; URÍA MAQUA, I., "Sobre la transmisión manuscrita de las obras de Berceo", *Incipit* (1981)13-23.

52 JANER, F., *Poetas anteriores al siglo XV*, Madrid, B.A.E., 1966, p. XXIII.

cia del contenido teológico que aparece en su quehacer poético. De esta manera, podríamos obtener la siguiente clasificación:

- *IV.2.3.4.1. Obras de teología moral: Las hagiografías*

La moral trata de regular la conducta del individuo en su doble foro, interno y externo. Berceo se aparta de la moral casuística que resultaba poco estimulante. Más que hablar de vicios y de virtudes en abstracto, divulga la vida de unos personajes que han seguido la senda de la virtud. Para ello utiliza el género hagiográfico en el que la ejemplaridad está en función del didactismo catequístico, no exento, en determinados poemas, de una fuerte carga propagandística. Este sería el sentido de los llamados poemas hagiográficos: *Vida de San Millán*, *Vida de Santo Domingo de Silos*, *Poema de Santa Oria* y *Martirio de San Lorenzo* (posiblemente también haya escrito un poema sobre la traslación de los mártires de Arlanza).

En todas estas hagiografías existen puntos comunes, tanto formales, estructurales como temáticos[53]. La *Vida de San Millán* y la *Vida de Santo Domingo* son, sin duda, los poemas que guardan entre sí mayores analogías y concomitancias en la estructura del relato. Después de un "exordium" con la invocación al Dios trinitario, el autor adopta más bien una actitud juglaresca, buscando la "captatio benevolentiae" de su auditorio (lo que les va contar les será muy provechoso), y la utilización del clásico tópico de la falsa humildad (estrofa 2ª de *Vida de Santo Domingo*); el poeta prepara a su público para que acepte como verdadero cuanto les va a narrar: es una "istoria". Por ello, su empeño en delimitar bien las coordenadas geográficas del entorno en el que vivieron sus héroes, con el fin de dar verismo al relato. La infancia y la educación de los protagonistas siguen los clichés del género: orígenes humildes en un medio pastoril; visita al preceptor, quien le instruye en las principales verdades de la fe, sazonadas con las doctrinas de "De contemptu mundi".

La vida eremítica es el medio existencial que envuelve a los héroes hagiográficos en su deseo de buscar la virtud. La santidad vendrá ratificada por los milagros que el santo realiza ya "in vita", pero, sobre todo, "post mortem", con lo que se asegura la ejemplaridad y el poder de intercesión.

---

53 WEBER DE KURLA, F., "Notas para la cronología y composición de las vidas de santos de Berceo", *Nueva Revista de Filología Hispánica*, XV (1961) 113-130; RUFFINATTO, A., *La structura del racconto agiografico nella letteratura spagnola delle origine*, Torino, G. Giappichelli, 1974; CAZELLES, B., *Le corps de sainteté d'après Jean Bouche d'Or, Jehan Paulus et quelques vies des XIIe et XIIIe siècles*, Genève, Droz, 1982; ALMEIDA LUCAS, M. C. de, *Hagiografia Medieval Portuguesa*, Ministerio de Educaçao, 1984; VAUCHEZ, A., *La sainteté en Occident aux dernièrs siècles du Moyen Âge*, Roma, École Française de Rome, 1988; BAÑOS VALLEJO, F., *La hagiografía como género literario en la Edad Media. Tipología de doce vidas individuales castellanas*, Oviedo, Departamento de Filología Española, 1989; y, sobre todo, ALVAR, M., "Berceo como hagiógrafo", en AA. VV., *Berceo. Obra completa*, Madrid, Espasa-Calpe, 1992, pp. 29-59.

Esta instrucción catequística que inculca, a veces, una visión un tanto pesimista de la existencia "sub specie aeternitatis", tiene, en algunos poemas, aires propagandísticos, que no restan en nada el valor artístico de la obra. En la *Vida de San Millán*, por ejemplo, aparece con claridad esta orientación.

La *Vita Beati Aemiliani* (siglo VII) y la *Vita Sancti Dominici* de Grimaldo (siglo XI) son los textos latinos que sirven de fuente de inspiración a Berceo para estas hagiografías.

El *Martirio de San Lorenzo* y el *Poema de Santa Oria*, aunque la estructura del relato es diferente a las anteriores, pueden ser consideradas, con toda propiedad, pertenecientes al género hagiográfico.

Todas estas hagiografías tienen como rasgo común el ofrecer unos programas existenciales en los que la ejemplaridad es una de sus funciones más significativas y frecuentes. Los protagonistas, presentados a la manera de héroes de una ascética, son ejemplos que se han de imitar o espejos en los que han de mirarse los destinatarios, fueran éstos lectores u oyentes. La moraleja o lección moral no ofrece dudas.

• *IV.2.3.4.2. Obras de teología dogmática*

El conjunto de verdades que constituyen el llamado "credo religioso", sobre el que se fundamenta la piedad del individuo, forman los contenidos de la llamada teología dogmática. La piedad que Berceo proyecta en sus oyentes o lectores gira en torno a María, aunque también aparece subrayada la cristología.

Berceo, al potenciar una piedad mariana, entronca con una tradición muy extendida en la Edad Media por toda Europa que vive una intensa corriente de religiosidad mariana[54]. ¿Cuál es el origen de esta intensificación del culto a María? En la iglesia primitiva occidental el culto a María era relativamente escaso; los posibles errores dogmáticos hicieron que los concilios no fomentasen esta devoción popular; para la teología, María, a pesar de sus excelencias en la historia de la salvación, sigue siendo criatura; un culto excesivo podía convertirla en una diosa. En la iglesia oriental, menos sensible a los conceptualismos teológicos, el culto y la piedad mariana evolucionaron y se intensificaron, extendiéndose posteriormente a occidente, en donde triunfó al amparo de la corriente cultural del amor cortés. El siglo XI ve surgir colecciones de leyendas de milagros en latín que rápidamente crecieron en número y divulgación. El período más fecundo y floreciente tiene lugar en los siglos XII, XIII y XIV. Berceo, junto con Alfonso X el Sabio y Raimundo Lulio entroncan con esta piedad popular.

54 MUSSAFIA, A., "Studien zu den mittelalterlichen Marienlegende", en *Sitzungsberichte der kaiserlichen Akademien der Wissenschaften*, Philos.-hist.klasse, Viena, I. 123 (1886). II, t. 115 (1888). III, t. 119 (1899). IV, t. 123 (1890). V, t. 139 (1898).

Santo Domingo de Silos por Bermejo

¿Cuál es el fundamento dogmático de la mariología berceana? La teología afirma de María dos verdades a primera vista contradictorias: María Virgen / María Madre; María es madre, permaneciendo Virgen. Según se intensifique una u otra verdad, tendremos dos tipos de mariología. Esto es lo que ocurrió en la Edad Media. Nos encontramos con dos mariologías. Una que fundamenta sus doctrinas en la virginidad, mientras que la otra lo hace en la maternidad. ¿Con cuál de ellas entronca Berceo? Basta hacer un breve recorrido por los distintos poemas marianos y tomar nota de las invocaciones y fórmulas apelativas con las que Berceo se dirige a María. La maternidad es el título y el atributo más socorrido. Como consecuencia de ello, encontramos otra verdad, que es constante en la mariología de Berceo: María intercesora del ser humano ante Dios. Este será el contexto teológico de los llamados "poemas marianos".

— *IV.2.3.4.2.1. Los Loores de la Virgen*

Más que de unos loores es un breve "compendium Historiae salutis"[55]. En este poema se resume el papel de María dentro de la historia de la salvación, desde el Antiguo Testamento hasta los tiempos mo-

55 GARCÍA DE LA CONCHA, V., "Los *Loores de Nuestra Sennora*, un 'compendium Historiae Salutis'", *Berceo*, 94-95 (1978) 133-189.

dernos; es, sin duda, la obra en donde Berceo demuestra un mayor conocimiento del quehacer teológico con un claro didactismo catequístico: fundamentar teológicamente el poder intercesor de María.

— *IV.2.3.4.2.2. El Duelo de la Virgen*

En este poema, posiblemente inspirado en un sermón apócrifo de San Bernardo o en un drama litúrgico perdido, se recoge el dolor de la Virgen desde el momento en que Jesús cae prisionero en el Monte de los Olivos hasta el día gozoso de la Resurrección. La estructura narrativa utiliza el diálogo entre la Virgen y San Bernardo, primer trovador de María. La inclusión de la "cantiga de veladores", al final del poema, único muestrario en donde Berceo se aparta de la cuaderna vía, planteó el problema de su procedencia con tres opciones críticas: parodia de la pascua judía, poesía tradicional o resto de un antiguo drama litúrgico[56].

— *IV.2.3.4.2.3. Los Milagros de Nuestra Señora*

Se trata de una colección de veinticinco relatos en los que se narran distintos milagros obrados por la Virgen. Berceo siguió muy de cerca una colección de milagros, hoy identificada, gracias a la cual se puede hacer un análisis intertextual. Sin embargo, se desconoce la fuente precedente que pudo servir de base para el prólogo, siendo posible que sea original del propio Berceo; la alegoría es la clave de esta introducción, dentro del tópico del "locus amoenus"[57]: la Virgen se presenta como un "prado verde e bien sençido", en donde el hombre peregrino encuentra albergue y reposo.

Los veinticinco milagros tienen como finalidad probar el poder intercesor de María; este poder adquiere en estos relatos características sorprendentes: María salva del infierno a los ladrones; soluciona el problema a una monja embarazada; se habla de los peligros del intelectualismo y de las ventajas de la ignorancia. Todo ello para poner de relieve que María es abogada y defensora del género humano.

El impacto que esta religiosidad hubo de producir lo deducimos fácilmente, si tenemos en cuenta que una gran parte de la piedad en esta época estaba marcada por una religiosidad del temor, en torno a un Cristo justiciero. El optimismo existencial, que este tipo de religiosidad proyectaba, parece innegable. De ahí la popularidad que estas narraciones alcanzaron por toda Europa[58].

---

56 TREND, J. B., "Sobre el Eya Velar", *Nueva Revista de Filología Hispánica*, IV (1950) 50-56; ORDUNA, G., "La estructura del 'Duelo de la Virgen' y la cántica Eya Velar", *Humanitas* (1958)75-104; WARDROPPER, B., "Berceo's Eya Velar", *Romance Notes*, II (1960-61) 3-8; DEVOTO, D., "Sentido y forma de la cantiga eya velar", *Bulletin Hispanique*, LXV (1963) 206-237.

57 GERLI, M., "La tipología bíblica y la introducción a los *Milagros de Nuestra Señora*", *Bulletin of Hispanic Studies*, 62 (1985) 7-14.

58 Una visión de conjunto de estas colecciones, desde la óptica literaria, en MONTOYA, J., *Las colecciones de milagros de la Virgen en la Edad Media (El milagro literario)*, Málaga, Universidad, 1981.

La estructura narrativa[59] en estos relatos es muy uniforme; el protagonista, en cada una de estas unidades narrativas, se presenta con dos funciones: a) Como elemento activo y transgresor de la norma moral: robo, fornicación, profanaciones, embriaguez; tan sólo algunos detalles de piedad mariana. b) Como elemento pasivo de la acción salvífica realizada por María. De la confluencia de estos dos niveles narrativos surge la enseñanza moral o moraleja: el poder intercesor que tiene la Virgen; cuanto mayor sea la transgresión de la norma moral realizada por el protagonista, mayor será el resplandor de la acción salvífica de María.

• *IV.2.3.4.3. Obras de escatología*

El hombre medieval vive absorto por el más allá; las doctrinas del *De contemptu mundi*, tan en boga en ese momento, hacen que el individuo vea la muerte, y consiguientemente la vida futura, como una liberación de este mundo, caracterizado como "valle de lágrimas". Por ello Berceo divulga, entre sus oyentes o lectores, las verdades fundamentales del credo cristiano, sobre la realidad del mundo futuro, en un poema que lleva por título *De los signos que aparecerán antes del juicio final*[60]. Es llamativa la plasticidad con que Berceo describe esos signos finales de la historia de la humanidad, sin olvidar ninguna de las principales verdades dogmáticas del credo cristiano sobre las postrimerías; todo el mensaje se difunde dentro de una tonalidad didáctica y catequística.

• *IV.2.3.4.4. Catequesis litúrgica*

De la misma manera que toda religión ha de tener una actividad cúltica, el esquema teológico de Berceo no podía prescindir de este elemento fundamental en todo didactismo religioso. Esta enseñanza se recoge en su *Del sacrificio de la misa*. Es un poema sobre lo que es y lo que significa la misa cristiana; arranca de los sacrificios del Antiguo Testamento para colocar al sacrificio eucarístico como la síntesis de todo el culto cristiano; se explican las distintas partes de la misa dentro de la interpretación alegórica de las Sagradas Escrituras, con lo que el simbolismo adquiere una importancia capital.

Nos encontramos, de esta manera, con una producción literaria que se adecua perfectamente a un coherente sistema teológico; evidentemente, Berceo no crea una teología; no es un profesor universitario; acepta una teología que él encuentra en determinadas fuentes, las personaliza con su sello literario y las ofrece a sus oyentes o lectores, que no son universitarios, sino personas sencillas; por eso adopta muchas veces una actitud juglaresca. Esta aparente sencillez, que caracteriza al estilo de Berceo, fue utilizada por la crítica tradicional para presentarle como un

59 Véase ROZAS, J. M., *Los Milagros de Berceo, como libro y como género*, Madrid, UNED, 1976.

60 MARCHAND, J. W., "Gonzalo de Berceo's *De los signos que aparesçerán ante del juiçio*", *Hispanic Review*, 45 (1977) 283-295.

poeta ingenuo y candoroso que repite lugares comunes de la piedad de su medio ambiente. Sin embargo, el esquema teológico que acabamos de esbozar, así como el tratamiento de determinados conceptos sobre la ciencia divina, exceden con mucho las ideas de una piedad ambiental. De ahí que detrás de ese estilo sencillo es necesario suponer, a nuestro juicio, una mente culta que ha asimilado las verdades fundamentales de la historia de la salvación, según la ortodoxia de la teología cristiana; por eso se autodenomina "maestro".

IV.2.3.5. La poética de Berceo

Ya se indicó que Berceo sigue con rigidez las doctrinas poéticas formuladas en la estrofa 2ª del *Alexandre* (no se infiera de esto la atribución de la autoría de tal obra al poeta riojano). Maneja con rigor el cómputo silábico y utiliza la rima consonántica como la norma práctica de su poesía narrativa, con la única excepción de la cantiga de veladores "eya velar".

Beber en fuentes escritas es otra de las características de todos sus poemas, de acuerdo con los moldes pedagógicos que regulaban el didactismo medieval; de ahí la reiteración de sintagmas como "según dize la estoria", "según cuenta el libriello"; el texto escrito, ya lo dijimos, tiene para el hombre medieval un fetichismo que inspira credibilidad. Por ello el autor medieval no oculta sus fuentes de inspiración; antes bien, las prodiga y hace gala de su dependencia; no va en su deterioro, sino todo lo contrario, le da prestigio. Es una manera muy peculiar de entender la originalidad creativa; sin embargo, esta dependencia de las fuentes no es servil; las modifica y amplifica con intenso sabor popular.

La técnica narrativa de Berceo se detecta y reconoce fácilmente, aunque muchos de sus rasgos sean comunes con otros poemas del siglo XIII; la naturaleza narrativa de sus poemas hace que la descripción sea una de las características de su poética; sus cuadernas son, asimismo, unidades narrativas con sentido completo; como dice Artiles, "cada estrofa y con frecuencia cada verso, se cierra sobre sí misma en unidades sintácticas completas"[61]. Su técnica narrativa fue comparada con determinadas estructuras arquitectónicas, como el tímpano del pórtico gótico o la disposición del retablo que presentan muchas catedrales del mismo estilo[62]. Desde el punto de vista estilístico, las metáforas, los símiles y las imágenes, tomadas de los más diversos aspectos vitales del entorno, configuran la poética de un autor que fue siempre consciente de su arte literario y manejó los resortes de la poética medieval, según los postulados de la "nueva maestría".

---

61 ARTILES, J., *Los recursos literarios de Berceo*, Madrid, Gredos, 1968, p. 98.

62 ROZAS, J. M., "Composición literaria y visión del mundo en el clérigo ignorante de Berceo", en *Studia in Honorem R. Lapesa*, Madrid, Gredos, t. III, 1975, pp. 431-452; GONZÁLEZ DOMÍNGUEZ, M., "La estructura gótica en los poemas hagiográficos de Berceo", *Berceo*, 118-119 (1990) 105-116.

IV.2.3.6. Intencionalidad de la obra de Berceo

¿Es Berceo un escritor candoroso, ingenuo y sencillo, o, por el contrario, ese ropaje de sencillez e ingenuidad es un simple velo que oculta otra intencionalidad más pragmática? Brian Dutton[63], uno de los máximos especialistas en la obra del autor riojano, formuló la tesis, según la cual Berceo habría escrito sus poemas por un móvil propagandístico con miras económicas. Según Dutton, el monasterio de San Millán habría empezado a decaer, a lo largo del siglo XII, por la competencia de otras fundaciones en la ruta de peregrinación; desde esta perspectiva, toda su obra hagiográfica y mariana tendría como finalidad potenciar los intereses económicos del cenobio de San Millán; en la *Vida de San Millán* el autor intentaría justificar y legalizar unos tributos ante el pueblo en un momento en el que la fundación de nuevos monasterios comprometerían los ingresos económicos del cenobio emilianense. La tesis de Dutton, aplicada a la *Vida de San Millán*, parece tener visos de verosimilitud, si tenemos en cuenta que Berceo traduce al romance un documento falso, escrito en latín, con el que se pretendía hacer pagar a todos los pueblos de Castilla y parte de Navarra una cuota anual, que, se decía, había sido establecida por el mismo Conde Fernán González (estrofas 435 y ss.); de esta manera, el didactismo catequístico adquiere en esta obra una innegable impronta propagandística.

Dutton piensa también que la *Vida de Santo Domingo de Silos* tiene la misma intencionalidad propagandística en favor del Monasterio de Silos; debido al éxito alcanzado por la *Vida de San Millán*, los monjes de Silos habrían pedido a Berceo una obra en favor de su cenobio, dentro de un pacto de colaboración y cooperación entre los dos monasterios, a partir de 1236. Si bien en esta obra el pragmatismo económico está más velado, existen, sin embargo, algunas referencias propagandísticas, que pueden ser consideradas como reclamo para atraer peregrinos (estrofas 385-386). La misma presentación del santo, dentro de los clichés del héroe épico, podría no ser ajena a esta orientación.

Para el citado hispanista, incluso los *Milagros de Nuestra Señora* tendrían como finalidad velar por los intereses del Monasterio de San Millán. En este caso se trataría de revalorizar el cenobio de Yuso, donde habría un culto especial a la Virgen desde 1053, mientras en su hermano de Suso predominaba el culto al santo patrón. El propósito de esta divulgación de milagros marianos sería la instrucción y enseñanza de los peregrinos que llegaban al monasterio, con lo cual quedaría también de manifiesto la labor de propaganda realizada por Berceo en favor del Monasterio de San Millán.

63 DUTTON, B., "Introducción" a *La Vida de San Millán de la Cogolla*, London, Tamesis Books, 1967.

Detalle del Arca de San Millán

Esta imagen tan interesada y pragmática del arte literario de Berceo presenta serias dudas, al generalizarla a todos los poemas del poeta riojano; sin negar que tal explicación parece tener una cierta verosimilitud en la *Vida de San Millán*, más bien creemos que es el didactismo el principal móvil del arte literario de Berceo. Lejos de buscar un público receptor uniforme para todos los poemas, habría que suponer una cierta heterogeneidad; la *Vida de San Millán* o la *Vida de Santo Domingo*, habida cuenta del innegable carácter propagandístico al que remiten muchas de sus unidades, parece lógico suponer que tuviesen un público más amplio y heterogéneo que la *Vida de Santa Oria*, destinada más bien a una comunidad religiosa, cuyos miembros viesen en la santa un espejo en que mirarse y un ejemplo que imitar[64].

IV.2.4. EL LIBRO DE APOLONIO

IV.2.4.1. Autor, fecha de composición, lengua

Nada sabemos de su autor; el didactismo cristiano que sazona la obra le vincula, sin duda, al estamento clerical. El único manuscrito que de la obra se conserva se encuentra en la Biblioteca de El Escorial. Todos los críticos coinciden en datarlo en la primera mitad del siglo XIII. ¿Anterior o posterior a Berceo? ¿Anterior o posterior al *Alexandre*? El sintagma "nueva

64 RUFFINATTO, A., "Berceo agiografo e il so publico...", art. cit., p. 23.

maestría" (estrofa 1ª) sirvió para que algunos críticos lo considerasen como la obra más antigua del mester de clerecía, por tanto a principios del siglo XIII[65]. Para otros críticos, sin embargo, el contexto de la citada estrofa no exigiría necesariamente la primacía absoluta. La crítica más generalizada coloca la fecha de composición hacia la mitad del siglo XIII.

La naturaleza lingüística no suscitó dudas en la crítica. Se trata de un lenguaje genuinamente castellano. Sin embargo, el texto está modernizado. Para Manuel Alvar[66], uno de los mejores conocedores del poema, un escribano tardío fue rectificando lo que a él le sonaba a extraño o practicó una técnica métrica y unas normas lingüísticas distintas a las que imperaban cuando el primigenio poeta escribió sus versos. Alvar propugna una vuelta al texto primitivo; para ello analiza una serie de recursos métricos, como la apócope, el hiato y la sinalefa. Desde la redacción original del poema hasta la fecha en que se copió el manuscrito que nos transmitió la obra, pasaron casi ciento cincuenta años. El copista habría modernizado el texto, según la práctica habitual en muchos de los amanuenses medievales. Por tanto, un acercamiento al texto original ha de tener en cuenta este hecho.

IV.2.4.2. El Libro de Apolonio, novela bizantina

La sustancia del contenido poético versa sobre la leyenda de Apolonio, de amplia difusión a lo largo de la Edad Media europea[67], de manera semejante a la trayectoria seguida por la leyenda en torno a Alejandro Magno. Aunque el tema es de origen griego, la versión más antigua conocida pertenece a la tradición latina, la *Historia Apollonii Regis Tyri*, escrita hacia el siglo V o VI. Aunque el texto no se puede relacionar, desde el punto de vista textual, con ninguna versión griega, sin embargo, desde la óptica temática y narrativa, sí está presente una tradición helénica. Manuel Alvar lo califica de "relato de carácter odiseico": el héroe está condenado a un continuo peregrinar, según el modelo que acuñó Homero, y que repiten las novelas bizantinas[68]. Hay, pues, una serie de "topoi" de la *Odisea*, que pasan al *Apolonio.*

Alvar señala, asimismo, en la novela latina determinadas virtudes de los héroes de la *Eneida*, que aparecen, igualmente, en nuestro poema. De aquí se deduce que el autor de la novela latina, *Historia Apollonii Regis Tyri*, era un autor que poseía una gran cultura; conocía la tradición odiseica que empieza con Homero y se va reelaborando en las novelas

---

65 VALBUENA PRAT A., *Historia de la Literatura Española. Tomo I. Edad Media*, 9ª edic. ampliada y puesta al día por Antonio Prieto, Barcelona, Editorial Gustavo Gili, 1981, pp. 105-106.

66 ALVAR, M., edit., *Libro de Apolonio, estudio, ediciones y concordancias*, Valencia, Fundación Juan March-Castalia, 1976, 3 vols.

67 FRAPPIER, J., "Le Roman d'Apollonius", en *Le Roman en vers en France au XIIe siècle*, en G.R.L.M., Vol. IV, *Le Roman jusqu'a la fin du XIIIe. siècle*, Heidelberg, C. Winter-Universitätsverlag, 1978, pp. 167-170.

68 ALVAR, M., edic. cit., t. I, p. IX.

de viaje y aventuras, a la vez que estaba familiarizado, de la misma manera, con la literatura latina. Estos datos son importantes para conocer la génesis del libro, así como para poner de relieve la originalidad del poema español del siglo XIII. Por otra parte, en la génesis de la versión latina no podemos renunciar a incorporaciones tradicionales, a la manera del cuento popular.

¿Cuál es el antecedente del texto castellano? ¿Una versión latina o una versión galorrománica? Para Alvar no se puede afirmar, hoy por hoy, la dependencia del texto castellano con ninguna de las tradiciones ni francesas ni provenzales, ya que "el poema español pertenece a una tradición latina"[69].

El poeta castellano adapta el texto latino, pero con originalidad. Alvar recalca los recursos literarios utilizados por el poeta castellano con voluntad de estilo y originalidad literaria; mediante la "aemulatio" convierte en criatura poética lo que en el original latino es sólo un relato escueto y desencarnado; en otras ocasiones suprime escenas poco edificantes (como el acto incestuoso de Antíoco con su hija) o elimina descripciones excesivamente fantásticas. Sin embargo, el elemento original más importante, en esta adaptación, es la cristianización de determinados temas paganos. Existe todo un proceso de despaganización: eliminación de palabras paganas, inclusión de un léxico específicamente cristiano, invocaciones al Dios cristiano, referencias a instituciones eclesiásticas, utilización de conceptos de la moral cristiana, etc. Si bien este proceso de cristianización ya estaba en la versión latina, el poeta castellano continuó esa tarea. Esta purificación léxica y conceptual adquiere unas orientaciones predominantemente morales, de acuerdo con las formulaciones de las doctrinas del *De contemptu mundi.*

IV.2.4.3. Estructura del relato

Alan Deyermond[70], primero, y Manuel Alvar[71], posteriormente, ofrecieron interesantes observaciones sobre el análisis estructural del poema. Según estas aportaciones, las vicisitudes por donde hubo de pasar el rey Apolonio, núcleo argumental de todo el poema, siguen una estructura rectilínea, a la manera de un cuento: "érase una vez...". El factor desencadenante de toda la acción es el enigma de Antíoco; una vez descubierto, se inicia toda una cadena de aventuras; todos los episodios o "microacciones" están enlazados bajo la relación causa-efecto. En este sentido, el *Apolonio* sigue la estructura del relato de la novela bizantina. Como señaló Artiles[72], es una novela bizantina trasladada al siglo XIII.

---

69 *Ibidem*, p. 113.

70 DEYERMOND, A. D., "Motivos folklóricos y técnica estructural en el *Libro de Apolonio*", *Filología*, XIII (1968-69)121-149.

71 ALVAR, M., *Libro de Apolonio*, edic. cit., t. I, pp. 237-244.

72 ARTILES, J., *El Libro de Apolonio, poema español del siglo XIII*, Madrid, Gredos, 1976

Por otra parte, el escenario del relato tiene algunas notas significativas; si comparamos el escenario de las hagiografías de Berceo con el escenario del *Apolonio*, rápidamente percibimos una singular novedad; en Berceo abundan los escenarios naturales (un "locus amoenus" a lo divino); el paisaje se convierte casi en protagonista (recuérdese el prólogo a los *Milagros de Nuestra Señora*). En el *Apolonio*, por el contrario, el relato no utiliza la naturaleza como escenario; no hay prados, ni flores, ni cantos de pájaros; se nos presenta a la naturaleza en su más pura sobriedad; de alguna manera, se podría comparar con el *Cantar de Mio Cid*; las referencias a la naturaleza se reducen a meras indicaciones topográficas, puramente locativas, con escasa o nula pretensión poética; no hay en el *Apolonio* el trasfondo agrario y campesino que existe en Berceo; el entorno del relato es la ciudad, o mejor, la ciudad-puerto; una gran parte de la acción se desarrolla en puertos marítimos: Tiro, Sidón, Antioquía, Éfeso. De ahí la importancia del vocabulario marítimo; los campos semánticos en torno al mar y a los oficios marítimos son los más abundantes en este relato. Se puede afirmar que el mar se convierte en el escenario principal de las aventuras y vicisitudes de Apolonio; son trece los viajes que Apolonio realiza por mar; de esta manera, el mar no sólo es escenario, sino personaje vivo del relato. Incluso se le califica con atributos humanos (estrofas 107 y 120).

El dramatismo, que en determinados momentos adquiere el discurso narrativo, se consigue, asimismo, a través del mar; las dos tormentas que se describen tienen esta clara dimensión (estrofas 106-113; y estrofas 454-457). Por otra parte, el mar es el medio por el que se consigue el didactismo cristiano; el colofón que se desprende de los relatos de las tormentas provoca la invocación de una intervención divina.

La música es otro de los elementos más importantes del relato; todos los personajes significativos del poema saben tocar algún instrumento; la música viene a tener una función gnoseológica, es decir, es una forma de conocer; se alude tanto a la música cortesana, que interpretan Apolonio y Luciana, como a la música popular, al presentar a Tarsiana como una juglaresa; la descripción de instrumentos de cuerda (viola, rota, giga) ocupa también buena parte del relato.

IV.2.5. EL POEMA DE FERNÁN GONZÁLEZ

Se trata de un poema, cuya naturaleza híbrida hace que pueda ser estudiado, bien dentro del conjunto de los poemas épicos, porque el tema es épico, bien dentro del mester de clerecía, porque los aspectos formales, los derivados de la cuaderna vía, informan todo el poema. Nos inclinamos por esta última opción.

IV.2.5.1. Manuscritos, autoría, fecha composición

El poema ha llegado hasta nosotros en un códice, copiado en el siglo XV, que en la actualidad se conserva en la Biblioteca de El Escorial; se trata de un manuscrito bastante defectuoso y deteriorado[73].

Desde Amador de los Ríos[74] hasta la crítica actual, se admite como autor del poema a un monje del monasterio de Arlanza; las constantes alusiones a las tradiciones eclesiásticas y el interés del autor por vincular el origen del cenobio a las donaciones del Conde Fernán González parecen más que suficientes para sostener esta tesis. En cuanto a la fecha de composición, se puede situar en torno a mediados del siglo XIII[75].

Más problemáticos y polémicos resultan la génesis y el proceso formativo; es esta, sin duda, la cuestión que más ha preocupado a la crítica actual. Las conclusiones, o las actitudes que se adopten, no sólo afectan a la exégesis del poema en sí mismo, sino que condicionan o apoyan las dos grandes opciones de interpretación de la obra literaria medieval, tradicionalismo e individualismo, sobre el papel que desempeñaron los clérigos en el origen de las literaturas medievales.

La tesis o explicación del neotradicionalismo, sobre la génesis del *Poema de Fernán González*, se resumiría en las siguientes consideraciones. El protagonismo desempeñado por el personaje histórico Fernán González, héroe de la independencia castellana, cristalizaría muy pronto en pequeños cantos noticieros, a partir de los cuales se habría formado un cantar de gesta, hoy perdido. Este hipotético cantar empezaría a configurarse muy poco después de los hechos que narra (final del siglo X o principios del XI). Un cantar de gesta, pues, habría sido la primera célula literaria sobre Fernán González; este cantar se perdió, pero sus huellas quedarían en las crónicas medievales, fuentes auxiliares, según el neotradicionalismo, para la reconstrucción de viejos cantares de gesta. La *Najerense* (s. XII), la *Primera Crónica General* (s. XIII) y *La Crónica de 1344* recogerían prosificado aquel viejo cantar. Esta tradición popular y juglaresca es asumida en el siglo XIII por un clérigo que la utilizará con

73 Hay edición facsímil de GEARY, J. S., *"Historia del Conde Fernán González": A Facsimile and Paleographic Edition*, Madison, Hispanic Seminar of Medival Studies (SS, XXXV), 1987. Sobre el tema literario de Fernán González, aunque sin relación directa con el poema, es muy interesante el texto publicado por VAQUERO, M., edi., Gonzalo de ARREDONDO, *Vida rimada de Fernán González*, Exeter, University of Exeter, (Exeter Hispanics Texts, XLIV), 1987.

74 AMADOR DE LOS RÍOS, J., *Historia Crítica de la Literatura Española*, edic. facsímil, Madrid, Gredos, 1969, t. III, p. 339.

75 Es un problema muy discutido: LACARRA, M. E., "El significado del *Poema de Fernán González*", *Studi Ispanici* (1979)9-41; Juan VICTORIO, edic. de..., Madrid, Cátedra, 1981, pp.26-29; PÉREZ PRIEGO, M. A., edic. de..., Madrid, Alhambra, 1986; HERNANDO PÉREZ, J., "Nuevos datos para el estudio del *Poema de Fernán González*", *Boletín de la Real Academia Española*, XXVI (1986)135-152.

una clara y manifiesta intencionalidad propagandística, regional y estamental: Castilla y el Monasterio de Arlanza. Para ello reviste toda esta tradición con el ropaje formal del "nuevo mester", tanto en la forma (cuaderna vía), como en la utilización de fuentes escritas, ya sean éstas de la tradición latina (*Historia Gothorum*, de San Isidoro, *De Laude Hispaniae* y el *Chronicon*, de Lucas de Tuy, y el *De rebus Hispaniae*, de Rodrigo de Toledo), ya fueran obras en la nueva lengua romance (obras de Berceo, *Libro de Alexandre*). De esta manera, el *Poema de Fernán González* vendría a ser, desde el punto de vista genético, una obra híbrida de juglaría (tradición popular) y de clerecía (en cuanto a la técnica literaria, la forma, la funcionalidad y la utilización de fuentes).

El individualismo, por el contrario, niega que en el origen del *Poema de Fernán González*, tal como ha llegado hasta nosotros, haya habido un cantar de gesta. René Cotrait[76], en el estudio quizás más completo y exhaustivo sobre la génesis histórica y poética del poema, niega la existencia de un cantar de gesta como fuente literaria del poema del mester de clerecía. Asimismo, el profesor Caso González, como ya se indicó en otro lugar, cuestiona la tesis pidaliana sobre la utilización de cantares de gesta en la *Primera Crónica General*; las fuentes a las que alude la citada crónica podrían haber sido simples narraciones en prosa, de origen religioso[77].

IV.2.5.2. Estructura del relato[78]

Todo el relato está estructurado en función de tres grandes temas: Castilla, Fernán González y el Monasterio de Arlanza. Si bien el núcleo temático es el Conde Fernán González ("Del conde de Castiella quiero fer una prosa", estrofa 1ª), Castilla y Arlanza son dos temas esenciales en el relato. El autor estructura sus temas locales dentro de un contexto general, peninsular. La orientación que en este sentido sigue el relato es típicamente escolástica: de lo general a lo particular; lo mejor del mundo, España; lo mejor de España, Castilla; lo mejor de Castilla, la montaña.

Antes del canto de exaltación a la figura del héroe castellano, el autor nos ofrece las coordenadas espacio-temporales en las que va a situar al gran protagonista de la independencia castellana. Para ello utiliza en el

---

76 COTRAIT, R., *Histoire et poésie. Le Comte Fernán González. Recherches sur la tradition gonzalienne dans l'historiographie et la littérature des origines*, Grenoble, 1977.

77 CASO GONZÁLEZ, J., "La *Primera Crónica General* y sus fuentes épicas", en *Actas de las III Jornadas de Estudios Berceanos*, Logroño, Instituto de Estudios Berceanos, 1981, pp. 33-56.

78 AMORÓS, A., "El *Poema de Fernán González* como relato", en *Estudios ofrecidos a Emilio Alarcos Llorach con motivo de sus XXV años de docencia en la Universidad de Oviedo*, Universidad, Oviedo, t. II, 1978, pp. 311-335; GARRIDO MORAGA, A. M., *La estructura del "Poema de Fernán González"*, Milán, Bulzoni, Roma, Cattedra di Letteratura Ispano-Americana, 1987.

relato viejos tópicos de la historiografía medieval: la "pérdida de España" y el "elogio de España". El autor acentúa constantemente las amarguras que los antepasados sufrieron, sobre todo, bajo la dominación árabe (estrofas 4; 89-95). ¿Cuál es la función poética de este relato estremecedor? Potenciar la figura del futuro libertador, Fernán González; una gran parte del relato, en su estructura profunda, está dividido por los adverbios de tiempo "antes"/"agora"; el "antes" fue triste; el "agora", venturoso. Este relato tremendista tiene una clara orientación didáctica: acentuar el providencialismo. A pesar de todos estos sufrimientos, los castellanos nunca perdieron su confianza en Dios; esta actitud providencialista pronto dio sus frutos a través de la figura de Pelayo, primer libertador (estrofas 114-115), la batalla de Covadonga (estrofa 118) y la batalla de Roncesvalles. El pueblo siempre correspondió a estos intervencionismos divinos.

A partir de la estrofa 144, el relato cambia de signo; las 143 primeras estrofas corresponden al "antes", al "ayer". Comienza esta segunda parte con el sintagma "dezirvos he agora"; el autor utilizará el viejo tópico del "elogio de España", que aparece en las crónicas medievales, para terminar con el elogio de la tierra castellana; así concluye el primer núcleo temático del poema: Castilla.

La estrofa 173 inicia el segundo tema nuclear del relato: Fernán González. Después de presentar su infancia, pobre y humilde (estrofa 176), hay una cierta predestinación (estrofas 178 y 185). En la descripción de las hazañas se nos ofrece siempre la lucha con carácter de cruzada, bajo el sintagma "gente descreída", en consonancia con el carácter clerical del poema. El relato incluye distintas batallas contra los moros que se ajustan a un mismo cliché: presentar a Fernán González como el protagonista principal de las victorias; en algunas de estas descripciones se insiste, asimismo, en el intervencionismo divino a través del Apóstol Santiago. Sin embargo, la gran hazaña del Conde Fernán González será conseguir la libertad de Castilla. ¿Cómo lo consigue? Por medio de la venta de un azor y un caballo, elementos narrativos utilizados por el neotradicionalismo para probar los orígenes germánicos de la épica castellana (estrofas 569-575).

El tercer núcleo temático del relato lo constituye el Monasterio de Arlanza; conviene notar que estos tres temas no son autónomos o independientes, sino que están íntimamente entrelazados, guardando una interdependencia; el poeta tratará de presentar al héroe unido a la historia del cenobio de Arlanza (estrofas 225-249). Él lo funda como desagravio al sacrilegio cometido, cuando iba de caza; en ese incidente se encuentra con el monje Pelayo, quien le profetiza que conseguirá grandes victorias contra los moros, al tiempo que le recuerda que no olvide aquel lugar. Efectivamente, Fernán González promete la fundación de un gran monasterio, que servirá asimismo de sepulcro a sus restos mortales.

IV.2.5.3. El Poema de Fernán González, poema propagandístico

Una vez realizado el análisis estructural del relato, es obligado plantearse otro aspecto: su interpretación. ¿Cuál fue la significación ideológica del poema? Tomando como base los tres temas fundamentales que se desarrollan en la obra, podemos calificarla de poema propagandístico. Su autor, con toda probabilidad un monje del monasterio de Arlanza, utiliza la creación literaria al servicio de sus intereses eclesiásticos y, específicamente, de su cenobio; en este sentido, la intencionalidad textual no parece ofrecer dudas: a la vez que se exalta la región de Castilla y a su libertador —parece innegable un cierto patriotismo castellano—, el autor no olvida los intereses pragmáticos en favor de su monasterio: lograr que otros nobles emulen la generosidad del máximo libertador de Castilla, fundador del gran cenobio, y atraer peregrinos hacia su recinto conventual. De ahí la vinculación del sepulcro del Conde Fernán González con el Monasterio de Arlanza.

IV.2.6. CLERECÍA Y JUGLARÍA:INTERRELACIÓN DE DOS ESCUELAS

El mester de juglaría, se suele decir, es obra de cantores populares, poetas laicos, que componen sus poemas para ser cantados ante el pueblo. Desde el punto de vista métrico, sus poemas se caracterizan por el anisosilabismo y las series irregulares de versos. Por el contrario, el mester de clerecía, se dice asimismo, es obra de poetas cultos, que componen sus poemas para ser leídos. Métricamente sus composiciones se singularizan por la cuaderna vía, siendo las fuentes escritas el punto de partida de su creación literaria.

Desde esta perspectiva, juglaría y clerecía funcionarían como dos categorías antagónicas, que ya pusimos en entredicho al hablar de los aspectos generales del mester clerecía. ¿Es cierto esto? ¿vivió así la creación literaria en los siglos XIII y XIV? Ya nos es conocida la estructura literaria que adopta la poesía narrativa en las obras de Berceo y en otros poemas cultos del mester de clerecía (*Libro de Alexandre*, *Libro de Apolonio*, *Poema de Fernán González*). Todas estas obras guardan entre sí una innegable uniformidad, tanto temática como formal. Sin embargo, en el siglo XIII nos encontramos con otros poemas, cuya poética no encaja ni en una ni en otra escuela. Sus autores son también clérigos, desarrollan unos temas propios del "mester de clerecía", utilizan la literatura al servicio de sus intereses, pero se dejan infeccionar por la manera de hacer literatura los juglares. Son, pues, poemas, en los que aparecen elementos poéticos de los dos mesteres.

¿Dónde radica este hibridismo literario que tratamos de señalar? Los autores son clérigos; unas veces, en el sentido restrigido de la palabra, es decir, hombres de iglesia, quienes utilizan la literatura, a la manera juglaresca, en función de sus intereses. El transfondo teológico o religioso que descubrimos en el *Libro de la Infancia de Jesús* o en la *Vida de Santa María Egipcíaca*, no ofrecen duda alguna acerca de la procedencia estamental de sus autores; otras veces, descubrimos intereses más pragmáticos, sean éstos de naturaleza económica, como en la *Disputa del alma y el cuerpo*, poema en el que, junto a otras prácticas de piedad, se recuerdan los diezmos y primicias; o poemas con claras connotaciones amorosas, dentro del laxismo moral de la clerecía medieval, como la *Disputa de Elena y María*, o la *Razón feyta d'amor*, en los que se defiende al clérigo, es decir, al intelectual, al hombre de letras como mejor amador frente al caballero, especializado en las armas. Se trata, por tanto, de poemas cuyos autores están formados en la tradición culta medieval.

Asimismo, estos poemas se inspiran, en muchos casos, en fuentes cultas de la tradición teológica, bíblica y patrística; a ellas hacen alusión sus autores para darles credibilidad, como el autor de la *Vida de Santa María Egipcíaca*, por medio de sintagmas como "es en escripto" (v. 80), "dize la escriptura" (v. 205).

La estructura de debate, utilizada por muchos de ellos, remite a la pedagogía universitaria medieval, en la que la disputa o "altercatio", dentro de unas orientaciones apologéticas, configuraban el método escolástico. Con toda propiedad, pues, podemos calificar a todos estos poemas como "clericales".

Al mismo tiempo, percibimos en estos poemas una cierta regularidad métrica con tendencia a determinados metros, dentro de la estructura de pareados, con frecuencia consonánticos, lo que demuestra que había en sus autores una innegable voluntad de estilo fundamentada en el "a sílabas contadas" y en el "bien rimar". Evidentemente, estamos ante una métrica muy flexible, más próxima al "modus versificandi" juglaresco que al espíritu de la estrofa 2ª del *Alexandre*. Este deslizamiento hacia la forma de hacer literatura los juglares se observa, igualmente, en la utilización de otros recursos que facilitan el acercamiento a su público. Los autores fomentarán fórmulas apelativas y deícticas que tendrían, sin duda, como finalidad mantener la atención de su auditorio, bien en el caso de un recitado, bien en la suposición de una lectura participada, las dos fórmulas básicas de difusión de estos poemas. Sin embargo, el poeta clerical cuida de que su actuación no se confunda con la de un juglar, porque tiene conciencia de su superioridad ("Si escuchâredes esta palabra/ más vos valdrá que huna fabla"[79]). Son, pues, poemas que testimonian una interrelación entre los dos mesteres, lo que impide establecer una rigidez dicotómica estamental.

---

79 *Vida de Santa María Egipcíaca*, versos 15-16, edic. de Manuel ALVAR, en *Antigua poesía Española Lírica y Narrativa*, Porrúa, México, 1974, p. 79.

IV.2.6.1. *Libro de la Infancia de Jesús*

Desde una perspectiva tanto temática como literaria, esta obra habría que catalogarla como un precedente dentro de las conocidas "Vitae Christi", de gran profusión a lo largo de la Edad Media, muy en particular en el siglo XV.

• *IV.2.6.1.1. Autor, fuentes, fecha de composición*

Tanto por el tratamiento temático, como por la intencionalidad que del mismo se desprende, el autor de este poema hubo de ser un clérigo, en el sentido restringido de la palabra, es decir, un hombre de iglesia.

El manuscrito que contiene la obra se encuentra en la Biblioteca de El Escorial, en el mismo códice que conserva la *Vida de Santa María Egipcíaca*; también se conoce a este poema por el nombre de *Libre dels tres reys d'Orient*; sin embargo, Manuel Alvar, especialista en esta obra, a quien se debe una de las mejores ediciones que existe del poema[80], lo tituló "Libro de la infancia de Jesús", denominación que fue aceptada favorablemente por toda la crítica.

En cuanto a las fuentes, la crítica tradicional trataba de unir este poema, bien con la tradición francesa, bien con la tradición provenzal; tal hipótesis se basaba en el título catalán que lleva la obra en el códice conservado. No obstante, Manuel Alvar demostró el castellanismo del poema con argumentos de naturaleza temática y lingüística; así, por ejemplo, el episodio de los dos ladrones, que se configura como el tema básico del relato, falta en la tradición francesa. Aunque no se puede precisar con exactitud la fuente inmediata de la que bebe el poeta español, está claro que la obra se inscribe en la tradición de los evangelios apócrifos, que intentaron llenar los huecos existentes en los evangelios canónicos sobre la infancia de Jesús; asimismo, hay una innegable presencia de fuentes literarias romancísticas, muy en particular de la obra de Berceo, sobre todo, de su poema los *Loores de Nuestra Señora*, con el que existen coincidencias léxicas y textuales.

Respecto a la fecha de composición, el poema se redactó a mediados del siglo XIII, coetáneo, por tanto, de otros poemas del mester de clerecía.

• *IV.2.6.2.2. El transfondo teológico del poema*

El tema que desarrolla el poema está enmarcado en la tradición que recogen los evangelios apócrifos[81], que tratan de llenar los vacíos bibliográficos de las versiones canónicas. Uno de esos huecos era conocer por

---

80 Para todas estas cuestiones, véase *Libro de la infancia y muerte de Jesús (libre dels tres reys d'Orient)*, edic. de M. ALVAR, Madrid, C.S.I.C., "Clásicos Hispánicos", 1965.

81 *Los evangelios apócrifos*, edic. de SANTOS OTERO, A., Madrid, Biblioteca de Autores Cristianos, 1963.

qué se salva el buen ladrón (Luc., 23,39); este será el núcleo temático de la obra.

El poema recoge el problema teológico sobre el valor de la fe y las obras en la justificación. Aunque este problema toma cuerpo doctrinal y existencial con la reforma luterana en el siglo XVI, sin embargo, era ya un viejo tema en teología, desde la polémica entre San Agustín y los pelagianos. Podemos decir, pues, que esta obra se inscribe en esta tradición teológica. El buen ladrón se salva no por las obras, sino en virtud de un acto salvífico puramente gratuito: el haber sido bañado, cuando era niño, en la misma agua con la que había sido bañado el Niño Jesús. De aquí se deduce que el poema parece reflejar un cierto determinismo o predestinación con independencia de las acciones humanas, dentro de las tradicionales polémicas teológicas desde el cristianismo primitivo. Esto hace pensar a algunos críticos que la intencionalidad del poema sería poner de relieve la eficacia de la gracia divina por encima del valor de las obras.

Otro tema que aparece en este relato es la figura de María ("la Gloriosa"); como en las obras de Berceo, la figura de la Virgen se presenta como mediadora; gracias a ella se salva de la lepra el hijo del buen ladrón; sin embargo, quien realiza el milagro no es María, sino Cristo, por intercesión de su madre; de esta manera, se pone de manifiesto la dependencia de la Virgen respecto de Dios, error en el que hubiera podido caer el autor. Esta dimensión mariológica del poema hace pensar a Manuel Alvar que se trataría de un poema mariano, aunque falte el tema de la glorificación de María (la Asunción), que es común a la mayoría de los poemas marianos (recuérdese que es uno de los temas teológicos de mayor popularidad en la Edad Media, cuya impronta se refleja en la creación literaria de Don Juan Manuel con su *Tractado de la Asunción*).

IV.2.6.2. Vida de Santa María Egipcíaca

• *IV.2.6.2.1. Fuentes, autor, fecha de composición*

Este poema recoge una vieja leyenda que se remonta al cristianismo oriental griego, pasa después a la tradición del cristianismo latino occidental, para incorporarse posteriormente a las lenguas romances. La versión española es una adaptación o traducción dependiente de una versión francesa, *La Vie de Sainte Marie l'Egipcienne*. Se desconoce el nombre del autor castellano que tradujo y adaptó el texto francés. Su pertenencia a la clerecía parece fuera de dudas. Suele fecharse en la primera mitad del siglo XIII.

• *IV.2.6.2.2. Estructura del relato: un sermón literario*

En la *Vida de Santa María Egipcíaca* la estructura hagiográfica se desarrolla de manera diferente a como se estructuraban las hagiografías de Berceo; los santos del poeta riojano estaban predestinados a la santidad desde el momento de nacer; no ocurre así en esta "vida". El cambio está en función de la estructura literaria en la que se inserta: un sermón en verso. Este tipo de sermón, en el que la mayor parte del relato retórico se centra en el "ejemplo", fue muy socorrido en la Edad Media, cuya vitalidad queda testimoniada en las abundantísimas colecciones de "exempla"; un género que pasará después a los Siglos de Oro. Era la dimensión popular de la oratoria sagrada; los conceptualismos, las sutilezas y divisiones "ad intra", propias del sermón culto, exigían una destreza en las "artes sermocinales" de las que carecía una gran parte del público receptor medieval. En su lugar se expone un ejemplo, a través del cual se puede extraer una doctrina. En este caso, la verdad que se intenta mostrar es la misericordia divina. Por tanto, la ejemplificación tenía que ser una gran pecadora que, gracias a la bondad divina y a sus propias penitencias, se convierta en una santa.

Después de una breve "introducción", desde los moldes de una juglaría "a lo divino", en la que se busca la "captatio benevolentiae" y se recalca el pragmatismo ("Si escucháredes esta palabra/ más vos valdrá que huna fabla"), se enuncia el "thema" del sermón: la misericordia divina. Los versos que siguen explican brevemente el núcleo temático ("prothema"), desde una perspectiva teológica: a) el pecado es consustancial al hombre; por eso es necesaria la penitencia; b) Dios es misericordioso con el pecador; estos enunciados constituyen el núcleo doctrinal del sermón. El "ejemplo" tendrá la función de ilustrar, a través de la representación sensible, la doctrina que se propone; para ello se cuenta la vida de una pecadora que, merced a la penitencia, obtiene la misericordia divina. Este "ejemplo" tiene, asimismo, una estructura cuatripartita: 1. Infancia y juventud: ya desde su "mancebía" la protagonista era la encarnación de la lujuria; se describe su actividad como prostituta en Alejandría. 2. Preparación para la conversión: viaje a Jerusalén; consigue el pasaje poniendo su cuerpo a disposición de la tripulación; una tempestad presagia la conversión interior; nuevos prostíbulos en la ciudad

Vida de Santa María Egipcíaca

santa, y, finalmente, la conversión, gracias a la intercesión de la Virgen. 3. Vida penitente: el retrato de María penitente contrasta con el retrato de María pecadora. 4. Exhortación final: la transformación operada en María Egipcíaca se propone como ejemplificación, asimismo, de la eficacia de la penitencia, de la gracia y de la misericordia divina, hasta convertirse en abogada e intercesora del pecador arrepentido.

• *IV.2.6.2.3. Transfondo teológico del poema*

A través del análisis estructural, se adivina la funcionalidad que el poema hubo de tener. Ya se indicaron algunos de los referentes temáticos y estructurales que descubrimos en una composición que hemos caracterizado como un sermón en verso. Al mismo tiempo, el poema parece dejar traslucir las polémicas entre la vida eremítica y la vida conventual, como esquemas existenciales para alcanzar la perfección. El poema habría nacido en un clima en el que eremitismo y conventualismo se disputan la hegemonía existencial del cristianismo oriental como dos fórmulas para seguir los postulados evangélicos. El autor parece tomar partido en favor de la vida eremítica, considerada superior a la vida conventual en orden a alcanzar la misericordia divina.

IV.2.6.3. Poemas de debate

La literatura de debates llega a las literaturas románicas después de una larga y fructífera vida en otras literaturas (árabe, latina...); entre los árabes fue muy frecuente esta estructura literaria para poner de manifiesto la oposición de contrarios: el hombre y los animales, la vejez y la juventud, la primavera y el invierno, etc.; la literatura latina tiene, asimismo, abundantes manifestaciones, siendo de las más antiguas una disputa entre la primavera y el invierno (*Conflictus veris et hiemis*), de comienzos del siglo XI, según Menéndez Pidal[82]. En España habría que iniciar la historia del género, según el propio Pidal, con una disputa entre el agua, el vino y el aceite (*Prosopopeia et efficientia aquae, vini et olei*), de principios del siglo X; el género pasó a la literatura oral, cuyos testimonios llegaron hasta la época moderna a través de los "pliegos de cordel", en los que se recogían la *Disputa entre el Agua y el Vino* o la *Disputa entre el Trigo y el Dinero*[83].

Este tipo de estructura literaria encajaba muy bien en el sistema didáctico de la cultura medieval; el debate era el nervio de la formación dialéctica que se estudiaba en las escuelas y universidades medievales[84]; la orientación fuertemente apologética de la cultura cristiana favorecía este sistema pedagógico que se seguía en la enseñanza de la filosofía y

---

82 MENÉNDEZ PIDAL, R., *Tres poetas primitivos*, Madrid, Espasa-Calpe, "Colección Austral", n. 800, 3ª edic., 1968, p. 15

83 *Ibidem*, p. 15.

84 RICHÉ, P., *Écoles et enseignement dans le Haut Moyen Âge*, Paris, Aubier, 1979.

de la teología escolásticas; se creía que se llegaba más fácilmente a la verdad por la oposición de contrarios. Muchos de los problemas teológicos se resolvían por medio de debates: debates entre teólogos cristianos y teólogos judíos; debates entre teólogos de la iglesia occidental con teólogos de la iglesia oriental. El debate era, pues, familiar para el escolar que asitió primero a las escuelas catedralicias o monacales, y después a las universidades. La posibilidad de escenificar estos debates hizo que estos poemas fueran favorablemente acogidos por el público medieval.

• *IV.2.6.3.1. Disputa del alma y el cuerpo*

— *IV.2.6.3.1.1. Tradición manuscrita y fuentes*

Este poema se enmarca dentro de una tradición que habría que relacionar con la difusión del *De contemptu mundi*, que se extendió por toda la Europa Occidental durante la Edad Media con adaptaciones a las distintas lenguas romances y anglosajonas[85]. La obra se conserva en dos manuscritos que difieren notablemente en el tratamiento de esta tradición literaria. La más antigua, que la crítica data entre finales del siglo XII y principios del siglo XIII, se encuentra en el llamado Ms. O (de Oña). La otra versión, más moderna, suele datarse en el siglo XIV, y se la conoce con el nombre de *Revelación de un ermitaño*; de esta segunda versión se conserva un manuscrito en la Biblioteca de El Escorial (Ms. E) y dos en la Biblioteca Nacional de París (Ms. P).

Fueron los críticos Erik V. Kraemer[86] y Antonio García Solalinde[87] los primeros en buscar las fuentes inmediatas y directas del poema castellano; ambos eruditos llegan a la conclusión de que el fragmento de Oña (Ms. O) no era otra cosa que una versión del poema francés *Un samedi par nuit*, que, a su vez, habría bebido en la llamada *Visio Philiberti*; las versiones castellanas (Ms. E y Ms. P) del siglo XIV se habrían inspirado, según Kraemer, en la versión latina.

— *IV.2.6.3.1.2. Estructura del relato*

Lo esencial del relato de esta tradición literaria, tanto en la versión del XII-XIII como en las del XIV, puede resumirse así: después de una breve introducción en la que el narrador promete contarnos con todo detalle lo que vio en sueños la madrugada de un domingo, el alma, representada por una ave blanca, acusa al cuerpo sin vida de ser el único culpable de su condenación. Hace un repaso de las culpas del pecador y entre llantos y maldiciones la hace responsable de todo. El cuerpo se defiende de tales

85 Para la tradición de estas doctrinas en la Península, véase el apartado dedicado al *Libro de miseria de omne*.

86 KRAEMER, E. V., edit., *Dos versiones castellanas de la "disputa del alma y el cuerpo" del siglo XIV*, Helsinki, 1956

87 GARCÍA SOLALINDE, A., "*La disputa del alma y el cuerpo*. Comparación con su original francés", *Hipanic Review*, I (1953)196-207.

acusaciones y culpa al alma de los mayores pecados, puesto que él era un pobre y humilde servidor de ella. El debate suele prolongarse con varias consideraciones, pero el final es siempre el mismo: los gusanos corroen el cuerpo y un diablo lleva el alma a los infiernos[88].

— *IV.2.6.3.1.3. Transfondo antropológico y social del poema*

Este debate se apoya en la antropología dicotómica de la tradición helénica; el ser humano es un compuesto de dos realidades antagónicas; el alma es la depositaria de todos los valores espirituales, mientras el cuerpo lo es de los materiales. Son, pues, dos elementos irreconciliables. Esta antropología es la base filosófica de una gran parte de la literatura medieval, excepto en aquellas obras o tratados que se apoyan en la tradición judaica, que desconoce el dualismo alma-cuerpo[89]. Las repercusiones de esta singular antropología judaica dejarán también sus huellas en la creación literaria, principalmente de naturaleza amorosa, a las que nos referiremos en otro lugar.

A través de las acusaciones que el alma hace al cuerpo, se puede entrever aspectos de la sociología medieval en su aspecto religioso, a la vez que se intuye la finalidad del poema. Estas acusaciones se refieren a no dejar la ofrenda en el altar, no cumplir con los diezmos y primicias, no rezar con sentimiento verdadero, visitar la iglesia sólo para criticar, no haber sido devoto de algún santo... Se trata, como se ve, de un tema típicamente clerical, dentro de los móviles catequísticos y pragmáticos que caracterizan a la poesía clerical del siglo XIII. Aunque, dada la brevedad del fragmento de Oña, no tenemos la lista de pecados corporales que la tradición de la disputa ponía en labios del alma, sin embargo, se subraya la caducidad, la contingencia y la temporalidad de los bienes materiales. Es decir, hay una presencia directa del tópico conocido por el *Ubi sunt?* (versos 27-37).

— *IV.2.6.3.1.4. Peculiaridades de la versión castellana*

Aunque el texto es una traducción del francés, el poeta castellano dejó en la versión castellana rasgos de la tradición peninsular. A. García Solalinde realizó el estudio de estas características; unas serían debidas a la dificultad propia de toda traducción, al ignorar determinados vocablos franceses; asimismo, se detecta en la versión castellana una cierta tendencia juglaresca que se observa en los versos introductorios, donde el autor anima a su auditorio a seguir con atención su recitado.

La versificación original de la versión castellana es discutida por la crítica; Menéndez Pidal lo edita en versos alejandrinos[90]; este mismo cri-

88 Véase LÓPEZ MORALES, H., *Historia de la Literatura Medieval, I*, Madrid, Ediciones Hispanova, 1974, pp. 227-249.

89 TRESMONTANT, C., *Ensayo sobre el pensamiento hebreo*, Madrid, Taurus, 1962.

90 MENÉNDEZ PIDAL, R., edic. crítica del poema en *Revista de Archivos, Bibliotecas y Museos*, IV (1900)449-453.

terio sigue Manuel Alvar[91]. Otros críticos, por el contrario, prefieren el verso corto de siete sílabas. Tanto en una opción como en otra, se descubre en el poema una tendencia a la regularidad métrica, dentro de una relativa preocupación formal que observamos en todos estos poemas.

En cuanto a la lengua, después de los estudios de Menéndez Pidal, Kraemer, García Solalinde y M. Alvar, se puede afirmar que, aunque el texto es castellano, determinadas grafías, según M. Alvar, parecen propugnar un copista aragonés[92].

• *IV.2.6.3.2. La razón feyta d'amor con los denuestos del agua y el vino*

— *IV.2.6.3.2.1. Tradición manuscrita, datación*

Este poema se recoge en una colección de sermones latinos que se conserva en la Biblioteca Nacional de París. Se cree que los sermones latinos del códice parisino fueron originados en el sur de Francia, habrían circulado por España, a finales del siglo XII o muy a principios del XIII, momento en el que se añadiría nuestro poema[93].

La crítica es uniforme en afirmar que esta obra hubo de escribirse durante el siglo XIII. Fuera de esto, las discrepancias son notables. ¿Cuál es su procedencia dialectal? ¿Tiene unidad genética o son dos poemas independientes? ¿Cuál es su significación? Todos estos interrogantes, sobre los cuales la crítica emitió los más divergentes juicios, hacen de la obra una de las más problemáticas y discutidas de la literatura medieval castellana.

Morel-Fatio[94], quien publicó por primera vez el texto, pensó que el poema o los poemas eran de procedencia aragonesa, basándose para ello en un breve análisis léxico; Carolina Michäelis[95], por su parte, afirmó el origen gallego-portugués, poniendo de relieve una serie de concomitancias lingüísticas y temáticas entre esta obra y la lírica gallega, a través de la cual penetrarían en el poema determinadas huellas de la cultura del amor cortés. Más bien parece, sin embargo, que haya que admitir un original castellano entreverado con determinados dialectalismos gallego-portugueses y navarroaragoneses[96].

---

91 ALVAR, M., *Antigua Poesía Española Lírica y Narrativa*, México, Porrúa, 1974, pp. 135-136

92 *Ibidem*, p. 133.

93 LONDON, G. H., "The *Razón de amor*, and the *Denuestos del agua y del vino.* New Readings and Interpretations", *Romance Philology*, XIX (1965-66) 28-47.

94 MOREL-FATIO, A.,"Testes castillans inédits du XIIIe. siècle", *Romania*, XVI (1887)364-382.

95 MICHÄELIS DE VANCONCELLOS, C., "Observaçones sobre alguns textos lyricos da antigua poesia peninsular", *Revista Lusitana*, VII (1902)1-32.

96 MENÉNDEZ PIDAL, R., "La razón feita d'amor con los Denuestos del agua y el vino", *Revue Hispanique*, XIII (1905) 602-618.

— *IV.2.6.3.2.2. Estructura del relato*

La primera parte constituye una narración amorosa con los ya conocidos elementos tópicos del "locus amoenus": tiempo primaveral, paisaje paradisíaco (fuentes, flores, aves...); hay previamente una introducción en la que se nos advierte que el poema ha sido compuesto por un escolar, educado en Alemania y en Francia, muy enamoradizo, que, además, pasó largo tiempo en Lombardía para aprender las costumbres amorosas; son las credenciales con que se presenta el autor para atraer la atención de su público. A continuación nos cuenta su "visión", cuando se disponía a "fazer la siesta". Entre las ramas de un manzano descubre dos vasos, uno de plata, lleno de vino; el otro, de agua fresca; no bebe del agua, a pesar de su sed, por temor a que esté encantada, sino que se acerca a una fuente próxima, en donde sacia su sed y se quita sus ropas. Cuando el protagonista se dispone a "cantar de fin amor", recibe la visita de una doncella, cuyo retrato se nos describe minuciosamente de acuerdo con los cánones de belleza ideal, la cual, asimismo, canta las virtudes de su novio, a quien no conoce ("amour lointain"). Los jóvenes se encuentran, hablan de sus cuitas amorosas, y descubren que ella era la doncella que el caballero amaba sin conocer, y viceversa; uno y otro reconocen los regalos que mutuamente se habían enviado. La escena amorosa se nos describe en términos de amor apasionado, dejando entrever que hubo "amor mixtus". La doncella desaparece mientras el protagonista queda abatido. Entre tanto, una paloma se baña en la copa de agua que se derrama sobre el vino. A partir de este momento, comienza la segunda parte del relato. El poema amoroso da paso al debate entre el agua y el vino, según el esquema estructural y temático de la tradición latina[97].

— *IV.2.6.3.2.3. Significación del poema*

A través del breve resumen del tema y de su estructura, se comprende que tan extraña mezcla argumental haya suscitado discrepancias entre los críticos. Los problemas fundamentales son los siguientes: ¿Este poema, que se nos conserva formando una unidad, originariamente fue así, o es, por el contrario, la suma de dos poemas? ¿Cuál es la clave de lectura? ¿Un simbolismo erótico? ¿Resonancias de una hermenéutica cristiana de origen cátaro?

Morel-Fatio[98], su primer editor, lo dividió en dos partes, con lo que propugnaba una independencia entre las dos partes del poema. Leo Spitzer[99] quizás fue el crítico que con mayor armazón argumental defen-

97 HANFORD, T. H., "The Medieval Debate between Wine and Water", *Publication of the Modern Language Association*, XXVIII (1913) 315-367.

98 MOREL-FATIO, A., "Testes castillans inédits..."

99 SPITZER, L., "Razón de amor", *Romania*, LXXI (1950)145-165, reimpreso en *Estilo y estructura en la literatura española*, Barcelona, Edit. Crítica, 1980, pp. 81-102.

dió la unidad de la obra; su análisis trata de demostrar que las dos partes del poema están íntimamente relacionadas; de un lado, la sed de agua; de otro, la sed de amor; el agua y el vino tendrían connotaciones eróticas; el agua simbolizaría el amor puro, mientras el vino significaría el goce sexual, y la paloma que une los dos elementos sería el símbolo de Venus; de esta manera, las dos escenas, la amorosa y el debate, formarían un estrecho paralelismo; para Spitzer la obra habría que relacionarla con los debates entre la castidad y la lujuria, frecuentes en las literaturas románicas del medioevo. Partiendo de los códigos simbólicos como clave de lectura, A. Jacob[100] acentúa aún más esta perspectiva connotativa, pero desde la óptica cristiana, estableciendo las siguientes correspondencias: el manzano = la cruz; el vaso de vino = la sangre de Cristo; el mes de abril = el término de la cuaresma; el galán = el hombre peregrino; la doncella = Jerusalén; el huerto = la iglesia; el manantial = el bautismo; el autor pretende justificar esta justificación apoyando su tesis en la herejía de los cátaros para quienes la interpretación exegética tendía siempre a buscar un simbolismo. Menéndez Pidal[101] rechaza todo tipo de interpretación simbólica, pues, cuando un autor medieval quiere hacer una alegoría, lo da a entender de alguna manera bien comprensible, lo cual no ocurre en este poema que él simplemente titula "Siesta de abril"; para Pidal el poema se inserta dentro de la vieja disputa, en el terreno amoroso, entre el clérigo y el caballero; en esta "Siesta de abril" se yuxtapondrían dos temas discordantes; de una parte, el amor idealista, el "amour lointain", vínculo amoroso que une a los amantes sin haberse visto nunca; de otra, la disputa entre el agua y el vino, muy frecuente en la poesía goliárdica. G. Tavani[102] defiende que las dos partes del relato se corresponden con dos poemas genéticamente diferentes; fundamenta sus argumentos en el análisis métrico; según él, la primera parte, la *Razón de amor*, presenta una regularidad métrica que no se observa en los *Denuestos*; desde esta perspectiva, el poema amoroso habría sido el primer núcleo poético, que un juglar completa y configura en la versión definitiva que ha llegado hasta nosotros. Parecida explicación sostiene Daniel Cárdenas[103], al señalar que la génesis de la obra no fue uniforme; su análisis lingüístico parece confirmar que la introducción, el nexo y los denuestos pertencen a un autor diferente, mientras que la *Razón de amor* pudo llegar al poeta a través de una tradición oral o escrita.

100 JACOB, A., "The *Razón de amor* as Christian Symbolism", *Hispanic Review*, XX (1952)282-301.

101 MENÉNDEZ PIDAL, R., *Poesía juglaresca y orígenes...*, p. 138.

102 TAVANI, G.,"Osservazioni sul ritmo della 'Razón feyta d'amor'", *Studi di Lettera Spagnola*, I (1964)171-186.

103 CÁRDENAS, D., "Nueva luz sobre *Razón de amor* y *Denuestos del agua y el vino*", *Revista Hispánica Moderna*, XXXIV (1968)383-446.

Finalmente, para Humberto López Morales[104], de quien tomamos algunos de los materiales bibliográficos, el poema sería la creación de un poeta culto que supo aprovechar y unir materiales preexistentes; tanto la *Razón de amor*, como los *Denuestos* pudieron, con toda probabilidad, tener vida independiente; la única aportación del autor unificador habría sido la composición de la introducción con los vasos de vino y el agua en el huerto, elaborando toscamente el nexo.

Efectivamente, los *Denuestos* tienen tras sí una fecunda tradición literaria; aparecen con frecuencia en la literatura goliárdica; los *Carmina burana* recogen dos versiones; una titula *De conflictu vini et aquae*, la otra, *Certamen vini et aquae*[105]. Los dos textos fueron copiados, imitados y traducidos por toda Europa; el texto castellano es eminentemente popular y ajuglarado; el autor, sin embargo, es un clérigo, dentro de la interrelación clerecía y juglaría que venimos observando.

La *Razón de amor*, por su parte, habría que relacionarla con la tradición del amor cortés; hay una coincidencia terminológica con la lírica ocitánica[106]; en el v. 55 al amor se le designa con el sintagma "fin amor", que es precisamente el término utilizado por los provenzales; asimismo, las resonancias de la lírica galaico-portuguesa (vv. 45 y 78), así como referencias a la literatura de debates entre clérigos y caballeros parecen innegables (vv. 82-83). No obstante, a pesar de que este poema respira ambiente provenzal, el artista castellano lo dotó de gran sobriedad; faltan en el huerto, por ejemplo, las peregrinas aves canoras, los exóticos papagayos y todo el derroche descriptivo floral de los marcos que envuelven los poemas francoprovenzales[107].

Como conclusión, se podría decir que tanto la *Razón de amor*, como los *Denuestos* tuvieron una independencia dentro de dos tradiciones preexistentes: la lírica ocitánica, en un caso, y la literatura goliárdica, en el otro. Los dos textos habrían sido refundidos por un poeta culto que supo

---

104 LÓPEZ MORALES, H., *Historia de la literatura medieval española, I*, Madrid, Hispanova, 1974, pp. 233-240.

105 Véase GARCÍA VILLOSLADA, R., *La poesía rítmica de los goliardos medievales*, Madrid, Fundación universitaria, 1975, pp. 270-274; también LEHMANN, P., *Die Parodie im Mittelalter*, Stuttgart, Hiersemann, 1963. Sobre los *Carmina Burana*, véase SCHMELLER, J. A., *Carmina Burana. Lateinische und deutsche Lieder und Gedichte einer Handsschrift des 13. Jahrhunderts aus Benediktbeuern*, Stuttgart, 1847; más recientemente HILKA, A-SCHUMANN, O., *Carmina Burana, mit Benutzung der Vorarbeiten W. Meyer*, vol. I: *Die moralisch-satirischen Dichtungen*, Heidelberg, 1930; vol. II: *Die Liebeslieder*, Heidelberg, 1941.

106 Vinculan la *Razón de Amor* con la tradición provenzal desde distintos aspectos: FERRARESI, A. C., "Razón de amor", en *De amor y poesía en la España Medieval. Prólogo a Juan Ruiz*, México, Colegio de México, 1976, pp. 43-118; y DE LEY, M., "Provençal biographical tradition and the *Razón de amor*", *Journal of Hispanic Philology*, I (1976-1977) 1-17.

107 LÓPEZ MORALES, H., o. c., p. 257.

aprovechar estos materiales anteriores dentro del concepto laxo de originalidad que caracteriza la creación literaria medieval.

• *IV.2.6.3.3. Elena y María*

— *IV.2.5.3.3.1. El poema en su contexto histórico y literario*

Este poema fue publicado por Menéndez Pidal[108], quien tuvo que subsanar algunas de las lagunas que presentaba un manuscrito mutilado en el principio y al final.

El poema está escrito en pareados irregulares, cuya base se apoya en el octosílabo. Para Pidal esta breve obra se habría escrito en el último tercio del siglo XIII, concretamente en torno a 1280, por un autor leonés.

De nuevo nos encontramos ante un tema de larga tradición en la literatura medieval románica; la forma literaria del debate se aplica aquí al terreno amoroso; las protagonistas, Elena y María, disputan entre sí acerca de qué es preferible: el amor de un caballero o el de un clérigo.

Menéndez Pidal, quien ha rastreado una serie de textos extranjeros sobre el tema, señala cómo entre 1150 y 1250 hay toda una tradición de poemas europeos sobre el mismo tema. ¿Cuál es la raíz de estos debates? ¿Pura ficción literaria o reflejo de una realidad? La primera lectura de textos medievales —recordemos una vez más a Erich Köhler[109]— ha de ser desde una perspectiva sociológica. El clérigo medieval solía canalizar sus sentimientos amorosos a través de la barraganía; esta costumbre fue aceptada por el pueblo y admitida más o menos por la jerarquía eclesiástica hasta la reforma disciplinar propugnada por el IV Concilio de Letrán (a. 1215). Tanto los textos literarios como las actas de los sínodos y concilios medievales son claro testimonio de esta situación existencial que vivía una gran parte de la clerecía medieval[110]. Por otra parte, es bien conocido que el estamento clerical es el verdadero protagonista de la Alta Edad Media; los clérigos ocupaban la hegemonía tanto espiritual como temporal de aquella sociedad. Sin embargo, a partir del siglo XI, el caballero, el laico, trata, cada vez con mayor ímpetu, de sustraerse a la tutela de la iglesia. Surge, de esta manera, la oposición entre los dos estamentos, que a partir del siglo XII tendrá amplia divulgación en la literatura, a través de los llamados "Debates entre el caballero y el clérigo". La literatura recoge esta lucha dialéctica en el terreno amoroso, si bien nada nos impide pensar que tuviera también otras dimensiones.

---

108 MENÉNDEZ PIDAL, R., "*Elena y María (Disputa del clérigo y del caballero).* Poesía leonesa del siglo XIII", *Revista de Filología Española,* I (1914)52-96; reimpreso en *Tres poetas primitivos,* Madrid, Espasa-Calpe, "Colección Austral", n. 800, pp. 15-48.

109 KOEHLER, E., "Literatursoziologische Perspectiven", en G.R.L.M., Heildelberg, Band IV, 1978, pp. 82-103.

110 MENÉNDEZ PELÁEZ, J., *El Libro de Buen Amor: ¿ficción literaria o reflejo de una realidad?,* Gijón, Noega, 1980.

El *Concilio de Remiremont*, la *Altercatio Philidis et Florae*, *Le Jugement d'amour*, *Hueline et Eglautine*, *Florence et Blancheflour*, *Melior et Idoine*, son algunos de los testimonios de este género que se difundió tanto en la literatura latina medieval como en las literaturas anglogermánicas, si bien es en la literatura francesa donde más abundan estos poemas, como puede deducirse de los simples títulos enunciados. Todos estos poemas constituyen los antecedentes inmediatos del poema castellano *Elena y María*.

— *IV.2.6.3.3.2. Estructura del relato y significación del poema*

La mutilación del manuscrito nos impide conocer el comienzo y el final del mismo. El tema se refiere a la disputa habida entre dos hermanas: María, enamorada de un clérigo, en sentido restringido (un abad), y Elena, quien siente atracción por un caballero. La discusión se desarrolla aquí por la vía pragmática; María estima en su clérigo la vida tranquila y regalona que lleva; come abundantemente, duerme en cama bien mullida, tiene dinero, ropas, mulas y caballos. La contienda se hace interminable; para dirimirla, las dos hermanas acuerdan acudir a la corte del rey Oriol, gran juez en casos amorosos; el tribunal, como en el caso de los "Jugement d'amour" franceses, está compuesto por aves; sin embargo, el poema queda bruscamente interrumpido, cuando Elena empieza a alegar su causa ante el rey.

¿Cuál sería la significación de este poema? A pesar de la fragmentación del manuscrito, que nos impide conocer el final, Menéndez Pidal recoge una serie de datos, que compara con los existentes en los poemas extranjeros, y concluye que en la versión leonesa la victoria ya correspondería al caballero y no al clérigo, como sucedía en las versiones extranjeras; para esta afirmación se basa en que la versión leonesa satiriza muy duramente al clérigo (es mujeriego, explota el testamento de los moribundos); mientras al caballero se le aplican virtudes cortesanas (vv. 89-94).

Pidal estudia también las originalidades del texto leonés, en relación con los textos extranjeros. Con las limitaciones impuestas tanto por la brevedad como por la mutilación del poema, la poética extraída es una interrelación de las dos escuelas, si bien, en este caso, se acerca más a la forma de hacer literatura los juglares (métrica irregular, ausencia de recursos artificiosos, tono popular).

En resumen, *Elena y María* representa un poema más en el largo capítulo de refundiciones francesas del siglo XIII; el autor español modificó algunos elementos del tronco común, eliminó adornos y, sobre todo, popularizó su tono para acercarlo más a un público común de plazas y aldeas.

• *IV.2.6.3.4. El planto ¡Ay, Jerusalem!*

Se trata del único poema, perteneciente al género "canción de cruzada", que se conserva en la literatura medieval castellana[111]; este género

111 PESCADOR DEL HOYO, M. C. (edit.) en "Tres nuevos poemas medievales", *Nueva Revista de Filología Hispánica*, XIV (1960)242-250.

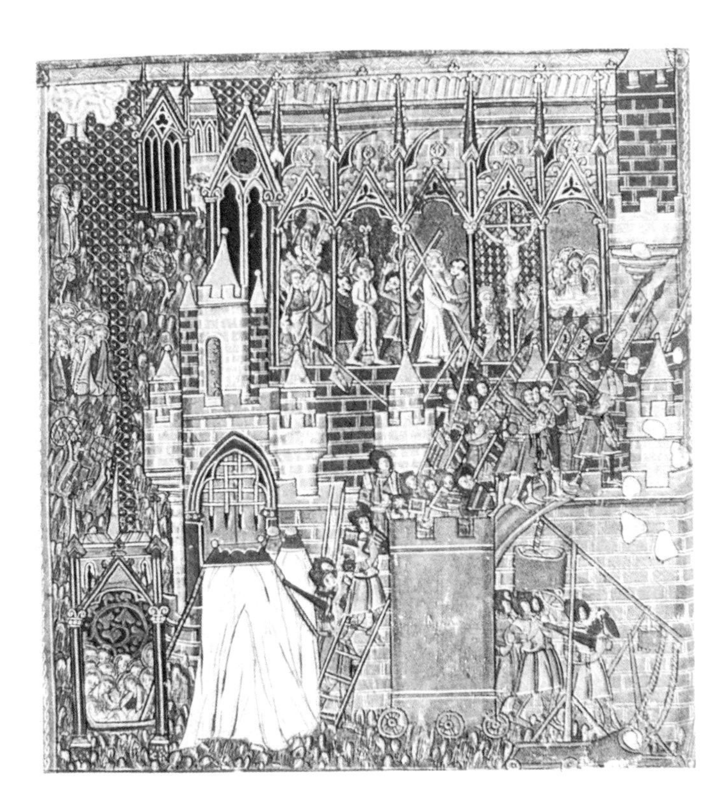

Las cruzadas

tiene como finalidad reclutar cruzados para la conquista de los Santos Lugares. Eugenio Asensio[112], gran especialista en el poema, lo fecha en torno a 1274, con motivo del II Concilio de Lyon.

La caída de Jerusalén bajo el poderío musulmán conmocionó al occidente cristiano; este contexto histórico favoreció la difusión de un tipo de literatura, con clara finalidad propagandística, que se conoce con el nombre de "canciones de cruzada"; fue un género muy popular en la Europa de entonces, sobre todo, entre franceses, provenzales y alemanes, en cuyos países la conquista de los Santos Lugares, como señala López Morales[113], gozó de una gran popularidad. Los autores de estas canciones suelen ser clérigos que las utilizan con el objeto de crear una opinión entre sus fieles; de ahí que el estilo juglaresco sazone la poética que informa el poema castellano, a base de tópicos populares, tomados bien del estilo épico, bien del planto. Es, en definitiva, otro caso claro de interferencias entre los dos mesteres.

112 ASENSIO, E.,"*¡Ay, Jerusalem!* Planto narrativo del siglo XIII", *Nueva Revista de Filología Hispánica*, XIV (1960)251-70.

113 LÓPEZ MORALES, H., o. c., pp. 257-265.

• *IV.2.6.3.5. La Historia troyana polimétrica*

— *IV.2.6.3.5.1. Tradición literaria y datación*

Muchos de los temas de la Antigüedad Clásica pasaron durante la Edad Media a las literaturas románicas, como ya hemos visto a propósito del *Libro de Alexandre* o el *Libro de Apolonio*. El tema sobre la destrucción de Troya fue, asimismo, muy del gusto del auditorio medieval, por lo que fue ampliamente difundido por el occidente europeo en numerosas versiones[114].

El poema castellano, según Menéndez Pidal[115], a quien se debe el estudio más completo del poema, "es mera traducción del *Roman de Troie* de Benoit de Sainte-Maure"[116]. A pesar de ello, en el poema castellano hay una cierta originalidad métrica, donde las combinaciones estróficas son muy variadas, entreveradas, a veces, por pasajes en prosa. De ahí el adjetivo "polimétrica" que ya forma parte del título.

Desde el punto de vista artístico, las apreciaciones negativas que sobre el poema escribió Amador de los Ríos[117], a quien siguió Menéndez Pelayo[118], así como su datación tardía, no son compartidas por Menéndez Pidal; "la obra no es tan tardía ni tan carente de valor, y si no ha logrado hasta ahora estar en nuestras historias literarias, debe entrar en ellas, sin duda alguna, y por la puerta ancha con un valor y una significación bien señalada"[119]. Su datación habría que colocarla en torno a 1270, en plena época alfonsí; la polimetría, que caracteriza al poema, respondería, según Pidal, a un intento por "adaptar el verso y la estrofa al carácter de cada tema tocado"[120]. Todo ello revelaría en el autor una auténtica voluntad de estilo; por ello, este poema debería ocupar un puesto relevante en la historia de la métrica española.

El poema se conserva fragmentariamente en dos manuscritos. El Ms. M, depositado en la Biblioteca Nacional de Madrid; y el Ms. E que forma parte de los ricos fondos de la Biblioteca de El Escorial.

— *IV.2.6.3.5.2. La Historia Troyana, arte de clerecía*

El minucioso y objetivo análisis realizado por Pidal demuestra que el autor castellano siguió la técnica del "a sílabas contadas", si bien con una

---

114 RAYNAUD DE LAGE, G., "Le roman de Troie", en *Le roman en vers en France au XIIe siècle*, en G.R.L.M., vol I. *Le roman jusqu'à la fin du XIIIe siècle*, Heidelberg, C. Winter-Universitätsverlag, 1978, pp. 178-182.

115 MENÉNDEZ PIDAL, R., *Historia troyana en prosa y verso*, Madrid, Anejo XVIII de la *Revista de Filología Española*, 1934, reimpreso un extracto en *Tres poetas primitivos*, Madrid, Espasa-Calpe, "Colección Austral", n. 800, pp. 83-148.

116 MENÉNDEZ PIDAL, R,. *Tres poetas primitivos...*, p. 88.

117 AMADOR DE LOS RÍOS, J., *Historia Crítica de la Literatura*, edic. facsímil, t. V, Madrid, Gredos, 1969, p. 350.

118 MENÉNDEZ PELAYO, M., *Orígenes de la novela*, t. I, Madrid, 1905, p. CXLVII.

119 MENÉNDEZ PIDAL, R., o. c., pp. 86-87.

120 *Ibidem*, p. 95.

estructura estrófica diferente, en la que el verso heptasílabo es regla general, con escasísimas excepciones. Es, en definitiva, la misma actitud y voluntad de estilo que tuvieron Berceo y el autor del *Alexandre*[121]. Las posibles irregularidades que presenta este poema se explicarían por lo tardío de los manuscritos conservados. Por todo ello, nuestro poema debe incluirse, con toda propiedad, dentro del arte de clerecía del siglo XIII, a la vez que debiera reclamar una mayor atención de la crítica literaria medieval, porque pudiera esclarecer determinados problemas del "modus versificandi" del mester de clerecía.

- *IV.2.6.3.6. Los castigos y exemplos de Catón*

Si por la forma literaria hay que incluir este poema dentro del mester de clerecía, ya que la cuaderna vía informa toda la obra, desde el punto de vista temático y funcional, entronca con la literatura gnómica y sapiencial.

La obra hay que relacionarla con la tradición del seudo-Catón, obra a la que la Edad Media dotó de una gran autoridad filosófica dentro del campo ético-moral. Esto explica la dimensión existencial que rezuman las orientaciones doctrinales que configuran el libro; la sabiduría que de él se extrae busca siempre un vitalismo pragmático, típico de la visión del mundo oriental y bíblico, en consonancia con los libros sapienciales veterotestamentarios, al margen de los conceptualismos teóricos. Esto explica la popularidad que alcanzó en el siglo XVI entre determinados grupos de perfección ascético-iluminista.

IV.3. EL MESTER DE CLERECÍA O LA POESÍA CLERICAL EN EL SIGLO XIV

IV.3.1. TRANSFONDO POLÍTICO Y SOCIAL DE LA LITERATURA CASTELLANA DEL SIGLO XIV

El siglo XIV se caracteriza en Europa por una especial crisis, que alcanzó, asimismo, a la Península. Esta crisis se acentúa en el reino de Castilla, dividido por las constantes y sangrientas luchas civiles, que tienen lugar, sobre todo, en la segunda mitad del siglo. Si hacemos un breve bosquejo de los principales acontecimientos que atraviesan el siglo XIV castellano, tomando como criterio de periodización los sucesivos monarcas que reinan, tendríamos el siguiente esquema:

— 1312-1350: reina Alfonso XI; sólo tiene un año cuando hereda el trono. Durante su minoría son constantes las luchas entre la baja y la alta nobleza por el poder; cuando llega al trono, reafirma el centralismo monárquico.

— 1350-1369: Pedro I el Cruel. Luchas fratricidas entre el rey y su hermanastro, Enrique de Trastámara.

---

121 *Ibidem*, p. 112.

— 1369-1379: Enrique II de Trastámara; guerra con Portugal; intervención de Castilla a favor del rey de Francia en la Guerra de los Cien Años.

— 1379-1406: Enrique III el Doliente. Antisemitismo (sobre todo, en 1391). Los judíos sufren una dura persecución; se producen grandes matanzas en Córdoba, Burgos y Toledo; se les acusa de ser los culpables de los males que asedian a la sociedad castellana.

A estas circunstancias específicas habría que añadir cuatro fenómenos que vive el occidente europeo, que repercutirán, a su vez, sobre Castilla: el Cisma de Occidente, la Guerra de los Cien años, la peste negra y el programa de reforma disciplinar que, desde Roma, intenta imponer el celibato a los clérigos disolutos.

Todos estos acontecimientos influirán en la creación y desarrollo de la literatura castellana a lo largo de la centuria.

IV.3.2. CARACTERÍSTICAS GENERALES DE LA POESÍA CLERICAL EN EL SIGLO XIV

Durante el siglo XIV los poemas del "mester de clerecía" presentan determinadas singularidades, que los distinguen de los poemas del siglo XIII, tanto formal como temáticamente. Desde la óptica métrica y estrófica, la rigidez de los hemistiquios del alejandrino del XIII da paso, con frecuencia, al hemistiquio octosilábico. Asimismo, la sinalefa sustituye progresivamente al hiato o dialefa con las repercusiones lingüísticas tendentes a una lengua más analítica que sintética; la cuaderna vía alterna con otros esquemas estróficos, adoptando los poemas una polimetría estrófica.

Desde el punto de vista temático y funcional, también se observan algunas modificaciones; el carácter narrativo y la tendencia descriptiva de los poemas del XIII dan paso, en el XIV, a un fuerte criticismo social y de las costumbres, en consonancia con la nueva situación social. De esta manera, el didactismo religioso, que observamos en el siglo XIII, evoluciona a un tipo de literatura, que adopta actitudes de denuncia, dentro de lo que se vino llamando, en la crítica moderna, "literatura comprometida".

IV.3.3. EL LIBRO DE BUEN AMOR: ENTRE LA FICCIÓN LITERARIA Y LA REALIDAD HISTÓRICA[122]

El *Libro de Buen Amor*, juntamente con *La Celestina*, es una de las obras más estudiadas de nuestra literatura medieval castellana. Los estu-

---

122 Mantenemos sustancialmente la misma posición que ya expusimos en dos publicaciones anteriores: *El libro de Buen Amor: ¿Ficción literaria o reflejo de una realidad?*, Gijón, Noega, 1980; e "Introducción" a la edición de la obra, *Libro de Buen Amor*, León, Everest, 1984.

dios, tanto generales como monográficos, son innumerables. La bibliografía al respecto es, asimismo, inmensa. Fueron y son muchos los críticos que han intentado encontrar el significado de esta gran obra; las hipótesis explicativas son tantas y tan divergentes que constituyen el mejor argumento para que el crítico renuncie a formular una con carácter rígido y definitivo; sin embargo, este pluralismo explicativo no debe ser óbice para buscar nuevas luces que ayuden al lector moderno a desvelar y comprender el significado de una obra cuyo contexto literario y social está muy lejos de nuestras actuales categorías culturales.

IV.3.3.1. Autor y título

En dos momentos de la obra (estrofas 19 y 575) el autor nos dice que se llama Juan Ruiz, y que ejerce el cargo eclesiástico de Arcipreste de Hita. ¿Qué personalidad se esconde detrás de este nombre? Lo desconocemos. A pesar de los intentos por buscar referencias históricas[123], la personalidad del autor sigue siendo una de las incógnitas que plantea la obra; se puede decir que lo único cierto que sabemos de su autor es que se llama Juan Ruiz y que desempeñó el cargo eclesiástico de Arcipreste de Hita; todos los demás datos, que pudieran esclarecer su biografía, no tienen más apoyo que la forma autobiográfica —de naturaleza más bien literaria que real— en que está escrita la obra.

El título de *Libro de Buen Amor* no se encuentra en ninguno de los manuscritos que contienen esta obra; esto explica el que en la Edad Media la obra se conociese simplemente por el nombre de *Libro del Arcipreste*; esta denominación es la que utiliza el Marqués de Santillana en su *Carta Proemio al Condestable de Portugal*; parecida referencia es la empleada por el autor del *Corbacho*, quien le da el nombre de *Tratado del Arcipreste*. En el siglo XVIII, Tomás A. Sánchez lo publicó bajo el epígrafe de *Poesías*; y Janer, en su edición de la B.A.E., le puso el título de *Libro de los cantares de Joan Ruiz, Arcipreste de Fita*. Fue Menéndez Pidal[124], quien, basándose en las estrofas 13 y 933, le dio el título de *Libro de Buen Amor*, nominación que fue inmediatamente aceptada por toda la crítica.

IV.3.3.2. Tradición manuscrita y fecha de composición

El LBA se conserva en tres principales manuscritos que llevan las siguientes siglas:

---

123 Puede verse el artículo de SÁEZ, E.-TRENCHS, J., "Juan Ruiz de Cisneros (1295/1296-1351/1352), autor del *Buen Amor*", en *El Arcipreste de Hita. El libro, el autor, la tierra, la época. Actas del I Congreso Internacional sobre el Arcipreste de Hita*, edit. Manuel CRIADO DE VAL, Barcelona, SERESA, 1973, pp. 365-368. En adelante abreviaremos esta referencia bibliográfica por *Actas I.*

124 MENÉNDEZ PIDAL, R.,"Notas al Libro del Arcipreste de Hita", en *Poesía Árabe y Poesía Europea*, Madrid, Espasa-Calpe, "Colección Austral", n. 190, 1946, pp. 109-123.

Antigua Biblioteca de la Universidad de Salamanca

a) Manuscrito S. Llamado así por proceder de Salamanca; perteneció al Colegio Mayor de San Bartolomé; pasó después a la Biblioteca Real de Madrid, y, de nuevo, se encuentra en la Biblioteca de la Universidad Antigua de Salamanca. La letra es de principios del siglo XV.

b) Manuscrito G. Toma su nombre de don Benito Martínez Gayoso, a quien perteneció; en la actualidad se halla en la Biblioteca de la Real Academia Española. Se le data a finales del siglo XV.

c) Manuscrito T. Perteneció a la catedral de Toledo; de ahí la sigla T; hoy se guarda en la Biblioteca Nacional de Madrid. Su letra parece ser de finales de siglo XIV.

Se conservan además varios fragmentos de la obra, poco importantes para la fijación del texto, pero que demuestran la gran difusión que tuvo la obra.

La fecha de composición asignada a la obra depende de la actitud del crítico frente a la diversidad de los materiales contenidos en los manuscritos.

El Ms. S es el más completo de los tres, incorporando varios añadidos que no aparecen en G ni en T, a saber:

— La oración inicial en la que el autor pide verse libre de la prisión (estrofa 1ª).

— Añade un "prólogo" en prosa en el que, entre otras cosas, matiza el concepto de "buen amor".

— Añade una cantiga de "Loores de Santa María", quejándose del agravio que sufre.

— Señala la fecha de 1343 (estrofa 1634) como el año de la composición de la obra.

—Finalmente, se añade el colofón atribuido al copista Alfonso de Paradinas.

A partir de esta constatación, surge la cuestión: ¿qué relación existe entre la versión del Ms. S y las correspondientes de G y T? Por otra parte, el Ms. T sitúa la fecha de composición de la obra en 1330, mientras que el texto de S, como ya se indicó, lo data en 1343. Estos datos hicieron pensar a Menéndez Pidal[125] que las divergencias entre las versiones se explicaban como resultado de dos redacciones distintas, realizadas por el mismo autor en dos momentos de su vida; la primera redacción, representada por G y T, la terminaría en 1330, como consta en el propio texto; más tarde, en 1343, el autor refundiría la primera redacción, añadiendo las partes que son exclusivas de S: oración inicial, prólogo, etc.

La tesis de Menéndez Pidal, en líneas generales, fue admitida por toda la crítica hasta que, en 1964, apareció la edición de Chiarini[126], para quien no hubo dos redacciones sucesivas del LBA, sino una sola, de la cual derivarían, a través de versiones perdidas, los tres manuscritos conservados; en 1967 se edita la edición de Corominas[127], quien defiende, de nuevo, la doble redacción propuesta por Menéndez Pidal; en 1974 Jacques Joset[128] publica una muy útil edición, en cuya introducción pone en duda la hipótesis de las dos redacciones; argumenta que es difícil suponer que el mismo autor revisase su obra para refundirla; los pasajes añadidos al Ms. S serían debidos a los copistas, sin necesidad de recurrir a una segunda redacción. Por otra parte, el citado crítico piensa que algunos de los supuestos añadidos del Ms. S podrían estar ya en el original.

Sin embargo, la hipótesis de Menéndez Pidal sobre las dos redacciones suele ser la opinión más frecuentemente admitida entre los críticos; autores como F. Lecoy, Gybbon-Monypenny, R. Willis, César Real de la Riva, así lo testimonian. No obstante, Alberto Blecua[129] en su valiosísima edición del LBA, una de las últimas aparecidas en el mercado editorial, se inclina más bien por las tesis de Chiarini y Jacques Joset.

---

125 *Ibidem*, pp. 114-117.

126 *Libro de Buen Amor*, edic. de G. CHIARINI, Milano-Napoli, 1964.

127 *Libro de Buen Amor*, edic. de J. COROMINAS, Madrid, Gredos, 1967.

128 *Libro de Buen Amor*, edic. de J. JOSET, Madrid, Espasa-Calpe, "Clásicos Castellanos", n. 14 y 17, 1974.

129 *Libro de buen amor*, edic. de Alberto BLECUA, Madrid, Cátedra, 1992, p. XVII y, sobre todo, las páginas y anotaciones dedicadas a solventar los múltiples problemas de crítica textual que presenta la obra; desde esta perspectiva, esta edición representa, sin duda, una de las aportaciones más interesantes para desenmarañar la obra. Sirvan estas líneas como comentario general a una obra que tan sólo hemos podido hojear en el momento de la corrección de pruebas.

IV.3.3.3. Las fuentes del LBA

Beber en fuentes escritas es una de las características de todos los poemas del mester de clerecía; el autor del LBA utilizó un buen número de obras perfectamente identificadas, gracias al estudio de F. Lecoy[130]: libros de liturgia, sermonarios, literatura de ejemplos, fábulas de Esopo, tratados de teología moral y dogmática, literatura goliárdica, versiones latino-medievales de Ovidio (*Vetula* y el *Ovidius puellarum*), el *Pamphilus*, etc., constituyen las fuentes principales de las que se ha servido el autor del LBA.

Este pluralismo de fuentes es el que dificulta, a primera vista, una lectura continua de la obra. El lector actual, habituado a otros esquemas estructurales, no distingue con claridad un hilo argumental a lo largo de la obra; de ahí que se haya recurrido a la forma autobiográfica como elemento unificador y aglutinante. Lo cual es cierto. Sin embargo, a nuestro juicio, hay otro recurso, poco estudiado hasta ahora, que da sentido y coherencia interna a todo el discurso poético; nos refimos a la estructura escolástica que subyace en el libro.

IV.3.3.4. El autor y su entorno

El autor del LBA es un clérigo muy cualificado dentro de la jerarquía de la iglesia medieval: un arcipreste, una de cuyas funciones era velar por la disciplina de los clérigos de su arciprestazgo[131]. El clero medieval castellano del siglo XIV vive un agustioso problema: la reforma disciplinar legislada en el IV Concilio de Letrán. Estas reformas, aunque afectan a toda la Iglesia universal, serán en nuestra Península —y muy en concreto en Castilla— donde más se hacen sentir. La razón es muy clara. Con la invasión árabe nuestra Península había quedado fuera del radio de acción del centralismo romano. Esta circunstancia favoreció el desarrollo de una serie de potencialidades, bien autóctonas, bien provenientes de las culturas árabe y judía. Este particularismo de nuestra iglesia peninsular lo comprobamos en el desarrollo de la llamada "liturgia mozárabe" y, también, en las traducciones de la Biblia al romance castellano[132].

---

130 LECOY, F., *Recherches sur le LBA. With supplementary material by A. D. Deyermond*, Londres, 1974.

131 Las funciones del arcipreste están minuciosamente legisladas en los Concilios medievales, muy en particular en el "Sínodo Diocesano de Alcalá del 10 de junio de 1480"; véase SÁNCHEZ HERRERO, J., *Concilios Provinciales y Sínodos Toledanos de los siglos XIV y XV*, Universidad de La Laguna, 1976, p. 111. No debe olvidarse, por otra parte, que la categoría eclesiástica de arcipreste fue, asimismo, una figura literaria; a este respecto véase: TORO GARLAND, Fernando de, "El arcipreste, protagonista literario del medioevo español. El caso del 'mal arcipreste' del *Fernán González*", en *Actas I Congreso*... pp. 327-336; también WEBER, E. J., "La figura autónoma del arcipreste", en *Actas I Congreso*... pp. 336-342; HERNÁNDEZ, F. J., "Juan Ruiz y otros arciprestes, de Hita y aledaños", *La Corónica* XVI (1988)1-31.

132 BERGER, S., "Les Bibles castillanes", *Romania*, (1889)360-408 y 508-567.

Esta singularidad que ofrece nuestra Península en el aspecto litúrgico y en las traducciones bíblicas se prolongará, asimismo, en el ámbito existencial, es decir, en el modo de vida de los propios clérigos. La canalización del sentimiento amoroso sigue en Castilla unas leyes que se apoyan, bien en el derecho consuetudinario, bien en las culturas árabe o hebrea que van a dificultar la renovación disciplinar del IV Concilio de Letrán en la Península. Castilla es en ese momento (según la expresión consagrada en la polémica Castro-Albornoz) una encrucijada de tres culturas: cristiana, árabe y judía. Es este un hecho que no se debe olvidar al estudiar la literatura medieval, en general, y el LBA, en particular. En primer lugar, porque la sociedad medieval castellana está formada en buena parte por judíos que se mantienen fieles a los preceptos veterotestamentarios. Es significativa la evolución de las disposiciones de los sínodos y concilios medievales castellanos en relación con los judíos. Hasta el siglo XII existe una tolerancia mutua entre las tres religiones, de tal manera que Fernando III se denomina a sí mismo "rey de las tres religiones", notoria singularidad en una época de creciente intolerancia en toda Europa. Las primeras condenas que Roma decreta contra los judíos en los Concilios III y IV de Letrán (a. 1179 y 1215, respectivamente) y en el de Vienne (a. 1313), no tienen resonancias en Castilla[133]. Hay que esperar al siglo XIV para que Roma logre penetrar en las estructuras eclesiásticas peninsulares. La primera legislación contra los judíos en Castilla procede de un concilio celebrado en Zamora el 11 de enero de 1313, presidido por el arzobispo de Santiago a su vuelta del concilio de Vienne. Posteriormente será el concilio de Valladolid, en su constitución 22, el que extenderá a toda la Península la legislación que ha de regir en los años posteriores a la Edad Media[134]. Por tanto, en una sociedad, configurada de esta manera, es lógico y esperado que hubiese estas interferencias entre la cultura cristiana y la cultura judía. En segundo lugar, porque la sociedad medieval utiliza la "veritas hebraica" en muchos aspectos como criterio último de verdad. Es el caso, por ejemplo, del equipo de Alfonso X el Sabio.

Particular interés tiene, en este caso, subrayar las singularidades que presentan las doctrinas veterotestamentarias sobre el concepto de amor. Toda concepción sobre la vida amorosa se apoya en último término en una determinada filosofía sobre el ser humano. Por ello, es necesario señalar las líneas básicas de la antropología bíblica. Para mejor comprender las peculiaridades de esta concepción del hombre, nada mejor que

133 FOREVILLE, *Latran I, II, III et Latran IV*, Paris, 1965, pp. 147-148; 221-222; 380-382; LECLERC, J., *Vienne*, Paris, 1964, p. 50.

134 Véase "Concilio de Valladolid de 1322", en *Colección de Cánones y de todos los concilios de la Iglesia Española*, edic. de TEJADA Y RAMIRO, Madrid, 1851, t. 3, pp. 499-502.

un análisis comparativo con la antropología griega (platónica), con la que el lector moderno está más familiarizado por haber impregnado toda la cultura occidental.

Para Platón el hombre es un compuesto de dos realidades esencialmente distintas, tanto por su origen como por su naturaleza: alma y cuerpo. La primacía axiológica de este compuesto queda polarizada en torno a lo espiritual. El cuerpo, lo material, es intrínsecamente malo. El pensamiento judío, por el contrario, desconoce totalmente esta dicotomía platónica. El hombre no es un alma encerrada en un cuerpo; el hombre es una unidad de dos realidades que no pueden subsistir la una sin la otra[135]. Las consecuencias que de aquí se derivan son antagónicas. Para Platón el mal viene del cuerpo, de lo material. Él es, según la expresión del Fedón, el clavo que nos amarra a esta tierra extranjera en la que estamos alienados. Hay que huir de aquí abajo cuanto antes. Nos encontramos, por tanto, ante una condena implícita de todo lo material y sensible. Para la Biblia, por el contrario, lo sensible y material tiene la misma bondad que lo espiritual, porque las dos realidades tienen su origen en Dios (Yahvé, Elohin).

Teniendo esto presente, podemos ya vislumbrar por donde van a discurrir las doctrinas amorosas del Antiguo Testamento. En primer lugar, ya es significativo el término "aha" que los judíos utilizan para designar al amor; su campo semántico se centra en el ámbito del amor sexual, del deseo sensible. Se le canta, se le celebra. El Antiguo Testamento exalta con frecuencia al amor sexual (Prov., 5, 18-19; Ecl., 9, 9). El *Cantar de los cantares* utiliza el símil del atractivo sexual de los amantes para expresar la unión del alma con Dios.

El fundamento ideológico de esta concepción habría que buscarlo en el valor que para los hebreos tenía la fecundidad; ella es el mejor don que pueden tener el varón y la mujer. Estamos, pues, muy lejos del llamado "amor platónico" o "amor de lejos". El amor hacia una mujer para que sea perfecto tiene que tener una dimensión sexual, y todo en función de la fecundidad, es decir, del "creced y multiplicaos" con que se abre el *Génesis.*

El papel que el matrimonio juega en esta perspectiva lo podemos adivinar de lo anteriormente dicho; para el Antiguo Testamento el estado matrimonial es el único posible: es la vocación natural del hombre. El hecho de que la legislación matrimonial sea tan amplia y tan minuciosa prueba la vitalidad que tal institución tenía entre los judíos. Asimismo, el Antiguo Testamento desconoce la virginidad como virtud; equivale a la esterilidad, y, por tanto, era considerada como castigo divino[136].

135 TRESMONTANT, C., *Essai sur la pensée hebraïque*, traduc. española, Madrid, Taurus, 1962.

136 Véase *Juec.*, 11, 29-40.

Toda esta ideología sobre el sentimiento amoroso sufrirá profundas alteraciones en los escritos neotestamentarios. En ellos asistimos a una nueva concepción. Los *Evangelios* y las *Cartas* paulinas serán las obras donde se aborde el tema con mayor claridad. Los *Evangelios* admiten ya la virginidad como realidad existencial, sin emitir ningún juicio de valor entre el estado matrimonial y la virginidad; será la doctrina paulina donde se afirme la superioridad de la virginidad sobre el matrimonio en orden a alcanzar la perfección (1 Cor., 7). Los Santos Padres recogerán estas enseñanzas y las convertirán en doctrina cuasi-oficial de la Iglesia; desde esta perspectiva, el estado matrimonial quedará relegado a una escuela de imperfección.

- *IV.3.3.4.1. El Concilio IV de Letrán, telón de fondo del LBA*

La corriente maniquea, que condena al matrimonio, impregnará las doctrinas cristianas de los primeros siglos, y dará lugar a la primera disposición legislativa: el celibato. Así, en la codificación de Elvira (a. 300-306) se prohibe, por primera vez, el uso del matrimonio a los clérigos. Más tarde, el Concilio de Nicea (a. 325) repetirá el mismo canon del Concilio de Elvira y prohibe a los clérigos y obispos tener junto a ellos mujer alguna, salvo a su hermana o a una virgen consagrada a Dios[137]. Finalmente, el Papa Siríaco en su *Epístola a Himeneo* (a. 386) prohibe formalmente la cohabitación de sacerdotes y diáconos con sus mujeres; sin embargo, en el documento papal se ven enfrentadas las dos corrientes: una a favor del matrimonio, la otra a favor del celibato; quienes defienden que el sacerdote debe casarse se apoyan en las doctrinas amorosas del Antiguo Testamento[138]. Ante esta disyuntiva, Roma toma partido en favor de la segunda tesis, y el Papa da a este decreto un carácter universal que no fue nunca derogado.

¿Cómo se cumplió la normativa del celibato en la Castilla medieval, y más concretamente durante los siglos XIII y XIV? Si tomamos como base documental los sínodos y concilios medievales, así como los propios textos literarios, tenemos que decir que el no cumplimiento del tal ley fue algo general. Es un tema una y mil veces repetido en sínodos y concilios nacionales y provinciales, donde se recuerda constantemente esta obligación y las penas contra los transgresores. Hasta el siglo XIII (es decir, hasta el intento de implantar las disposiciones disciplinares del IV Concilio de Letrán), el régimen matrimonial tanto en Castilla como en León no se diferenciaba mucho de los países musulmanes. Existen en este tiempo dos esquemas que ligan a los esposos; por una parte, el matrimonio "a juras"; se fundamentaba en el consentimiento mutuo, aunque

137 DENZINGER, *Enchiridion Symbolorum, Definitionum, Declarationum*, Barcelona, 1963, p. 51.

138 *Ibidem*, p. 73.

frecuentemente era fruto de un intercambio comercial, de un mercado entre dos familias, es decir, era el clásico matrimonio por conveniencias políticas o económicas. Era el matrimonio canónico.

Junto a este matrimonio oficial existía otro tipo de unión matrimonial fundada en el amor, la amistad y la fidelidad en la vida común: era la barraganía. En *Las Partidas*[139] se nos da su etimología como derivada de dos raíces [barra (fuera de) + ganancia], es decir, ni ella, ni los hijos habidos con ella, participaban del régimen ecónomico familiar. Fue esta unión por barraganía la institución que canalizará el sentimiento amoroso de los clérigos. Esta praxis será aceptada no sólo privada y popularmente sino incluso jurídicamente. La razón de este consentimiento tácito, junto a posibles fundamentos teológicos, habría que buscarlo en motivaciones más pragmáticas, ya que, al no pertenecer la barragana al régimen económico familiar, ni tampoco los hijos habidos con ella, los bienes de la Iglesia no se veían diseminados. Hasta el siglo XIII los sínodos y concilios españoles no suelen tratar este problema. ¿Cómo explicar este silencio? Podría deberse a dos causas: bien al carácter mixto de tales concilios (reunión de la nobleza y la alta jerarquía) y, por tanto, el problema no interesaba más que a una de las partes, bien porque existía un consentimiento tácito por parte de la jerarquía eclesiástica, que en aquella época gozaba de una mayor autonomía motivada por la invasión musulmana. Se podría decir, pues, que hasta el IV Concilio de Letrán la barraganía clerical fue una institución no sólo privada y popularmente admitida, sino incluso jurídicamente más o menos tolerada.

El IV Concilio de Letrán va a cambiar la suerte de la clerecía castellana; las referencias a la barraganía clerical ocupan la atención de la reforma disciplinar que se intenta llevar a cabo. La aplicación de este concilio ecuménico para Castilla tendrá lugar en el Concilio de Valladolid de 1228[140]. A partir de ese momento, la barraganía será considerada como pecaminosa; de ahí que se sustituya el término barraganía (carente de pecaminosidad en aquel tiempo) por el de concubina, es decir, la mujer que hace vida marital con un hombre que no es su marido. Sin embargo, contra lo que no podrá luchar fácilmente la reforma conciliar será contra una costumbre, ya adquirida y admitida como buena. Las penas promulgadas en este concilio contra los clérigos concubinarios se refieren a la privación de la prebenda y a la excomunión; asimismo, se insiste en que los hijos de los clérigos no pueden heredar los bienes de su padre. Poco efecto debieron tener aquellas normas, ya que en el Sínodo de León de 1267 se vuelve a insistir en ello[141]. Tampoco estas disposiciones debieron

139 *Partida IV*, Título XIV, Ley I.

140 TEJADA Y RAMIRO, o. c., t. 3, p. 325.

141 *Ibidem*, p. 395.

ser muy eficaces, pues hacia 1280 se escribe en tierras de León —según la hipótesis de Menéndez Pidal— el poema *Elena y María*, donde sin ningún prejuicio de inmoralidad, irreligiosidad o anticlericalismo se nos narra la discusión entre dos hermanas: María, enamorada de un clérigo, un abad, y Elena, de un caballero.

En el primer tercio del siglo XIV parece haberse recrudecido el problema de los clérigos concubinarios, ya que se trata en el Concilio de Peñafiel (a. 1302) y, sobre todo, en el de Valladolid de 1322, cuyo canon VII "De cohabitatione clericorum et mulierum" es el más extenso de las actas conciliares. Se recuerdan la penas promulgadas en concilios anteriores y se añaden otras más: castigar con dos años de cárcel a los clérigos que tengan públicamente concubina, a la vez que se excomulga a aquellos laicos que inciten a los clérigos al matrimonio, lo que demuestra que la barraganía clerical tenía un consentimiento popular tan fuerte como para que el centralismo romano se ocupe de ello; conviene señalar que es Roma la que convoca, preside y promulga las constituciones a través del Legado Pontificio[142]. Los mismos textos literarios medievales son testimonio de la aceptación popular que la barraganía clerical tenía en Castilla[143]. Sucesivos sínodos y concilios se celebran en esta región a lo largo del siglo XIV. Merecen mención especial los de Toledo de 1322 y de 1342, porque nos introducen en el telón de fondo, a nuestro juicio, sobre el que se asienta la creación literaria del LBA. El problema de la barraganía clerical seguirá vigente, sin que las leyes de reforma disciplinar consigan eliminarlo. Como los castigos impuestos no logran desterrar una costumbre adquirida durante siglos, al final del siglo XV el arzobispo de Toledo, Cisneros, busca un remedio más pastoral; elimina todas las penas y censuras impuestas y las cambia por una amonestación verbal por parte del propio obispo.

Resumiendo, pues, frente a las disposiciones disciplinares que intentan apartar al clérigo de la barraganía, se opone una costumbre —quizás configurada por la tradición judaica—, admitida e incluso apoyada por el pueblo, que le permite canalizar la actividad amorosa dentro de una institución más o menos estable y permanente como era la barraganía. En la primera mitad del siglo XIV hay un endurecimiento de Roma que envía a sus legados para que convoquen y presidan distintos concilios; es el caso del Concilio de Valladolid de 1322 y el de Toledo de 1342; el problema parece, pues, haberse agudizado en la década del 20 al 30 (recuérdese que la primera redacción del LBA, según la hipótesis de Pidal, tuvo lugar en 1330). Este sería, a nuestro juicio, el entorno, la situación existencial y el telón de fondo del LBA.

---

142 *Ibidem*, p. 478.

143 Véase LÓPEZ DE AYALA, P., *Rimado de Palacio*, estr. 224.

• *IV.3.3.4.2. Algunos pasajes del LBA a la luz de los sínodos y concilios medievales*

El año 1342 adquiere una particular significación el problema de la barragania clerical. A pesar de lo promulgado en los sínodos anteriores, los clérigos castellanos seguían viviendo en concubinato. Esto motivó la intervención del propio Papa Bonifacio XII, quien envía una carta a los arzobispos de Compostela, Sevilla y Toledo el 21 de enero de 1342, en la que pide que amonesten a los clérigos que no aceptasen el celibato[144]. El Arzobispo de Toledo lo lleva a efecto en su sínodo de Toledo, el 16 de abril de 1342, con el envío de una carta a los diferentes arciprestazgos. Estas disposiciones siguen la línea de endurecimiento anterior. Este acontecimiento sinodal puede ayudar a entender dos temas fundamentales del LBA. Nos referimos al tema de la prisión y al pasaje de los "Cantica de los clérigos de Talavera", es decir, el témino "a quo" y el término "ad quem" de la obra.

— *IV.3.3.4.2.1. El tema de la prisión*

En varios lugares el autor alude a una determinada prisión (estrofas 1, 1.674, 1.683); se refiere, asimismo, a los "traidores" y "mescladores" contra los cuales pide protección al cielo (estrofas 7 y 10). A partir de estas referencias textuales surge la interpretación. Para Menéndez Pidal[145] y Dámaso Alonso[146], entre otros, se trataría, sin posible equívoco, de una prisión real. Otros investigadores, no menos insignes, entre los que destaca María Rosa Lida[147], se inclinan por una interpretación alegórica; desde esta perspectiva, el autor se referiría a la prisión del alma en poder del pecado; los "traidores" y "mescladores" serían los demonios.

¿Qué se puede decir al respecto desde la óptica del telón de fondo que se acaba de analizar? Las penas impuestas a los clérigos concubinarios, que persistían en su contumacia, contemplaban la prisión real como elemento corrector de conducta. El problema está en determinar si el término "prisión" en la obra es denotativo o connotativo. Nos inclinamos por la acepción denotativa. Aunque en literatura religiosa fue frecuente la utilización metafórica de este término para indicar que el pecador está en prisión, porque está sometido a las cadenas del pecado, esta acepción no se puede hacer extensiva a todos los contextos. Lo normal será la significación objetiva y denotativa. En el LBA hay dos datos que son condi-

---

144 Seguimos a SÁNCHEZ HERRERO, J., o. c., pp. 46-49.

145 MENÉNDEZ PIDAL, R., *Poesía juglaresca y orígenes de las literaturas románicas*, Madrid, 1957, p. 210, nota 1.

146 ALONSO, D., "La prisión del Arcipreste", *Cuadernos Hispanoamericanos*, febrero (1957) 167-177.

147 LIDA DE MALKIEL, M. R., "La prisión del Arcipreste", en *Juan Ruiz. Selección del Libro de Buen Amor, y Estudios críticos*, Buenos Aires, 1973, pp. 268-287.

cionantes a la hora de determinar el sentido real o alegórico del término. Por una parte, el sintagma "sin meresçer", que acompaña en varias ocasiones al término prisión, no permite la referencia a la prisión alegórica con sentido moral; en toda la literatura religiosa el pecador arrepentido, que cumple penitencia por sus pecados, jamás dirá que sufre sin merecer, sino todo lo contrario; sus sufrimientos no son nada en comparación de lo que merecerían sus culpas; es este un tópico en la literatura religiosa de conversión, que se apoya en la tradición teológica sobre la gracia divina. El ejemplo literario de la *Vida de Santa María Egipcíaca* puede ser significativo de esto que se dice. Pero, además, el telón de fondo que nos ofrecen los sínodos y concilios medievales es también determinante. Ahora bien, afirmar la prisión real no lleva consigo necesariamente dar al relato una interpretación autobiográfica, como afirman muchos de los críticos que defendían esta posición. Tampoco se puede negar. ¿Es extraño que en 1343, fecha de la segunda redacción de la obra —en la hipótesis de Pidal— el autor estuviese cumpliendo una condena como consecuencia de las disposiciones del Sínodo de Toledo de 1342? Nos encontramos con uno de los problemas más discutidos en torno a la obra: la forma autobiográfica en que está escrita. ¿Cuál es la naturaleza y el funcionamiento de este recurso literario dentro de la obra? La mayoría de los críticos defienden que la forma autobiográfica actúa como elemento unificador de unos materiales ajenos, cuyas fuentes son muy diversas[148]. Difícilmente se puede defender que todo lo que se dice de ese yo autobiográfico pertenezca a la biografía real del autor[149]. Leo Spitzer afirmaba que ese yo "speaks in the name of man in general"[150]. En idéntica línea se movía Lida de Malkiel cuando decía que "el héroe de esas aventuras es, en efecto, un hombre como otro, es decir, todo hombre"[151]. Dentro del didactismo general que se extrae de la obra y, por tanto, del carácter universal de la misma, en determinados momentos el autor se dirige a un público restringido: a los clérigos; de ahí que la impronta clerical sazone todo el discurso poético. Desde esa perspectiva, ese yo que sufre una prisión real es un yo genérico, que puede representar a cualquier clérigo o arcipreste que hubieran sufrido semejante castigo, fruto del endurecimiento de las disposiciones disciplinares eclesiásticas a principios del siglo XIV.

148 Sobre los orígenes de esta autobiografía se han formulado diversas hipótesis explicativas entre las que destacan : LIDA DE MALKIEL, M. R., "Nuevas notas para la interpretación del LBA", en *Juan Ruiz...* p. 208-210; RICO, F., "Sobre el origen de la autobiografía en el LBA", *Anuario de Estudios Medievales,* IV (1967) 301-325.

149 REY, R., "Juan Ruiz, don Melón de la Huerta y el yo poético medieval", *Bulletin of Hispanic Studies,* abril, (1979) 103-116.

150 SPITZER, L., "Note on the poetic and empirical "I" in medieval Authors", *Tradition,* IV (1946) 419; traducido este artículo en *Estilo y estructura en la literatura española,* Barcelona, Editorial crítica, 1980, pp. 103-118.

151 LIDA DE MALKIEL, M. R., o. c., p. 157.

— *IV.3.3.4.2.2. El tema de los "Cantica de los clérigos de Talavera"*

El Ms. S termina con el conocido pasaje que se refiere a los clérigos de Talavera. En él se relata la asamblea celebrada por los clérigos del arciprestazgo de esta ciudad ante la llegada de una carta del arzobispo don Gil, en la que se les comunica que han de separarse de sus barraganas. Los clérigos, después de una larga y apasionada discusión, deciden hacer caso omiso a tal determinación, y confían que el rey comprenda más fácilmente sus necesidades naturales.

El arzobispo don Gil, a quien se cita en el segundo verso del pasaje (estrofa 1.690) no puede ser otro que don Gil de Albornoz, arzobispo de Toledo desde 1337 hasta 1351, el mismo que aparece en el "explicit" atribuido a Alfonso de Paradinas. Todo esto hizo pensar a muchos críticos que el citado pasaje reflejaba la actitud real e histórica del cabildo de Talavera contra la orden del arzobispo don Gil. Esta interpretación, sin embargo, fue cortada después que Menéndez Pidal[152] constatase que el pasaje en cuestión no era más que una adaptación de un poema goliárdico inglés llamado *Consultatio Sacerdotum*, fechado aproximadamente a principios del siglo XIII, y atribuido a Gualterio Map. A partir de esta constatación, el pasaje pasó a ser una pura parodia sin relación alguna con la sociedad medieval castellana. Sin embargo, por mucha ficción y parodia que exista en el relato, hay en él elementos que son históricos: el nombre del arzobispo, así como el sintagma "en las calendas de abril", son referentes que remiten, sin duda, a la situación que vive la diócesis de Toledo en abril de 1342. El hecho de que el autor del LBA imite, desde el punto de vista de la inspiración poética, la *Consultatio Sacerdotum* no resta en nada la relación del texto con la realidad castellana del momento. El autor pone en moldes heredados de la tradición goliárdica la realidad contemporánea que él tiene que vivir en Castilla. No se olvide, por otra parte, que la fecha de la primera mitad del siglo XIII que Pidal asigna al citado poema goliárdico puede estar en perfecta consonancia con las disposiciones del IV Concilio de Letrán; posiblemente los textos goliárdicos ingleses pudieron haberse inspirado igualmente en la situación que provoca el endurecimiento disciplinar romano.

En resumen, habría que afirmar con Lecoy que "on peut donc dire qu'en dépit de ses modèls latins, la *Cantica de los clérigos de Talavera* plonge en plein dans la réalité contemporaine"[153].

IV.3.3.5. El LBA, literatura clerical

Bajo esta denominación se pretende afirmar el carácter clerical de la obra tanto en su origen como en sus destinatarios; es un clérigo el que lo escribe y son clérigos sus destinatarios principales.

---

152 MENÉNDEZ PIDAL, R., *Poesía juglaresca y orígenes*..., pp. 205-207; también LECOY, F., "La Consultatio Sacerdotum", en *Recherches*..., pp. 229-236.

153 LECOY, F., *Recherches*..., p. 236.

Ilustración del LBA

En el Ms. S, versión definitiva de la obra, se constata que el libro tiene una estructura cerrada, cuyos términos "a quo" y "ad quem" son pasajes que presuponen un público principalmente clerical. Nos referimos al "Prólogo" y al episodio sobre los clérigos de Talavera. La significación de este último ya ha sido estudiada; pasemos ahora al "Prólogo". Lo primero que nos llama la atención es su estructura externa. Mientras toda la obra está en verso, esta primera parte la encontramos prosificada. ¿Es este un detalle fortuito o refleja una velada intencionalidad? El autor, según cuenta en este "Prólogo", pretende dar una lección de bien rimar; de ahí que todo cambio en la estructura externa pueda significar una delimitación de distintas parcelas temáticas. Asimismo, es significativa la abundancia de sentencias latinas tomadas de la Biblia, y con las cuales es de pensar que tan sólo los clérigos estaban familiarizados. Son citas de salmos muy frecuentes en las Horas Canónicas que todo clérigo tenía que recitar.

Si analizamos el pasaje en su estructura interna, encontramos que todo él está perfectamente estructurado, según la normativa retórica del sermón literario. Janet A. Chapman[154] estudió dicho prólogo a la luz de

154 CHAPMAN, J. A., "Juan Ruiz's Learned Sermon", en *Libro de Buen Amor Studies*, edited by G. B. Gybbon-Monypenny, Londres, 1970, pp. 29-51.

los sermonarios medievales, y concluye que esta parte de la obra se ajusta perfectamente a la normativa del llamado sermón culto, cuyos destinatarios eran los propios clérigos. La estructura de este tipo de sermón estaba muy definida. Comenzaba con la recitación de unos versículos de la Biblia que sintetizaban el tema sobre el que iba a versar el discurso retórico; a continuación le seguía el desarrollo argumental del tema en el que el predicador utilizaba el argumento de autoridad recurriendo a textos de las Sagradas Escrituras o de los Santos Padres. Este desarrollo argumental había de estar perfectamente estructurado según las leyes de la lógica escolástica. En esto demostraba el predicador su arte.

Todos estos recursos retóricos se encontrarían en el "Prólogo" en prosa, según Janet A. Chapman. ¿Qué nos indica esto? Que esta estructura sólo podía ser entendida por aquellos que estaban familiarizados con esta pedagogía, esto es, por los clérigos, quienes estudiaban en su formación la retórica de las "Artes praedicandi".

A la misma conclusión se llega, si se analiza la estructura interna argumental y doctrinal del libro; de nuevo nos encontramos con las leyes de la argumentación escolástica: enunciado de una tesis que el autor trata de probar con tres tipos de argumento y una ejemplificación. Todo esto nos advierte que sólo quienes estuviesen sensibilizados con el método escolástico podían comprender la estructura interna de la obra; y en ese momento histórico sólo los clérigos —en el doble sentido de la palabra— estaban capacitados para ello; fue el método usado, primero en las escuelas catedralicias y después en las universidades; por eso se ha de pensar que habrían de ser los clérigos los principales destinatarios en quien pensó el autor al escribir su obra.

IV.3.3.6. La estructura escolástica, clave de lectura

Fueron y son muchos los críticos que intentaron e intentan buscar la unidad temática del LBA. ¿Tiene unidad interna o es un pluralismo heterogéneo? Es esta, sin duda, la más repetida dificultad que suele plantear la lectura de esta obra, incluso entre el público universitario.

Sin pretender solucionar uno de los más graves problemas con los que ya se encontraron muchos investigadores, intentaremos esbozar un elemento que quizás pueda aportar nuevas luces. Nos referimos al método escolástico. Si clérigo es su autor, y clérigos son sus destinatarios, parece lógico que el método escolástico ilumine la estructura interna del libro. Se puso de manifiesto al analizar el "Prólogo", y se verá de nuevo al hacer algunas calas en los contenidos doctrinales del libro.

Es bien conocido que la argumentación escolástica procede conforme a la siguiente estructura: se enuncia una tesis que se ha de probar recurriendo a distintos argumentos; si se trata de teología, al argumento de autoridad de las fuentes teológicas, esto es, a la Biblia, a la Patrística y a los documentos conciliares; si la tesis es filosófica, se invoca la autoridad de los sabios y filósofos antiguos.

Bajo la estructura literaria —la propia del mester de clerecía— el LBA refleja, en su estructura profunda, la argumentación escolástica. Después del "Praenotanda" o "Nexus" que toda tesis escolástica solía tener, en la que se trataban determinadas "cuestiones previas" (en el LBA podría cumplir esta función el "prólogo" en prosa), el autor enuncia con toda claridad la tesis que dará unidad interna a todo el libro: la estrofa 71. Si prescidimos del velo literario y utilizamos el estilo escolástico, mucho más claro y directo, el contenido de esta estrofa se podría reflejar en dos enunciados: "Las relaciones sexuales son de derecho natural", o, "Las relaciones sexuales son tan necesarias como el comer". La argumentación o prueba sigue las mismas leyes; las pruebas son de tres clases:

Argumento de autoridad: Al tratarse de una cuestión filosófica, se recurre a la autoridad de los sabios antiguos, en este caso a Aristóteles. Poco importa la fidelidad de la cita o la ortodoxia u heterodoxia del aristotelismo citado[155]. Lo esencial es ver por qué utiliza tal "auctoritas" (estrofa 72).

Argumento tomado de la experiencia externa: La naturaleza corrobora eso que afirma el filósofo (estrofas 72 y 73).

Argumento tomado de la propia experiencia: Entre los seres creados el hombre es el más sensible a esta fuerza natural (estrofas 73 y 76).

Después de esta argumentación filosófica, se corrobora con ejemplos la veracidad de la tesis; era una manera de elevar el concepto a la categoría de representación sensible y plástica. Los ejemplarios, muy socorridos en la pedagogía escolástica de las "Artes praedicandi", sirven constantemente al autor en su didáctica.

Con frecuencia la equivocidad y el doble sentido, técnica constante en el LBA, afectan, igualmente, a la moraleja que el autor extrae de estos cuentos. El tono didáctico, adornado con la ambigüedad, la parodia, el humor, la ironía y, hasta cierto punto, lo grotesco, marca, a nuestro juicio, la orientación del discurso poético del LBA. Esto explica la constante recurrencia a todo tipo de "ejemplos". Tan sólo nos fijaremos en el ejemplo que tiene al ermitaño por protagonista (estrofas 528 y ss.). El arcipreste recoge una vieja tradición que se remonta al cristianismo primitivo, pero que él interpreta de manera muy singular. Desde los comienzos del cristianismo fue un tópico de la literatura religiosa el pecador que huye del mundo al desierto para purgar su mala vida pasada y dedicarse al ascetismo; después de grandes penitencias, llega a ser santo; un claro ejemplo lo tenemos en la *Vida de Santa María Egipcíaca.* En el LBA el desenlace es diametralmente diferente. Después de cuarenta años en el desierto, el ermitaño, que hasta entonces no había sido tentado, se emborracha, ve apareados un gallo y una gallina, se excita sexualmente, co-

155 Para esta cuestión, véase RICO, F., "'Por aver mantenencia'. El aristotelismo heterodoxo en el 'Libro de Buen Amor'", en *Homenaje a José Antonio Maravall,* Madrid, Centro de Investigaciones Sociológicas, 1986, pp. 271-297.

rre al pueblo, viola y mata a la primera mujer que encuentra, se le encarcela, es condenado y finalmente ejecutado. ¿Cuál es la moraleja? Los efectos del vino. Pero la raíz es más profunda. El lector intuye que subyace una segunda intencionalidad más fuerte quizás que la primera: una crítica a la castidad absoluta. Una excesiva continencia puede hacer que el hombre cometa estragos y se destruya a sí mismo (recuérdese la tesis de donde partió: "Las relaciones sexuales son de orden natural, tan necesarias como el comer").

Aunque la actividad amorosa —en su dimensión más física y realista— es de derecho natural, su realización exige un aprendizaje; en este sentido, la cita bíblica con que se inicia el "Prólogo" en prosa ("Intellectum tibi dabo et instruam te...") resuena a lo largo de todo el libro'. Quien no está instruido no puede acceder al "buen amor". Por eso el protagonista fracasó en sus primeras aventuras amorosas. El magisterio en el que va a ser adoctrinado es doble. Don Amor y doña Venus serán sus maestros. En esta fase de instrucción, el autor —en este momento novicio en el arte de amar— se enfrenta al dios Amor con una objección muy frecuente en la tradición cristiana medieval, atribuida a San Agustín; es la máxima moral "Omne animal post coitum triste est" (estrofa 274). La conclusión a la que desea llegar el autor es precisamente la contraria. El coito debe traer la alegría y la plenitud de la vida. Es el deseo sexual insatisfecho el que debilita al hombre. ¿Quiere esto decir que el autor del LBA es un apóstol de la lujuria? Todo lo contrario. Hay que distinguir entre la lujuria y el amor heterosexual que se canaliza a través del matrimonio, sea éste por unión canónica, sea por barraganía. ¿Qué es la lujuria para el arcipreste? El deseo sexual desordenado. Lo dice muy claramente en la estrofa 74. Después de haber afirmado que las relaciones sexuales responden a una necesidad común a todos los seres creados, recuerda, sin embargo, que en el hombre este imperativo natural puede sufrir alteraciones y convertirse en una locura. Esta aberración quedó ejemplificada en el cuento del ermitaño. La lujuria será, pues, el loco amor. ¿Cómo combatirlo? A través del matrimonio. Aparece con nitidez esta idea a lo largo de la obra. Tres pasajes del libro[156], a modo de ejemplificación de esta idea, lo corroboran:

a) *El pasaje de doña Endrina y don Melón* (estrofas 653-891).- Se trata de una de las partes más estudiadas por la crítica desde el punto de vista formal y de las fuentes[157]. Toda esta larga historia de amor terminará en boda, gracias a la intervención de Trotaconventos, personaje moralmente bien caracterizado en el LBA, a diferencia de su paralelo en *La*

156 Nos limitamos aquí tan sólo a consignar las conclusiones de un estudio más amplio que realizamos en *El Libro de Buen Amor ¿Ficción literaria o reflejo de una realidad*... pp. 53-66; y en "Introducción" a edic. LBA, León, Everest, 1984, pp. 34-43.

157 Véase REY, R., "Juan Ruiz, don Melón y el yo poético medieval", *Bulletin of Hispanic Studies*, (1979)103-116.

Celestina. Una unión, en la que doña Endrina presagiaba iba a perder su cuerpo y su alma, se convierte en su bien; resulta llamativo que sea la alcahueta quien aconseje esta doctrina promatrimonial.

b) *La monja Garoza*.- La unión por barraganía se encuentra en el capítulo "De cómo Trotaconventos consejó al Arcipreste que amase alguna monja" (estrofas 1.332-1.507). El autor se inspira en el tema literario del "amor de las monjas", muy frecuente en la Edad Media (recuérdese el *Concilio de Remiremont*). El poema, una vez más, conjuga la realidad histórica con la ficción literaria para conseguir la verosimilitud narrativa de estos pasajes[158]. La reflexión del protagonista, después de aquella experiencia, es que no hay oposición entre el amor humano del hombre hacia la mujer y el amor de Dios, porque la unión hombre-mujer se fundamenta en la misma ley divina (estrofa 109).

c) *Las estrofas 1.592-1.593*.- Son dos cuadernas que se incluyen dentro del pasaje que lleva por título "De quáles armas se deve armar todo xristiano para vençer el diablo, el mundo e la carne". El enunciado tiene, pues, una fuerte impronta ascética: la lucha contra los pecados capitales[159]. El autor defiende un tipo de espiritualidad muy evangélica: obras de misericordia (estrofa 1.585); vestir a los pobres (estrofa 1.587); dar limosna (estrofa 1.590); dar posada (estrofa 1.589). A cada uno de los pecados capitales se le dedican dos estrofas; las estrofas 1.592-1.593 se refieren, precisamente, a los remedios contra la lujuria, esto es, contra el "loco amor". El autor, a pesar de la extensión conceptual del título ("todo xristiano"), parece dirigirse muy en particular a los clérigos. En primer lugar, la doctrina ascética que subyace, sin ser excesivamente complicada, presupone un conocimiento de los catecismos, no presumible en los simples laicos. Conceptos como "pecado mortal" y "pecado venial", "obras de misericordia", "dones del Espíritu Santo", "sacramento", "ayuno e abstinencia", aunque todos ellos pueden ser familiares en la cultura religiosa actual, son fruto de una reflexión teológica ascética. Pero, además, en la estrofa 1.591, la inmediata anterior al tema de la lujuria, con referencia a la avaricia, se alude explícitamente al "sacramento de orden sacerdotal", que se ratifica con un "nos", que tiene una acepción restringida al estamento clerical. Uno de los remedios que se propone para que el clérigo venza la avaricia es "casando huérfanas pobres"; el mismo sintagma aparece al hablar de la lujuria, "casar pobres menguados", cuyo sujeto no puede ser otro que el clérigo ordenado "in sacris". Parece, pues, que, tanto por la doctrina ascética como por la propia formulación, el autor se dirige a los clérigos en sentido restringido. ¿Qué remedios deben utilizar para combatir la lujuria, es decir, el deseo desordenado y no racionalizado del "amor mixtus"? El adverbio "ligeramente" con que se

---

158 Véase SÁNCHEZ HERRERO, J. o. c., p. 320.

159 RICARD, R.,"Las armas del cristiano en el LBA", en *Actas I*, pp. 95-103.

inicia la estrofa 1.592 es fundamental para la exégesis. La acepción normal, ya desde Berceo, según Corominas[160], es "leve". Según esto, el verso significaría que la lujuria difícilmente se podría combatir con castidad y espíritu de fortaleza, es decir, con la continencia, porque las relaciones sexuales son de orden natural (estrofa 71) y porque la abstinencia absoluta puede ser un peligro social (ejemplo del ermitaño). La verdadera arma (y el autor utiliza metafóricamente piezas de armadura bien eficaces en el combate: "brafuneras", "quixotes y canilleras") es el matrimonio: "que Dios fiso en paraíso matrimonio e casamiento... así contra luxuria avremos vençimiento". El matrimonio canalizará la tendencia innata en todo hombre de "aver ayuntamiento con fenbra plazentera", a la vez que se convierte en el remedio más eficaz para combatir la lujuria, el loco amor.

IV.3.3.7. El "buen amor" y el amor cortés

Esta carga promatrimonial, que descubrimos en los tres pasajes anteriormente analizados, plantea la posible relación entre el LBA y la cultura del amor cortés provenzal. Esta reflexión quizás ponga de manifiesto un aspecto olvidado por la crítica. Téngase en cuenta que la cultura española, durante ese período, sufre el influjo de la corriente provenzal, que toma como núcleo doctrinal temático el amor adúltero[161]. Frente a esta corriente, irreconciliable con la tradición cristiana, la literatura castellana medieval rehuye esta característica del amor cortés. Se puede seguir una línea uniforme, desde el *Cantar de Mio Cid* hasta los Siglos de Oro, que pone de manifiesto la tendencia promatrimonial de la creación literaria medieval castellana. *El Romancero*, *La Celestina*, la lírica de los cancioneros del siglo XV, son obras en las que aparece muy claro esta tendencia.

El LBA participa también de esta orientación. Ya Francisco Márquez Villanueva[162] afirmaba la "asepsia" de Juan Ruiz ante el adulterio; también María del Pilar Oñate[163] escribía que "otro rasgo que distingue los tipos livianos femeninos del Arcipreste de las obras orientales es que el adulterio, tema frecuente en éstas, no aparece en las desenfadadas narraciones de Juan Ruiz".

Consciente o inconscientemente el autor del LBA rehuye el adulterio. No hay en su libro ninguna aventura que nos cuente el cortejo de una mujer casada. Sólo en un caso se ríe del esposo engañado, en un

160 COROMINAS, J., *Diccionario Crítico Etimológico de la Lengua Castellana*, Madrid, Gredos, t. 3, pp. 81-82.

161 MENÉNDEZ PELÁEZ, J., *Nueva visión del amor cortés. El amor cortés a la luz de la tradición cristiana*, tesis doctoral dirigida por José Miguel CASO GONZÁLEZ, Oviedo, Universidad, 1980.

162 MÁRQUEZ VILLANUEVA, F., "El buen amor", en *Selecciones de Literatura Medieval*, Sevilla, 1977, p. 70.

163 OÑATE, M. P., *El feminismo en la literatura española*, Madrid, 1938, p. 22.

cuento que tiene una moraleja más profunda de lo que parece a primera vista. Es el cuento del pintor Pitas Payas (estrofas 474-489), quien abandona por dos años a su esposa a fin de dedicarse a los negocios fuera de su región. No se puede ver aquí una defensa del amor adúltero, sino todo lo contrario. Como dice Carmelo Gariano, "lo que el poeta quiere destacar es que la joven esposa es un ser humano, con sus anhelos y exigencias: bien mirada la cosa, la primera en ser traicionada fue ella por un esposo más ambicioso de lucro mercantil que de felicidad hogareña"[164].

El autor del LBA muestra siempre su inclinación reacia al adulterio. Cuando Trotaconventos le embroma con la falsa noticia de la inminente boda de doña Endrina, don Melón retrocede horrorizado, "ca sería adulterio" (estrofa 795). Como señala Márquez Villanueva, "la divergencia tiene aquí pleno valor, pues el pasaje no tiene paralelo en el *Pamphilus*"[165]. La misma inclinación reacia al adulterio se encuentra en el pasaje "De cómo el Arçipreste fue enamorado de una dueña que vido estar faziendo oraçión" (estrofas 1.321-1.331); al casarse la viuda con otro hombre, lo más apropiado es cortar la relación "por no faser pecado". El adulterio es la única barrera que impide el acoso amoroso del protagonista; parece que sólo la relación adúltera tiene, en su mentalidad, connotaciones pecaminosas.

IV.3.3.8. El "buen amor" en el LBA

Muchos fueron los críticos que se ocuparon de buscar el sentido de este concepto nuclear del libro. No es este el lugar de resumir los argumentos que avalan las distintas hipótesis explicativas. Una simple visión de conjunto nos revela la polisemia de uno de los conceptos más problemáticos de la obra; se le relacionó con el amor cortés en autores como Menéndez Pidal[166], Menéndez Pelayo[167] o H. J. Chaytor[168]; unos lo comparan al amor de Dios (J. Cejador[169], L. Spitzer[170], Leo Ulrich [171], T. R. Hart[172]); otros hablan de un significado polivalente a lo largo del libro

---

164 GARIANO, C., *El mundo poético de Juan Ruiz*, Madrid, Gredos, 1968, p. 63.

165 MÁRQUEZ VILLANUEVA, F., o. c., p. 71.

166 MENÉNDEZ PIDAL, R., "Notas al libro del arcipreste...", p. 111.

167 MENÉNDEZ PELAYO, M., *Antología de poetas líricos*, Santander, 1944, t. I, p. 273.

168 CHAYTOR, H. J., "Provençal influence on the *Libro de buen amor*", *Annual Bulletin of the Modern Humanities*, XVIII (1939) 10-17.

169 *El Libro de Buen Amor*, edic. de Julio CEJADOR, Madrid, Espasa-Calpe, "Clásicos Castellanos", n. XIV y XV, 1963, nota a la estr. 933.

170 SPITZER, L., "En torno al arte del Arcipreste de Hita", en *Lingüística e historia literaria*, Madrid, 1955.

171 ULRICH, L., *Zur Originalität des Arcipreste de Hita*, Frankfurt, 1958.

172 HART, T. R., *La alegoría en el libro de buen amor*, Madrid, 1959.

(Lida de Malkiel[173], W. Kellerman[174], Gybbon-Monypenny[175]). Para Brian Dutton[176] el "buen amor" guarda relación con tres conceptos de la cultura clásica: "agape", "philos" y "eros". ¿Cuál de estas tres acepciones de "buen amor" es la que predomina en el libro? En la primera versión de 1330 la acepción estaría más cercana a la de "amor carnal", mientras que en la de 1343 el término se acercaría más bien hacia una significación religioso-moral.

La diversidad de códigos, a donde remiten las unidades de significación de la obra medieval, unida a la ambigüedad y doble sentido que caracteriza al LBA, explica este pluralismo de las interpretaciones. La literatura didáctica medieval de carácter religioso quizás pueda aclarar la acepción de muchos conceptos, particularmente de naturaleza moral o teológica que aparecen en los textos literarios. El estudioso de la literatura medieval corre el peligro de proyectar sobre la obra medieval las actuales concepciones morales, cayendo en un grave anacronismo. ¿Rigorismo o laxismo? Las dos corrientes aparecen en los textos literarios medievales; el rigorismo moral, con tendencia a una explicación maniquea del sentimiento amoroso y de la sexualidad humana, se ofrece en *El Conde Lucanor* de Don Juan Manuel, quien llega a considerar el acto sexual, incluso dentro del matrimonio, como algo pecaminoso: "la primera bileza que el omne ha en sí es la manera en que se engendra... por ende todos los que nasçieron et nasçerán por engendramiento de omne et de muger nunca fue nin sera ninguno escusado de nasçer en el pecado deste deleyte"[177]. Por el contrario, la tendencia laxista se encuentra en determinados catecismos, que se dejan infiltrar por la concepción bíblica de lo sexual, mucho más positiva; así se refleja en el Catecismo redactado en el Sínodo de Toledo de 1323; la doctrina sobre el sexto mandamiento se formula así: "Sexto: que no se haga adulterio; contra esto peca todo aquel que conoce a otra mujer que no sea la suya"[178]. El término "conocer" con la acepción de "unirse carnalmente" nos indica claramente su relación con el pensamiento bíblico, cuya antropología sexual expresa el acto matrimonial a través del verbo "yadac" ("conocer"). Se encuentra esta acepción en Gen. 14, 1, y se repite, a modo de cliché lingüístico,

---

173 LIDA DE MALKIEL, M. R., "Nuevas notas...", en o. c., p. 231.

174 KELLERMAN, W., "Zur Charakteristik des 'Libro de buen amor'", *Zeitschrift für Romanische Philologie*, LXVII (1951) 225-254.

175 GYBBON-MONYPENNY, G. B., "Lo que buen amor dize con rrazón te lo pruevo", *Bulletin of Hispanic Studies*, XLIII (1966) 161-176.

176 DUTTON, B., "Buen amor: Its Meaning and uses in Some Medieval Texts", en *Libro de Buen Amor's Studies*, edited by Gybbon-Monypenny, Londres, 1979, pp. 95-121.

177 DON JUAN MANUEL, *El Conde Lucanor*, edic. de José Manuel BLECUA, Madrid, Castalia, 1971, p. 297 y 290.

178 SÁNCHEZ HERRERO, J., o. c., p. 175.

a lo largo de todo el Antiguo Testamento. Llama la atención que el redactor o redactores de este catecismo hayan asumido esta acepción semántica del término "cognoscere" desconocida en el latín clásico[179], lo cual nos indica el influjo que la ideología hebrea hubo de tener en la Edad Media castellana. Una tendencia análoga se sigue en determinados manuales de confesores de la época[180]. Sin embargo, no se puede decir que estas doctrinas tuviesen una dimensión general. Por desgracia son muy pobres las investigaciones en este campo de los catecismos, sermonarios y manuales de confesores para que podamos tener una idea global de cómo era la norma moral en una época en la que tres comunidades religiosas propugnaban criterios, no sólo diferentes, sino antagónicos sobre el sentimiento amoroso.

No obstante, la idea de circunscribir la materia pecaminosa del sexto mandamiento al adulterio se encuentra, asimismo, en algunos textos literarios. En el siglo XV Juan de Mena expone algunas ideas que, salvadas las diferencias cronológicas, pueden aportar luz en la interpretación del LBA. Nos referimos a la "Tercera Orden" de *El Laberinto* (estrofas 100-115) y al *Tratado de amor*[181]. Las dos obras tratan el mismo tema. La coincidencia es total, si prescindimos de la diferencia entre prosa y verso. El estilo en el que se expresa el autor en el *Tratado* es claramente didáctico con una estructura análoga a los tratados escolásticos: definiciones, divisiones, ejemplificaciones. Como en el caso del LBA, Mena plantea el tema del amor desde una perspectiva dicotómica: "amor sano e líçito e honesto" ("buen amor")/ "amor non líçito e insano" ("loco amor"). Para Mena el buen amor es el amor dentro del matrimonio, a la vez que es tolerante con la corriente que defendía no ser pecaminosas las relaciones sexuales entre solteros; esta doctrina debió tener bastantes seguidores, ya que en el siglo XVI muchos de los alumbrados, que vivían una mezcla de espiritualidad y lujuria, predicaban también no ser pecado la fornicación entre solteros[182]. Por el contrario, el "ilíçito e insano amor" se mantiene dentro de las fronteras del adulterio, el incesto y el pecado de bestialidad.

Vayamos ahora al LBA. El autor parte de la concepción del amor como fuente de cuanto alegra y ennoblece al hombre (estrofa 155); el amor transfigura, rejuvenece, agudiza el ingenio y cambia los defectos en virtudes (estrofa 156). La viudez de doña Endrina se manifiesta exterior-

179 DE MIGUEL, R., *Nuevo Diccionario Latino-Español. Etimológico*, Madrid, 1958, en la voz "cognosco", p. 188.

180 MOREL-FATIO, A., "De los diez mandamientos", *Romania*, 16 (1877)379-382.

181 MENA, Juan de, *Tratado de amor*, edic. de María Luz GUTIÉRREZ ARAUS, Madrid, 1975.

182 PINTA LLORENTE, M., "Los alumbrados de Sevilla", en *Aspectos Históricos del sentimiento religioso en España*, Madrid, 1961, p. 102.

mente bajo los síntomas de una anemia (estrofa 757). Este buen amor que obra tales prodigios, alegra los cuerpos y ennoblece las almas, tiene, sin duda, una dimensión heterosexual. Está muy claro a lo largo del libro. Es el buen amor en su acepción de "eros", esto es, de amor carnal lo que predomina, sobre todo en su primera versión.

Después de las reflexiones que anteceden, se puede afirmar que en el LBA se descubre una fuerte intensificación del amor dentro del matrimonio; asimismo, el autor milita en un tipo de moralidad sexual que no ve pecado en el ejercicio amoroso, excepto en el caso de adulterio. De ahí que se pueda afirmar que el "buen amor" habría que relacionarlo, como en el caso de Mena, con el "amor de casamiento", en el sentido que esta palabra tiene en la Edad Media, es decir, no sólo el matrimonio canónico, sino también el amor por barraganía. ¿Milita el autor del LBA en la norma de moralidad que Mena detecta en el siglo XV? El análisis comparativo entre los dos autores muestra unas coincidencias que, aunque puedan ser explicadas recurriendo a un poligenismo causal, nada impide pensar que los dos fenómenos estén relacionados.

¿Cómo conjugar este concepto de buen amor, que aparece a lo largo del libro, con la acepción más espiritual que el término tiene en el prólogo en prosa? Aquí el buen amor se relaciona con el amor de Dios y sus mandamientos, es decir, con el concepto tradicional de "agape", mientras el loco amor sería todo ejercicio del amor heterosexual. Sin embargo, a lo largo del libro el buen amor será el "amor mixtus", que causa toda suerte de perfecciones para el individuo, que está desprovisto de consecuencias negativas dentro del plano moral, no conociendo otras barreras que las derivadas del adulterio. ¿Cómo explicar esta falta de coherencia conceptual? Consideramos acertada la interpretación de Márquez Villanueva[183], para quien la solución de esta antinomia habría que buscarla en la doble redacción del libro. Efectivamente, todo se comprende mejor si se tiene en cuenta que el prólogo fue interpolado en la redacción definitiva de 1343, recogida en uno solo de los manuscritos (el Ms. S). El autor realizaría un esfuerzo para dar una interpretación ascética de su obra ante las críticas negativas que habría suscitado la primera redacción. La utilización del concepto de buen amor en el prólogo, en su acepción del "agape" cristiano, respondería en el fondo a un intento de conciliar el conflicto que se opera en su foro interno entre una moral foránea, la cristiana, y su conciencia formada a través de un código moral de raigambre judía o árabe, que no ve pecado en el ejercicio amoroso —con la excepción de las relaciones adúlteras— y que por ello puede, sin problema alguno, conjugar el "limpio amor de Dios" y el "plazer de amiga".

183 MÁRQUEZ VILLANUEVA, F., art. cit., p. 61.

IV.3.3.9. El LBA y el pensamiento bíblico

¿Cuál es el origen de esta concepción moral de la existencia humana en la que se fundamenta el buen amor? El problema de las fuentes formales utilizadas por el autor ha sido estudiado en varios trabajos, cuyos resultados dieron origen a una profunda polémica; mientras Lida de Malkiel[184] defendía el origen hebraico de la obra en determinados aspectos formales, Francisco Rico[185] se inclina más bien por los orígenes latinos dentro de la tradición del "ars amandi".

Sin pretender entrar en la polémica, convendría señalar las analogías existentes entre la norma moral que regula la conducta amorosa del protagonista y el pensamiento bíblico. El carácter promatrimonial que se descubre en la obra, unido a una ética que ofrece una visión positiva de la sexualidad humana, se encuentra igualmente en el pensamiento bíblico. ¿Hay una relación de causa efecto entre los dos fenómenos, o se trata simplemente de un poligenismo causal?

El matrimonio fue una de las instituciones más mimadas entre los judíos; una tradición que aún se mantiene entre los judíos de la diáspora[186]. En la Edad Media existen testimonios de la impronta ejercida por esta ideología hebrea en la legislación recogida por Alfonso X el Sabio. En el "Proemio" a la Partida IV, todo un canto de exaltación al matrimonio, aparece muy clara la presencia de esta "veritas hebraica". La difusión de la cultura judía en la Castilla medieval está atestiguada, entre otros medios, por el fenómeno de las biblias romanceadas, muchos de cuyos pasajes del Antiguo Testamento representan un canto a la vida matrimonial y una condena al adulterio; hasta tal punto el pensamiento bíblico sublimó el amor matrimonial que para ejemplificar la unión de Yahvé con su pueblo se recurre a imágenes de la vida matrimonial.

A la luz de estos códigos ideológicos no parece exagerado pensar que el concepto de buen amor, así como el carácter promatrimonial y antiadúltero que descubrimos en el LBA pudiera tener como causa concomitante —y por tanto no única— la tradición judaica existente en la Castilla medieval.

IV.3.3.10. A modo de conclusión: El LBA en la crítica actual[187]

El LBA es, sin duda, la obra más enigmática de la literatura medieval castellana. Hay otras obras, como el *Cantar de Mio Cid* o *La Celestina*, que presentan problemas de interpretación sobre la autoría, la inten-

184 LIDA DE MALKIEL, M. R., *Nuevas notas...*, p. 214 y ss.

185 RICO, F., "Sobre el origen de la autobiografía...", p. 303 y 311-325.

186 ALVAR, M., *Cantos de boda judeo-cristianos*, Madrid, C.S.I.C., 1971.

187 Véase DEYERMOND, A., "El Libro de Buen Amor a la luz de las recientes tendencias críticas", *Ínsula*, num. 488-489 (1988) 39-40.

cionalidad o el contexto social, pero hay en estas obras una base segura de argumento narrativo; el lector puede seguir una lectura rectilínea. No ocurre así en el LBA. La polisemia es una constante de la obra. No existe una clave de lectura uniforme. Además, parece que esta característica ha sido buscada intencionadamente por el autor; expresiones como "dezir encubierto" (estrofa 16); "razón encubierta" (estrofa 68); "sobre cada fabla se entiende otra cosa" (estrofa 1.631) apuntan a una poética basada en la equivocidad, en el doble sentido, en la ambigüedad semántica. En otras ocasiones, el autor pide con insistencia que se le interprete bien (estrofas 16; 46; 64; 65; 68; 69), porque parece que el verdadero sentido de lo que quiere decir está encubierto. Unas veces observamos un cierto autobiografismo; hay un yo que se identifica con el autor, lo que parece dar a estos relatos una dimensión autobiográfica; en otras ocasiones —piénsese en el pasaje sobre don Melón y doña Endrina— se produce una ruptura entre el autor y el protagonista. Todo ello produce en el lector un justificado despiste. El LBA es una obra de difícil lectura; pero al mismo tiempo esta dificultad hace que sea un libro apasionante, que incita y motiva al lector a descifrar los numerosos enigmas que plantea. Esto explica, por una parte, la ingente bibliografía a que ha dado lugar. Es raro encontrar un número de una revista sobre filología española que no tenga alguna aportación bibliográfica sobre esta obra. Por otra parte, estas características de la obra explican la diversidad de enfoques con los que se ha pretendido encontrar las claves de lectura, tan numerosas y tan divergentes que constituyen el mejor argumento para que el crítico renuncie a formular una con carácter rígido y definitivo. En este sentido el LBA cumple a la perfección la llamada polisemia de la obra literaria.

Alan Deyermond, en artículo anteriormente citado, sintetiza las nuevas tendencias críticas en torno al LBA, de donde entresacamos algunas de sus conclusiones. Más de doscientos trabajos aparecidos en diez años justifican el atractivo que esta obra conserva para la investigación literaria actual, desde muy distintas ópticas y perspectivas: la recepción de la obra, según los postulados de la estética de la recepción[188]; la intertextualidad y la actitud del autor con las fuentes y los géneros que utiliza[189]; el humor, la parodia y lo grotesco, según las orientaciones metodológicas

---

188 LAWRENCE, J. N. H., "The Audience of the *Libro de Buen Amor*", *Comparative Literature*, 36 (1984) 220-237.

189 WALSH, J. K., "The *Libro de Buen Amor* as Permformance Text", conferencia leída en el Congreso de la Modern Language Association of America. 29 de diciembre de 1979 (inédita), resumen en *La Corónica*, 8 (1979-1980)5-6. BROWNLEE, M. E., *The Status of the Reading Subject in the "Libro de buen amor"*, Chapel Hill, University of North Carolina.

de Bajtin[190]; los aspectos lingüísticos en relación con la historia de la lengua y la caracterización poética[191]; los problemas que plantea la estructura de la obra[192]; la ideología subyacente a la obra[193], constituyen algunas de las tendencias críticas hacia donde se orienta la investigación literaria actual sobre el LBA.

IV.3.4. LIBRO DE MISERIA DE OMNE[194]

IV.3.4.1. Datación, manuscrito, ediciones

Este poema, uno de los últimos del mester de clerecía, se conserva en un manuscrito de la "Biblioteca Menéndez Pelayo" (Santander); se trata de un códice del siglo XIV —muy próximo, por tanto, a la creación de la obra—, que contiene varias composiciones de naturaleza didáctico religiosa[195]. El poema fue descubierto y publicado por Miguel

---

190 DEYERMOND, A., "Some aspects of Parody in the *Libro de Buen Amor*", en *Libro de Buen Amor Studies*, edited by Gybbon-Monypenny, Londres, 1970, pp. 53-78. DE LOPE, M., *Traditions populaires et textualité dans le "Libro de Buen Amor"*, Montpellier, Centre d'Études et de Recherches Sociocritiques, 1984. KIRBY, S. D., "Juan Ruiz's *Serranas*: The Archpriest Pilgrim and Medieval Wild Women", en *Hispanic Studies in Honorn of Alan D. Deyermond: A North American Tribute*, Carolina, Hispanic Seminary of Medieval Studies, 1986, pp. 151-169. SEIDENSPINNER-NÚÑEZ, D., *The Alegory of Good Love: Parodic Perspectivism in the "Libro de Buen Amor"*, Berkeley, University of Carolina Press, 1981.

191 GIRON ALCONCHEL, J. L., "Sobre la lengua de Juan Ruiz: enunciación y estilo épico en el *Libro de Buen Amor*", *Epos* 1 (1984)55-70; Idem, "Caracterización lingüística de los personajes y polifonía textual en el *Libro de Buen Amor*", *Epos* 2 (1986)115-123.

192 MARMO, V., *Dalle fonti alle forme: Studi sul libro de buen amor*, Napoli, Romanica Neapolitana, 14 (1983). ÁLVAREZ, N., "Análisis estructuralista del Prefacio del *Libro de Buen Amor"*, *Kentucky Romance Quaterly*, 28 (1981)237-255. BURKE, J.F., "The *Libro de Buen Amor* and the Medieval Meditative Sermon Tradition", *La Corónica*, 9 (1980-1981)122-127.

193 MENÉNDEZ PELÁEZ, J., *El Libro de Buen Amor: ¿Ficción literaria o reflejo de una realidad?*, Gijón, Noega, 1980. GUZMÁN, J., *Una constante didáctico-moral del "Libro de buen amor"*, Santiago de Chile, Universidad, 2ª edic., 1980. ZAHAREAS, A. N., "Structure and Ideology in the *Libro de Buen Amor*", *La Corónica*, 7 (1978-1979)92-104.

194 Para la significación literaria de este poema seguimos muy de cerca el trabajo, inédito por el momento, de RODRÍGUEZ RIVAS, G., *El "Libro de Miseria de Omne", a la luz del De Contemptu mundi*, tesis doctoral presentada en la Facultad de Filología de la Universidad de Oviedo en 1991, y dirigida por Jesús MENÉNDEZ PELÁEZ; confiamos que este trabajo, con amplia introducción y edición crítica, pueda ver pronto la luz de la imprenta, a fin de esclarecer una de las obras menos estudiadas del mester de clerecía.

195 Espero publicar en los próximos números de *Archivum* la edición y el comentario de estos textos bajo el título genérico de "Una 'disciplina clericalis' romance en la Baja Edad Media castellana: el Ms. 77 de la Biblioteca Menéndez Pelayo".

Artigas[196]; las ediciones hasta ahora aparecidas, a pesar de que han contribuido a difundir un texto poco conocido, sin embargo, no pueden ser consideradas como definitivas[197].

IV.3.4.2. El Libro de miseria de omne y el De contemptu mundi

La historia temática de la "miseria hominis" fue desarrollada principalmente por aquellos sistemas filosóficos dualistas (maniqueísmo, gnosticismo); esta corriente penetra en la literatura bíblica (principalmente en el *Eclesiastés*), es bien acogida por determinados sectores del cristianismo primitivo (anacoretas, eremitas) y pasa a ser sistematizada, como doctrina filosófico-teológica, por los Santos Padres[198]. La obra medieval, que recoge esta tradición, es el *De contemptu mundi sive de miseria conditionis humanae*, cuyo autor es Pedro Lotario, quien alcanzará el solideo pontificio con el nombre de Inocencio III. Hombre de amplia formación universitaria, que adquiere en las Universidades de París y Bolonia, escribió varios tratados teológicos, siendo, sin duda, la obra anteriormente citada, aquella que le asegura un lugar destacado en la historia de la cultura occidental con innumerables traducciones y adaptaciones, desde la Edad Media hasta nuestros días.

El contenido temático, en torno al cual gira la obra, se refiere a la miseria del ser humano, cuyas vicisitudes y penalidades configuran su ser y su existir, desde el nacimiento hasta la muerte, sin que exista estamento social o categoría intelectual que pueda liberarse de esta condición. A las miserias físicas le siguen las miserias morales que hacen del hombre una fuente de vicios y pecados. La conclusión es de orden moral en la línea del ascetismo.

---

196 ARTIGAS, M., "Un nuevo poema por la cuaderna vía" *Boletín de la Biblioteca Menéndez Pelayo*, I (1919) 31-37; 87-95; 153-161; 328-338. II (1920) 41-48; 91-98; 154-163; 233-254.

197 TESAURO, P., edit., *Libro de miseria de omne*, Pisa, 1983. Más recientemente, CONNOLLY, J. E., *Translation and Poetization in the Quaderna vía. Study and Edition of the Libro de miseria d'omne*, Madison, 1987.

198 Todavía no se hizo un estudio exhaustivo y coherente de la génesis, difusión e incidencia literaria de esta corriente doctrinal; los estudios hasta ahora realizados son parciales y se centran en la obra de Inocencio III; véase: BULTOT, R., "Mépris du monde, misère et dignité de l'homme dans la pensée d'Innocent III", *Cahiers de civilisation médiévale*, IV (1961) 441-456; Idem, *La doctrine du mépris du monde en Occident: De S. Ambroise à Innocent III*, T. IV. *Le XI Siècle: 1. Pierre Damien. 2. Jean de Fécamp, Hermann Contract, Roger de Caen Anselme de Canterbury*, Lovaina, Nauwelaerts, 1963-64 (se trata de un amplio programa de investigación sobre el tema, del que, hasta el momento, creemos que no ha aparecido más que este volumen). Por lo que se refiere a la literatura inglesa medieval, el tema ha sido tratado por HOWARD, D. R., *The Contempt of the World: A Study in the Ideology of latin Christendom with Emphassis on Fourteenth-Century English literature*, Unpublished, University of Florida, 1954 (se hace referencia a este trabajo en la traducción inglesa de *De contemptu mundi*, versión de Margaret Mary Dietz, Indianápolis, Bobbs-Merril, 1969).

Mucho se ha discutido en torno a la intencionalidad, originalidad y estilo de esta obra; una parte de la crítica interpreta el pesimismo existencial que subyace en la obra como fruto de las vicisitudes existenciales de la propia vida del autor, antes de llegar a ser Papa; otros, sin embargo, piensan más bien que se trataría de un ejercicio escolar, dentro de la metodología escolástica, en la que se sotenían tesis contrarias. En este sentido, la obra de Inocencio III sería la primera parte (tesis), que habría de ser rebatida por otro tratado (antítesis), en el que se pusiera de manifiesto la restauración de la naturaleza humana, a través de la obra redentora de Cristo.

La obra de *De contemptu mundi* gozó de una extraordinaria popularidad por toda Europa; 672 manuscritos identificados en distintas bibliotecas europeas atestiguan la importancia que la obra tuvo en las orientaciones religiosas del medioevo. Este dato nos indica que se trataba de un texto de fácil acceso a los intelectuales medievales, por lo que sus huellas se habrían dejado sentir en la creación literaria medieval, tanto románica como anglosajona[199]. La presencia del *De contemptu mundi* en España está atestiguada por una treintena de manuscristos, dispersos por distintas bibliotecas; las ediciones impresas se intensifican durante el Renacimiento y el Barroco, dejando su impronta en muchas obras literarias de naturaleza didáctico religiosa[200].

El *Libro de miseria de omne* hay que situarlo, pues, dentro de este contexto europeo, como otras muchas obras del mester de clerecía; su autor, un clérigo, sin duda, lo vierte al romance castellano, según la poética o "modus versificandi" de la poesía culta de finales del siglo XIV.

IV.3.4.3. Estructura temática

El autor castellano sigue, en esencia, las tres partes del texto latino con pequeñas alteraciones. La primera parte describe el mal físico en las distintas edades del ser humano; es, quizás, la parte menos original, y, por tanto, la que ofrece una mayor dependencia de la fuente latina. En la segunda parte, dedicada a los males morales, el autor se aleja del pesimismo subyacente en el original e inyecta un cierto optimismo, que se inspira en la obra redentora de Cristo; las ejemplificaciones son, asimismo, más vivas, a la vez que se trata de actualizar dentro del contexto de la sociedad medieval castellana. Por último, la tercera parte se ocupa de los castigos reservados a quienes no se arrepientan y no hagan penitencia por sus pecados.

Se trata, pues, de un programa ideológico, base y fundamento de una religiosidad, dentro de las categorías más pesimistas que se han formulado desde la óptica de una antropología filosófica.

---

199 LEWIS, R. E., *De miseria conditionis humanae*, edit., University of Georgia Press, 1978, pp. 1-90.

200 RODRÍGUEZ RIVAS, G., "El 'De contemptu mundi' en España", *Entemu* (1990)17-27.

IV.3.4.4. Voluntad de estilo y recursos poéticos

El anónimo autor es consciente de que está haciendo un tipo de literatura, dentro de un marco poético, que exige una formación prosódica, en consonancia con la estrofa 2ª del *Alexandre*; por eso desde el principio nos da las claves de su poética: "Onde todo omne que quisiere este libro bien pasar,/ mester es que las palabras sepa bien silabi«fi»car,/ ca por sílavas contadas, que es arte de rimar,/ e por la quaderna vía su curso quier finar" (estrofa 4).

El autor, pues, tiene clara conciencia de estilo; su forma de hacer literatura "non la entiende todo omne, sinon el que es letrado" (estrofa 3, c). Sin embargo, este "modus versificandi" no sigue la rigidez de las obras de la misma escuela en el siglo XIII, como ya señalamos; esto explica determinadas irregularidades de la cuaderna vía en este poema, con una serie de licencias métricas, fruto de las nuevas tendencias versificadoras[201].

La poética y la retórica utilizadas en el libro están en función del adoctrinamiento; la persuasión será, pues, el principal recurso que utilice el poeta, como corresponde a este tipo de literatura religiosa, a modo de sermón en verso[202]. En función de esta retórica y poética de la persuasión, cuya finalidad es convencer a su público, el recurrir a las fuentes escritas era la norma principal en esta pedagogía; las fuentes bíblicas son las más abundantes, referencias que el autor toma del original latino. Las llamadas al público, desde distintos contextos retóricos, pretenden asegurar la atención, posiblemente a través de una lectura delante de unos oyentes, ante quienes el recitador instruye y adoctrina con su sermón rimado. Aunque sean tópicos procedentes de una fraseología ya estereotipada, proveniente quizás del recitado juglaresco, su funcionalidad retórica resulta incuestionable[203]. Si bien muchos de estos recursos retóricos estaban ya en el original latino, el autor castellano intensifica determinados procedimientos juglarescos, a la vez que satiriza, en ocasiones, al estamento nobiliario, protagonista principal de la gran crisis que vive Castilla en el siglo XIV.

---

201 TESAURO, P., edit., *Libro de miseria de omne*, edic. cit. p. 22.

202 KINKADE, R. P., "Ioculatores Dei: El *Libro de Buen Amor* y la rivalidad entre juglares y predicadores", en *Actas del Congreso Internacional sobre el Arcipreste de Hita*, Barcelona, S.E.R.E.S.A., 1973, pp. 115-128.

203 GYBBON-MONYPENNY, G. B., "The Spanish 'mester de clerecía' and its intended public: concerning the validity as evidence of passages of direct address to the audience", en *Medieval Miscellany Presented to Eugène Vinaver*, Manchester University Press, 1965, pp. 230-244.

Biblioteca del Escorial. En ella se guardan numerosos manuscritos medievales

IV.3.5. EL PESIMISMO EXISTENCIAL DE PERO LÓPEZ DE AYALA: EL RIMADO DE PALACIO

IV.3.5.1. Referencias biográficas (1332-1407)

Pero López de Ayala es considerado el último poeta del mester de clerecía. Nacido en el seno de una noble familia alavesa, su vida estuvo vinculada a la corte; su amplia formación humanística y eclesiástica determinarán, asimismo, algunos aspectos de una creación literaria que estará al servicio de la circunstancia histórica que le tocó vivir; su compromiso político, como Canciller Mayor de Castilla, será también un código referencial obligado para comprender su obra literaria[204].

IV.3.5.2. La creación literaria de Pero López de Ayala

Si prescindimos de las "Crónicas" sobre Pedro I, Enrique II, Juan II y Enrique III, cuya importancia es más histórica que literaria, su gran obra, de creación poética, es el *Rimado de Palacio*. Es, asimismo, autor de un

204 MARQUÉS DE LOZOYA (Juan Contreras y López de Ayala), *Introducción a la biografía del Canciller Ayala. Con Apéndices documentales*, Bilbao, Junta de Cultura de Vizcaya, 1950; más recientemente, GARCÍA, M., *Vida y personalidad del Canciller Ayala*, Madrid, Alhambra, 1982.

Libro de la caza de las aves, tema muy del gusto de la nobleza cortesana de la época, y de *Las Flores de los Morales de Job*, conjunto de máximas y sentencias, basada en *Los Morales de San Gregorio*, obra que adquirió gran difusión en la espiritualidad medieval. López de Ayala es, además, autor de algunas poesías, recogidas en el *Cancionero de Baena*; como traductor, se le atribuye también un buen número de obras.

IV.3.5.3. El Rimado de Palacio

• *IV.3.5.3.1. Título y manuscritos*

El título tradicional, *Rimado de Palacio*, ha sido sustituido por el de "Libro Rimado de Palacio", considerado más correcto por Jacques Joset[205]. Esta obra, considerada, sin duda, la más popular de López de Ayala, se conserva en dos códices del siglo XV, aunque incompletos; el Ms. N, de la Biblioteca Nacional de Madrid, y el Ms. E, perteneciente a la Biblioteca del El Escorial.

• *IV.3.5.3.2. Unidad o pluralismo estructural*

¿Tiene la obra unidad estructural o es más bien fruto de un pluralismo poético, artificiosamente unificado por el autor? Para algunos críticos[206] la obra tendría dos o tres partes, no sólo temáticamente diversas, sino estructuralmente diferentes. Jacques Joset, por el contrario, defiende la unidad esencial del poema. Para el citado crítico la obra tiene una unidad interna que se apoya constantemente sobre dos centros de gravedad: la experiencia y la doctrina. Sobre estos dos núcleos narrativos se basaría todo el relato. De esta manera, la secuencia narrativa se ajustaría al curso de la vida del autor: hombre de acción y experiencia/hombre de meditación y doctrina. Estos dos aspectos de la obra estarían unificados por el yo autobiográfico que, aunque no sea reflejo del yo personal, actuaría como elemento unificador; de esta manera, el *Rimado de Palacio* es una obra orgánica que posee una gran unidad.

• *IV.3.5.3.3. El Rimado de Palacio, poesía comprometida*

Para entender este calificativo, es necesario situar el libro en el entorno histórico inmediato; la época del canciller es, en realidad, un episodio negro de la historia de España, circunstancia a la que ya hemos hecho alusión. Varios acontecimientos, catastróficos para España y para Europa, condicionan la literatura de la época: las Guerras Civiles en Castilla, la intervención de Castilla en la Guerra de los Cien Años y el Cisma de Occidente; a esto podemos añadir la tristemente célebre "peste negra" que, a partir de 1345, diezma la Europa Occidental. El desequili-

205 LÓPEZ DE AYALA, P., *El Libro Rimado de Palacio*, edic. de Jacques JOSET, Madrid, Alhambra, 1978, 2 vols.

206 VALBUENA PRAT, A., *Historia de la Literatura española. T I. Edad Media*, 9ª edic. ampliada y puesta al día por Antonio PRIETO, Barcelona, Editorial Gustavo Gili, 1981, pp. 267-271.

brio político se traduce, igualmente, en una crisis económica, a finales del siglo XIV, con la persecución de los judíos.

Frente a esta situación existencial la creación literaria ofrecerá dos respuestas: a) *Transcendentalismo*: lo importante es la otra vida; mirada puesta en el más allá; este mundo es un "valle de lágrimas". Una parte de la literatura, como el *Libro de miseria de omne*, acogerá las doctrinas del *De contemptu mundi*, como respuesta a la situación triste y angustiosa que vive Castilla y, en general, la Península, durante la segunda mitad del siglo XIV. b) *Inmanentismo*: otra parte de la literatura se convertirá en instrumento de renovación social; hay que reformar la sociedad, proyecto a cuya realización la literatura puede contribuir. Es en esta corriente en donde se sitúa el *Rimado del Palacio*: la literatura como instrumento de reforma.

Anteriormente decíamos que la estructura del relato en el *Rimado de Palacio* se apoya sobre dos pilares: experiencia y doctrina. La experiencia adquiere aires de denuncia profética; para reformar algo, primero hay que poner de manifiesto aquello que se pretende reformar. Esta denuncia se realiza en dos niveles:

1) *Crítica personal*: Después de solicitar la ayuda divina, elemento común a la mayor parte de los poemas del mester de clerecía, el yo autobiográfico hace pública confesión de sus pecados ("confesión rimada"); para ello el autor utiliza la técnica estructural de los manuales de confesores, inspirados en los decretos del IV Concilio de Letrán. ¿Es un yo autobiográfico? En manera alguna. Es un puro recurso poético, donde el yo, como en el caso del *Libro de Buen Amor*, es un yo genérico. Más bien habría que pensar que su función es captar la benevolencia para que la crítica social, que va a realizar, sea más favorablemente acogida.

2) *Crítica social*: La denuncia afecta ahora a todos los estamentos rectores de la sociedad de su tiempo; la visión que ofrece, en primer lugar, de la Iglesia no puede ser más pesimista; la cátedra de Pedro está dividida (clara alusión al cisma de Occidente, estrofa 212); los clérigos llevan una vida inmoral en continuo concubinato (estrofas 225-228), una situación que afecta por igual a los propios obispos (estrofa 224). La monarquía también es culpable de los males que acechan a la sociedad, porque el rey hace donaciones caprichosas para amainar a la nobleza y, sobre todo, a los judíos, considerados culpables directos de los males que padece la sociedad castellana; el antisemitismo del autor queda manifiesto a lo largo de la obra (estrofas 245, 246, 249, 250, 252...). Asimismo, las profesiones liberales, comerciantes y letrados, sólo buscan el lucro; su actividad está dominada por el engaño; más que defender a sus clientes, les explotan. La experiencia, pues, no puede ser más pesimista.

Toda esta primera parte se convierte, de esta manera, en una verdadera denuncia profética (recuérdese que profeta, en la literatura bíblica, no es tanto el que predice el futuro, cuanto el que denuncia unas injusticias). La sátira y la ironía sazonan constantemente el poema.

¿Qué ritmo impone el canciller Ayala a su reforma social? A pesar de todo el fuerte criticismo que se encuentra en el *Rimado de Palacio*, Ayala es un conservador. Su concepción política está basada en *Las Partidas* y en *Los Morales de San Gregorio*. De ahí que no sea partidario de un cambio brusco en la reforma social. Por ello, en la segunda parte del relato, que se polariza en torno a la doctrina y reflexión política, Ayala propone un ejemplo de actitud paciente frente a las adversidades de la vida: Job; la figura de este personaje bíblico es todo un símbolo, que el autor toma de *Los Morales de San Gregorio*, a partir de la estrofa 887.

• *IV.3.5.3.4. La sociedad prefigurada en el Rimado de Palacio*

El esquema de sociedad que aparece en esta obra es el típico de la época medieval; todo el andamiaje social descansa sobre dos grandes pilares: el teocentrismo teológico y la monarquía política; en el aspecto teológico están muy presentes las doctrinas del *De contemptu mundi*. Su doctrina política se basa en el rey como representante de Dios en el mundo material; sin embargo, no es un absolutismo total, ya que se puede sustituir al rey, si no cumple con sus obligaciones políticas y religiosas (analogías con el conciliarismo de la época).

En resumen, en el *Rimado de Palacio* encontramos un claro testimonio de cómo era la sociedad castellana de la segunda mitad del siglo XIV; es la imagen pesimista y sombría de una sociedad diezmada por todo tipo de crisis; de ahí que el tono que priva en la obra es el reflejo de un hombre que contempla aquella sociedad con escaso optimismo. Todo está mal: la Iglesia, la corte, las profesiones liberales... Evidentemente, le tocó vivir al Canciller Ayala tiempos deprimentes para un cristiano que ama a su país. El gran Cisma de Occidente, la Guerra Civil de los Trastámara, la depresión económica y demográfica que sufre Castilla, son hechos que proporcionan razones más que suficientes para comprender este pesimismo literario. Ayala desertó de Pedro I el Cruel, colocándose al lado de la familia vencedora. ¿Cómo justificar esta deserción? Achacándolo a la sociedad en la que se vio obligado a vivir.

IV.3.6. OTROS POEMAS DE POESÍA CULTA DEL SIGLO XIV

A lo largo del siglo XIV, la forma de hacer literatura del mester de clerecía sufre profundas modificaciones, unas de orientación temática y funcional, otras de naturaleza formal, que afectan al *modus versificandi*. La cuaderna vía del XIV pierde la rigidez que había sido pergeñada en la estrofa 2ª del *Alexandre*; el alejandrino da paso al verso corto que triunfará en la centuria siguiente; es, de alguna manera, el exponente métrico que marca el ocaso de la cultura clerical, que comienza a perder el protagonismo literario, ante los nuevos gustos de la sociedad cortesana, cada vez más secularizada. Durante el siglo XIV, sobre todo en su segunda mitad, percibimos este tránsito en una serie de obras, que agrupamos únicamente por comodidad expositiva, y cuya significación literaria tan sólo enunciamos.

IV.3.6.1. Vida de San Ildefonso

La devoción mariana que vivieron los siglos XIII y XIV popularizó la figura de San Ildefonso de Toledo (siglo VII), defensor prototipo de la virginidad de María con su obra *De virginitate perpetua Sanctae Mariae*[207]. En este contexto de religiosidad popular, un Beneficiado de Úbeda escribe, en la primera mitad del siglo XIV[208], una hagiografía sobre el santo toledano.

La expansión de la devoción mariana en distintas épocas explica la abundancia de copias que se conservan de este poema desde el siglo XIV al siglo XVIII[209]. San Ildefonso pasó a ser considerado como uno de los grandes mariólogos de la tradición hispánica; su devoción a la Virgen y sus escritos marianos fueron recompensados por la célebre casulla, motivo literario y reliquia de veneración popular, cuya tradición recoge Berceo en su célebre milagro sobre "La casulla de San Ildefonso".

Desde el punto de vista formal, aunque la obra está escrita predominantemente en cuaderna vía, aparecen otras formas estróficas, por lo que la polimetría es la nota caracterizadora, muy en consonancia con las últimas obras del mester de clerecía.

IV.3.6.2. Proverbios de Salomón

La literatura sapiencial, a modo de aforismos, del Antiguo Testamento, principalmente del *Eclesiastés*, es la sustancia del contenido temático de esta obra. La orientación temática de las doctrinas de *De contemptu mundi* informa todo el poema, por lo que guarda, en este sentido, una similitud con el *Libro de miseria de omne*, con referencias al momento histórico de la Castilla del siglo XIV.

---

207 SAN ILDEFONSO DE TOLEDO, *La virginidad perpetua de Santa María*, edic. de Vicente BLANCO y Julio CAMPOS, Madrid, Biblioteca de Autores Cristianos, n. 320, 1971.

208 ALVAR EZQUERRA, M., (edit.), *Vida de San Ildefonso*, Bogotá, 1975; SALVADOR MIGUEL, N., "Sobre la datación de la 'Vida de San Ildefonso' del Beneficiado de Úbeda", *DICENDA. Cuadernos de Filología Hispánica*, I (1982) 109-121.

209 ROMERO TOVAR, L., "La *Vida de San Ildefonso* del beneficiado de Úbeda: dos versiones inéditas del siglo XIV", *Revista de Filología Española*, LX (1978-1980) 285-318; PENSADO, J. L., "Sobre la *Vida de San Ildefonso* y otras noticias literarias dieciochescas" en *Studia Hispanica in Honorem R. Lapesa*, Madrid, Gredos, t. II, 1974, pp. 445-451.

IV.3.6.3. Proverbios Morales de Sem Tob

Aunque no adopta la cuaderna vía como estructura formal, se incluye en este apartado por las analogías temáticas y genéticas que guarda con el poema anterior, en cuanto que responde al influjo que la tradición judaica ejerció en la creación literaria durante la Edad Media. Es uno de los poemas más significativos de la poesía gnómica, donde las orientaciones morales cobran un valor relevante. Su autor, Sem Tob de Carrión, dedica su obra a Pedro I el Cruel.

Los recursos lingüísticos y métricos fueron estudiados por Emilio Alarcos[210], quien subraya la naturaleza castellana de la lengua del texto y el empleo del "homoioteleuton", técnica que consiste en rimar sólo la última sílaba átona, un recurso bien conocido en las literaturas semíticas[211].

La temática, de tipo sapiencial, se orienta por las veredas del concepto existencial que la sabiduría tiene en la literatura bíblica; el saber no es erudito sino práctico; de ahí la impronta moralizante.

IV.3.6.4. Poema de Alfonso XI

Aunque el tema es épico, lo que hizo pensar a Menéndez Pelayo que se trataba de una manifestación tardía del género, la forma y el tratamiento lo vincula más bien a la poética culta del mester de clerecía[212].

El poema es una versificación de la *Gran Crónica de Alfonso XI*, realizada por un poeta cortesano, Rodrigo Yáñez, a quien presumiblemente el rey Alfonso habría encomendado esta empresa; según esta conjetura, sostenida por Diego Catalán, el poema se habría escrito en época del propio rey, porque el texto rezuma el típico ambiente cortesano que rodeó al soberano.

El poema consta de cerca de diez mil versos octosílabos distribuidos en cuartetas. Algunos críticos[213], sin embargo, propugnan una edición en versos largos con hemistiquios de ocho sílabas, que se observa en algunas poesías juglarescas en el *Libro de Buen Amor*[214].

---

210 ALARCOS LLORACH, E., "La lengua de los *Proverbios morales* de don Sem Tob", *Revista de Filología Española*, 25 (1951) 249-309.

211 JOSET, J., "Opposition et réversabilité des valeurs dans les *Provebios morales*: Approche du système de pensée de Santob de Carrión", *Journal Marche Romane*, Liège (1973) 171-189; SEM TOB, *Provebios Morales*, edic. de SHEPARD, S., "Introducción biográfica y crítica", Madrid, Castalia, 1986; COLAHAN, C., "Traditional Semitic forms of reversability in Sem Tob's *Proverbios Morales*", en *The Journal of Medieval and Renaissance Studies*, 18 (1983).

212 DAVIS, G., "The debt of the Poema de Alfonso onceno to the *Libro de Alexandre*", *Hispanic Review*, XV (1947) 436-452; CATALÁN, D., "*Poema de Alfonso XI*". *Fuentes, dialecto, estilo*, Madrid, Gredos, 1953.

213 VALBUENA PRAT, A., *Historia de la Literatura Española*, t. I. *Edad Media*, edic. cit., p. 216.

214 *El poema de Alfonso XI*, edic. de Yo Ten CATE, Madrid, *Revista de Filología Española*, Anejo LXV, 1956.

IV.3.6.5. Poemas de literatura aljamiada: el *Poema de Yuçuf* y las *Coplas de Yoçef*

Es común en los manuales de literatura medieval al uso terminar el capítulo dedicado al mester de clerecía con la referencia a dos poemas de la literatura aljamiada: el *Poema de Yuçuf* y las *Coplas de Yoçef*. El valor literario de estos dos poemas, dentro del conjunto de la literatura medieval española, es más bien testimonial, en el sentido de que corroboran las interferencias que el texto medieval tiene con la cultura arábigo-hebraica. Su significación sólo cobra verdadero sentido, si se entronca dentro de la tradición que constituye la llamada literatura aljamiada.

El *Poema de Yuçuf* constituye la obra más representativa de la poesía aljamiada medieval. Recoge la historia de José, según la versión del Corán, amplificada con otras tradiciones. El poema adopta la cuaderna vía como estructura estrófica, si bien presenta numerosas irregularidades, dato que ha sido utilizado para fechar su cronología en la segunda mitad del siglo XIV[215].

Las *Coplas de Yoçef*, como el poema anterior, recogen también la vida de José, según distintas tradiciones medievales y bíblicas, escrita, en este caso, en caracteres hebreos; la estructura métrica se puede afirmar que se apoya en una cuaderna vía ya en clara descomposición, con rima interna y hemistiquios, la mayoría de las veces con seis sílabas, mientras el último verso termina, en todas las estrofas, con la palabra *Yoçef*, a modo de verso de vuelta. Su interés es más histórico que literario[216].

Desconocemos la función que estos textos pudieron haber desempeñado en aquellas comunidades de moriscos y judíos que vivían en la Península; posiblemente haya que vincularlos a reuniones litúrgicas.

Estos dos poemas no son más que una pequeña muestra de una literatura escrita en los distintos romances hispánicos, aunque fijada en la escritura por caracteres árabes o hebreos. Es la llamada literatura aljamiada[217]. Representa esta literatura uno de los capítulos más desconocidos de la

215 MENÉNDEZ PIDAL, R., *"Poema de Yuçuf": Materiales para su estudio*, Granada, Universidad, 1952. Recoge esta edición Manuel ALVAR, *Poesía Española Medieval*, Madrid, Cupsa, 1978, pp. 338-348.

216 *Coplas de Yoçef*, edic. de Moïse SWACH, "Quatrains judeo-espagnols", *Révue Hispanique*, XXIII (1910) 323-325. También en ALVAR, M., *Poesía Española Medieval*..., pp. 349-351.

217 Véase GALMÉS DE FUENTES, Á., "La literatura española aljamiado-morisca", en G.R.L.M., vol IX, t. 1, Fasc. 4, Heidelberg, Carl Winter-Universitätsverlag, 1985; sirva esta cita, además de obligada referencia bibliográfica, como reconocimiento al magisterio que durante muchos años desarrolló el profesor Galmés en la Universidad de Oviedo, donde existe un grupo de colegas que trabajan en este tipo de literatura; recientemente han creado la revista *Aljamía*, boletín especializado en información bibliográfica, del que ya han aparecido varios números.

creación literaria en la Edad Media. La mayor parte de estas obras permanecen inéditas; manuscritos dispersos por diferentes bibliotecas nacionales y extranjeras testimonian, sin embargo, la fecundidad de este fenómeno literario. Se trata de un tipo de literatura que puede ser caracterizada como tradicional, con las notas tanto genéticas como de transmisión que singularizan a este tipo de literatura (anonimia, tradición oral, colectividad). Todo ello configurará, asimismo, la naturaleza estilística de estas obras.

La cronología de esta singular muestra literaria abarca desde los últimos siglos medievales (siglo XIV) hasta bien entrado el barroco (siglo XVII); sin embargo, las manifestaciones más tardías conservan y mantienen los temas, las formas y los motivos de la época medieval; de ahí que se pueda hablar de "literatura de frutos tardíos", marbete que recuerda la historia seguida por otras manifestaciones de la literatura medieval española, según la expresión acuñada por Menéndez Pidal.

Los temas de esta literatura son muy diversos. La literatura narrativa nos ofrece desde un Alejandro (*Recontamiento del rey Alixadre*), pergeñado a la manera musulmana, hasta narraciones breves, a modo de cuadros de costumbres de los Siglos de Oro (*El arrepentimiento del desdichado*), sin olvidar una de las novelas de caballerías de mayor éxito en la Europa renacentista (*Historia de los amores de Paris y Viana*[218]). Las doctrinas sobre las postrimerías, creencia muy desarrollada en el mundo musulmán, dejó su impronta en varios poemas (*Estoria del día del juicio, Ascensión de Mahoma a los cielos*). Numerosos personajes bíblicos, caracterizados según las tradiciones del Corán y otros añadidos, ocupan la sustancia narrativa de una amplia nómina de relatos. Particular atención merecen aquellas narraciones que se refieren a Mahoma y a sus primeros seguidores (*Historia del nacimiento de Mahoma*). La literatura de viajes gozó, asimismo, de gran popularidad en aquellas comunidades. La Meca como lugar de encuentro espiritual y de peregrinación ocupa buena parte de lo que pudiera llamarse "guías de peregrinación" (*Itinerario de España a Turquía, Avisos para el camino*). La literatura didáctica, de naturaleza éticomoral, conoció un gran esplendor con numerosos libros de "castigos" o consejos (*Los castigos de Alí, Los castigos del hijo de Adam, Castigos para las gentes*), sin olvidar las colecciones de "exemplos" dentro de la tradición oriental del cuento (*Prédicas y exemplos*). La religiosidad popular de un pueblo, como el morisco, que vivía marginado y con frecuencia perseguido, alimentó un tipo de literatura de ficción, cargada de creencias supersticiosas, a donde acude a buscar remedio para su inseguridad (*Libro de dichos maravillosos, Libro de las suertes*). La convivencia, en constante confrontación, con otras religiones no musulmanas

218 *Los amores de Paris y Viana*, edic. de Álvaro GALMÉS DE FUENTES, Madrid, Gredos, "Colección de Literatura Aljamiadomorisca", 1970.

era terreno muy abonado para crear un tipo de literatura apologética, dentro de la tradición de la literatura de debates con la impronta anticristiana o antijudía.

La simple enunciación de estos temas plantea inmediatamente las relaciones entre esta literatura y las literaturas románicas. Sin duda, representa un aspecto de nuestra literatura medieval que debería ocupar una mayor atención por parte de la investigación.

IV.4. BIBLIOGRAFÍA

IV.4.1. EDICIONES DE TEXTOS

IV.4.1.1. Libro de Alexandre

Libro de Alexandre, edic. de Jesús CAÑAS, Madrid, Editora Nacional, 1978; actualizada en Madrid, Cátedra, 1988.

Gonzalo de Berceo, *Libro de Alexandre*, edic. de Dana A. NELSON, Madrid, Gredos, 1979.

Libro de Alexandre, edic. de Francisco MARCOS MARÍN, Madrid, Alianza Universidad, 1987.

IV.4.1.2. Obras de Berceo

Obras Completas de Gonzalo de Berceo, edic. de B. DUTTON, London, Tamesis Books, 5 vols., 1967-1985.

Obra completa, edición y estudio de varios autores, Madrid, Espasa- Calpe y Gobierno de la Rioja, 1992.

Milagros de Nuestra Señora, edic. de A. GARCÍA SOLALINDE, Madrid, Espasa-Calpe, "Clásicos Castellanos", n. 44, 1922.

Milagros de Nuestra Señora, edic. de Vicente BELTRÁN, Barcelona, Planeta, 1983.

Milagros de Nuestra Señora, edic. Claudio GARCÍA TURZA, Logroño, Publicaciones del Colegio Universitario de La Rioja, 1984.

Milagros de Nuestra Señora, edic. de Joël SAUGNIEUX, León, Everest, 1986.

Milagros de Nuestra Señora, edic. de Jesús MONTOYA, Universidad de Murcia, 1986.

Milagros de Nuestra Señora, edic. de Juan Manuel CACHO BLECUA, Madrid, Espasa-Calpe, "Colección Austral", A103, 1990.

La vida de Santo Domingo de Silos edic. de J. D. FITZ-GERALD, Paris, 1904

Vida de Santo Domingo de Silos, edic. de Teresa LABARTE DE CHAVES, Madrid, Castalia, n. 49, 1972.

La vida de Santo Domingo de Silos de Gonzalo de Berceo, edic. de Aldo RUFFINATO, Logroño, Berceo, Instituto de Estudios Riojanos, 1978.

Poema de Santa Oria, edic. de Isabel URÍA MAQUA, Madrid, Castalia, n. 107, 1981.

Signos que aparescerán antes del juicio. Duelo de la Virgen. Martirio de San Lorenzo, edic. de Arturo M. RAMONEDA, Madrid, Castalia, n. 96, 1980.

IV.4.1.3. Libro de Apolonio

Libro de Apolonio, edic. de Manuel ALVAR, Madrid, Castalia, 1976, 3 vols.

Libro de Apolonio, edic. de Manuel ALVAR, Barcelona, Planeta, 1984.

Libro de Apolonio, edic. de Dolores CORBELLA, Madrid, Cátedra, 1992.

IV.4.1.4. Poema de Fernán González

Poema de Fernán González, edic. de Alonso ZAMORA VICENTE, Madrid, Espasa-Calpe, "Clásicos Castellanos", n. 128, [1946], 4ª edic. 1970.

Poema de Fernán González, edic. de E. POLIDORI, Tarento, 1961.

Poema de Fernán González, edic. modernizada de Emilio ALARCOS LLORACH, Madrid, Castalia, "Odres Nuevos", 1967.

Poema de Fernán González, edic. de Juan VICTORIO, Madrid, Cátedra, 1981.

IV.4.1.5. Libro de Buen Amor

Libro de Buen Amor, edic. de J. COROMINAS, Madrid, Gredos, 1967.

Libro de Buen Amor, edic. de Jacques JOSET, Madrid, Espasa-Calpe, "Clásicos Castellanos", nos. 14 y 17, 1974.

Libro de Buen Amor, edic. de Alberto BLECUA, Barcelona, Planeta, 1983.

Libro de Buen Amor, edic. de Jesús MENÉNDEZ PELÁEZ, León, Everest, 1984.

Libro de Buen Amor, edic. de G. B. GYBBON-MONYPENNY, Madrid, Castalia, n. 161, 1988.

Libro de Buen Amor, edic. de Alberto BLECUA, Madrid, Cátedra, 1992.

Existen, asimismo, varias ediciones modernizadas y también ediciones facsímiles de los tres principales manuscritos que nos transmitieron la obra.

IV.4.1.6. Libro de miseria de omne

Un nuevo poema por la cuaderna vía, edic. de M. ARTIGAS, *Boletín de la Biblioteca Menéndez Pelayo*, I, (1919), pp. 31-37; 87-95; 153-161; 210-216; 328-338. II (1920) pp. 41-48; 91-98; 154-163; 233-254.

Libro de miseria de omne, edic. de P. TESAURO, Pisa, 1983.

Translation and Poetization in the Quaderna via. Study and Edition of the Libro de miseria d'omne, by Jane E. CONNOLLY, Madison University, The Hispanic Seminary of Medieval Studies, 1987.

IV.4.1.7. Rimado de Palacio

Rimado de Palacio, edic. y selección de K. ADAMS, Salamanca, Anaya, 1971.

Libro rimado de Palacio, edic. de Jacques JOSET, Madrid, Alhambra, 1978, 2 vols.

Poemas o Rimado de Palacio, edición crítica, introducción y notas de Michel GARCÍA, Madrid, Gredos, 1978, 2 vols.

Obra y personalidad del Canciller López de Ayala, edic. de Michel GARCÍA, Madrid, Alhambra, 1982, 2 vols.

Rimado de Palacio, edic. de Germán ORDUNA, Madrid, Castalia, n. 156, 1987.

IV.4.1.8. Poemas ajuglarados del mester de clerecía

(*Libro de la infancia y muerte de Jesús, Vida de Santa María Egipcíaca, Disputa del alma y el cuerpo, Razón feyta de amor con los denuestos del agua y el vino, Elena y María, ¡Ay Jerusalem!, Historia troyana Polimétrica*).

Antigua poesía española lírica y narrativa, edic. de Manuel ALVAR, México, Porrúa, 1974.

IV.4.1.9. Otros poemas

El Poema de Alfonso XI, edic. de Yo Ten CATE, Madrid, *Revista de Filología Española*, Anejo LXV, 1956.

Poema de Yuçuf, Coplas de Yoçef, edic. de Manuel ALVAR, en *Poesía Española Medieval,* Madrid, Cupsa, 1978, pp. 338-351.

IV.4.2. ESTUDIOS CRÍTICOS

IV.4.2.1. Mester de clerecía: Generalidades

BAÑOS VALLEJO, F., *La hagiografía como género literario en la Edad Media. Tipología de doce "vidas" individuales castellanas,* tesis doctoral dirigida por Jesús MENÉNDEZ PELÁEZ y publicada en Oviedo, Universidad, Departamento de Filología Española, 1989.

———, "Hagiografía en verso para la catequesis y la propaganda", en *Saints and their Authors: Studies in Medieval Hispanic Hagiography in Honor of John K. Walsh,* edited by A. D. DEYERMOND, Brian DUTTON an Jane CONNOLLY, Madison, Hispanic Seminar of Medieval Studies, 1990, pp. 1-11.

CASO GONZÁLEZ, J., "Mester de clerecía/mester de juglaría: dos mesteres o dos formas de hacer literatura", en *II Jornadas de Estudios Berceanos,* Logroño, Instituto de Estudios Riojanos, 1978, pp. 255-263.

CIROT, G., "Inventaire estimatif du 'mester de clerecía'", *Bulletin Hispanique,* XLVIII (1946)193-209.

DEYERMOND, A., "Mester es sen peccado", *Romanische Forschungen,* LXXVII, (1965)111-116.

DUTTON, B., "Some latinisms in the Spanish mester de clerecía", *Kentucky Romance Quaterly,* XIV (1967)45-60.

———, "French influences in the Spanish mester de clerecía", en *Medieval Studies in honor of White Linker,* Madrid, Castalia, 1973, pp. 73-93.

GYBBON-MONYPENNY, G. M., "The Spanish mester de clerecía and its Intended Public: Concerning the Validity as Evidence of Passages of Direct Address to the Audience", en *Medieval Studies presented to Eugène Vinaver,* Manchester University Press, 1965, pp. 230-244.

HENRÍQUEZ UREÑA, P., "La cuaderna vía", *Revista de Filología Hispánica,* VII (1945)45-47.

LÓPEZ ESTRADA, F., "Poesía de carácter clerical", en *Introducción a la literatura medieval española,* Madrid, Gredos, 4ª edic., 1979, pp. 367-379.

———, "Sobre la repercusión literaria de la palabra 'clerecía'...", en *Actas I Simposio de Literatura Española,* Salamanca, 1981, pp. 251-262.

MENÉNDEZ PELÁEZ, J., "Catequesis y literatura en la España Medieval", *Studium Ovetense,* VIII (1980)7-41.

———, "El IV Concilio de Letrán, la Universidad de Palencia y el mester de clerecía", *Studium Ovetense,* XII (1984)27-39.

RICO, F., "La clerecía del mester", *Hispanic Review,* 53, 1 (1985)1-23; y 2 (1985)127-150.

SAAVEDRA MOLINA, J., "El verso de clerecía", *Boletín de Filología,* VI (1950)253-346.

SALVADOR MIGUEL, N., "Mester de clerecía, marbete caracterizador de un género literario", *Revista de Literatura,* t. XIII, n. 82 (1979)5-30.

URÍA MAQUA, I., "Sobre la unidad del mester de clerecía del siglo XIII", en *III Jornadas de Estudios Berceanos,* 1982, pp. 179-188.

WILLIS, R., "Mester de clerecía: A definition of the *Libro de Alexandre*", *Romance Philology,* X (1957)212-224.

IV.4.2.2. Libro de Alexandre

ALARCOS LLORACH, E., *Investigaciones sobre "El Libro de Alexandre"*, Madrid, 1948.

———, "Informática y ecdónica. A propósito de una edición del *Libro de Alexandre*", *Ínsula*, n. 501, sept. (1988)3. (Se refiere a la edición de Francisco Marcos Marín, Madrid, Alianza Editorial, 1987, "edición unificada", realizada con las nuevas técnicas del procesador de textos).

GARCÍA GASCÓN, E., "Los manuscritos P y O del *Libro de Alexandre* y la fecha de composición del original", *Revista de Literatura Medieval*, 1 (1989)31-39.

LIDA DE MALKIEL, M. R., "La leyenda de Alejandro en la literatura medieval", *Romance Philology*, XV (1962)311-318, y 412-423.

MICHAEL, I., "Estado actual de los estudios sobre *El Libro de Alexandre*", *Anuario de Estudios Medievales*, II (1965)581-595.

———, *The Treatement of Clasical Material in the "Libro de Alexandre"*, Manchester, 1970.

URÍA MAQUA, I., "El Libro de Alexandre y la Universidad de Palencia", en *Actas del I Congreso de Historia de Palencia*, Palencia, Diputación Provincial, T. IV, 1986, pp. 431-442.

WARE, N. J., "The date of Composition of the *Libro de Alexandre*: A Re-Examination of Stanza 1799", *Bulletin of Spanish Studies*, XLII (1965)252-255.

WILLIS, R., *The Relationship of Spanish "Libro de Alexandre" to the "Alexandreis" of Gautier de Châtillon*, Princeton, 1934.

IV.4.2.3. Berceo

ALARCOS LLORACH, E., "¿Berceo, autor del *Alexandre*?", *III Jornadas de Estudios Berceanos*, Logroño, Instituto de Estudios Riojanos, 1981, pp. 11-18.

ARTILES, J., *Los recursos literarios de Berceo*, Madrid, Gredos, 1964.

DUTTON, B., "A Chronology of the works of Gonzalo de Berceo", en *Medieval Hispanic Studies, presented to Rita Hamilton*, London, Tamesis Books, 1976, pp. 67-76

———, "The profession of Gonzalo de Berceo and the Paris manuscript of the *Libro de Alexandre*", *Bulletin of Hispanic Studies*, XXXVII (1960)137-145.

FITZ-GERALD, J. D., *Versification of the Cuaderna Vía as found in Berceo's Vida de Santo Domingo de Silos*, New York, Columbia University Press, 1905.

GARCÍA TURZA, C., *La tradición manuscrita de Berceo con un estudio filológico particular del Ms. 1533 de la Biblioteca Nacional de Madrid*, Logroño, Instituto de Estudios Riojanos, 1979.

GERLI, E. M., "La tipología bíblica y la introducción a los *Milagros de Nuestra Señora*", *Bulletin of Hispanic Studies*, LXII (1985)7-14.

LANCHETAS, R., *Gramática y vocabulario de las obras de Berceo*, Madrid, 1900.

MENÉNDEZ PELÁEZ, J., "La tradición mariológica en Berceo", en *Actas de las III Jornadas de Estudios Berceanos*, Logroño, Instituto de Estudios Riojanos, 1981, pp. 113-127.

RUFFINATTO, A., "Berceo agiografo e il suo publico", *Studi di letteratura Spagnola*, Roma, 1968-70, pp. 9-23.

———, *La lingua de Berceo. Osservazioni sulla lingua dei manoscritti della Vida de Santo Domingo de Silos*, Pisa, Universidad, 1974.

———, "Sillavas cuntadas e Quaderna vía in Berceo. Regole e supposte infrazioni", *Medioevo Romanzo*, I (1974)25-43.

SALA, R., *La lengua y el estilo de Gonzalo de Berceo. Introducción al estudio de la "Vida de Santo Domingo de Silos"*, Logroño, Instituto de Estudios Riojanos, Berceo, 1983.

SAUGNIEUX, J.-VARASCHIN, A., "Ensayo de bibliografía berceana", *Berceo* n. 104, Enero-Junio (1983)103-119.

SAUGNIEUX, J., *Berceo y las culturas del siglo XIII*, Logroño, Instituto de Estudios Riojanos, 1982.

WEBER DE KURLA, F., "Notas para la cronología y la composición de las Vidas de Santos de Berceo", *Nueva Revista de Filología Hispánica*, XV (1961)113-130.

IV.4.2.3. Libro de Apolonio

ALVAR, M., *Libro de Apolonio: I-Estudios, II-Ediciones, III-Concordancias*, Madrid, Fundación Juan March-Castalia, 1976, 3 vols.

ARTILES, J., *El "Libro de Apolonio", Poema del siglo XIII*, Madrid, Gredos, 1976.

DEYERMOND, A. D., "Motivos folklóricos y técnica estructural en el *Libro de Apolonio*", *Filología*, XIII (1968-1969)121-148.

DEVOTO, D., "Dos notas sobre el *Libro de Apolonio*", *Bulletin Hispanique*, LXXIV (1972)291-330.

IV.4.2.4. Poema de Fernán González

AVALLE-ARCE, J.B., "El *Poema de Fernán González*: Clerecía y juglaría", *Philological Quaterly*, LI, n. 1 (1972)60-73.

CHALON, L., *L' histoire et l'épopée castillane du Moyen Âge*, Paris, 1976.

COTRAIT, R., *Histoire et poésie. Le comte Fernán González. Recherches sur la tradition gonzalienne dans l'historiographie et la littérature, des origines au Poema*, Grenoble, 1972.

IV.4.2.5. Libro de Buen Amor

Actas del I Congreso Internacional sobre el Arcipreste de Hita. El Arcipreste de Hita: El libro, el autor, la tierra, la época, editado por M. CRIADO DE VAL, Barcelona, Seresa, 1975. Las referencias que hacemos a esta obra las simplificamos mediante la designación de *Actas I*.

BELTRÁN, L., *Razones de buen amor: oposiciones y convergencias en el libro del Arcipreste*, Madrid, Castalia, 1977.

DEYERMOND, A. D., "El *Libro de Buen Amor* a la luz de las recientes tendencias críticas", *Ínsula*, n. 488-489 (1988)39-40.

FERRARESI, A., *De amor y poesía en la España medieval: Prólogo a Juan Ruiz*, México, 1976.

GARIANO, C., *El mundo poético del Arcipreste*, Madrid, Gredos, 1974.

HART, T. R., *La alegoría en el Libro de Buen Amor*, Madrid, 1959.

JOSET, J., *Nuevas investigaciones sobre el Libro de Buen Amor*, Madrid, Cátedra, 1988.

LECOY, F., *Recherches sur le "Libro de Buen Amor" de Juan Ruiz, Arcipreste de Hita*, 2ª edic. con suplemento de A. D. Deyermond, Farnborough, 1974.

Libro de Buen Amor Studies, edited by GYBBON-MONYPENNY, Londres, Tamesis Books, 1970.

LIDA DE MALKIEL, M. R., *Juan Ruiz: Selección del Libro de Buen Amor y estudios críticos,* Buenos Aires, Eudeba, 1973.

MENÉNDEZ PELÁEZ, J., *El Libro de Buen Amor: ¿ficción literaria o reflejo de una realidad?,* Gijón, Noega, 1980.

MENÉNDEZ PIDAL, R., "Notas al 'Libro de Buen Amor'", en *Poesía árabe y poesía europea,* Madrid, Espasa-Calpe, "Colección Austral", n. 190, 1946, pp. 137-157.

NAYLOR, E. W.-GIBBON-MONYPENNY, G. B.-DEYERMOND, A. D., "Bibliography of the *Libro de Buen Amor*", *La Corónica,* 7 (1979)123-135.

RICO, F., "Sobre el origen de la autobiografía en el *Libro de Buen Amor*", *Anuario de Estudios Medievales,* IV (1967)301-325.

———, "'Por aver mantenencia'. El aristotelismo heterodoxo en el 'Libro de Buen Amor'", *Homenaje a José Antonio Maravall,* Madrid, Centro de Investigaciones Sociológicas, 1986, pp. 271-297.

ULRICH, L, *Zur dichterischen Originalitäts des Arcipreste de Hita,* Francfurt, 1958.

ZAHAREAS, A., *The Art of Juan Ruiz, Archipriest of Hita,* Madrid, 1965

———, "Structure and Ideology in the *Libro de Buen Amor*", *La Corónica,* 7 (1979)92-104.

——— -PEREIRA, O., *Itinerario del "Libro del Arcipreste": Glosas críticas al 'Libro de Buen Amor',* Madison, Hispanic Seminary of Medieval Studies, 1990.

IV.4.2.6. Libro de Miseria de omne

ARTIGAS, M., "Ein unbekanntes spanisches Gedicht aus dem Mittelalters", *Spanien,* II (1920)19-23.

BERTONI, G., "Nota sopra un poemetto scolastico medievale", *Archivum Romanicum* (1928)136-138.

OROZ, R. "El epílogo en el mester de clerecía", *Revista de Literatura,* V (1954)261-265.

RODRÍGUEZ RIVAS, G., *El "Libro de Miseria de omne" a la luz del "De contemptu mundi",* Oviedo, Universidad, 1991 (tesis doctoral realizada en la Facultad de Filología bajo la dirección de Jesús MENÉNDEZ PELÁEZ; inédita).

IV.4.2.7. Rimado de Palacio

GIMENO CASALDUERO, J., "Pero López de Ayala y el cambio poético de Castilla a comienzos del siglo XV", *Hispanic Review,* XXXIII (1965)1-14. Ampliado en *Estructura y diseño en la literatura castellana medieval,* Madrid, 1975, pp. 143-161.

KINKADE, R. P., "Pero López de Ayala and the Order of St. Jerome", *Symposium* XXVI (1972)161-180.

LOZOYA, Marqués de, *Introducción a la biografía del canciller Ayala,* Bilbao, 1950.

NAYLOR, E., "Pero López de Ayala's Translation of Boccacio's *De casibus*", *Hispanic St. in Honor of Alan D. Deyermond,* Madison, 1986, pp. 205-216.

STRONG, E. B., "The *Rimado de Palacio*: López de Ayala's rimed cofession", *Hispanic Review,* XXXVII (1976)156-162

SUÁREZ FERNÁNDEZ, L., *El Canciller de Ayala y su tiempo (1332-1407),* Madrid, 1960.

IV.4.8. OTROS POEMAS JUGLARESCOS DE LA POESÍA CLERICAL

ALVAR, M. "Rasgos dialectales en la 'Disputa del alma y el cuerpo' (siglo XIV)". *Strenae (Homenaje a García Blanco)*, Salamanca, 1962.

AUBRUN, Ch., "La dispute de l'eau et du vin", *Bulletin Hispanique*, LVIII (1956)453-456.

DÍAZ-PLAJA, G., "Poesía y diálogo. *Razón de Amor*", *Estudios Escénicos*, V (1960)7-43.

GARCÍA SOLALINDE, A. de, "La disputa del alma y el cuerpo. Comparación con su original francés", *Hispanic Review*, I (1933)196-165.

JACOB, A., "The *Razon de amor* as Christian Symbolism", *Hispanic Review*, XX (1952)282-301.

LONDON, G., "The *Razón de Amor* and the *Denuestos del agua y el vino*: new Readings and Interpretations", *Romance Philology*, XIX (1965-1966)28-47.

LÓPEZ MORALES, H., *Historia de la literatura Medieval Española, I*, Madrid, Hispanova, 1974, pp. 227-265.

MENÉNDEZ PIDAL, R., "La disputa del alma y el cuerpo", *Revista de Archivos, Bibliotecas y Museos*, IV (1900)449-462.

———, "Elena y María", en *Tres poetas primitivos*, Madrid, Espasa-Calpe, "Colección Austral", n. 800, 1948.

SPITZER, L., "Razón de amor", *Romania*, LXXI (1950)145-165.

WALTER, H., *Das Streigedicht in der lateinischen Literatur des Mittelalters*, Munich, 1920.

Esta e a primeira cantig
santa Maria ementando
que ouue de seu fillo.

CAPÍTULO V: LA PROSA MEDIEVAL CASTELLANA: DESDE SUS ORÍGENES HASTA EL SIGLO XIV

La prosa medieval en romance castellano comienza a manifestarse tenuemente a finales del siglo XIII. El latín era la lengua utilizada para la difusión de todos los tratados de interés para el intelectual medieval. Poco a poco, sin embargo, la nueva lengua romance irá ganando parcelas al latín, primero en los documentos notariales, que, si bien utilizan el latín de forma sistemática, comienzan a dar cabida a anotaciones y glosas en castellano para la comprensión del texto latino (por ejemplo, las "glosas silenses" y las "glosas emilianenses"), hasta que en el siglo XIII aparecen ya obras más extensas bien sistematizadas y organizadas, a partir, sobre todo, de la actividad desarrollada por el equipo de Alfonso X el Sabio, con lo que el romance castellano se convierte en lengua oficial de cultura. Toda esta labor, principalmente de traducciones, ya se había iniciado en el siglo X en el Monasterio de Ripoll con traducciones al catalán; en el siglo XII el Arzobispo don Raimundo crea en Toledo la Escuela de Traductores, cuya herencia recogerá Alfonso X el Sabio.

V.1. DE LA PROSA HISPANOLATINA A LAS PRIMERAS MANIFESTACIONES EN ROMANCE CASTELLANO

Aunque se sale fuera de los objetivos de un manual de literatura española, no se puede dejar de señalar la importancia que tuvo la prosa hispano-latina en la configuración de la prosa romance castellana. El latín era la lengua de prestigio entre los medios intelectuales. Esto explica el hecho de que los textos historiográficos y jurídicos utilicen el latín como vehículo lingüístico. Se podrían señalar algunas de estas obras latinas, bien por la repercusión que tuvieron en la creación literaria en romance castellano, bien por ser fuentes de historiografía literaria.

Ya se hizo referencia, al tratar de la primitiva lírica peninsular, a los testimonios recogidos en la *Chronica Adephonsi Imperatoris*; esta crónica latina contiene, además, el *Poema de Almería*, canto épico en latín sobre la figura de Alfonso VII, en el que ya se alude al Cid Campeador, lo que demuestra que, a mediados del siglo XII, Rodrigo Díaz de Vivar ya tenía un interés literario.

Asimismo, habría que resaltar la importancia de la *Crónica Najerense*, por ofrecer un nuevo modelo de historiografía, al utilizar los cantares de gesta como fuentes de historiografía y de metodología. En este mismo sentido, es necesario aludir al *Chronicon mundi* de Lucas de Tuy, "El Tudense", quien sigue a la *Najerense* en la utilización del poema épico como fuente de historiográfica.

También tiene interés, para la creación literaria en romance, la obra *De rebus Hispaniae* de Jiménez de Rada, "El Toledano". Tanto "El Tudense" como "El Toledano" ejercieron un fuerte influjo en la historiografía medieval, muy en particular en Alfonso X el Sabio.

Especial interés merece, para el conocimiento de la cosmología medieval del mundo, la *Semejança del mundo*, obra llena de simbolismos, tomados de los lapidarios y bestiarios.

Dentro de la literatura didáctico-doctrinal en latín, ocupa un puesto relevante la *Disciplina Clericalis* de Pedro Alfonso, judío converso; esta obra escrita en la primera mitad del siglo XII, tuvo una enorme difusión como auxiliar de la predicación medieval, que se intensificará a partir de la reforma del IV Concilio de Letrán. El adoctrinamiento se buscará a través de cuentos, de los que se extrae una ejemplaridad fácilmente asequible a la mente del hombre medieval.

V.2. PROSA BÍBLICA CASTELLANA

En la Edad Media la Biblia ocupa el centro de la vida religiosa y espiritual, que llega a condicionar no sólo la propia creación literaria sino también muchos de los aspectos de la cultura medieval[1]. A su vez, la historia de la Biblia en España, a juicio de algunos especialistas[2], es uno de los temas que reviste mayor interés. Esta afirmación es válida no sólo para subrayar la importancia que la exégesis bíblica tuvo en la Península, sino también para poner de manifiesto el papel que la literatura bíblica desempeñó en la creación literaria medieval[3], un aspecto de intertextualidad muchas veces olvidado por la crítica.

Una de la primeras manifestaciones de la prosa medieval castellana se refiere a la traducción de la Biblia, pudiendo afirmarse que en los siglos XIII y XIV asistimos a todo un movimiento bíblico en romance castellano. Algo lógico y esperado. La naturaleza tradicional de la literatura bíblica favorecía esta tendencia. El pueblo creyente desea que se le expongan los textos sagrados en su propia lengua materna; esta orientación se observa desde los orígenes mismos del cristianismo. Cuando los libros sagrados salen del marco judaico-helenístico, se dejan infiltrar por los nuevos esquemas lingüísticos de aquellas regiones a donde llega el cristianismo. Esta tendencia comienza con la versión alejandrina, se continúa en todas las latinas, en los idiomas orientales, se reproduce en las de procedencia anglosajona y culmina en las versiones romanceadas, nacidas en la Edad Media. Asistimos, pues, a una constante, en la historia de la Biblia, según la cual, siempre que hubo lectores necesitados, o

1 *The Bible and medieval Culture*, edited by W. Lourdaux and D. Verhehelst, Leuven University Press, 1979; y, sobre todo, REINHARDT, K.-SANTIAGO-OTERO, H., *Biblioteca Bíblica Medieval*, Madrid, C.S.I.C.,1986.

2 BERGER, S., "Les Bibles Castillanes", *Romania*, 28 (1899)360-408; 508-567.

3 GORMLY, S F., *The Use of the Bible in representative Works of medieval spanish Literature*, 1250-1300, Washington, The Catholic University of America, 1962; REINHARDT, K.-SANTIAGO-OTERO, H., *Biblioteca Bíblica Ibérica*...

cuando una lengua apenas estuvo formada idiomáticamente, la Biblia se tradujo a las lenguas vulgares. Por tanto, el fenómeno bíblico en romance castellano no era algo extraño. Sin embargo, la traducción de la Biblia en la España medieval tuvo unas características tan peculiares que la distinguen de la historia de la Biblia en otros idiomas, en los que el texto sagrado presenta, desde el principio, una mayor uniformidad lingüística. En España, por el contrario, fuera del centralismo romano, etapa que se inicia con la dominación visigótica y se acrecienta con el dominio musulmán, en pacífica convivencia muchas veces con la cultura judía, los textos bíblicos se traducen con mayor originalidad. Así, por ejemplo, España es el único país occidental donde la traducción de la Biblia al castellano presenta un mayor número de variantes. Es rasgo característico de la traducción de la Biblia al castellano su dependencia del hebreo, al ser traducida directamente en muchos casos de las versiones originales. Las Biblias del siglo XIII fueron traducidas, en su mayor parte, del texto latino de la *Vulgata*, ya que la versión latina había conseguido el monopolio de la interpretación bíblica entre los teólogos cristianos. No obstante, en España el texto de la *Vulgata* fue relativizado, al percibir los teólogos españoles, familiarizados con el texto hebreo, serias diferencias entre el original y la *Vulgata*; esto explica el intento de determinados teólogos de proponer una nueva traducción latina, más en consonancia con la versión hebrea, empresa que no se llevó a cabo, pero sí dejó su impronta en las traducciones al castellano. De hecho, las biblias romanceadas de los siglos XIV y XV son, en su mayoría, traducciones del hebreo, hecho lingüístico que no tiene correspondencia en ninguna otra lengua romance. La convivencia entre judíos, conversos y cristianos viejos facilitó la difusión de estas traducciones, hasta el punto de que los cristianos llevaron a cabo la iniciativa de conseguir traducciones del Antiguo Testamento, a partir del hebreo, realizadas por rabinos. Es este un hecho que no tiene parangón en ningún otro país de la Europa Occidental.

Las traducciones de la Biblia a la lengua vulgar facilitaron el acceso inmediato a la Sagrada Escritura, fuente principal de espiritualidad, pero, al mismo tiempo, la lectura de la Biblia en lengua materna propiciaba desviaciones doctrinales. El simple hecho de ser traducciones del hebreo levantaba la sospecha, entre los censores, de que, por ese medio, se podrían introducir ideas judías en el cristianismo. Esto provocó varias condenas eclesiásticas[4], a medida que el centralismo romano establecía

4 ENCISO, J., "Prohibiciones de las versiones bíblicas en romance antes del Tridentino", *Estudios Bíblicos*, 3 (1944) 532-560. VERD, G. M., "Las biblias romanzadas. Criterios de traducción", *Sefarad*, 31 (1971) 319-351. REINHARDT, K., "Hebräische und spanische Bibeln auf dem Scheiterhaufen der Inquisition. Texte zur Geschichte der Bibelzensur in Valencia um 1450", *Historisches Jarbuch*, 101 (1981)1-37. PERARNAU, J., *L' "Alia informatio beguinorum"* d'Arnau de Vilanova, Barcelona, 1978.

de nuevo su influjo sobre la Península. Sin embargo, a pesar de las prohibiciones y condenas contra las traducciones de la Biblia, hoy se conservan numerosos manuscritos que permiten seguir las vicisitudes lingüísticas con las que se hubieron de encontrar aquellos traductores, y constituyen una fuente imprescindible para conocer el estado lingüístico de aquella época[5].

Estrechamente relacionada con las traducciones de la Biblia está la *Fazienda de Ultramar*, calificada por su editor, Moshe Lazar, "Biblia Romanceada e itinéraire biblique en prose castellane du XIIe. siècle"[6]. La crítica moderna[7], sin embargo, retrasa al siglo XIII la datación de esta curiosa obra, y matiza algunos aspectos sobre la autoría. Según parece, este texto sirvió de guía de peregrinos a Tierra Santa, y es una de las primeras manifestaciones de lo que bien pudiera llamarse "literatura de viajes", género literario de amplia difusión en los siglos posteriores.

La "veritas hebraica" no sólo era considerada en aquel momento como depositaria de un mensaje religioso, sino también como documento historiográfico y norma artística. De esta manera, aparecerán en la creación literaria medieval las llamadas *biblias historiales*, cuyo muestrario más genuino es la *Historia Scholastica* de Pedro Comestor, de intensa incidencia en la tradición historiográfica peninsular. *La General Estoria* de Alfonso X el Sabio, si bien excede los límites de una "biblia historial", toma la Biblia como eje del relato[8]. En otras ocasiones, de la Biblia se extraen y traducen ejemplificaciones virtuosas, como la *Historia de los Macabeos*, traducida por Pedro Núñez de Osma, "por que pudiessen ser avisados por espeio e por ensenplo a todos los fijos dalgo e nobles caballeros de Castilla que careciessen de lengua latina"[9].

Las biblias moralizadas y glosadas son otra dimensión de la prosa bíblica medieval; con el fin de que los lectores pudiesen comprender el mensaje revelado, el texto, con frecuencia abreviado, se comenta con glosas y se ilustra con imágenes y miniaturas. La llamada *Biblia de Osuna* y, sobre todo, la *Biblia de Alba* son dos claros ejemplos de este grupo genérico.

---

5 REINHARDT, H.-SANTIAGO OTERO, H., *Biblioteca Bíblica Ibérica...*

6 ALMERICH, *La Fazienda de Ultra Mar*, Introduction, édition, notes et glosaire par M. LAZAR, Salamanca, Acta Salmanticensia, 1965.

7 DEYERMOND, A. D., *Historia de la Literatura. Edad Media*, traduc. española, Barcelona, Ariel, 4ª edic., 1978, p. 149.

8 RICO, F., *Alfonso X el Sabio y la General Estoria*, Barcelona, Ariel, 1972, pp. 45-64.

9 REINHARDT, H.-SANTIAGO-OTERO, H., o. c., p. 273. En esta obra se recogen abundantes ejemplos de una literatura castellana medieval, de naturaleza bíblica, muy poco conocida.

Con frecuencia, el sermón medieval, de tipo culto, era una traducción y glosa del texto evangélico. Fuera ya del campo de la prosa, pero dentro del influjo que la Biblia tuvo en la creación literaria medieval, habría que citar las "Vidas de Cristo", que pretenden extraer del texto bíblico una biografía de Jesús con aplicaciones de tipo moral y social.

V.3. LA OBRA LITERARIA DE ALFONSO X EL SABIO

No es este el lugar de trazar la semblanza política de uno de los protagonistas más importantes para el desarrollo de la prosa medieval castellana. Su faceta como propulsor cultural en romance castellano es la que pretendemos poner de relieve.

V.3.1. EL MÉTODO DE TRABAJO DEL TALLER ALFONSÍ

Alfonso X el Sabio hereda la corona de Castilla en 1552, cuando contaba treinta y un años, coincidiendo con las traducciones al castellano de importantes colecciones de cuentos orientales, como el *Calila e Dimna* y el *Sendebar.* El Rey Sabio sintoniza con esta moda, herencia que en Toledo había iniciado, en el siglo XII, el Arzobispo don Raimundo, con una notoria novedad: dar una preferencia al romance frente al latín. En la Escuela de Traductores de Toledo solían trabajar especialistas en las diversas disciplinas de los distintos saberes, que en aquel momento procedían de las culturas orientales. El método de trabajo solía seguir las siguientes fases: en una "primera época", un equipo de judíos o árabes hacía una traducción oral al castellano ("trasladadores"), que era asumida por un equipo de cristianos que la vertía al latín, considerada como la lengua científica por excelencia en el mundo occidental. La novedad que ofrece el equipo de Alfonso X es la de presentar la versión definitiva en romance castellano, sin ser traducida al latín. En una "segunda época" se observa otra novedad en el "modus operandi" del taller alfonsí; se abandona la dependencia servil de textos no castellanos y se pone mayor énfasis en ampliar con otras fuentes el texto base utilizado. Esta labor estaba encomendada a los "ayuntadores". Es el método que se utilizará en la *Estoria General* y en la *General Estoria*[10]. Asimismo, a la vez que el proyecto de Alfonso X el Sabio enlazaba con la Escuela de Traductores, con las novedades lingüísticas señaladas, el taller alfonsí ampliaba su radio de acción al fundar el monarca un centro de estudios arábigo-latinos[11].

---

10 ALFONSO X EL SABIO, "Prólogo" a la *Estoria de España,* citado por F. Rico en o. c., p. 36-37

11 MENÉNDEZ PIDAL, G., "Cómo trabajaban las escuelas alfonsíes", *Nueva Revista de Filología Hispánica,* V (1951)363-380; CATALÁN, D., "El taller historiográfico alfonsí. Métodos y problemas en el trabajo compilatorio", *Romania,* LXXXIV (1963) 354-375.

Mucho se ha escrito acerca de cuál habría sido la causa de esta singular novedad, que rompía con la tradición toledana; no cabe duda de que el equipo de judíos, que trabajaban en el taller alfonsí, pudo haber influido en tal decisión, ya que el latín, considerado como la lengua oficial de la liturgia romana, podía tener ciertas connotaciones religiosas. Posiblemente habría también razones puramente funcionales; no debe olvidarse que el romance castellano era el único sistema lingüístico que podía ser vehículo de comunicación entre las tres comunidades (cristiana, judía y musulmana), sin herir la sensibilidad de ninguno de los adeptos a estas religiones, de quienes el monarca se siente igualmente rey, sin ningún tipo de discriminación.

Por otra parte, el fuerte sentimiento nacionalista, que caracteriza a la política del Rey Sabio, también pudo contribuir a hacer del romance castellano la lengua oficial de todos sus súbditos, y servir de elemento unificador dentro del pluralismo cultural y religioso de las tres comunidades. En este poligenismo cultural habrá que buscar quizás la causa por la que Alfonso X el Sabio apostó por la lengua romance para convertirla en lengua oficial de sus obras históricas, científicas y documentos cancillerescos; por ello, se le considera padre de la prosa literaria castellana. De esta manera, asistimos al primer intento de normalizar el hasta entonces anárquico romance castellano[12]. El propio monarca se preocupó por establecer una lengua que acogiera los rasgos distintivos de las áreas lingüísticas más representativas de su reino (Burgos, Toledo, León)[13]. La grafía, uno de los principales problemas de aquella época, quedó perfectamente establecida, de manera que puede decirse que la ortografía alfonsí estuvo vigente hasta el siglo XVI, momento en el que se operan los grandes cambios fonéticos del castellano.

La sintaxis y el léxico fueron objeto de particular atención; la prosa exigía una sintaxis más compleja, que necesitaba el uso de conjunciones hasta entonces desconocidas.

El castellano no había elaborado muchos conceptos abstractos, que aparecían en los textos árabes y hebreos, materia de traducción. Esto hacía que la creación de nuevas palabras fuese algo ineludible; en este sentido, el equipo alfonsí resolvió el problema de manera ejemplar: cuando es posible, utilizará la derivación, a base de palabras ya existentes, como criterio de formación léxica; cuando tiene que recurrir a un cultismo, se ofrece el étimo de la lengua de donde se toma, se da la acepción que el término tendrá en castellano, y, una vez definido, lo utilizará como un concepto ya conocido para el lector.

---

12 NIEDEREHE, H-J., *Alfonso X el Sabio y la Lingüística de su tiempo*, traduc. española, Madrid, Sociedad General Española de Librería, 1987.

13 LAPESA, R., *Historia de la lengua Española*, Madrid, Gredos, 8ª edic., 1980, pp. 235-264.

También se discutió con frecuencia cuál fue el grado de participación del monarca en el extenso *corpus* que tradicionalmente lleva su autoría. La *General Estoria* proporciona un texto de excepcional importancia: "El rey faze un libro, non por que él escriva con sus manos, mas por que compone las razones del, e las emienda et yegua e enderesça, e muestra la manera de como se deven fazer, e desi escrive las qui el manda, pero dezimos por esta razón que el rey faze el libro"[14].

De aquí se desprende que el monarca planifica, coordina y corrige sus obras, aunque no sea autor material de la redacción. De otros textos se deduce, asimismo, que el rey se ocupaba de corregir el estilo del texto, lo que demuestra la sensibilidad lingüística del monarca, y la importancia que asignaba a la nueva lengua: "Lo endereçó et lo mandó componer este rey sobredicho; et tolló las razones que entendió eran soveianas et dobladas, et que non eran en castellano drecho; et puso las otras que entendió que complían, et quanto en el lenguaje endreçolo el por sise"[15].

La diversidad temática entre las obras histórico-literarias y las propiamente científicas parece presuponer un distinto grado de participación[16].

V.3.2. LA PROSA HISTÓRICA

V.3.2.1. Literatura o historia

Con frecuencia el profesor de literatura medieval tiene que explicar a sus alumnos por qué unos compendios de historia universal o nacional, obras jurídicas o recreativas, son estudiados dentro del conjunto de la producción literaria. La razón hay que buscarla en el esfuerzo de creación lingüística que supuso la prosa histórica de Alfonso X el Sabio, quien además de pretender la objetividad del hecho histórico, lo revestía con voluntad de estilo[17].

En torno a 1270, Alfonso X comienza la tarea de "ayuntar quantos libros pudimos aver de istorias en que alguna cosa contassen de los fechos de España... desde el tiempo de Noé fasta el nuestro". En realidad,

14 ALFONSO X EL SABIO, *General Estoria*, Cap. XIV, Parte Primera, edic. de A. GARCÍA SOLALINDE, Madrid, C.S.I.C., 1930, p. 477.

15 ALFONSO X EL SABIO, "Prólogo" al *Libro de la ochava esfera*; véase A. GARCÍA SOLALINDE, "Intervención de Alfonso X en la redacción de sus obras", *Revista de Filología Española*, II (1915)283-288.

16 ROMANO, D., "Le opere scientifiche di Alfonso X e l'intervento degli ebrei", en *Oriente e Occidente nel Medioevo: filosofia e scienze*, Roma, Accademia nazionale dei Lincei, 1971, pp. 677-711.

17 CATALÁN, D., "Poesía y novela en la historiografía castellana de los siglos XIII y XIV", en *Mélanges offerts à Rita Lejeune*, I, Gembloux, J. Duculot, 1969, pp. 423-441.

este proyecto no representaba una novedad. Ya, en 1246, el Arzobispo Ximénez de Rada había terminado su compilación historiográfica, *De rebus Hispaniae*. La novedad residía, más bien, en la nueva orientación que acomete el equipo de Alfonso. En primer lugar, la preferencia por la lengua castellana constituyó un hito para la difusión de la historia nacional, hasta entonces reservada a los clérigos, casi los únicos conocedores de la lengua latina. La nueva lengua se convertía, de esta manera, en instrumento de secularización y laicización de la historia. La historiografía eclesiástica daba paso a una historiografía de más amplio espectro social.

Otra de las características de la nueva orientación historiográfica inaugurada por el equipo de Alfonso X fue la utilización, como fuente histórica, de textos juglarescos, bien de naturaleza poética, bien en forma de leyendas narrativas, metodología ya utilizada por otras crónicas, principalmente la *Najerense*, pero ahora incorporada en toda su extensión narrativa. Así, los cronistas alfonsíes parecen preferir las narraciones novelescas al laconismo de las fuentes latinas. El resultado es claro. El texto pierde verismo histórico, pero gana en verosimilitud narrativa y riqueza literaria. Literatura e historia forman en estas compilaciones un todo, de límites difícilmente definibles.

V.3.2.2. La Estoria de España y la General Estoria

- *V.3.2.2.1. Manuscritos, datación, fuentes, modo de composición*

En torno a 1270, el equipo de Alfonso X comienza la compilación de documentos para su *Estoria de España*. Sin embargo, este ambicioso proyecto quedó inconcluso, ante las perspectivas del Rey Sabio de realizar una grandiosa crónica universal. Este magno proyecto parece que anuló al primero, lo que explica el hecho de que la obra no haya sido terminada.

Los problemas de crítica textual aún no han sido resueltos definitivamente[18]. Los manuscritos escurialenses, E_1 y E_2, que nos han transmitido la obra, presentan notables diferencias. Menéndez Pidal creyó ver en el Ms. E_1 la obra revisada por el propio monarca, mientras E_2 habría sido redactado en tiempos de su hijo, Sancho IV. Sin embargo, Diego Catalán retrasa la datación de E_2 a mediados del siglo XIV, versión realizada por alguien que se limitó a compilar los materiales reunidos por el equipo al-

18 MENÉNDEZ PIDAL, R., "La *Crónica General de España* que mandó componer Alfonso el Sabio", en *Discursos leídos ante la Academia de la Historia en la recepción de don Ramón Menéndez Pidal*, Madrid, 1916, reimpreso en *Estudios Literarios*, Madrid, Espasa-Calpe, "Colección Austral", n. 28, 9ª edic., 1969, pp. 111-156. ALFONSO X EL SABIO, *Primera Crónica general de España que mandó componer Alfonso el Sabio y se continuaba bajo Sancho IV en 1289*, edic. de R. Menéndez Pidal, Madrid, Facultad de Filosofía y Letras, 1955. CATALÁN, D., *De Alfonso X al Conde de Barcelos. Cuatro estudios sobre el nacimiento de la historiografía romance en Castilla y Portugal*, Madrid, Seminario Menéndez Pidal-Ediciones Gredos, 1962.

fonsí, que no había realizado la redacción definitiva. Sancho IV se mostró más bien hostil hacia los proyectos culturales de su padre; por ello, no parece verosímil que bajo su reinado se hubiera terminado la obra.

En cuanto a las fuentes utilizadas, Pidal hace un amplio y exhaustivo inventario que recoge la procedencia de los materiales de los que se sirvió el equipo alfonsí. Se habrían aprovechado las fuentes recogidas en las crónicas latinas anteriores; se habrían tomado determinados aspectos de la historiografía árabe, y, sobre todo, se eleva a la categoría de fuentes históricas las leyendas épicas, cuya importancia para la historiografía literaria ya se ha comentado. El modo de composición sigue las directrices generales que aparecen en todas las compilaciones alfonsíes: el carácter sincrético: "Mandamos ayuntar quantos libros pudimos aver de istorias en que alguna cosa contasen de los fechos d'Espanna". Se trataba, por tanto, de "rastrear en las fuentes todas las noticias relativas a la Península y abrir la estoria de España con la primera de ellas"[19]. Tal proyecto presentaba dos notables diferencias en relación con la historiografía precedente: "frente al obispo de Tuy que partía de la Creación y abarcaba la tierra entera, se pretende aislar ahora los materiales que tocan directamente a la morada ibérica; frente al arzobispo de Toledo, va a concederse atención minuciosa a la edad pregótica"[20].

Sin embargo, la tradición historiográfica universal se impuso, y la historia nacional quedó difuminada dentro de la historia universal, convirtiéndose en una crónica general. Este desajuste entre lo particular y lo general parece que produjo en el equipo una cierta insatisfacción por lo que el Rey abandonó la obra y se dedicó sólo a la *General Estoria*, proyecto que parece había iniciado casi simultáneamente. Con esta obra se pretendía narrar la historia de la humanidad, desde la creación, según los esquemas judaicos, hasta el siglo XIII[21]. Sin llegar a constituir una "biblia historial", al estilo de la *Historia Scholastica* de Pedro Comestor, cuya influencia en la *General Estoria* es manifiesta, la "veritas hebraica" informa una buena parte del contenido de la obra. Los *Cánones crónicos* de Eusebio de Cesarea, obra ampliada por San Jerónimo, parece, asimismo, haber servido de estructura externa a la *General Estoria*, muy en particu-

19 RICO, F., *Alfonso X El Sabio y la General Estoria...*, p. 37.

20 *Ibidem*, p. 37.

21 La posible utilización de biblias romanceadas en la elaboración de la *General Estoria* fue objeto de varios trabajos: HAUPTMANN, O. H., "The *General Estoria* of Alfonso el Sabio and Escorial Biblical Manuscript I-j-8", *Hispanic Review*, 14 (1945) 45-59; en el mismo sentido, MENÉNDEZ PELÁEZ, J., "Las biblias romanceadas y su influencia en la *General Estoria*", *Studium Ovetense*, V (1977)37-65 (extracto de la memoria de licenciatura presentada en la Universidad de Oviedo y dirigida por José Miguel CASO GONZÁLEZ); desde otro punto de vista, SÁNCHEZ PRIETO, P., "El modelo latino de la 'General Estoria'", *Revista de Literatura Medieval*, II (1990) 207-250.

lar para la ordenación cronológica. Las *Antigüedades Judaicas* de Flavio Josefo, la *Metamorfosis* de Ovidio, forman parte, igualmente, de los materiales de información de este magno proyecto. Todas estas fuentes eran elaboradas de acuerdo con las técnicas habituales en la pedagogía medieval, basada fundamentalmente en el comentario de textos[22], a los que sometían a continuas digresiones ("enarratio" o "explanatio") con el objeto de favorecer el didactismo: "Tan hechos estaban los compiladores a desmenuzar a los clásicos en la *lectio* que, al usarlos en la crónica, recurrieron al mismo sistema de la *explanatio*, de no servirse del texto sino de la glosa"[23].

V.3.3. LA PROSA JURÍDICA

La labor compiladora de saberes programada por Alfonso X el Sabio no podía olvidar el campo jurídico, máxime cuando en su reino no existía un código legal unitario.

Las Partidas representan, sin duda, la compilación jurídica más importante que se realizó durante la Edad Media. Con esta legislación se pretendía dar unas normas legales que regulasen la actividad de las distintas clases sociales, a fin de conseguir la tan deseada unificación jurídica, que ya había pretendido Fernando III. La formulación de estas normas no sólo se detiene en lo puramente legal, sino que desciende a niveles existenciales de la vida humana, tanto individual como social. Por ello, *Las Partidas* son una fuente imprescindible para conocer el transfondo social sobre el que se asienta la actividad literaria. En ellas se nos describen los códigos sociales a donde remiten muchas de las unidades de significación de los textos literarios. En este sentido, las normas que regulan la representación del drama litúrgico en la iglesias se convirtieron en un documento mil veces citado para conocer la realidad teatral en la Castilla medieval[24]. Otro tanto se podría decir de todas aquellas normas que codifican la educación medieval[25], o las lecturas que debe hacer un caballero[26]. Esta dimensión de *Las Partidas* merecería una mayor atención por parte de la investigación histórico-literaria.

El proceso formativo de *Las Partidas* parece que sufrió varias fases. La forma actualmente conocida (la divulgada desde el siglo XVI) sería el

---

22 RICO, F., o. c., p. 167 y ss.

23 *Ibidem*, p. 179. Véase también MILLÁS VALLICROSA, J. M., "El literalismo de los traductores de la corte de Alfonso el Sabio", *Al-Andalus*, I (1933) 155-187; reimpreso en *Estudios sobre historia de la ciencia española*, Barcelona, C.S.I.C., 1949, pp. 349-358. LÁZARO CARRETER, F., "Sobre el *modus interpretandi* alfonsí", *Ibérida*, n. 6, (1961)97-114.

24 *Partida I*, Tit. VI, Ley 34.

25 *Partida II*, Tit. XXXI.

26 *Partida II*, Tit. XXI, Ley, XX.

resultado final de una labor de sucesivas redacciones y revisiones, que rebasaría la época de Alfonso X el Sabio. La primera forma o redacción se realizaría probablemente entre 1256 y 1260; y la segunda, mera revisión parcial de la anterior, se concluiría en 1265. Una y otra, llevadas a cabo por el monarca con el consejo de juristas de su corte, corresponderían al texto conocido como "Espéculo". El contenido de estas dos primeras redacciones recogería fundamentalmente el derecho consuetudinario castellano. La tercera y la cuarta redacción constituirían ya amplias y profundas reelaboraciones del texto anterior, realizadas por juristas de gran prestigio en la Corte Real, pero ya a finales del siglo XIII y principios del XIV; estas versiones habrían incorporado probablemente las nuevas directrices del derecho común (derecho canónico de la Iglesia Romana, *Decreto* de Graciano y *Decretales* de Gregorio IX), apartándose sensiblemente del derecho tradicional castellano.

Además de *Las Partidas*, forman parte del *corpus* jurídico de Alfonso el Sabio el *Fuero Real*, que se promulga antes de su muerte, y el *Setenario*, considerado por algunos como un primer borrador de *Las Partidas*; las correspondencias con la Primera Partida parecen claras; por otra parte, el contenido fundamentalmente religioso que describe una buena parte de los contenidos doctrinales cristianos, con innegable impronta apologética, le convierte, asimismo, en una especie de manual de la doctrina cristiana, destinado, sin duda, a la formación de los clérigos. El simbolismo es la clave de lectura: "Todas las semejanzas, paralelos y prefiguraciones que se entretejen en el *Setenario* giran en torno a la idea axial de que el ser y el acaecer del universo entero son símbolos"[27]. De ahí que esta obra pueda ser considerada como una de las fuentes más importantes para conocer la interpretación alegórica utilizada por la cristiandad medieval.

V.3.4. LA PROSA CIENTÍFICA Y RECREATIVA

Fueron los tratados científicos sobre astronomía y astrología los que mayor fama dieron a Alfonso X el Sabio en la época medieval. Eran obras traducidas del árabe e inspiradas en el sistema de Ptolomeo, por lo que hoy sólo conservan un valor puramente anecdótico, dentro de la historia de la ciencia. Su valor literario es escaso.

Dentro de los numerosos tratados de astronomía, escritos por Alfonso X el Sabio, destacan particularmente las *Tablas Alfonsíes* sobre el movimiento de los astros y las implicaciones de aquí derivadas para la

27 ALFONSO X EL SABIO, *Setenario*, estudio preliminar de R. LAPESA, Barcelona, Editorial Crítica, 1984, p. XIV.

medición del tiempo y la predicción de los eclipses. Todos estos tratados alcanzaron una amplia difusión por toda Europa, siendo utilizados incluso en pleno Renacimiento.

La astrología, considerada verdadera ciencia en la Edad Media, fue, asimismo, otra de las grandes preocupaciones de Alfonso X el Sabio. Dentro de este grupo merece una atención particular el *Lapidario*, que analiza la relación existente entre las piedras preciosas y la astrología.

Los tratados sobre juegos fueron objeto de atención en el *Libro de Axedrez, dados et tablas* con ilustraciones que hacen referencia a las jugadas descritas.

Todo este amplísimo *corpus*, de temática científica y recreativa, tiene escaso valor literario, si bien es importante desde el punto de vista lingüístico. Las numerosas ilustraciones que adornan muchas de estas obras convierten estos tratados en hermosos documentos que las modernas técnicas de impresión permiten reproducir en lujosas ediciones facsímiles, puestas de moda en los últimos años.

V.3.5. LA OBRA LÍRICA DE ALFONSO X EL SABIO

Dentro de la producción histórica, jurídica, científica y literaria, planificada por Alfonso X el Sabio, su obra lírica, *Las Cantigas*, ocupa un lugar muy singular en la historia de la literatura no sólo nacional sino universal.

IV.3.5.1. La piedad mariana, telón de fondo

El telón de fondo de esta magna producción lírica ya nos es familiar. La piedad mariana se intensifica en los siglos XII y XIII, ocupando María el centro de la espiritualidad medieval, bajo la advocación de abogada del género humano. Dentro de esta efervescencia religiosa empiezan a surgir por toda Europa colecciones de milagros atribuidos a María para poner de relieve su poder de intercesión, llegando a constituir el milagro un género literario con unos elementos funcionales bien definidos. Esta literatura marial comienza, primero, en lengua latina, durante el siglo XI, y pasa, posteriormente, a las lenguas románicas y anglosajonas. La colección más antigua de estas leyendas marianas, en lenguaje vulgar, es la atribuida a Adgar, clérigo inglés, que escribe en anglonormando a finales del siglo XII. Más importante, sin embargo, es la realizada por Gautier de Coinci, a finales del siglo XII, *Les Miracles de Notre Dame*.

Toda esta corriente literaria, tanto en latín como en romance, llega a España. En la primera mitad del XIII, Berceo escribe los *Milagros de Nuestra Señora*. En la segunda mitad del mismo siglo, Alfonso X el Sabio continúa esta tradición. En el siglo XIV, el *Libro de Buen Amor* incorpora un buen número de cantigas marianas; finalmente, en el siglo XV, asistimos a todo un movimiento poético en el que María se convierte en la

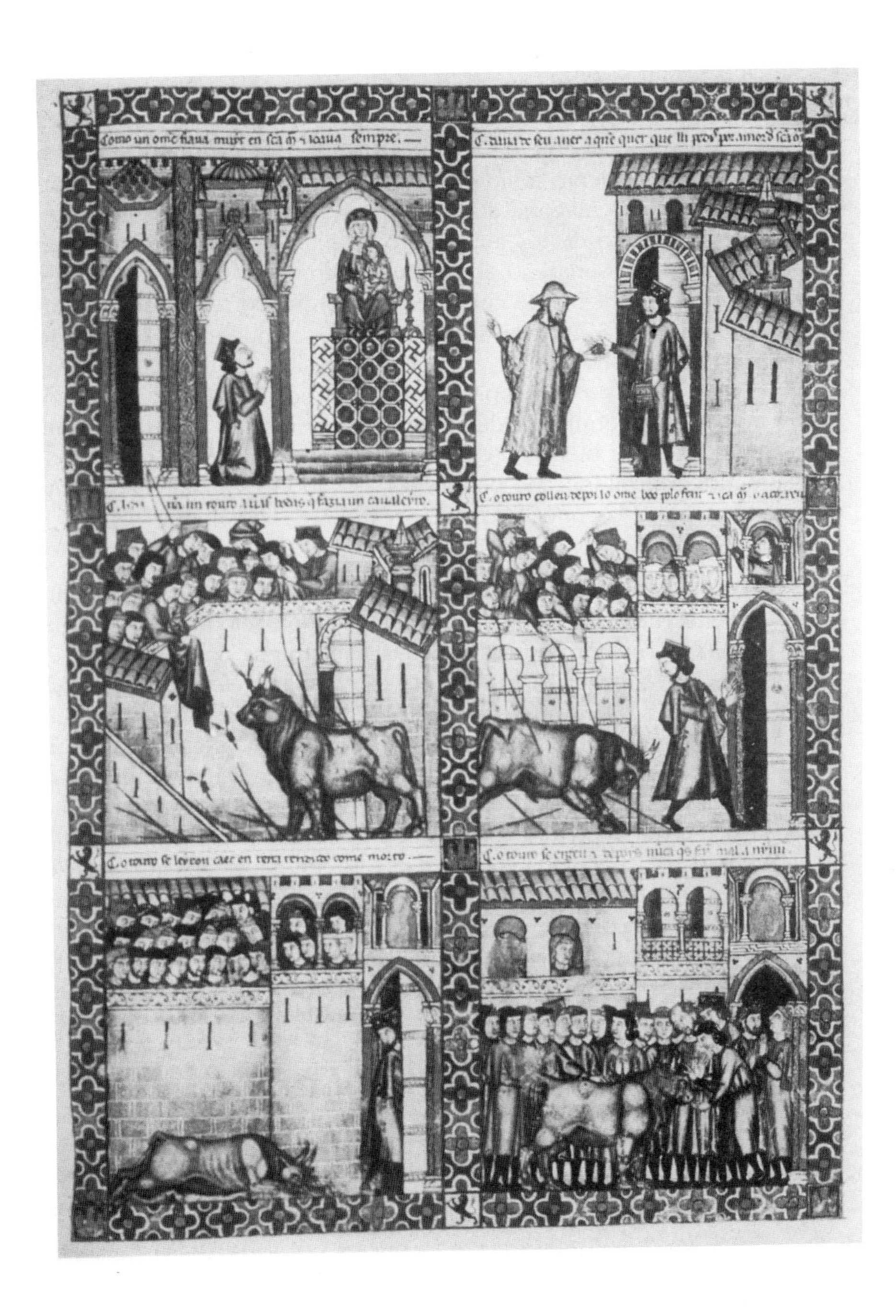

Las Cantigas. Santa María salvando a un hombre de un toro

sustancia del contenido de una gran parte de la creación lírica, constituyendo un capítulo muy singular de lo que viene llamándose "marianización del amor cortés"[28].

V.3.5.2. Autoría

Mucho se ha escrito sobre la autoría de *Las Cantigas*. Si bien no se pueden considerar como obra individual, es posible afirmar, sin embargo, "que la mayoría de los poemas se deben a una sola persona y que el número de los autores no ha pasado de la media docena"[29]. ¿Qué labor desempeñó el rey? Nos encontramos de nuevo con el ya conocido problema de cuál fue la parte que correspondió al monarca en la elaboración de su obra. En algunas cantigas hay claras referencias a la persona del rey, quien habla de sí en primera persona, dando riendas sueltas a su propio yo. La paternidad, atribuida al rey, de un número indeterminado de composiciones resulta, pues, verosímil. Sin embargo, más bien parece que la mayor parte de las composiciones tendrían un pluralismo de autores, trovadores y juglares, que vivirían al socaire de la corte[30].

V.3.5.3. Fuentes

Es uno de los problemas más complejos y, a la vez, más atractivos que presentan *Las Cantigas*. Sabemos que el método alfonsí exigía una amplia búsqueda de fuentes, cuya mención se hacía explícita en las obras históricas. En el caso de *Las Cantigas* las referencias a las fuentes son muy vagas e imprecisas, tanto si se refieren a la tradición oral ("oí dezir", "que eu oí..."), como a la tradición escrita ("Achei eu un libr'antigo"). Existen numerosas colecciones latinas de milagros, tanto de carácter universal como local, escritas, bien con fines apologéticos, bien como auxiliares de la predicación y la catequesis, que fácilmente pudieron ser utilizadas[31]. Particular atención dedicó la crítica a examinar la relación de *Las Cantigas* con los mariales romances de Gautier de Coinci y de Berceo[32]. Las coincidencias con los *Miracles de Notre Dame* parecen demostrar, en muchos aspectos narrativos, que los colaboradores de la corte alfonsí utilizaron, como fuente, la colección del clérigo francés, y no así la obra del clérigo riojano.

---

28 MENÉNDEZ PELÁEZ, J., *Nueva Visión del Amor cortés. El Amor Cortés a la Luz de la Tradición Cristiana*, Oviedo, Universidad, 1980, pp. 163-175; 294-308

29 ALFONSO X EL SABIO, *Cantigas de Santa María*, edic. de W. METTMANN, Madrid, Castalia, n. 134 y 172, t. I, p. 187.

30 ALFONSO X EL SABIO, *Cantigas de Santa María*, introducción, versión castellana y comentarios de J. M. FILGUEIRA VALVERDE, Madrid, Castalia, "Odres Nuevos", 1985, pp. XXX-XXXIV.

31 Véase FILGUEIRA VALVERDE, J. M., edic. cit. p. LI.

32 MONTOYA, J., *Las Colecciones de Milagros de la Virgen en la Edad Media (El Milagro Literario)*, Granada, Universidad, 1981.

V.3.5.4. Estructura y contenido temático

La doble naturaleza, narrativa y de loor, viene caracterizada por la variedad de estructuras empleadas, siendo el zéjel o virelai la forma estrófica predominante; el estribillo inicial, repetido después de cada estrofa, condensa, a modo de sentencia, la enseñanza que se le ha de sacar. Le sigue en frecuencia el rondeau y la canción trovadoresca. Asimismo, la variedad de los versos es la nota común, con un número de sílabas que oscila entre las dos y las veinticuatro[33].

Las Cantigas no ofrecen una ordenación temática, aunque todas ellas tienen por finalidad presentar a María como medianera y abogada del género humano. Se han establecido diversas clasificaciones globales de la temática que aparece en *Las Cantigas*, como la propuesta por Filgueira Valverde. Estos intentos suelen resultar excesivamente complejos. Por ello, se ha pretendido simplificar todo este amplio *corpus* con criterios de "procedencia y el escenario de los hechos que relatan"[34]: milagros marianos divulgados por todo el occidente europeo, leyendas relacionadas con santuarios de la Península, o acontecimientos milagrosos sucedidos en el entorno más próximo al monarca.

La literariedad de los textos (imágenes, símbolos, comparaciones, epítetos) se fundamenta en la poética tradicional de la poesía mariana anterior y contemporánea, principalmente latina y provenzal, así como algunos textos litúrgicos y determinadas formas letánicas, sin olvidar los ya tópicos binomios María/Eva y Eva/Ave. Esto hace suponer que algunas de las cantigas, muy en particular las de loor, habrían sido interpretadas en los oficios litúrgicos en honor de María.

Por otra parte, el valor artístico de *Las Cantigas* excede lo puramente literario; al ser textos destinados al canto, la música juega un papel fundamental, puesto de manifiesto por insignes musicólogos, particularmente en la obra, ya citada, de Higinio Anglés. Fue, asimismo, propósito del monarca ilustrar con miniaturas el contenido de las cantigas narrativas. Por todo ello, estos preciosos documentos tienen un alto valor artístico, no alcanzado hasta entonces en España, y son, a la vez, valiosísimos testimonios para conocer la vida diaria de la España del siglo XIII. De esta manera, está más que justificada la frase de Menéndez Pelayo al calificar *Las Cantigas* como la "Biblia estética del siglo XIII".

---

33 SPANKE, H., "Die Metrik der 'Cantigas'", en H. ANGLÉS, *La Música de las Cantigas del Rey Alfonso el Sabio*, Barcelona, Diputación Provincial, 1945-1964, 3 vols., t. III. 1, pp. 189-238.

34 METTMANN, W., edic. cit., p. 11.

V.4. LA LITERATURA DIDÁCTICA Y SAPIENCIAL A FINALES DEL SIGLO XIII

La importancia que desde el punto de vista político alcanzó el reinado de Sancho IV no se corresponde con el interés que tuvo la literatura en tiempos de su antecesor[35]. No obstante, aparecieron en este período algunas obras de cierta importancia, cuya naturaleza didáctica y sapiencial merece destacarse.

La *Historia de la Condesa Teodor* fue un texto que alcanzó una gran difusión, conservándose varias versiones con gran número de variantes. Se desconoce la fecha exacta de su composición. El contenido temático, estructurado en forma de diálogo, fluctúa entre la literatura gnómica y el didactismo. La acción tiene una cierta tensión que se centra en las sabias respuestas que da Teodor a las preguntas que le proponen los sabios del califa que pretende a la doncella. La obra rezuma un cierto feminismo que contrasta con la corriente misógina, frecuente en la época.

Dentro del didactismo gnómico del cristianismo medieval ocupa un lugar importante el *Lucidario*, derivación y traducción parcial en romance castellano de la obra escrita en latín, en torno a 1095, por Honorio de Autun. Su difusión por todos los países del continente europeo parece haber sido inmensa; hoy se conservan centenares de *Lucidarios* en diversos idiomas, con predominio de los escritos en lengua latina.

El *Lucidario* español, según la crítica más autorizada, fue compilado y traducido por mandato de Sancho IV, según el método del taller alfonsí[36]. En el prólogo se dice que Sancho IV ordenó la compilación de la obra para combatir una herejía, derivada de los círculos neoplatónicos, en donde se defendía la eternidad de la materia, lo que ponía en entredicho la afirmación cristiana de la creación[37]. Hay en la obra un decidido intento de racionalizar la fe de acuerdo con el aforismo *fides quaerens intellectum*, aunque se acentúe también la dicotomía entre la verdad teológica y la verdad experimental. Asimismo, hay en el texto una fuerte impronta apologética frente a las nuevas doctrinas filosóficas procedentes de Aristóteles, que parecían poner en peligro los fundamentos de la fe cristiana. El *Lucidario* venía a desempeñar el papel de manual ortodoxo de la Iglesia para todos aquellos estudiantes más aventajados de los distintos centros educativos, que deseaban adquirir

---

35 KINKADE, R. P., "El reinado de Sancho IV: puente literario entre Alfonso el Sabio y don Juan Manuel", *Publications of the Modern Language Association*, LXXXVII, (1972) 1039-1051.

36 *Los "Lucidarios" Españoles*, estudio y edición de R. P. KINKADE , Madrid, Gredos, 1968.

37 WRIGHT, J. K., *The Geographical Love of the Time of the Crusades*, Nueva York, 1925.

unos conocimientos básicos en teología y filosofía natural. De aquí se puede deducir la importancia que esta obra tuvo en la educación medieval.

Dentro de la orientación apologética cristiana, que caracteriza a una parte de la literatura medieval, se encuentra el libro *Contra la secta de Mahoma*, escrito hacia 1290 por Pedro Pascual. Aunque su interés literario es mínimo, este libro nos sirve para conocer el telón de fondo religioso de la cultura medieval, que culminará con el rigorismo e intransigencia de la lucha de castas. Está escrito en la misma tonalidad de la *Disputa de un judío y un cristiano.*

V.5. DE LA CRÓNICA NOVELADA A LA NOVELA DE CABALLERÍAS

V.5.1. LA GRAN CONQUISTA DE ULTRAMAR

La *Gran Conquista de Ultramar* puede ser considerada, desde el punto de vista cronológico, a caballo entre el siglo XIII y el XIV. El problema de su datación sigue ocupando la atención de la crítica, que sitúa su composición, bien a finales del XIII, bien a principios del XIV, no faltando hipótesis que atribuyen la obra a Alfonso X el Sabio[38].

El pluralismo de las fuentes utilizadas, principalmente francesas y provenzales, es una de las características genéticas de la obra, que se reflejará, en determinados momentos, en la falta de unidad estructural.

El contenido de la obra pertenece al tema de las Cruzadas, de amplias resonancias en las literaturas europeas medievales, tomando como núcleo narrativo principal la figura de Godofredo de Bouillon, hasta convertirse este personaje en hilo conductor de toda esta crónica novelada, que eleva a la categoría literaria el hecho histórico de la conquista de los Santos Lugares. Algunos de los materiales utilizados permiten reconstruir los comienzos de lo que más tarde será la novela de caballerías. En este sentido la *Leyenda del Caballero del Cisne*, que aparece en la obra con el objeto de presentar el origen divino del protagonista, Godofredo de Bouillon, representa la primera célula de uno de los géneros literarios más fecundos de la literatura universal, como será la novela de caballerías. Asimismo, la literatura de tema carolingio está presente con la leyenda de *Mainete*, relacionada posiblemente con un hipotético cantar de gesta francés sobre la vida de Carlomagno; este mismo tema, aunque con notables variantes, aparece en la *Primera Crónica General* y en el *Cantar de Roncesvalles.*

38 GONZÁLEZ, C., "Alfonso X el Sabio y la *Gran Conquista de Ultramar*", *Hispanic Review*, vol. 54, (1986) 67-82.

V.5.2. EL LIBRO DEL CABALLERO ZIFAR

El *Libro del caballero Zifar* puede ser considerado como la primera novela de caballerías de la literatura castellana.

V.5.2.1. Autoría y fecha de composición

Aunque no se tiene completa certeza, se considera al arcediano de Toledo, Ferrand Martínez, como autor de la obra, teniendo en cuenta, sobre todo, la correspondencia entre determinadas referencias históricas y vivenciales, a las que se alude en algunos pasajes de la narración —particularmente el prólogo—, que parecen apuntar al personaje señalado[39].

La misma incertidumbre se tiene respecto al momento de su composición; la fecha de principios del siglo XIV, en consonancia con el posible viaje realizado por el autor a Roma, en torno a 1300 con motivo del jubileo, fue defendida por varios autores. Las alusiones a determinados acontecimientos históricos posteriores pueden ser interpolaciones realizadas por los copistas[40].

V.5.2.2. Síntesis argumental y fuentes

La materia narrativa es un relato de aventuras, estrechamente vinculado a la tradición artúrica de la llamada "materia de Bretaña". El protagonista, Zifar, sale con su mujer y sus hijos de su país natal, y juntos inician un largo viaje durante el cual se ven obligados a separarse, aunque, posteriormente, se reencuentran en un clima de prosperidad. Zifar se convierte en rey de Mentón, mientras su hijo, Roboán, aconsejado por el magisterio de su padre, llega a ser emperador.

Lo narrativo-fabuloso y lo didáctico-realista se entrecruzan constantemente. De ahí la importancia que en el relato tiene la literatura sapiencial y gnómica. El libro está impregnado, asimismo, de orientalismo, tanto en el tema como en el modo de desarrollarlo, sin olvidar determinados rasgos lingüísticos de origen árabe. La acción se sitúa en Oriente, por lo que se puede afirmar que "el núcleo o la base de *Zifar*

---

39 BUCETA, E., "Algunas notas históricas al prólogo del *Caballero Zifar*", *Revista de Filología Española,* XVII (1930) 18-36 y 419-422; WALKER, R. M., *Tradition and Technique in "Libro del Cavallero Zifar"*, Londres, Tamesis Books, 1974; HERNÁNDEZ, F. J., "Ferrán Martínez, 'escrivano del rey', canónigo de Toledo y autor del *Libro del Cavallero Zifar*", *Revista de Archivos, Bibliotecas y Museos,* LXXXI, n. 2 (abril-junio, 1978)289-325; GONZÁLEZ MUELA, J., *Libro del caballero Zifar,* Madrid, Castalia, n. 115, 1982; y, sobre todo, GONZÁLEZ, C., *Libro del Caballero Zifar,* Madrid, Cátedra, n. 191, 1983; Idem, *"El cavallero Zifar" y el reino lejano,* Madrid, Gredos, 1984.

40 MOLDENHAUER, G., "La fecha del origen de la *Historia del Caballero Cifar* y su importancia para la historia de la literatura española", *Investigación y progreso,* 5 (1931) 175-176.

Miniatura del Caballero Zifar

parece sin duda el cuento de *Las mil y una noches*"[41]. Sin embargo, este telón de fondo oriental se enriquece con fuentes cristianas, como la leyenda de San Eustaquio, lo que prueba que el autor del *Zifar* realizó un esfuerzo sincretista para unificar tradiciones orientales, del mundo árabe, y cristianas, particularmente francesas. Esto explica la intensa presencia en la obra de textos de la literatura sapiencial, de origen oriental, que se traducen a lo largo del siglo XIII castellano (*Flores de Filosofía, Bocados de oro, Barlaam y Josafat*, etc.). Una actitud integradora, muy del gusto de la época, fácilmente inteligible, aceptada la autoría de un clérigo que vive en Toledo, encrucijada de credos y de culturas.

V.5.2.3. Unidad y estructura del relato

Son quizás los aspectos que más llamaron la atención de la crítica. ¿El relato tiene unidad narrativa o es un conglomerado de materiales yuxtapuestos? El discurso no se ajusta a la distribución de la materia en introducción, desarrollo y conclusión, disposición basada en la lógica aristotélica; son muchos los "exempla" y los episodios fantásticos intercalados que parecen dificultar la uniformidad del relato. Desde esta pers-

41 GONZÁLEZ MUELA, J., edic. cit. p.23

pectiva, la obra carece de unidad formal. No obstante, la crítica buscó otros referentes literarios que asegurasen la unidad de la obra; en este sentido, el desarrollo del relato guardaría estrecha relación, bien con las *artes praedicandi*[42], bien con las *artes poeticae*[43], cuyas técnicas narrativas fundamentan la unidad en otros recursos, como la alegoría, sin olvidar la unidad simétrica de los elementos intercalados, que en el plano real se consiguen mediante la "interpretatio" o la "digressio".

Muy interesante nos parece la interpretación de Agustina Ruiz de Conde[44], para quien el relato, al que califica de "obra de tesis", tiene una profunda unidad, con una muy clara intencionalidad ética, religiosa y política: En el "Prólogo" el autor ya señala su finalidad didáctica por el empleo de "enxienplos" a fin de que el hombre se aparte del error. Este didactismo se reviste de elementos lúdicos, en busca de dar al relato el deleite que lo haga atractivo; de ahí que el autor introduzca al lector en un mundo maravilloso por medio de dos elementos; uno, de origen oriental, que vincula el discurso narrativo con la cuentística medieval; el otro, proveniente de la tradición celta, a saber, la materia de Bretaña.

La estructura de la obra es, asimismo, cuestionada. Una confusión que se observa en los mismos criterios seguidos por los editores de la obra, que la dividen en tres o en cuatro partes.

V.5.2.4. Género y estilo

El problema del género, al que pudiera pertenecer la obra, sigue creando problemas a la investigación crítica. ¿Se puede considerar esta obra dentro del grupo genérico de las novelas de caballerías? Una buena parte de la crítica, aunque con algunas reservas —de ahí la denominación de novela de caballerías "mixta, inmadura, atípica"—, no duda en darle ese calificativo. El problema radica, más bien, en delimitar con precisión, si ello fuera posible, la tipología de la novela o de los libros de caballerías, una cuestión sobre la que abundaremos a la hora de estudiar este tema en la narrativa del siglo XVI. En principio, pues, la podemos considerar, como decíamos al principio de este epígrafe, la primera novela de caballerías de la literatura castellana. No obstante, este carácter primigenio explica, por una parte, la carencia de una personalidad genérica bien delimitada, a la vez que justifica la presencia de otros géneros literarios que se dan cita a lo largo del discurso narrativo: restos de fórmulas juglarescas de la épica, descripciones hagiográficas con las que se caracteriza al caballero Zifar, abundancia de *exempla* con clara función

42 BURKE, J. F., *History and Visión. The Figural Structure of the "Libro del Cavallero Zifar"*, Londres, Tamesis Books, 1972, pp. 5-54.

43 WALKER, R. M., *Tradition and Technique*... pp. 71-142.

44 RUIZ DE CONDE, A., *El amor y el matrimonio secreto en los libros de caballerías*, Madrid, Aguilar, 1948, pp. 34-98.

didáctica, sin olvidar las largas citas de refranes y proverbios. La novela castellana de caballerías nace, de esta manera, con cierta tendencia a integrar géneros precedentes.

Este hibridismo genérico explica, asimismo, el peculiar estilo de la obra, que está caracterizado por el pluralismo de fuentes en donde bebe su autor. Particular interés tienen, en esta configuración del estilo, los "ejemplos" intercalados, así como la profusión de sentencias y refranes, como observa Cristina González[45]. El uso de estos *exempla* y sentencias proverbiales, así como determinados rasgos humorísticos[46], sazonado todo ello con fórmulas juglarescas, recuerdo lejano de la épica[47], son los elementos que singularizan la voluntad de estilo del autor.

Dejamos sin tratar en este apartado el *Amadís de Gaula*. Aunque su proceso de gestación comienza a principios del siglo XIV, la versión que hoy conocemos es de principios del siglo XVI, momento álgido del género; por ello, remitimos al lector a la prosa de dicha centuria.

V.6. LA LITERATURA DEL EXEMPLUM

V.6.1. GENERALIDADES: UNIVERSALIDAD DEL EXEMPLUM EN LA LITERATURA

El "exemplum" es el nombre genérico que engloba distintas formas breves, como el cuento, la fábula o el apólogo, cuya extensión conceptual resulta difícil de delimitar y separar, por su ambigüedad semántica. Su importancia en la creación literaria de los siglos XIII y XIV fue determinante. Sin embargo, son difíciles de precisar las coordenadas de espacio y de tiempo de este grupo genérico, aunque este tipo de narraciones se dieron y se dan, con mayor o menor intensidad, en todas las literaturas[48]. El modo de difusión y transmisión sigue las leyes de la tradición oral (*Traditiongeschichte*); razones didácticas y otras, de diversa naturaleza, hicieron que estas narraciones pasasen a los códigos escritos (*Redaktiongeschichte*); en este sentido, el "exemplum" o cuento, pertenece, pues, a la literatura tradicional[49].

---

45 GONZÁLEZ, C., "Introducción", edic. cit., pp. 23-32.

46 SCHOLBERG, K. R., "La comicidad del *Caballero Zifar*", en *Homenaje a Rodríguez Moñino*, Madrid, Castalia, 1966, t. II, pp. 157-163.

47 WALKER, R. G., *Tradition and Technique...*, pp. 143-221.

48 WELTER, J.-Th., *Littérature religieuse et didactique du Moyen Âge*, Paris - Toulouse, 1927 BREMOND, C.-LE GOFF, J.-SCHMITT, J-C., *"L'Exemplum"*, Brepols-Turnhout-Belgium, 1982

49 FOLLES, A., *Formes simples*, Paris, Seuil, 1972.

Si son llamativas las leyes genéticas del "exemplum", no lo son menos sus leyes de difusión espacial. La coincidencia en la estructura narrativa de un mismo "exemplum" en regiones muy diversas es algo difícil de explicar a la hora de tipificar este grupo genérico. Descifrar la intrincada maraña de versiones recogidas, muy semejantes entre sí, podría ser un apasionante programa de investigación en literatura comparada.

Aunque el mundo oriental haya sido, sin duda, el principal foco difusor de estas formas breves, su uso no fue desconocido en occidente. Tanto la cultura griega como la latina desarrollaron también este género con una finalidad preferentemente educativa. Dentro de los códigos axiológicos de una determinada cultura, la encarnación de unos valores en unos personajes de carne y hueso incita a la imitación. Cada sociedad escogerá aquellos modelos que servirán de "ejemplo" y "espejo", en los que se fundamentará un ideario pedagógico. La cultura griega buscará sus ejemplos en la poesía heroica (la "imitación del héroe"); asimismo, la cultura latina los encontrará en la historia nacional, particularmente a través de la obra de Valerio Máximo[50]; el influjo y difusión de sus "Hechos y dichos memorables" están ampliamente documentados[51]. El uso del ejemplo en la creación literaria estaba también atestiguado y recomendado en las mismas poéticas clásicas de Aristóteles, Quintiliano y Cicerón; pasará posteriormente a los preceptistas medievales, como Alain de Lille. A pesar de este carácter universalista del "exemplum", la funcionalidad litúrgica y catequística que desempeñará en las literaturas románicas medievales será más bien una herencia de las literaturas orientales, particularmente bíblica. Desde el cristianismo primitivo, los escritores cristianos, a imitación de las parábolas evangélicas, utilizaban en la predicación y en sus reflexiones doctrinales breves relatos que ilustraban el contenido doctrinal que se trataba de enseñar, según el aforismo, atribuido a San Ambrosio, *exempla facilius suadent quam verba*; los homiliarios antiguos recogen, de esta manera, numerosos ejemplos sacados, bien de las Sagradas Escrituras, de las vidas de los santos o, incluso, de personajes de la Antigüedad pagana. Papas como León Magno o San Gregorio Magno fueron grandes defensores de la utilización de estas narraciones en la predicación. Esta tradición cristiana, de origen bíblico, se verá incrementada en la Edad Media por el influjo ejercido a través de la tradición de la cuentística oriental, particularmente de origen hindú. El

50 VALERIO MÁXIMO, *Facta et Dicta Memorabilia*. Ecos de esta tradición ejemplar se perciben en la Baja Edad Media, cuando se intensifican los clichés de la "literatura a lo divino", particularmente en consonacia con la "devotio moderna", corriente que idealizará la figura de Cristo, a quien se presenta como un auténtico héroe que debe ser imitado; es este el clima que hará nacer una de las obras más influyentes en la espiritualidad cristiana: *La imitación de Cristo* de Tomás de Kempis.

51 AVENOZA VERA, G., "La traducción de Valerio Máximo del Ms. 518 de la Biblioteca de Catalunya", *Revista de Literatura Medieval,* II (1990) 141-158.

"exemplum" había desempeñado también en esta religión una función ético-moral, a la que fue siempre tan sensible la literatura oriental y, por ello, las literaturas europeas medievales cristianizarán un género literario que tenía tras sí una larga tradición. El didactismo se revestía así de una impronta existencial que convertía al "exemplum" en el mejor instrumento para la enseñanza moral, que modela las conductas. Las viejas colecciones hindúes pasarán, pues, a los repertorios medievales, principalmente a través de la cultura árabe, que hace de puente. Asimismo, la experiencia oriental de utilizar estos cuentos con una finalidad religiosa favorecía esta recepción entre los pedagogos del cristianismo occidental.

Durante los siglos XII, XIII y XIV, estos cuentos adquieren su período de máxima expansión. El adoctrinamiento programado en el IV Concilio de Letrán (a. 1215) favorecía este tipo de literatura, de la que se extrae una ejemplaridad, fácilmente asequible a la mente del hombre medieval, poco habituado a razonamientos abstractos. El ejemplo será utilizado particularmente en la predicación, que potenciarán las órdenes mendicantes, especialmente los dominicos y los franciscanos. El ejemplo reúne perfectamente las dos cualidades que ha de tener la creación literaria, según las categorías de la época: deleita y sirve de aprovechamiento.

La funcionalidad que el ejemplo desempeñó en la predicación medieval favoreció la compilación de "ejemplarios", que facilitaban la consulta y la utilización por los propios predicadores. Fue tal la difusión de estos ejemplarios que la autoridad eclesiástica los vio como peligrosos, al incidir muchos de ellos en elementos excesivamente pintorescos y fabulosos que convertían el sermón en una simple anécdota, excesivamente deleitosa, al margen de la piedad y el fervor que debía producir la exhortación del predicador.

V.6.2. HACIA UNA TIPOLOGÍA DEL GRUPO GENÉRICO

A pesar de las reservas que imponen las propias colecciones, en cuanto a la forma y al contenido, y la difícil delimitación terminológica ("libros de sentencias", "catecismos ético-morales", "libros de apólogos", "ejemplarios", etc.), así como la imposibilidad de señalar con precisión una división del género entre el siglo XIII y el siglo XIV, se puede decir que se trata de un grupo genérico con unas características literarias bien precisas[52]. Los ejemplarios estaban formados por narraciones cortas, de las que se desprendía una moraleja, aplicable al campo ético-moral. La unidad narrativa dependía de las distintas técnicas utilizadas por los

52 LÓPEZ ESTRADA, F., "Prosa narrativa de ficción", en G.R.L.M., Vol. IX *La littérature dans la Peninsule Ibérique aux XIVe et XVe siècles*, Heidelberg, Carl Winter-Universitätsverlag, 1985, pp. 15-44.

compiladores. La mayoría de estos ejemplarios tienen también como nota común su procedencia principalmente del mundo oriental. La finalidad moralizante, a modo de "avisos" o "castigos", sería otro de los ingredientes caracterizadores del grupo genérico. El marco narrativo, sin embargo, es variable; en unas colecciones predomina más el didactismo, con escasa presencia de elementos narrativos; en otras, por el contrario, la ficción narrativa, sin alcanzar todavía un valor autónomo, ya cuenta con amplio desarrollo.

V.6.3. LOS EJEMPLARIOS DE LOS SIGLOS XIII Y XIV

V.6.3.1. Problemas de crítica externa

La primera de estas colecciones de ejemplos orientales es la *Disciplina Clericalis*, obra a la que ya se hizo alusión al tratar de la prosa latina. Su contenido es una mezcla de sentencias, procedentes de filósofos árabes, a las que se añade una ejemplificación de claras e inconfundibles resonancias orientales. La difusión de esta colección fue enorme. Los manuscritos conservados llegan casi al centenar, si bien no se conoce ninguna versión en castellano medieval.

A medida que las lenguas romances van ganando parcelas al latín, las colecciones de ejemplos inundan las literaturas románicas de los siglos XIII y XIV. Los códigos ético-morales del cristianismo, cultura dominante de la época, serán los puntos de mira de sus autores, vinculados a la Iglesia, bien por vía de ministerio, bien por afinidad ideológica, aunque jurídicamente sean laicos. Berceo, Juan Ruiz, don Juan Manuel, el Arcipreste de Talavera, son algunos nombres que, aunque estudiados en otros apartados de este manual, son deudores a este grupo genérico, de características literarias comunes, denominado literatura del "exemplum".

Se puede decir que este grupo genérico se inicia en lengua castellana con el *Calila e Dimna*, traducido del árabe en torno a 1251, según la opinión más generalizada, cuando Alfonso X era aún infante. Son muchas y muy divergentes las hipótesis que se han formulado para explicar el origen de la colección y la difusión en otras lenguas[53]. Establecer el árbol genealógico de esta colección es un auténtico reto para una parte de la crítica. Muchos de los materiales proceden del *Panchatantra* indio, al que se han añadido otros elementos de origen árabe, persa y algunos de difícil identificación. Todo este material adquirió una amplia difusión, siendo traducido al siríaco, hebreo, latín, griego y persa, configurándose, de esta manera, como una de las obras que mereció una más amplia aceptación entre culturas tan diferentes.

---

53 MONTIEL, I., *Historia y bibliografía del Libro de Calila e Dimna*, Madrid, Editora Nacional, 1975.

El *Sendebar* o *Libro de los engannos e los asayamientos de las mujeres*, según la denominación más común, fue traducido al castellano, en 1253, por mandato de infante don Fadrique, hermano de Alfonso X. Como en el caso del *Calila e Dimna*, el material literario procede de la India, en una primera versión sánscrita, siendo traducido posteriormente al pahleví y al árabe, de donde derivaría la versión castellana. Fue un libro común en la Europa medieval, conservándose numerosas versiones en varias lenguas europeas, aunque con notables variantes en relación con la tradición oriental.

La *Leyenda de Barlaam y Josafat* constituye, asimismo, una de las tradiciones literarias más fecundas en el mundo medieval, con resonancias en varias literaturas[54]. La materia oriental, informada con los esquemas del didactismo budista, es acomodada al mundo cristiano en una versión griega, que pudiera ser considerada como un intento de adaptar al cristianismo la historia de Buda. Las coincidencias, principalmente de naturaleza ético-moral en las dos religiones, favorecían estos contactos, que se observan en el cristianismo primitivo, a través de los Santos Padres y los anacoretas. El protagonista de este didactismo es el hijo del rey de la India, el príncipe Josafat, a quien su padre mantiene apartado en su palacio para que no conozca las miserias del mundo. Sin embargo, la casualidad hace que el eremita Barlaam tome contacto con el joven, a quien el sabio enseña las doctrinas cristianas. El príncipe se convierte al cristianismo, renuncia a la corona y sigue la senda de la vía eremítica. Esta misma materia narrativa será recogida por don Juan Manuel (*Libro de los Estados*), por Lope de Vega (*Comedia de Barlaam y Josafat*) y por Calderón de la Barca (*La vida es sueño*).

El *Libro de los enxemplos por A, B, C*, es la más extensa colección de ejemplos y sentencias de la literatura medieval española. Fue compilada y traducida, a principios del siglo XV, por Clemente Sánchez Vercial. Frente a los ejemplarios anteriores, tiene como novedad el ordenamiento con criterios alfabéticos, sin marco narrativo alguno. Con ello se facilitaba su consulta y se convertía en auténtico instrumento auxiliar para la predicación. De esta manera, el predicador disponía de unos materiales con los que podía fácilmente amenizar e ilustrar sus doctrinas; este ordenamiento alfabético había sido utilizado con anterioridad en el *Speculum laicorum*, escrito en el siglo XIII, aunque la versión castellana no se realiza hasta mediados del siglo XV. El mismo título indica la preocupación del didactismo cristiano por ofrecer al laico cortesano obras de edificación religiosa en la misma línea que la seguida por don Juan Manuel. En este momento ya son muchos los laicos que saben leer; por ello, estas versiones romanceadas les servían de lectura espiritual; las órdenes men-

54 HIRAM PERI, P., *Der Religiondisput der Barlaam-Legende, ein motiv Abendländischer Dictung*, Salamanca, Acta Salmanticentia, T. XIV, n. 3, 1959.

dicantes, particularmente franciscanos y dominicos, favorecían y apoyaban este tipo de obras.

El *Libro de los gatos* es otro ejemplario, escrito a principios del XV. Los protagonistas son animales, según la tradición de otros ejemplarios medievales, como el *Calila e Dimna*. Los distintos ejemplos no están insertados en un marco narrativo, antes bien constituyen unidades autónomas. El autor-traductor castellano se basó en las *Fabulae* o *Narrationes* de Odón de Chevitón, clérigo inglés del siglo XIII, quien, a su vez, utilizó a Ésopo y otras fuentes orientales, tan propensas a utilizar a los animales como protagonistas de los cuentos. Conviene decir que el término "gato", que aparece en el título, posiblemente nada tenga que ver con dicho animal, sino que pudiera estar utilizado en sentido metafórico, como "ladrón, ratero que hurta con astucia y engaño"; apoyaría esta interpretación el hecho de que el autor español amplió los comentarios moralizadores con una fuerte dosis de sátira social, dirigida a los sectores más influyentes de la sociedad[55].

V.6.3.2. Estructura narrativa

El cuadro narrativo, en el que se van insertando los distintos ejemplos, se presenta como marco aglutinador que hace que las unidades, hasta cierto punto independientes, formen una obra completa y tengan una entidad propia. Presentar y determinar los esquemas narrativos que adoptan los distintos ejemplarios es uno de los aspectos hacia donde se inclina la nueva crítica. Se había insistido, quizás demasiado, en la identificación de las fuentes con detrimento de los aspectos formales que pueden ofrecer las peculiaridades de estilo narrativo "para poder establecer la deuda de la narrativa occidental con la cuentística oriental"[56].

Un aspecto que conviene subrayar es que, si bien la transmisión de estas colecciones en los siglos XII y XIII se realizó por vía escrita, parece lógico suponer, habida cuenta de la naturaleza tradicional de muchos de estos ejemplos, que hubieron de tener una fase oral previa. El éxito de estas versiones orales pudo haber sido la causa inmediata para ser configurados por escrito. El grado de tradicionalidad que pudieron haber alcanzado muchos ejemplos de la materia oriental explicará, asimismo, la importancia de algunos de ellos en autores occidentales, como Juan Ruiz, quien utilizará procedimientos de engarce semejantes a los orientales. La fase tradicional de algunos de estos ejemplos podría explicar las diferencias existentes entre las diversas versiones occidentales de la materia oriental. Por tanto, no parece que pueda excluirse el trasvase, por vía oral, de una tradición a la otra.

---

55 DIEZ BORQUE, J. M.-BORDONADA, A. E., "La prosa en la Edad Media", en *Historia de la Literatura Española (hasta s. XVI)*, planeado y coordinado por J. M. Diez Borque, Madrid, Guadiana, 1974, p. 392.

56 LACARRA, M. J., *Cuentística medieval en España: los orígenes*, Zaragoza, Universidad, 1979, p. 47.

Son varias las formas de integración narrativa que adoptan los ejemplarios orientales, que influirán, a su vez, en la evolución de las colecciones occidentales. En un primer momento, los ejemplarios occidentales estaban destinados casi únicamente a ser materia auxiliar para la predicación; de ahí que su estructura externa tomase como criterio, bien el orden alfabético, bien la naturaleza temática. Esta estructuración buscaba más bien lo funcional que lo artístico; por ello, se elige una clasificación que favoreciese y facilitase rápidamente su consulta. Con las traducciones de los ejemplarios orientales se opera un nuevo sistema de integración del ejemplo con técnicas de unificación literaria oriental, que se podría resumir, según María Jesús Lacarra[57], en las siguientes estructuras narrativas:

1. "Novela marco".- El conjunto narrativo comprende una historia principal, cuyo desarrollo se interrumpe por la inserción de historias subordinadas, cuya funcionalidad está al servicio de la acción principal, siendo utilizadas por el narrador para resaltar la intencionalidad que persigue el conjunto. El *Sendebar* sería, a juicio de Lacarra, uno de los modelos más perfectos de esta estructura narrativa de "novela marco". La colección comienza contando las aventuras del joven infante condenado a muerte por la falsa acusación de una mujer (historia principal), pero al llegar al punto culminante, la historia principal se interrumpe por la inserción de historias secundarias.

En el *Calila e Dimna* también existiría esta técnica narrativa, concediéndose, en este caso, gran importancia a los receptores de los cuentos.

Asimismo, la *Leyenda de Barlaam e Josafat*, versión cristiana de la leyenda de Buda, se constituiría en la "tercera obra que contribuyó a difundir por occidente el sistema de inserción de cuentos"[58].

2. La "caja china".- Sería la segunda técnica narrativa empleada por los ejemplarios para insertar sus historietas. En realidad, es una complicación de la técnica anterior: un personaje de la historia principal pasa a contar otro relato, el cual, a su vez, contiene otro y, así, sucesivamente. De esta manera, este procedimiento admite un número indefinido de ejemplos. No es muy frecuente esta técnica narrativa en estos ejemplarios, ya que exigía una gran habilidad en el compilador. El Capítulo V del *Calila* sería el exponente más representativo de esta técnica.

3. El "ensartado".- Es, en la clasificación de Lacarra, el tercer procedimiento para insertar ejemplos. Es el más utilizado en los ejemplarios. En este caso, los distintos relatos independientes quedan unificados tan sólo por "poseer un personaje central único o protagonista". Este personaje puede ser mero espectador que relata un suceso en el que él no intervie-

57 *Ibidem*, pp. 47-76.

58 *Ibidem*, p. 58.

Ilustraciónes de Calila e Dimna

ne ("ensartado cuento"), o, por el contrario, puede participar en la acción dando emotividad ("ensartado activo"). En este sentido itinerante, el viaje fue utilizado como marco para ensartar y estructurar la materia de los ejemplarios.

En otras ocasiones, se establece un diálogo previo entre el narrador y su auditorio ("marco dialogado"); se trata de un mero formulismo tópico y ritual, cuya única funcionalidad es asegurar la atención del público. No obstante, el procedimiento más común en la inserción de ejemplos, utilizado por los compiladores medievales, es atribuir el relato a un narrador ficticio, utilizando el estilo directo ("inserción directa").

V.6.3.3. Los temas

La sabiduría es el tema predilecto, tanto de los ejemplarios como de las colecciones de sentencias. Es una sabiduría con unas características muy particulares, en consonancia con el inmovilismo y estatismo que caracterizan a la época medieval[59]. El caudal sapiencial, desde esa perspectiva, es algo ya cerrado ("no ay en el mundo cosa que ya dicha non sea", dirá don Juan Manuel), adquirido por los sabios de época remota. La sabiduría, como depósito, no necesita acrecentarse, sino profundizar en los elementos de ella ya conocidos. Lo sapiencial queda, pues, reducido a un problema puramente didáctico y pedagógico: saber transmitir y comunicar el legado sapiencial a todos los hombres (*traslatio sapientiae*). Es este un tópico en una gran parte de los prólogos de los ejemplarios y colecciones de sentencias.

59 *Ibidem*, p. 99.

La sabiduría es el mejor bien al que el hombre puede aspirar en la tierra. Sus atributos no dejan lugar a dudas. La sabiduría es superior a las riquezas; por la sabiduría el hombre adquiere fama y se hace inmortal. De ahí que quien la posee, tiene un gran tesoro. Sin embargo, los textos recuerdan el aforismo de Hipócrates: *Ars longa, vita brevis.*

Esta sabiduría es más práctica que erudita, en consonancia con las categorías sapienciales orientales. Desde esta perspectiva, sabio no es tanto el que posee erudición cuanto el que ha aprendido a vivir. He aquí otra de las características de este conocimiento: ha de llevarse a la práctica ("el saber sin el obrar es como el árbol sin fruto"[60]). La fuerza de la sabiduría impele a quien la posee a transmitirla y comunicarla en beneficio de otras personas. El bien —y la sabiduría es el mejor bien— debe difundirse. Para ello se utilizarán aquellos métodos que faciliten un aprendizaje, gradual y ameno, expuesto en los distintos prólogos escritos por los autores y traductores.

Esta orientación existencial de la sabiduría explica las resonancias ético-morales que subyacen en todas las colecciones. La sabiduría se convierte en una especie de filosofía moral con una fuerte carga de orientación social, con las naturales limitaciones que este concepto tiene en la Edad Media. La fidelidad, la amistad, la justicia, son consideradas como virtudes que favorecen la convivencia humana. En líneas generales, existía una coincidencia entre los postulados morales del mundo

Ilustraciónes de Calila e Dimna

60 *Ibidem*, p. 115.

oriental y determinados postulados y preceptos morales del cristianismo, lo que explica la favorable acogida que esta literatura tuvo en la sociedad occidental. En aquellos casos en los que pudiera existir una cierta distorsión con la moral cristiana, derivada de la ejemplaridad propuesta, asistimos a un proceso de cristianización o adaptación (*Dichos de los Santos Padres*, de Pedro de Baeza).

La misoginia, especialmente en el *Sendebar*, se convierte en el hilo conductor de muchos ejemplos. Asimismo, la predestinación es otro tema muy frecuente y reiterativo; el destino del hombre está marcado desde su nacimiento y es inmutable; el sabio, el "entendido", lo único que puede hacer es descubrirlo y averiguarlo con la ayuda de determinadas ciencias, como la astrología, pero nunca modificarlo. La única respuesta es la resignación, patrimonio exclusivo del sabio.

El vasto *corpus* de ejemplarios se convertirá en el principal material para el predicador medieval, observándose una lenta, pero progresiva secularización. Si en una primera fase estas colecciones tienen como destinatarios exclusivamente a los clérigos (por ejemplo, la *Disciplina Clericalis*), más tarde los propios clérigos las adaptan para que se aprovechen de sus enseñanzas los laicos; y, por último, serán los laicos quienes las utilicen para instruir y enseñar, como en el caso de don Juan Manuel.

V.6.3.4. Hacia el ocaso de la literatura del "Exemplum"

Los ejemplarios, que habían desempeñado una función de primer orden en la predicación de los siglos XIII y XIV, empiezan a declinar a finales del siglo XV con la llegada del Renacimiento. Varias son las causas que explicarían este ocaso. En primer lugar, un género literario, que se repetía casi mecánicamente sin ningún tipo de originalidad narrativa desde el siglo XIII (recuérdese que los últimos ejemplarios del XV son unidades autónomas sin ningún marco narrativo), estaba llamado a desaparecer por simple desgaste. Por otra parte, el "ejemplo" era, sobre todo, un recurso auxiliar para la predicación popular; a finales del siglo XV se empieza a gestar una reforma de la predicación que da la máxima preferencia a la Sagrada Escritura, a la vez que condena todo tipo de ficción que no estuviese en la Biblia. Era un tipo de predicación destinada a un público elitista, ya fuera eclesiástico (clérigos y monjas), ya fuera cortesano (la corte y su entorno); lo maravilloso y ficticio de los ejemplos medievales no tenían sitio aquí. No obstante, la predicación popular no renunció a un procedimiento pedagógico tan simple, tan natural y, a la vez, tan eficaz[61]. El Barroco español supondrá un nuevo auge de estos

61 RICARD, R., "Aportaciones a la historia del exemplum en la literatura religiosa moderna", en *Estudios de literatura religiosa española*, Madrid, Gredos, 1964, pp. 200-226. FRADEJAS, J., "El más copioso ejemplario del siglo XVI", en *Homenaje a Pedro Sainz Rodríguez*, en *Estudios de Lengua y Literatura*, Madrid, Fundación Universitaria, t. II. 1964, pp. 229-249.

"ejemplarios", constituyendo el "ejemplo" un nuevo género literario que se convierte en el núcleo de una gran parte de la predicación barroca[62].

V.7. LA LITERATURA DE LOS ESPEJOS DE PRÍNCIPES

El programa de instrucción religiosa salido del IV Concilio de Letrán facilitó la difusión de un tipo de literatura que potenciaba un saber práctico, encaminado a perfeccionar la conducta moral, muy en particular, de los jóvenes nobles, para convertirse en espejos en los que se habían de mirar sus súbditos. Nace así un grupo genérico de obras literarias, cuya función era la de educar y formar al príncipe cristiano.

Este grupo genérico tiene también sus precedentes en las literaturas orientales, aunque la orientación de las normas de conducta no se refiera, en aquéllas, sólo a los gobernantes. La conducta que se propone sirve para toda la sociedad, si bien el príncipe, por los peligros que le pueden acechar, debe estar más adiestrado en esta sabiduría.

La llegada a occidente, a lo largo de los siglos XII y XIII, de las colecciones de ejemplos orientales, coincide con la preocupación de la Iglesia por la educación de los príncipes cristianos, tendencia de inspiración netamente agustiniana. A partir de la época carolingia, los tratados de moral toman como preocupación predominante la conducta real. Los ritos de coronación, por ejemplo, iban acompañados de sermones sobre el príncipe perfecto[63]. Asimismo, la fiesta de la Epifanía, que celebraba el reconocimiento de la soberanía de Cristo, propició el desarrollo de este grupo genérico.

Esta preocupación procede, en ocasiones, de la propia realeza; en otras, serán los hombres de letras, quienes se ofrecen para ponerse al servicio de la educación de aquellos que más podían influir en los destinos de los pueblos. Serán las órdenes mendicantes, fortalecidas al amparo de los cánones del Lateranense IV, las que dedicarán sus afanes a instruir a los príncipes y a dar normas a los monarcas. La literatura de príncipes se multiplicará aquí y allá bajo el título de "espejos", "castigos", "flores", "sumas". Guillermo de Perrault, Vicente Beauvais, Santo Tomás de Aquino, Gilberto de Tournai, son algunos de los autores que iniciaron estos tratados para la educación de príncipes y reyes muy concretos. Sin embargo, el autor más destacado de esta corriente fue Egido Romano, quien, por imperativos de la realeza francesa, escribió una obra que tituló, como Santo Tomás, *De regimine principum*, destinada a la educación

62 MOSER-RATH, E., *Predigtmärlein der Barockzeit*, Berlín, Walter de Gruyter, 1964.

63 *Ceremonial para la Coronación y Consagración de los Reyes de España*, Ms. de la Biblioteca de El Escorial.

del príncipe Felipe, primogénito del rey de Francia, Luis X el Atrevido. Las repercusiones que esta obra tuvo en la creación literaria castellana, aunque han sido esbozadas ya[64], están exigiendo un estudio monográfico, en el que se ofrezcan los rasgos tipológicos del género. Por el momento, interesa señalar que los tratados *De regimine principum* utilizarán el ejemplo como elemento didáctico y pedagógico, juntamente con las sentencias y máximas.

En la Península también adquirió amplia difusión este tipo de literatura, destinada a dar orientaciones a quienes iban a dirigir los destinos del reino. Con este fin se escribieron varios tratados, con la novedad de utilizar el romance castellano, bien para facilitar la comprensión de los destinatarios, bien porque sus autores dominasen mejor el romance que la lengua latina.

Con el fin de hacer más patente la consistencia de este grupo genérico, trataremos conjuntamente en este apartado todas aquellas obras, que, a lo largo de los siglos XIII, XIV y XV presentan la misma entidad y tipología genérica.

A lo largo del siglo XIII se pueden consignar varias de estas obras. *Poridad de poridades* (primera mitad del siglo XIII) podría ser considerada como la primera manifestación del grupo; es traducción, con notables diferencias, del *Secretum secretorum*, obra seudoaristotélica, que difunde el magisterio de Aristóteles sobre Alejandro Magno, arquetipo del príncipe perfecto. Recuérdese que el *Libro de Alexandre*, en la versión del mester de clerecía, responde igualmente a esta orientación de "espejos de príncipes", lo mismo que los paralelos franceses.

El *Libro de los doce sabios* o *Tratado de nobleza y lealtad* fue compuesto, hacia 1237[65], por encargo de Fernando III; en esta obra se ponen "por escrito todas las cosas que todo príncipe e regidor de reyno deve aver en sy e de cómo deve obrar en aquello que a él mismo pertenece... como espejo".

La *Segunda Partida*, de las siete que componen la gran obra jurídica del Alfonso X, es un auténtico tratado que reglamenta las actividades del príncipe cristiano. Su hijo, Sancho IV, patrocinó los *Castigos e documentos*, destinados a la educación de su hijo, Fernando. Tanto en su estructura como en su temática, sigue la misma línea de los espejos de príncipes europeos, tomando ejemplos de la Sagrada Escritura, a los que se añaden apólogos orientales y sentencias de autores clásicos.

Los Bocados de Oro, considerado más bien como libro de sentencias o como catecismo ético-moral, tiene abundantes orientaciones didácti-

---

64 RUBIO, P. L., "*De regimine principum*, de Egido Romano, en la literatura castellana de la Edad Media", *La Ciudad de Dios*, CLXXIII (1960)33-71; y CLXXIV, pp. 645-667.

65 Edic. de John WALSH, Madrid, *Anejo del Boletín de la Real Academia Española*, n. XXIX, 1975

cas, destinadas a la educación de príncipes. Los "dichos", "fechos" y "castigamientos" de los sabios y filósofos de la Antigüedad se dirigen reiteradamente a modelar la conducta real. En este mismo sentido, hay claras resonancias de los espejos de príncipes en el *Libro de los cien capítulos* (el título es engañoso, porque sólo presenta cincuenta), en el que la estructura narrativa aparece salpicada de apólogos y sentencias. Asimismo, la Parte III de *El Libro del Caballero Zifar* es deudora a la tradición de los espejos de príncipes, a través de *Flores de Filosofía*, la *Segunda Partida* y los *Castigos y Documentos.*

Durante el siglo XIV, se sigue prodigando la literatura de príncipes. Tal es el caso de la obra titulada *Libro del consejo e de los consejeros*, inspirada en el *Liber Consolationis et consilii* (1246) de Alberto de Brescia; en el prólogo de la versión castellana se alude muy claramente a los destinatarios: "E fize este libro a loor de la Santa Trinidad, e de sí a honra e servicio de los reyes que han de venir de aquí adelante... Más señaladamente conviene a los reyes e aquellos que tienen estado de honra e de grado". A mediados del siglo XIV, Fray Juan García de Castrojeriz escribe su *Regimiento de príncipes*, traducción al castellano de la obra de Egidio Romano con abundantes glosas para facilitar la comprensión de la obra latina que, por aquel entonces, ya había alcanzado gran resonancia; esta traducción y glosa adquirió, asimismo, una amplia difusión, si tenemos en cuenta los manuscritos conservados de dicha obra[66].

La educación del príncipe cristiano ocupó una buena parte de la producción literaria de don Juan Manuel, aunque no haya seguido directamente la obra de Egido Romano; sin embargo, la fuerte personalidad de este autor exige un tratamiento individualizado. También se ha querido relacionar una parte de la obra de Pero López de Ayala con los espejos de príncipes[67].

Durante el siglo XV, decae la literatura de príncipes, debido, en cierta manera, a que las *Glosas* de García de Castrojeriz resultaban ser un texto ameno y fácilmente comprensible. No obstante, existen algunos manuscritos inéditos. De la Biblioteca de El Escorial es necesario citar determinadas obras de Mosén Diego de Valera, como *Espejo de nobleza*, dedicada a Juan II; *Ceremonial de príncipes*, destinada a Enrique IV, y *Doctrinal de Príncipes*, dirigida a Fernando el Católico. En este mismo sentido, habría que citar a Rodrigo Sánchez de Arévalo, cuyo *Vergel de príncipes*, en honor de Enrique IV, guarda estrecha relación con la obra

---

66 RUBIO, P. L., "Manuscritos españoles del *Regimiento de príncipes*", *La Ciudad de Dios*, 87 (1911)112-113; Idem, "Códices escurialenses que contienen la traducción de la obra *De Regimine principum*", *Religión y Cultura*, 12 (1930)208-223; CASTROJERIZ, Fray Juan de, *Glosa castellana al Regimiento de Príncipes*, edic. de Juan PENEYTO PÉREZ, Madrid, 1947-48, 3 vols.

67 SEARS, H. L., "The *Rimado de Palacio* and the *De Regimine principum* tradition of the Midle Ages", *Hispanic Review*, 20 (1952)1-27.

de Egidio Romano. Por su parte, Álvaro de Luna gozó de una cierta admiración por parte de algún representante de la orden de los agustinos, muy en particular de Fray Juan de Alarcón, quien le dedicó su *Libro de regimiento de señores.* A todos estos tratados habría que añadir composiciones y poesías sueltas, como las tituladas "Regimiento de Príncipes" de Gómez Manrique, dirigida a los Reyes Católicos, o "Dechado e regimiento de príncipes", de Fray Íñigo de Mendoza, en honor de Isabel la Católica.

V.8. DON JUAN MANUEL: ENTRE LA LITERATURA DE "ESPEJOS DE PRÍNCIPES", LA LITERATURA DEL "EXEMPLUM" Y LA ESPECULACIÓN TEOLÓGICA

V.8.1. PERFIL HUMANO, POLÍTICO Y LITERARIO

Con don Juan Manuel la prosa medieval castellana adquiere su máxima madurez, a la vez que queda marcada por un fuerte didactismo. Sus escritos son, al mismo tiempo, un reflejo de su perfil humano y político, que es necesario conocer, si se quiere penetrar en su significación literaria. Hombre de alto linaje —siempre actúa desde la perspectiva de su rango social—, tuvo un gran prestigio entre el público nobiliario al que preferentemente van dirigidas sus obras. Su conciencia de clase y su preocupación por sus "onras" y sus "faziendas" son una constante, tanto en sus escritos como en los avatares de su existencia, frecuentemente empeñada en conflictos bélicos[68].

La aristocracia nobiliaria, a la que pertenece don Juan Manuel, no fue obstáculo para adquirir una profunda formación humanística; en él se conjugan, sin divorcio alguno, las armas y las letras. Como intelectual de su tiempo, sigue muy de cerca las disquisiciones teológicas de la mano de los dominicos, institución religiosa por la que siempre manifestará sus preferencias intelectuales. Esto explicará el tomismo que sazona sus obras, desde la utilización del "exemplum" —los dominicos destacan en ese momento por sus predicaciones, que justifican su apodo de "Ordo Praedicatorum"— hasta su defensa del dogma asuncionista, sin olvidar su pensamiento social. Por otra parte, su actitud, de inquebrantable ortodoxia, apologética y racionalista, en consonancia, a la vez, con el *fides quaerens intellectum;* su obsesivo interés por defender la posibilidad de una santificación cristiana en todos y cada uno de los estados, sin renunciar a los bienes materiales, muestra, asimismo, su afinidad y cercanía con su posición estamental. Trabajar por acrecentar sus "ondras et fa-

68 GIMÉNEZ SOLER, A., *Don Juan Manuel. Biografía y estudio-crítico*, Zaragoza, Academia Española, 1932.

ziendas" no es incompatible con el deseo de salvar su alma; por eso escribe: "deseando que los omnes fiziessen en este mundo obras que les fuessen aprovechosas de las onras et de las faziendas et de sus estados, et fuessen más allegados a la carrera porque pudiessen salvar las almas"[69].

Don Juan Manuel es, pues, un aristócrata y un intelectual, dos categorías de las que en todo momento tiene conciencia y de las que se siente orgulloso. Las afirmaciones de modestia intelectual, con las que se presenta en alguno de sus prólogos, hay que interpretarlas desde el código de la falsa humildad, tópico literario bien conocido, que tiene como finalidad captar la benevolencia de su público.

Es ya tópica la comparación entre la actitud literaria de don Juan Manuel y la del Arcipreste de Hita; mientras éste ofrece su obra a todo lector para que la enmiende y la corrija, "si bien trovar supiere", aquél, por el contrario, se muestra temeroso de que alguien pudiera alterar sus escritos. Tiene clara conciencia de autoría en el doble sentido que la palabra tiene: en cuanto que el autor es responsable de la transmisión textual de sus escritos, y, además, en cuanto que tiene los derechos de propiedad intelectual. La historieta sobre el caballero y el zapatero que ilustra el prólogo de sus obras es, en este sentido, bien significativa. El temor a que los copistas pudiesen adulterar sus textos le lleva a depositar los originales de sus obras en el convento de los dominicos de Peñafiel[70]. La conciencia de autoría se corresponde, a su vez, con la voluntad de estilo. Don Juan Manuel se preocupa de dar a su prosa una riqueza léxica y sintáctica, de la que hasta entonces carecía la lengua castellana: "fiz este libro compuesto de las más apuestas palabras que yo pude"[71]. Evita, en lo posible, el cultismo de raíz latina, e intenta sacar las máximas posibilidades de las palabras patrimoniales castellanas, a la hora de ampliar y enriquecer el campo léxico. Sigue, en este sentido, la actitud de su tío, Alfonso X el Sabio[72].

La familiaridad con la teología escolástica, de raíz tomista, también dejó huella en la trabazón lógica y racional que caracteriza a su obra; de ahí la claridad expositiva, utilizando la frase concisa y selecta, casi silogística, en consonancia con el didactismo que informa toda su obra[73]. El escribir "llano et declaradamente" es la norma que preside su escritura. El desviacionismo lingüístico, a base de metáforas, comparaciones y otras figuras estilísticas, es escaso.

---

69 DON JUAN MANUEL, "Prólogo" a *El Conde Lucanor*, edic. de J. M. BLECUA, Madrid, Castalia, 2ª edic. 1971, p. 47.

70 *Ibidem*, p. 48

71 *Ibidem*, p. 52.

72 LIDA DE MALKIEL, M. R., "Tres notas sobre don Juan Manuel", en *Estudios de Literatura española y comparada*, Buenos Aires, Eudeba, 1966, pp. 92-133.

73 MENÉNDEZ PIDAL, R., art. cit., p. 78; LAPESA, R., *Historia de la lengua*, edic. cit., p. 249.

No obstante, en la Segunda Parte de *El Conde Lucanor*, don Juan Manuel cambia de estilo, motivado por don Jaime, señor de Xérica, "que me dixo que querría que los mis libros fablassen más oscuro, et me rogó que si algund libro feziesse, que non fuesse tan declarado"[74]. Esta excursión excepcional por las sendas del conceptismo le valió el título de "primer escritor conceptista"[75].

Celoso de la transmisión textual de sus obras, el propio autor nos dejó la lista de obras que él había escrito, en el "Prólogo" a *El Conde Lucanor* y en el "Prólogo" a las *Obras generales*, aunque presentan notables diferencias. Por otra parte, el códice depositado en el convento de los dominicos de Peñafiel fue destruido en un incendio, lo que dificulta la edición crítica de sus obras[76].

V.8.2. DON JUAN MANUEL ENTRE LA TRADICIÓN DE LOS ESPEJOS DE PRÍNCIPES Y LA LITERATURA DEL EXEMPLUM

En el apartado que se dedicó al grupo genérico de los "espejos de príncipes" ya se insinuó la vinculación de don Juan Manuel con esta tradición literaria. De la nómina de sus obras tienen una tipología afín a dicho grupo genérico *El Libro de los Estados*, el *Libro infinido* y *El Libro de los castigos o consejos*. Los dos últimos están configurados por una serie de mandatos, avisos y consejos que don Juan Manuel escribe para su hijo, Fernando, tomando como base su propia experiencia, la ajena y la aprendida en los libros. *El Libro de los castigos o consejos* viene a ser una síntesis esquemática de *El Libro de los Estados*, a donde remite constantemente el autor. Constituye esta obra uno de los primeros tratados de teología moral estamental, de huellas igualmente tomistas, cuya importancia en la tradición cristiana medieval merecería subrayarse. El autor asienta con claridad que la salvación y la condenación son posibles en cualquiera de los estados que conforman la sociedad medieval (oradores, defensores y labradores). No obstante, su aristocracia, de la que siempre hace gala y en la que se encuentra muy seguro, le traiciona constantemente. La doctrina cristiana, tal como la explica el autor, es acomodaticia a las clases altas tanto de los clérigos como de los defensores; desde esta perspectiva, el príncipe cristiano asegura sus "onras", "faziendas" y "estados", al tiempo que consigue méritos para la salvación de su alma. El tercer estado es tratado con menosprecio y desdén; la salvación de quienes a él pertenecen resulta, si no imposible, sí problemática.

---

74 *El Conde Lucanor*, edic. cit., p. 263.

75 BLECUA, J. M., "El primer escritor conceptista", en *La vida como discurso (Temas aragoneses y otros estudios)*, Zaragoza, Ediciones del "Heraldo de Aragón", 1981, pp. 117-119.

76 DON JUAN MANUEL, *Obras Completas*, edic. de J. M. BLECUA, Madrid, Gredos, 1982, 2 vols.

EL CONDE LVCANOR.
Compuesto por el excelentissimo principe don Iuan Manuel, hijo del Infante don Manuel, y nieto del sancto rey don Fernando.
Dirigido
Por Gonçalo de Argote y de Molina, al muy Illustre señor DON PEDRO MANVEL Gentil hombre de la Camara de su Magestad, y de su Consejo.

Impresso en Seuilla, en casa de Hernando Diaz. Año de 1575.
CON PRIVILEGIO REAL.

Edición del Conde Lucanor de 1575

Son claros los vestigios de la tradición de los "espejos de príncipes", sea mediatizada a través de las adaptaciones castellanas, sea inspirándose directamente en la obra de Egidio Romano, *De regimine principum*[77]. Así, por ejemplo, hay una coincidencia textual en lo referente a la crianza de los hijos, al cuidado del cuerpo, al tema de la guerra y otras cuestiones, en las que eran adiestrados los príncipes cristianos. La jerarquización estamental, dentro de un teocentrismo incuestionable, es la base de la doctrina social y teológica.

V.8.3. EL LIBRO DE LOS ENXIEMPLOS DEL CONDE LUCANOR ET DE PATRONIO

Se trata, sin duda, de la obra más original y, a la vez, más lograda del grupo genérico de la "literatura del exemplum". Si a esto se añade la fuerte personalidad política y social del autor, se comprenderá fácilmente que esta obra ocupe un lugar preferencial en la literatura medieval.

77 RUBIO, F., art. cit., p. 50 y ss.

V.8.3.1. Problemas de crítica textual

La obra, escrita entre 1328 y 1335, se conserva en varios manuscritos, principalmente del siglo XV, con notables divergencias y variantes, que dificultan el acercamiento al texto primigenio[78].

V.8.3.2. Estructura de la obra

El Conde Lucanor aparece externamente estructurado en cinco partes o capítulos bien diferenciados y precedidos, a su vez, de dos prólogos. La crítica ha intentado desvelar una posible estructura profunda, de naturaleza tripartita, según el siguiente esquema: 1. *Parte primera*: los "enxiemplos". 2. *Parte segunda*: proverbios (capítulos II, III y IV); y 3. *Parte tercera*: un tratado doctrinal (capítulo V)[79]. Las connotaciones teológicas, derivadas del dogma trinitario, dejarían su impronta en la creación artística medieval; el arte, como imitación de la naturaleza, que a su vez es manifestación creadora de la divinidad, se define en función de la esencia del Dios Trinitario. Por eso, el número tres tendría esta dimensión simbólica, con la que don Juan Manuel estaría posiblemente muy familiarizado, dejando constancia de ello en la estructura de su obra fundamental.

Los dos prólogos son muy importantes para conocer la actitud literaria del autor, que utilizará una literatura de tono didáctico, dirigida a un público afín a su condición social, para permitirle conjugar el "aprovechamiento de las onras et de las faziendas et de sus estados" y "salvar sus almas". Ya se aludió anteriormente a la conciencia de autoría que propugna don Juan Manuel sobre la obra literaria, como propiedad privada, y al celo con que mima la transmisión textual de sus escritos. Deleitar aprovechando es otra de las máximas para conocer su talante literario. El hombre, a pesar de sus desigualdades, dirá en el segundo prólogo, aprende mejor aquello que más le gusta; por eso, acude al viejo tópico de lo "dulce" y lo "útil" con el símil del médico que endulza la píldora para que aproveche mejor al hígado. Esto explica que el humor, como categoría literaria, sea uno de los ingredientes que sazona esta colección.

Los 51 "enxiemplos" de que consta esta primera parte[80] tienen todos la misma estructura, que sigue los siguientes pasos: ante una situación concreta de tipo existencial, un joven príncipe, Lucanor, pide consejo al

---

78 BLECUA, J. M., *La transmisión textual de "El Conde Lucanor"*, Barcelona, Universidad Autónoma, 1980.

79 ORDUNA, G., "Notas para una edición del *Libro del Conde Lucanor et de Patronio*", *Boletín de la Real Academia Española*, LI (1971)493-511; GIMENO CASALDUERO, J., "*El Conde Lucanor*: composición y significado", en *La creación literaria de la Edad Media y del Renacimiento*, Madrid, Ediciones Porrúa, 1977, pp. 101-112; ROMERA CASTILLO, J., *Estudios sobre El Conde Lucanor*, Madrid, UNED, 1980.

80 Se discutió la autoría del último cuento; véase ENGLAND, J., "Exemplo 51 of *El Conde Lucanor*: the probleme of Authorship", *Bulletin of Hispanic Studies*, LI (1974)16-27; no obstante, la mayor parte de la crítica mantiene la unidad de autor.

sabio Patronio; la enseñanza se realiza por la vía del "exemplum", es decir, una ejemplificación, que eleva a la categoría de representación sensible la doctrina que se prentende transmitir; a continuación se aplica la "estoria" al caso particular que el conde propone, con breves reflexiones sobre el vicio o la virtud; y, por último, unos versos finales sintetizan el contenido conceptual propuesto. Muy posiblemente el texto fuese ilustrado con algunas miniaturas o dibujos, a las que parece aludir la frase reiterativa, al final de cada ejemplo: "Et la ystoria deste exiemplo es esta que sigue". Parece reforzar esta hipótesis el espacio en blanco que se deja al final de cada relato[81].

La estructura narrativa merece también destacarse. Todas las "estorias" están contadas en tercera persona, bien en estilo directo o indirecto. Normalmente todos los relatos poseen una estructura cerrada, unicelular, sin interferencias pluritemáticas, de manera que la disposición de la materia narrativa es siempre lineal en el arte de contar de don Juan Manuel; de ahí la facilidad con que el lector-oyente puede seguir el hilo conductor de la ejemplificación y extraer la consiguiente enseñanza. Esta trabazón lógica de los elementos funcionales va acompañada de una fuerte carga de verosimilitud narrativa, mediante la cual cada personaje se mueve y actúa en su medio ambiente, lo que da al relato una determinada credibilidad didáctica. Esta singular estructura narrativa ha permitido análisis inmanentistas por parte de la crítica semiológica[82].

El pluralismo de tipos humanos, desde los más altos estratos sociales hasta los de ínfima condición social, la combinación de elementos ficticios e históricos, el protagonismo de la personificación de animales, en consonancia con la tradición oriental, la diversidad de las coordenadas espacio-temporales, que sirven de telón de fondo, todo está perfectamente orquestado con una gran habilidad, que hace del autor un inigualable maestro de la cuentística medieval[83].

En la Segunda Parte del libro el autor, a petición de su amigo, Juan de Xérica, prueba los derroteros del conceptismo; en esta parte, el magisterio de Patronio sobre Lucanor se proyecta no por vía del "exemplum", sino por aforismos, llenos de retruécanos, antítesis, sinonimias y oposiciones, que contrastan estilísticamente con la prosa clara y explicativa de los *enxiemplos.*

81 BLECUA, J. M., "Introducción" a *El Conde Lucanor*, Madrid, Castalia, 1971, p. 69, nota 100.

82 BOBES, C., "Sintasis narrativa en algunos esiemplos de *El Conde Lucanor*", en *Comentarios de textos literarios*, Madrid, Cupsa, 1978, pp. 43-86; ROMERA CASTILLO, J., *Estudios sobre El Conde Lucanor...*

83 AYERBE-CHAUX, R., *El Conde Lucanor. Materia tradicional y originalidad creadora*, Madrid, Porrúa, 1975.

V.8.4. TEOLOGÍA Y CREACIÓN LITERARIA EN DON JUAN MANUEL

La última parte de *El Conde Lucanor* es un tratado doctrinal, en el que el autor hace gala de su formación teológica, poniendo en boca de Patronio un verdadero esquema de teología trinitaria, cristológica y sacramentaria. El autor califica la creencia en el dogma trinitario como una de las características fundamentales de la religión cristiana, incluso entre las gentes más sencillas ("lo tiene la begizuela que está filando a ssu puerta al sol"). Las referencias cristológicas, que aparecen en esta parte del libro, se fundamentan en la doble afirmación: Cristo verdadero Dios y verdadero hombre. Sin embargo, es la doctrina sacramentaria la más ampliamente desarrollada en el libro, desde una actitud racionalista y apologética ante el dogma ("Commo es et como puede ser"). Pero hay además un cambio de perspectiva, al alterar el orden tradicional, comenzando por la eucaristía. Don Juan Manuel fundamenta la racionalidad del sacramento eucarístico en la divinidad de Cristo; por ser Dios, su palabra ha de ser eficaz, y todo lo que él haya ordenado se ha de cumplir. Con la misma actitud, explica la necesidad del bautismo; previamente expone su doctrina antropológica, cuyas raíces maniqueas resultan evidentes. El autor parte de la vieja dicotomía entre realidad espiritual/realidad material, ostentando la primacía axiológica lo espiritual. En el ser humano la realidad material y sus secuelas hacen que en el hombre existan muchas "bilezas", empezando por el acto mismo de la generación. En este punto don Juan Manuel recoge la doctrina rigorista de algunos teólogos medievales sobre el acto sexual dentro del matrimonio. Para esta corriente el amor sexual era pecaminoso y no cambiaba de signo moral, aunque su objeto fuera la propia esposa (*amator ardentior in suam uxorem adulter est,* rezaba un viejo aforismo medieval). No se afirmaba que el acto generativo fuese intrínsecamente malo; sin embargo, las circunstancias que lo rodean (deleite, pasión, deseo) hacían de él algo malo. La corriente doctrinal laxista estaba representada por Alberto Magno, para quien el placer que conlleva el acto generativo no era pecado, pues en el hipotético estado de naturaleza pura (la historia humana sin pecado original) este placer hubiera sido incluso más intenso. Don Juan Manuel sigue la doctrina rigorista que va desde San Gregorio, pasa por Hugo de San Victor y llega hasta Pedro Lombardo. Desde esta perspectiva, se explicará muy sencillamente uno de los problemas más espinosos de toda la especulación teológica: la transmisión del pecado original. El deleite que comporta el coito matrimonial sería el elemento que nos vincula al pecado original. Pues bien, sigue razonando don Juan Manuel por boca de Patronio, si todos nacemos irremisiblemente con este pecado, era necesario crear un remedio: el bautismo. Sobre los demás sacramentos el autor no ofrece ninguna explicación, porque los considera ya suficientemente inteligibles, una vez demostrada la racionalidad de los que él considera más difíciles de comprender.

Particular significación tiene, desde la perspectiva literario-teológica, su *Tractado de la Asunción*, una obra que hay que enmarcar dentro de la polémica sobre las doctrinas de la inmaculada concepción de María y de su asunción a los cielos[84]. Fueron cuestiones teológicas que dividieron a las distintas órdenes religiosas en la Edad Media[85]; los dominicos, defensores de las tesis asuncionistas, no así de su concepción inmaculada, se convirtieron en los grandes defensores de una cuestión que, en aquel momento, no era dogma de fe. Don Juan Manuel, en perfecta sintonía con la religiosidad eminentemente intelectual y racional de la orden de Santo Domingo, dedicará este tratado al Prior de los Dominicos de Peñafiel, a quien explicará las razones "por que omne del mundo non deve dubdar que sancta María non sea en el çielo en cuerpo e en alma".

84 BOVER, J. M., *La Asunción de María*, Madrid, Biblioteca de Autores Cristianos, 1948.

85 GRAEF, H., *María. La Mariología y el culto mariano a través de la historia*, traduc. española, Barcelona, Herder, 1968.

V.9. BIBLIOGRAFÍA

V.9.1. EDICIONES DE TEXTOS PROSÍSTICOS CASTELLANOS

V.9.1.1. Desde los orígenes al siglo XIII

La Fazienda de Ultramar, edic. de Moshe LAZAR, Salamanca, 1965.

Calila e Dimna, edic. de A. GARCÍA SOLALINDE, 1917.

Calila e Dimna, edic. de P. GAYANGOS, Madrid, BAE, Atlas, 1952.

Calila e Dimna, edic. J. E. KELLER y R. W. LINKER, Madrid, Clásicos Hispánicos, C.S.I.C., 1967.

Bocados de Oro, edic. de M. CROMBACH, Bonn, Romanische Versuche und Vorarbeiten, 37, 1971.

Pedro Alfonso, *Disciplina Clericalis*, edic. de A. GONZÁLEZ PALENCIA, Madrid-Granada, 1948.

Pedro Alfonso, *Disciplina Clericalis*, Introduc. y notas de María Jesús LACARRA. Traduc. de Esperanza DUCAY, Zaragoza, 1980.

Historia de la doncella Teodor, edic. de W. METTMANN, Mainz, 1962.

Flores de Filosofía, edic. de H. KNUTS, en *Dos Obras didácticas y dos leyendas*, Madrid, Bibliófilos Españoles, 1878.

Libro de los Cien capítulos, edic. de A. REY, Bloomington, 1960.

Libro del Consejo, edic. de A. REY, Bloomington, 1960.

Libro de los engaños, edic. de J. E. KELLER, Valencia, 1959.

Lucidarios españoles, edic. de R. P. KINKADE, Madrid, Gredos, 1968.

Poridad de poridades, edic. de H. KNUTS en *Dos obras didácticas y dos leyendas*, Madrid, 1878.

Poridad de poridades, edic. de L. A. KASTEN, Madrid, 1957.

Sendebar. Versiones castellanas del Sendebar, edic. de A. GONZÁLEZ PALENCIA, Madrid, 1946.

Sendebar, edic. de José FRADEJAS LEBRERO, Madrid, Editora Nacional, 1981.

Diez mandamientos edic. de A. MOREL FATIO, en *Romania*, 16 (1887) 379-382.

Libro de los doze sabios, o *Tratado de la nobleza y lealtad (ca. 1237)*, Madrid, Anejo XXIX del Boletín de la Real Academia Española, 1975.

V.9.1.2. Alfonso X el Sabio

Antología de Alfonso X el Sabio, edic. de A. GARCÍA SOLALINDE, Madrid, Espasa-Calpe, "Colección Austral", n. 169, 1960.

General Estoria, I, edic. de A. GARCÍA SOLALINDE, Madrid, C.S.I.C., t.I, 1930. *General Estoria, II*, edic. de A. GARCÍA SOLALINDE, L. A. KASTEN y V. R .B. OELSCHLAGER, Madrid, C.S.I.C., 1957-61

Setenario, edic. de K. H. VANDERFORD, Barcelona, Editorial Crítica, 1984.

Lapidario, edic. de M. BREY MARIÑO, Madrid, Castalia, "Odres Nuevos", 1970.

Libro de las cruces, edic. de L. A. KASTEN y L. B. KIDDLE, Madrid-Madison, 1961.

Obras (Selección), edic. de F. J. DÍEZ REVENGA, Madrid, Taurus, 1985.

Primera Crónica General, edic. de MENÉNDEZ PIDAL, Madrid, [1ª edic.1906; 2ª edic. 1955], Madrid, Seminario Menéndez Pidal-Gredos, 1977.

Siete Partidas, edic. de la Real Academia de la Historia, Madrid, 1807; Barcelona, 1843-44.

V.9.1.3. Textos del siglo XIV

Biblia medieval romanceada judía cristiana, edic. de E. LLAMAS, Madrid, C.S.I.C., 1950-55.

Biblia medieval romanceda según los manuscritos escurialenses I-j-3, I-j-8, I-j-6, edic. de A. CASTRO, A. MILLARES y A. BATTISTESA, Buenos Aires, 1927.

Baladro del sabio Merlín, edic. de P. BOHÍGAS, Barcelona, Selecciones Bibliográficas, 1957-1962.

Castigos y documentos del Rey Don Sancho, edic. de P. GAYANGOS, B.A.E., Madrid, Atlas, 1952.

Leyenda del cavallero del cisne, edic. de E. MAZORRIAGA, Madrid, 1914.

Libro de la montería, edic. de J. GUTIÉRREZ DE LA VEGA, Madrid, 1877.

LÓPEZ DE AYALA, *Libro de la cetrería o de las aves de caza*, edic. modernizada de José FRADEJAS LEBRERO, Madrid, Castalia, "Odres Nuevos", 1959.

Libro del cavallero Zifar, edic. de Ch. P. WAGNER, Anales Arbor, 1929.

Libro del caballero Zifar, edición de J. GONZÁLEZ MUELA, Madrid, Clásicos Castalia, 1982.

Libro del caballero Zifar, edic. de C. GONZÁLEZ, Madrid, Cátedra, 1983.

V.9.1.4. Don Juan Manuel

Obras de Don Juan Manuel, edic. de P. GAYANGOS, B.A.E., LI, Madrid, Atlas, 1952.

Obras Completas, edición, prólogo y notas de J. M. BLECUA, Madrid, Gredos, 1982-1983, 2 vols.

Libro de la caza, edic. de J. M. CASTRO Y CALVO, Barcelona, 1945.

Libro infinido y Tractado de la Asunción, edic. de J. M. BLECUA, Granada, 1952.

Obras. Cavallero et escudero y Armas, edic. de J. M. CASTRO Y CALVO y M. DE RIQUER, Barcelona, 1955.

Crónica Abreviada, edic. de R. L. y M. B. GRISMER, Minneapolis, 1958.

Conde Lucanor, edic. de J. M. BLECUA, Madrid, Castalia, n.9, 1969.

Libro de los estados, edic. de I. MACPHERSON y R. B. TATE, Oxford, Clarendon, 1974.

V.9.2. ESTUDIOS CRÍTICOS

AA.VV., *La Littérature Historiografhique des origines a 1500*, en G.R.L.M., Vol. XI, 1, Heidelberg, 1986. Obra de gran importancia para comprender la historiografía medieval.

AYERBE-CHAUX, R., *"El Conde Lucanor": materia tradicional y originalidad creadora*, Madrid, Porrúa, 1975.

BAÑOS VALLEJO, F., "El Arcipreste de Talavera como hagiógrafo", en *Actas del II Congreso de la Asociación Hispánica de Literatura Medieval* (Segovia, 1987), Alcalá de Henares, 1991, pp. 217-230.

BATTAGLIA, S., "L'esempio medievale", *Filologia Romanza*, VI (1959)45-82.

———, "Dall'esempio alla novella", *Filologia Romanza*, VII (1960)21-84.

BOHÍGAS, P., "Orígenes de los libros de caballerías", *Historia General de las Literaturas Hispánicas*, Barcelona, T. I, 1949), pp. 519-545.

BOSSONG, G., *Probleme der Übersetzung wissenschaftlicher Werke aus dem Arabischen in das Altspanische zur Zeit Alfons des Weisen*, Tubingen, 1979.

BREMOND, C.-LE GOFF, J.-SCHMITT, J-C., "L'Exemplum", en *Typologie des Sources du Moyen Âge Occidental*, Brepols-Turhout-Belgium, 1982, fasc. 40.

BURKE, J. F., "The *Libro del cavallero Zifar* and the medieval sermon", *Viator*, I (1970)207-221.

———, *History and Vision. The Figural Structure of the Libro del Cavallero Zifar*, Londres, 1972.

BUSTOS TOVAR, J. J. de, "Notas para el léxico de la prosa didáctica del siglo XIII", en *Studia Hispanica in honorem R. Lapesa*, Madrid, Gredos, t. II, 1974, pp. 149-155.

CATALÁN D., *De Alfonso X al Conde de Barcelos: cuatro estudios sobre el nacimiento de la historiografía romance en Castilla y Portugal*, Madrid, Seminario Menéndez Pidal- Gredos, 1962.

———, *Un prosista anónimo del siglo XIV (La Gran Crónica de Alfonso XI. Hallazgo, estilo, reconstrucción)*, Universidad de La Laguna, 1955.

———, "El taller histórico alfonsí: métodos y problemas en el trabajo compilatorio", *Romania*, LXXXIV (1963)354-375.

———, "Poesía y novela en la historiografía de los siglos XIII y XIV", en *Mélanges offerts à Rita Lejeune*, Gembloux J. Duclot, t. I, 1969, pp. 423-441.

———, "Don Juan Manuel ante el modelo alfonsí: el testimonio de la *Crónica abreviada*", en *Don Juan Manuel Studies*, edit. by Macpherson, Londres. 1977.

———, "Los modos de producción y 'reproducción' del texto literario y la noción de apertura", en *Homenaje a Julio Caro Baroja*, Madrid, 1978, pp. 245-270.

DEVOTO, D., *Introducción al estudio de Don Juan Manuel y en particular de "El Conde Lucanor": una bibliografía*, Madrid, Castalia, 1972.

DEYERMOND A. D., "The Sermon an its Uses in Medieval Castilian Literature", *La Corónica*, VIII, n. 2 (1980)127-145.

DÍAZ Y DÍAZ, M. C., *Las primeras glosas hispánicas*, Universidad Autónoma de Barcelona, 1978.

DIEZ BORQUE, J. M.-BORDONADA, A. E., "La prosa en la Edad Media", en *Historia de la literatura española. I. La Edad Media*, Madrid, Taurus, 1980., pp. 97-209

GALMÉS DE FUENTES, Á., "Influencias sintácticas y estilísticas del árabe en la prosa medieval castellana", *Boletín de la Real Academia Española*, XXXV (1955-56) pp. 231-275 y 415-451; XXXVI, pp. 65-131; 255-307.

HOTTINGER, A., *Kalila und Dimna. Ein Versuch zur Darstellung der arabisch-altspanischen Übersetzung*, Berna, 1958.

KELLER, J. E., *Motif-Index of Mediaeval Spanish Exemple*, Knoxville, University of Tennessee Press, 1949.

LACARRA, M. J., *Cuentística medieval en España: Los orígenes*, Universidad de Zaragoza, 1979.

LACARRA, M. J.-CACHO BLECUA, J. M., "El marco narrativo del Sendebar", en *Homenaje a D. José María Lacarra de Miguel*, Zaragoza, 1977, pp.223-243.

LACARRA, M. J.-GÓMEZ REDONDO, F., "Bibliografía sobre Don Juan Manuel", en "Cuadernos bibliográficos", nº 3 del *Boletín Bibliográfico de la Asociación Hispánica de Literatura Medieval* (BELTRÁN , V., coord.), fasc. nº 5 (1991)179-209.

LÁZARO CARRETER, F., "Sobre el *modus interpretandi* alfonsí", *Iberida*, VI (1961)97-114.

LIDA DE MALKIEL, M. R., "El desenlace del *Amadís* primitivo", *Romance Philology*, IV (1952-53) 283-289; reimpreso en *Estudios de Literatura española y comparada*, Buenos Aires, Eudeba, 1966, pp. 149-156.

———, "Tres notas sobre don Juan Manuel", *Romance Philology*, IV (1950-51) 155-194; reimpreso en *Estudios de literatura española y comparada*... pp. 92-133.

———, "La *General Estoria*: notas literarias y filológicas", *Romance Philology*, XII (1958-59)111-142; y XIII, pp. 1-30.

LOMAX, D., "The Lateran Reforms and Spanish Literature", *Iberoromania*, I (1969)299-313.

LÓPEZ ESTRADA, F., "Prosa narrativa de ficción", en G.R.L.M., Vol. IX, T. I, Fasc. 4, Heidelberg, Carl Winter-Universitätsverlag, 1985, pp. 15-44

MARSAN, R. E., *Itineraire espagnol du conte médiéval*, Paris, Klincksieck, 1971.

MENÉNDEZ PIDAL, G., "Cómo trabajaron las escuelas alfonsíes", *Nueva Revista de Filología Hispánica*, V (1951)363-380.

———, "De Alfonso a los dos Juanes. Auge y culminación del didactismo (1252-1370)", en *Studia Hispanica in honorem R. Lapesa*, Madrid, Seminario Menéndez Pidal- Gredos, t. I, 1972, pp. 63-83.

MORREALE, M., "Apuntes para la historia de la traducción en la Edad Media", *Revista de Literatura*, XV (1959)3-10.

ORDUNA, G., "El exemplo en la obra literaria de Don Juan Manuel", en *Don Juan Manuel Studies*, edit. by I. Macpherson, Londres, Tamesis Books, 1977, pp. 119-142.

REINHARDT, K.-SANTIAGO-OTERO, H., *Biblioteca Bíblica Medieval, Madrid*, C.S.I.C., 1986.

RICO, F., *Alfonso X el Sabio y la 'General Estoria'*, Barcelona, Ariel, 1972.

———, *Predicación y Literatura en la España Medieval*, Cádiz, UNED, 1977.

ROMERO TOVAR, L., "La prosa narrativa religiosa", en G.R.L.M., Vol. IX, T. I, Fasc. 4, Heidelberg, Carl Winter-Universitätsverlag, 1985, pp. 44-53 (se trata de un trabajo en el que se ofrece la localización, en distintas bibliotecas, de muchos manuscritos sobre la hagiografía peninsular).

SCHOLBERG, K. R., "The structure of the *Caballero Zifar*", *Modern Language Notes*, LXXIX (1964)113-124.

WELTER, J.-Th., *L'Exemplum dans la littérature religieuse et didactique du Moyen Âge*, Paris, 1927.

CAPÍTULO VI:
TEATRO MEDIEVAL CASTELLANO: EL PROBLEMA DE LOS ORÍGENES

VI.1. EL PROBLEMA DE LOS ORÍGENES: ETAPAS DE LA INVESTIGACIÓN HISTÓRICO-LITERARIA

Uno de los problemas más importantes que en la actualidad tiene planteado la historia de la literatura medieval castellana es el referido a los orígenes del teatro en la Castilla medieval. ¿Se pueden aplicar a Castilla —entendido este concepto en su acepción medieval— los resultados que la investigación histórico-literaria ya obtuvo para otras regiones de la Romania? ¿Existe una uniformidad en la actividad dramática entre el este y el noroeste Peninsular? ¿Representa Castilla una singular excepción dentro del conjunto de la Romania en lo que a los orígenes del teatro se refiere? ¿Hubo representaciones de dramas litúrgicos en la Castilla medieval? ¿Podemos reconstruir la historia del teatro castellano anterior a Juan del Encina? He aquí algunos de los interrogantes que se formulan en torno a este apasionante tema de literatura medieval.

Se pueden distinguir varias fases o etapas de la investigación en el intento de dar una respuesta a tales preguntas:

Primera fase.- En un primer momento, la crítica aplicó el argumento de analogía, es decir, proyectó sobre la Península los resultados que se habían obtenido en otros países de la Europa Occidental. Es la actitud crítica de Georges Cirot[1], quien, a su vez, se apoya en la tesis de Gustav Cohen[2]. Se parte de la tesis de que la liturgia cristiana ha sido la célula engendradora del drama religioso en toda la Europa Occidental. Por tanto, allí donde hubo liturgia cristiana, hubo drama litúrgico. La carencia de datos, que reflejaba la investigación sobre la Península, se trataba de explicar, bien por la pérdida de los mismos, bien porque todavía estarían por descubrir en el fondo de los archivos catedralicios y monásticos. La única voz, en aquel momento, discordante era la de E. Chambers[3], quien había sugerido la posibilidad de que el desarrollo del drama litúrgico en la Península Ibérica habría podido seguir, desde el principio, rutas distintas a las del resto de Europa.

Segunda fase.- La investigación de Richard B. Donovan[4] inaugura la segunda fase. Su investigación intenta completar en la Península la tarea

1 CIROT, G., "Pour combler les lacunes de l'histoire du drame religieux avant Gómez Manrique", *Bulletin Hispanique*, XLV (1943) 55-62.

2 COHEN, G., *Le théâtre religieux*, París, 1928. La tesis del origen religioso del teatro español ya había sido defendida por FERNÁNDEZ MORATÍN, L., *Orígenes del Teatro*, B.A.E., Madrid, 1850, t. II, p. 21. Desde otro punto de vista BONILLA Y SAN MARTÍN, A., *Las bacantes o del origen del teatro*, Madrid, Rivadeneyra, 1921.

3 CHAMBERS, E., *The medieval Stages*, Oxford, University Press, 1903, 2 vols.

4 DONOVAN, R. B., *The Liturgical Drama in Medieval Spain*, Toronto, Pontifical Institute of Mediaeval Studies, 1958.

iniciada por Karl Young[5], con la aplicación de la misma metodología: examinar los distintos archivos catedralicios y monásticos. Esta investigación da como resultado un desequilibrio en los hallazgos a favor de Cataluña, mientras que en Castilla y en el noroeste los testimonios eran muy escasos. Donovan explicará este desequilibrio debido al distinto rito litúrgico que rige en Cataluña (rito romano) y en el resto de la Península (liturgia hispánica o mozárabe). La liturgia romana propiciaría las representaciones litúrgicas, mientras que la liturgia hispánica adoptaría más bien una actitud hostil. Parecía, pues, que la tesis tradicional quedaba seriamente en entredicho.

Tercera fase.- La obra de Donovan marcó, sin duda, el gran hito de los estudios sobre el origen y la evolución del teatro medieval en la Península. A partir de su investigación, surgen nuevas interpretaciones. Humberto López Morales[6] adoptará una actitud más rígida incluso que la del propio Donovan: en Castilla y en el noroeste peninsular se desconoció totalmente la representación del drama litúrgico. Fernando Lázaro Carreter[7], tomando como base las aportaciones de Donovan, ofreció una explicación coherente y verosímil sobre los orígenes del teatro medieval castellano. Consideramos que, en líneas generales, su planteamiento y conclusiones, aún siguen vigentes, mientras la investigación no ofrezca nuevos hallazgos; sus afirmaciones fundamentales se podrían resumir en los siguientes puntos:

1. No existe una evolución continua entre el teatro antiguo (grecorromano) y el teatro medieval. El teatro antiguo desaparecería a medida que se implanta el cristianismo. Los Santos Padres habrían sido quienes, por principios morales, asentarían la última puntillada al ya decadente teatro romano.

2. El teatro medieval nace por imperativos litúrgicos.

3. En Castilla hubo representaciones de dramas litúrgicos durante la Edad Media; sin embargo, estas representaciones sacras castellanas no nacen por evolución espontánea de costumbres autóctonas, sino por la importación realizada por los monjes galos del monasterio de Cluny. Tales representaciones en Castilla difieren tanto cualitativa como cuantitativamente de las representaciones del mismo género en Cataluña. En

---

5 YOUNG, K., *The Drama of the Medieval Church*, Oxford, 1933, 2 vols.

6 LÓPEZ MORALES, H., *Tradición y creación en los orígenes del teatro castellano*, Madrid, Alcalá, 1968. En publicaciones posteriores mitiga un poco su radicalismo original. Véase "Nuevo examen del teatro medieval castellano", *Segismundo*, 4 (1972) 113-124; Idem, "Sobre el teatro medieval castellano: *status quaestionis*", en *Boletín de la Academia Puertorriqueña de la Lengua Española*, 14 (1986) 99-102; Idem, "El concilio de Valladolid de 1228 y el teatro medieval castellano", en *Boletín de la Real Academia Puertorriqueña de la Lengua Española*, 14 (1986) 61-68.

7 LÁZARO CARRETER, F., *Teatro medieval*, Madrid, Castalia, "Odres Nuevos", 4ª edición, 1976.

definitiva, para Lázaro Carreter sigue existiendo una diferencia cualitativa y cuantitativa entre el nordeste y el noroeste de la Península.

Nuevos descubrimientos de textos de finales de la Edad Media sobre autos de la Pasión[8] y sobre la representación de la Sibila[9] aportan interesantes datos para la historia del teatro medieval. Desde otra perspectiva, el profesor García de la Concha[10] señaló que determinadas unidades de significación del teatro de Juan del Encina y Lucas Fernández remiten a posibles representaciones litúrgicas medievales, como el llamado rito del *Vexilla regis.* Juntamente con el análisis y estudio de fuentes cultas, sería necesario examinar aquellas dramatizaciones que han pervivido hasta la actualidad, a través de las leyes de la tradición oral[11]. La legislación de los sínodos y concilios medievales, que con frecuencia condenan determinados espectáculos, son, asimismo, fuentes indirectas para reconstruir la escena del teatro medieval castellano.

Se podrían orientar las investigaciones, asimismo, no sólo en busca de materiales escritos de la época medieval, sino a través de testimonios posteriores, sean de naturaleza escrita (por ejemplo, el *Códice de Autos Viejos*), sea de naturaleza oral (recogida de todas aquellas manifestaciones de representaciones tradicionales que perviven aún por distintos lugares de la Península). El concepto de tradicionalidad, sumamente fecundo para los estudios de la lírica y la épica primitiva, se podría aplicar, igualmente, al estudio del teatro medieval. Es posible que ese "vacío dra-

---

8 TORROJA MENÉNDEZ, C.-RIVAS PALA, M., *Teatro en Toledo en el Siglo XV: Auto de la pasión de Alonso del Campo*, Madrid, Anejo XXXV al Boletín de la Real Academia Española, 1977.

9 LÓPEZ YEPES, J., "Una representación de las Sibilas y un *Planctus Passionis* en el Ms. 80 de la catedral de Córdoba: Aportaciones al estudio de los orígenes del teatro medieval castellano", *Revista de Archivos, Bibliotecas y Museos*, LXXX (1977)545-567.

10 GARCÍA DE LA CONCHA, V., "Dramatizaciones litúrgicas pascuales de Aragón y Castilla en la Edad Media", en *Homenaje a Don José María Lacarra de Miguel en su jubilación del profesorado*, Zaragoza, vol. 5, 1977, pp. 153-175.

11 Sobre la importancia que las fuentes tradicionales pueden desempeñar, véase: MENÉNDEZ PELÁEZ, J., *El teatro en Asturias (De la Edad Media al Siglo XVIII)*, Gijón, Noega, 1981; Idem, "Antiguas dramatizaciones litúrgicas en Asturias: hacia los orígenes del teatro medieval", *Archivum*, XXXVII-XXXVIII, (1987-88) 159-181. TRAPERO, M., *La pastorada leonesa. Una pervivencia del teatro medieval*, Madrid, Sociedad Española de Musicología, 1982. ROMERA CASTILLO, J., "Pervivencia y tradición de los autos de Navidad en Extremadura (La Cofradía de Galisteo)", en *Atti del IV Colloquio della Société du Théâtre Médiéval*, Viterbo, 1983. DÍAZ, J.-ALONSO PONGA, J. L., *Autos de Navidad en León y Castilla*, León, Santiago García editor, 1984. ALONSO PONGA, J. L., *Religiosidad popular navideña en Castilla y León. Manifestaciones de carácter dramático*, Junta de Castilla y León, Consejería de Educación y Cultura, 1986. Nuevas perspectivas en la investigación sobre este tema en: ÁLVAREZ PELLITERO, A. M., "Aportaciones al estudio del teatro medieval en España", *El Crotalón*, 2 (1985)13-35; GÓMEZ MORENO, A., *El teatro medieval castellano en su marco románico*, Madrid, Taurus, 1991.

mático" o esa "historia de una ausencia" sean, más bien, vacío y ausencia de textos escritos, que no han llegado hasta nosotros en forma escrita, si bien se conservan con toda su frescura en la tradición oral[12].

VI.2. LOS ORÍGENES LITÚRGICOS DEL TEATRO MEDIEVAL: "ENSEÑAR DELEITANDO"

La tesis de los orígenes litúrgicos del teatro románico es uniformemente admitida por la mayoría de los críticos que se ocuparon y se ocupan del tema[13]. La liturgia es "célula engendradora" de actividad dramática, porque sus ritos son acción y dramatismo. Esto ocurrió desde los primeros siglos del cristianismo. Ya en el siglo IV tenemos un claro testimonio. Se trata de la llamada *Aetheriae peregrinatio*[14]. En este ritual se nos cuenta cómo los fieles de la iglesia de Jerusalén intentaban actualizar y revivir los misterios de la muerte y resurrección de Cristo. Quizás este relato escénico no sea un drama en el sentido estricto de la palabra, pero sí es un fiel reflejo del carácter esencialmente dramático de la liturgia.

Por otra parte, los escritos de los Santos Padres, que tradicionalmente han sido utilizados como testimonios para probar la desaparición del teatro antiguo, muestran, asimismo, las posibilidades didácticas que el género dramático tiene en la catequesis de la doctrina cristiana. Cuando Taciano o Tertuliano (los dos escritores más representativos en este sentido) atacaban las representaciones del teatro antiguo, estaban admitiendo indirectamente el valor ejemplificante de la escenificación. No conde-

---

12 Para "el estado de la cuestión" de la investigación histórico-literaria del teatro medieval, véase: LÓPEZ MORALES, H., "Sobre el teatro medieval castellano: *status quaestionis*", *Boletín de la Academia Puertorriqueña de la Lengua Española*, 14, 1 (1986)99-122, y, sobre todo, el número monográfico que a tal cuestión dedica la revista *Ínsula*, n. 527, noviembre (1990)1-21; en este número se recogen los siguientes artículos: ALLEGRI, L., "La idea de teatro en la Edad Media"; RODRÍGUEZ CUADRADO, E., "Misterio y protocolo del teatro medieval"; QUIRANTE SANTACRUZ, L., "El espacio escénico medieval"; HUERTAS VIÑAS, F., "Un esplendor espectacular: Las representaciones sacras no asuncionistas en el espacio medieval catalán"; PÉREZ PRIEGO, M. A., "El teatro castellano del siglo XV"; ÁLVAREZ PELLITERO, A. M., "Del *Officium pastorum* al auto pastoril renacentista"; MASSIP, F., "Fiesta y teatro en el Misterio de Elche"; LÓPEZ MORALES, H., "El 'Auto de los Reyes Magos': un texto para tres siglos".

13 No obstante, hay algunos críticos que defienden los orígenes profanos; véase B. HUNNINGHER, *The Origin of the Theater*, Nueva York, 1961. Los orígenes profanos del teatro medieval ya habían sido defendidos por A. BONILLA Y SAN MARTÍN, *Las bacantes o del Origen del Teatro*. Discurso leído ante la Real Academia Española, 1921.

14 Puede leerse este testimonio en la edición de *Peregrinación de Egeria*, Madrid, Aguilar, 1973; tambien en *Itinerario de la virgen Egeria*, Madrid, Biblioteca de Autores Cristianos, 1980.

naban el teatro como género literario, sino la temática que se llevaba a la escena. El teatro tiene la posibilidad de encarnar actitudes buenas o malas que sirven de ejemplificación, a la vez que son seguidas y emuladas por el pueblo. Los contenidos temáticos del teatro latino eran, a juicio de los Santos Padres, irreconciliables con la moral cristiana. Por ello, los condenan.

Estamos en un momento de la historia del cristianismo en el que los Santos Padres tienen que adoptar una actitud apologética. En esta defensa de la nueva doctrina religiosa hubo algunos Padres que, imbuidos por las doctrinas maniqueas, condenaron todo tipo de manifestación procedente de la cultura pagana: literatura, música, pintura. Sin embargo, esta actitud de "agere contra" llevaba a un callejón sin salida. De ahí que un buen número de Santos Padres adoptase una postura menos rigorista: cristianizar y aprovechar las posibilidades que ofrecían determinadas manifestaciones artísticas de la cultura pagana. Esto provocó luchas y disensiones en el seno de la iglesia primitiva. La ocasión la propició la incorporación de la música en la liturgia. Los Santos Padres latinos serán quienes pondrán mayores obstáculos a la introducción del canto en el culto, precisamente porque esta práctica recordaba las representaciones teatrales de los romanos. Por ello, algunos Padres latinos se opondrán a

Cantoral del monasterio de Guadalupe. La música, a pesar de la oposición de algunos Santos Padres, se impuso finalmente en las ceremonias religiosas

la introducción del canto "teatral" en la iglesia[15]. Sin embargo, a pesar de esta oposición a la entrada del canto en la liturgia, la música conseguirá un lugar en el culto por imperativos catequísticos[16].

Paralelamente a la incorporación del canto y la música en la liturgia, los Santos Padres admitirán, paulatinamente, el valor pedagógico y catequístico de la representación o escenificación de verdades cristianas. Este intento se encuentra principalmente en la iglesia oriental, donde se desarrolló muy pronto "le goût des représentations historiques que racontent les faits du dogme et de l'histoire sacrée, comme elles rancontaient jadis les mythes des dieux et les exploits des souverains"[17].

Estas ideas se encuentran en algunos Santos Padres, como San Juan Crisóstomo, quien defiende la siguiente tesis: ¿si los paganos han representado escenas mitológicas, por qué los cristianos no pueden seguir este ejemplo? En San Gerónimo se encuentra, asimismo, la idea de que todas las artes pueden incorporarse a la difusión de las verdades cristianas; lo único que se necesita es cambiar los temas: una cosa es el arte y otra lo que a través del arte se engendra o produce (*aliud sunt artes, aliud quod per artes est*). Dos ideas procedentes de la poética de los clásicos serán adoptadas por los Santos Padres: el topos de Simónides *Ut pintura poiesis*, y el topos de la obra literaria como *monumentum* o *rememorare*, es decir, revivir y actualizar personas y hechos pasados, llevados a la representación sensible mediante la escenificación. Paulino de Nola ve en las representaciones un medio de enseñanza y entretenimiento, sobre todo, para las masas menos instruidas[18].

La polémica iconoclasta ofrecerá abundante doctrina sobre la valoración pedagógica de la representación sensible. Las representaciones plásticas son una especie de Biblia; unos imitan y realizan lo que ven representado; otros lo leen escrito en los libros[19]. Para los hombres menos instruidos la enseñanza visual es indispensable, pues para ellos resulta más clara, aunque sea más tosca[20]. Junto a las posibilidades pedagógicas que ofrece la representación sensible en la catequesis de la iglesia antigua, se unía la faceta de divertimiento que en sí tiene el género dramático. Esta dimensión de la obra dramática será aprovechada igualmente por la liturgia cristiana. Ya dijimos que la liturgia cristiana es esencialmente acción dramática. La historia de la pasión de Cristo, tal como se

---

15 SAN AGUSTÍN, *Confesiones*, Lib. X, Cap. 33, edic. de Custodio VEGA, Madrid, Biblioteca de Autores Cristianos, 1963, pp. 419-420.

16 *Ibidem*, p. 349.

17 DEONNA, W., *Du Miracle Grec au Miracle Chretien*, Bâle, 1945, p. 203.

18 PAULINO DE NOLA, *Patrología Latina*, vol. 61, col. 660.

19 *Patrología Latina*, vol. 77, col. 1.128.

20 *Patrología Latina*, vol. 99, col. 1.220.

nos narra en los evangelios, es un drama fácilmente representable; así sucedió en la primitiva iglesia, según la descripción de la *Aetheriae peregrinatio*, citada anteriormente.

Por otra parte, muchos de los ritos litúrgicos resultaban monótonos para las mentes poco instruidas en las verdades religiosas. La gente, al no entender la liturgia, se dedicaba a otras actividades lúdicas durante el culto. ¿Cómo mantener la asistencia a aquellas asambleas y cómo canalizar aquella legítima aspiración del pueblo que busca el regocijo? A través del deleite y la diversión. El templo, la iglesia, es para el hombre medieval no sólo un lugar de oración, sino también un centro recreativo. "Para comprender esto, señala Lázaro Carreter, hemos de trasladarnos a un tipo de mentalidad en que se convive familiarmente con lo santo, en que naturaleza y sobrenaturaleza se mezclan indistintamente, y en que la iglesia es centro de la vida ciudadana, donde las gentes acuden a orar, pero también a expansionarse y divertirse; los fieles, hemos de creer de buena fe, se asocian a su modo a ellas, en ciertas festividades, sobre todo, con intervenciones estruendosas, haciendo de la misa un extraño complejo sacro-profano, del que es difícil formarse idea exacta"[21].

Se imponía, pues, la necesidad de dar a aquellas celebraciones el ambiente festivo y de participación que el pueblo tenía en las fiestas profanas. Primero será la introducción del canto y la música, como explicábamos anteriormente. Pero esto no fue suficiente. Esta necesidad de cambiar hacia una liturgia más popular la viven los propios clérigos. Muchos de ellos imitarán el oficio de los juglares para divertir a sus fieles[22]. Este intento de rodear la liturgia cristiana de un ambiente festivo dará lugar al nacimiento de algunos de los ciclos litúrgicos. La iglesia imitará la estructura de las propias fiestas paganas del mundo circundante. Muchas de ellas no son más que cristianización, bien de fiestas de origen judío, bien de fiestas paganas, o de tradiciones populares de tiempo inmemorial, que serán bautizadas por el cristianismo[23].

En la Edad Media quedarán instituidas las llamadas "fiestas de locos", típicamente clericales; son, en buena parte, cristianización de costumbres del mundo romano. En la antigua Roma, durante el mes de diciembre, tenían lugar las llamadas fiestas saturnales, en honor del dios Saturno. Durantes estos festejos, se invertía el orden social (los señores servían a los siervos), la gente daba rienda suelta a todos sus instintos;

---

21 LÁZARO CARRETER, F., *Teatro Medieval*..., p. 21.

22 Véase MENÉNDEZ PIDAL, R., *Poesía Juglaresca y Orígenes de las Literaturas Románicas*, Madrid, 1957.

23 SÁNCHEZ HERRERO, J., "Las fiestas religiosas. Tipología de las fiestas y elementos que las componen", en *La Diócesis del Reino de León. Siglos XIV y XV*, León, 1978. Desde una perspectiva europea, véase, H. RAHNER, *Griechische Mythen in Christlicher Deutung*, Zurich, 1945.

era una especie de mundo al revés. Estas "fiestas de locos" o "juegos de escarnio" tendrán amplia difusión entre los medios eclesiásticos medievales. Se celebraban desde el 6 de diciembre, fiesta de San Nicolás, hasta el día 28, festividad de los Santos Inocentes; la catedral y su recinto solían ser el marco escénico. La tipología de estos "juegos" se acercaba mucho a una representación. Los clérigos de órdenes menores tomaban los atuendos de sus superiores y parodiaban las ampulosas ceremonias catedralicias. Se elegía un "obispillo", que presidía, desde un contexto paródico, las horas canónicas y la propia misa. Representaciones de esta naturaleza tuvieron lugar prácticamente en toda la Romania.

Sin embargo, en este intento de dar a la liturgia cristiana el deleite y el divertimiento que tenían las fiestas profanas se cometían aberraciones que son denunciadas por los Sínodos y Concilios[24]. Estas costumbres, más o menos licenciosas, serán una constante a lo largo de toda la Edad Media. En ellas participan no sólo el clero bajo y el pueblo, sino incluso las más altas jerarquías. Como dice Lázaro Carreter, estamos ante "un extraño complejo sacro-profano del que es difícil formarse idea exacta"[25]. Como el deterioro del decoro litúrgico llegaba a situaciones obscenas, Alfonso X el Sabio, en el siglo XIII, toma conciencia de esta situación e intenta cortar las posibles aberraciones, a la vez que estimula a los clérigos a que representen determinados misterios navideños y de Semana Santa, "que mueven al ome a fazer bien e a aver devoción en la fe"[26]. Se trata de uno de los textos mil veces citado y comentado, tanto por los defensores del teatro medieval castellano, como por sus detractores. Dejemos de lado el problema de si *Las Partidas* recogen derecho consuetudinario castellano o si, por el contrario, se trata de una legislación proveniente de centro Europa, y, por tanto, un derecho foráneo. Este aspecto, en relación con el teatro, fue comentado por Humberto López Morales[27]. Lo que resulta interesante, a nuestro juicio, es constatar cómo, a finales del siglo XIII, Alfonso X el Sabio distingue perfectamente dos aspectos que va a tener el teatro en España: uno, religioso y otro, profano. Si bien, durante la Edad Media y buena parte de los Siglos de Oro, estos dos aspectos forman una unidad difícilmente separable, metodológicamente se suelen tener en cuenta a la hora de estudiar la producción de los dramaturgos de esas épocas. La prohibición de que los clérigos representen o asistan a estas representaciones profanas se con-

---

24 Véase ÁLVAREZ PELLITERO, A. M., "Aportaciones al estudio del teatro medieval en España", *El Crotalón*, 2 (1985) 13-35.

25 LÁZARO CARRETER, F., o. c., p. 21.

26 ALFONSO X EL SABIO, *Las Siete Partidas*, edic. de Gregorio López, Salamanca, 1545, edic. Facsímil, *Partida Primera*, Tít. VI, ley 33, p. 61.

27 LÓPEZ MORALES, H., *Tradición*... p. 68.

vertirá en un tópico de las condenas en los Sínodos y Concilios desde la época visigótica hasta la Baja Edad Media[28].

A pesar de la aberraciones cometidas, aquellas representaciones litúrgicas fueron enormemente fecundas desde el punto de vista literario. Rodrigues Lapa, apasionado defensor de los orígenes litúrgicos en el nacimiento de la lírica primitiva, llamará a esas complejas asambleas "fecunda oficina de poesía popular"[29]. Con palabras parecidas, pero aplicadas al teatro, Gustav Cohen calificará a estas reuniones litúrgicas de "células engendradoras de actividad dramática"[30].

Sin embargo, no todo era pecaminoso en aquellas manifestaciones populares. Los rectores de las iglesias toman conciencia de que era necesario canalizar aquellos gustos populares. Es muy posible, pues, que el primitivo drama litúrgico, que empieza a tener vida a lo largo del siglo XII, tenga su origen en este intento de aprovechar aquellos centros de interés, a partir de los cuales la catequesis y la liturgia resultasen más amenas y entretenidas, a la vez que cobraban mayor eficacia entre las mentes sencillas. De ahí que los primeros actores de este drama litúrgico fuesen los propios clérigos, quienes escenificaban los misterios del nacimiento, muerte y resurrección de Cristo.

La crítica suele poner en los "tropos" las primeras manifestaciones en germen de esta actividad dramática. Estas unidades litúrgicas eran "breves textos que se interpolan en un texto litúrgico, bien aprovechando una frase musical sin letra en el canto, bien dotándolos de una melodía propia"[31]. El tropo que más interesó a la crítica fue el correspondiente al *Aleluia* del domingo de Pascua. Al aprovechar la larga modulación con que se prolonga la "-a" final, se introduce una interpolación que constituirá el tropo. De esta manera, los tropos pasarán a ser la célula original que engendrará el drama litúrgico. Esta moda de componer tropos invadió una buena parte de los monasterios europeos, particularmente el de Saint-Gall en Suiza. Razón por la cual los troparios suelen ser considerados como fuentes de primer orden en la investigación del teatro medieval europeo.

Como conclusión, se podría decir que el teatro medieval nace por imperativos litúrgicos y catequísticos. Era necesario mantener la atención de un público que se aburre y no entiende muchos de los ritos de la liturgia cristiana. La representación de un pequeño drama litúrgico era el

28 Véase SÁNCHEZ HERRERO, J., *Concilios Provinciales y Sínodos Toledanos de los Siglos XIV y XV*, Universidad de La Laguna, 1976; también ÁLVAREZ PELLITERO, A. M., "Aportaciones al estudio...".

29 Texto citado por ASENSIO, E., *Poética y realidad en el Cancionero peninsular de la Edad Media*, Madrid, Gredos, 1970, p. 28.

30 COHEN, G., *Le Théâtre en France au Moyen Âge: t. I: Le théâtre religieux*, París, 1928.

31 LÁZARO CARRETER, F. o. c., p. 17.

mejor medio didáctico y pedagógico: enseñar deleitando. A medida que la lengua romance fue sustituyendo al texto latino del drama litúrgico, se abría la posibilidad de que participasen igualmente los juglares, quienes recogían la tradición de los gustos populares. De esta manera, quizás se pueda pensar en una línea continuada entre la actividad lúdica, más o menos dramática de los histriones, y las aportaciones profanas con que los juglares sazonaron el primitivo drama, en lengua vulgar, en las iglesias. No debe desdeñarse una cierta presencia de la tradición del teatro latino, particularmente de la comedia de Plauto y Terencio. Sabemos que sus obras fueron utilizadas como libros de texto en la enseñanza del latín. La monja alemana Hroswitha hizo versiones a lo divino de las comedias de Terencio, aunque nunca hayan sido representadas. Es muy posible que esta tradición popular del teatro latino nunca haya sufrido una interrupción, sino que se mantuvo, al margen de la cultura eclesiástica, y aflora cuando los juglares, continuadores de los mimos e histriones latinos, irrumpen en el teatro medieval.

VI.3. NATURALEZA DEL TEATRO MEDIEVAL

Para conocer los orígenes del teatro medieval castellano y peninsular es necesario situar el nacimiento de este género literario dentro de un contexto europeo, o, por lo menos, románico. En este sentido, los trabajos ya señalados de Chambers, Young y, sobre todo, la magistral obra de Donovan, son cita obligada en toda investigación sobre la naturaleza del teatro medieval.

Admitida la liturgia cristiana como la principal célula del teatro medieval, conviene explicar la naturaleza teatral de aquellas representaciones, y cómo se produjo la secularización del drama litúrgico hasta dar paso a otras formas teatrales fuera del ámbito eclesiástico-religioso.

Delimitar el concepto de teatro en la Edad Media puede plantear algunos problemas exegéticos. Ninguno de los géneros literarios tiene ni tuvo una acepción o extensión conceptual unívoca a lo largo de su historia. Al aplicar presupuestos y categorías de la poética moderna a épocas pasadas se corre el riesgo de extrapolar una metodología con los consiguientes errores derivados del anacronismo interpretativo. El teatro medieval es al teatro moderno lo que la semilla, que empieza a germinar, es a la planta ya desarrollada y madura. Lo cual no significa ni posibilita negar, como se afirma en algunas publicaciones, a aquellas representaciones el carácter teatral[32].

---

32 GARCÍA MONTERO, L., *El teatro medieval. Polémica de una inexistencia*, Granada, Editorial Don Quijote, 1984.

El teatro medieval está condicionado por su vinculación a la liturgia, tanto en el texto como en el espectáculo. Son representaciones, cuyo espacio escénico es el recinto de la iglesia. La no dependencia de este tipo de teatro con las formas del teatro greco-romano hace de estas representaciones algo original, de difícil clasificación. No existe en él tensión, conflicto o suspense. La historia "dramática" ya es conocida del espectador. Se trata tan sólo de rememorarla, revivirla, actualizarla.

Donovan acepta la definición de teatro formulada por Young en los siguientes términos: "drama is a story presented in actio, in which the speakers o actors impersonate the characters concerned"[33]. Asimismo, la palabra "litúrgico", como señala Donovan, puede presentar dificultades, ya que no es fácil precisar qué ceremonias entran dentro de esta categoría, pues lo paralitúrgico puede ser igualmente lugar y momento muy oportuno para estas representaciones.

VI.4. CICLOS Y GÉNEROS DEL PRIMITIVO TEATRO LITÚRGICO EN EUROPA

VI.4.1. CICLO DE SEMANA SANTA

La subordinación a la liturgia hace que sean los criterios litúrgicos aquellos que se suelen tener en cuenta para una clasificación de estas representaciones por géneros o ciclos. La Semana Santa fue uno de los tiempos del año litúrgico más fecundo para el desarrollo de estas representaciones. La *Visitatio Sepulchri*, pasaje evangélico que narra la llegada de las tres Marías al sepulcro el Domingo de Pascua, parece haber sido una de las primeras dramatizaciones. La *Concordia regularis*, escrita en torno al año 970 por el obispo de Winchester (Inglaterra), describe detalladamente esta dramatización[34], conocida también por las primeras palabras con las que se abre el diálogo: *Quem quaeritis in sepulchro, o christicolae?* El hecho de la muerte y resurrección de Cristo fue motivo de otras dramatizaciones como la *Elevatio* y la *Depositio*. La primera consistía en lo siguiente: después de la misa del Viernes Santo, y antes del canto de vísperas, se hacía una procesión solemne y se colocaba la cruz en un lugar, a modo de sepulcro, que representaba la muerte y el entierro de Cristo; en ocasiones, una forma consagrada sustituía a la cruz. La mañana de Resurrección del Domingo de Pascua tenía lugar la representación complementaria, la *Elevatio*, ceremonia que escenificaba la resurrección de Jesús; se elevaba la cruz, o, en su caso, la forma consagrada, y se mostraba al pueblo para simbolizar el hecho de la Resurrección. Ceremonias litúrgicas, que recuerdan y evocan estas dramatizaciones

33 YOUNG, K., o. c., t. I, p. 80; DONOVAN, R., o. c., p. 6.

34 Véase DONOVAN, o. c., p. 12.

medievales, perviven aún en muchos lugares de la Romania en los llamados "sermones del descendimiento", el Viernes Santo, y las "procesiones del encuentro", la mañana de Resurrección[35].

VI.4.2. CICLO DE NAVIDAD

La liturgia de Navidad propició también varias representaciones. El esquema de la *Visitatio sepulchri* tenía de por sí las mismas posibilidades dramáticas para escenificar el tema navideño del nacimiento de Jesús con sólo cambiar el sintagma "in sepulchro" por el de "in praesepe". De esta manera, aparece el género del *Officium pastorum*, conocido también por las primeras palabras del diálogo inicial *Quem quaeritis in praesepe, o pastores?* Paralelamente, la liturgia de Epifanía originará nuevos tropos dialogados que constituirán el tercer subgénero del primitivo drama litúrgico: el *Officium stellae*.

Relacionada con la liturgia de Navidad se encuentra la *Representación de la Sibila*. Esta dramatización no depende de la tradición de los tropos, que citamos anteriormente, sino de un sermón falsamente atribuido a San Agustín dentro de los maitines de la Navidad[36]. Su contenido era esencialmente representable. El autor trata de probar la divinidad de Cristo, para lo cual pone por testigos a varios profetas del Antiguo Testamento (Isaías, Jeremías, Daniel y David). La narración está en estilo directo y pone en boca de cada uno de los profetas sus propias palabras, lo cual hacía que la escena fuese fácilmente representable. Aquí está el origen de otro subgénero dramático del ciclo de Navidad: el *Ordo prophetarum*. Asimismo, en dicho sermón, el autor pone también, como testigo de la divinidad de Cristo, a la Sibila Eritrea, la cual tiene un largo monólogo sobre el juicio final. Esta estructura tenía en sí misma una fuerza dramática y una disposición para el diálogo que podía transformarse en drama litúrgico. Así ocurrió en la realidad. Muy pronto cada uno de los personajes adquieren atributos diferenciadores, mientras el *Ordo prophetarum* se separa de la *Representación o canto de la Sibila*, que se convierte en una unidad dramática independiente, asociada al canto. De ahí que dicha representación haya sido estudiada tanto por los musicólogos como por los historiadores del antiguo drama litúrgico[37]. Esta representación de la Sibila adquirió una gran popularidad en toda la Península; en casi todas las catedrales hay

---

35 MENÉNDEZ PELAEZ, J., "Antiguas dramatizaciones litúrgicas en Asturias: hacia los orígenes del teatro medieval", *Archivum*, XXXVII-XXXVIII (1987-88)159-181.

36 YOUNG, R., o. c., t. I, p. 125.

37 ANGLÉS, H., *La música en Cataluña a finales del siglo XIII*, Barcelona, 1935. SMOLDON, W. L., *The Music of the Medieval Church Dramas*, Oxford University Press, 1980.

testimonios de su existencia en la época medieval, una tradición que llegó con toda su frescura hasta la época actual en algunos lugares de Cataluña y Palma de Mallorca.

VI.5. EL DRAMA LITÚRGICO EN ESPAÑA[38]

VI.5.1. EL DRAMA LITÚRGICO EN EL NOROESTE PENINSULAR

Si las representaciones medievales están en función de la liturgia y si ésta tenía dos modalidades (el "rito romano-germánico", usado en la mayor parte de los países occidentales con la excepción de España, en donde se utilizaba el "rito mozárabe o hispánico"), ¿los dos ritos favorecieron por igual estas representaciones? Los testimonios más abundantes de dramas litúrgicos parece que se han desarrollado al calor del rito romano-germánico en Francia y en Inglaterra. Tanto liturgistas como musicólogos coinciden en afirmar que la liturgia hispánica desconocía el drama litúrgico y formas afines, como los tropos y las secuencias. La imposición de la liturgia romana en Castilla fue muy problemática. Mientras Cataluña adopta el rito romano ya en época de Carlomagno (s. IX), el resto de la Península sigue la liturgia hispánica hasta el concilio de Burgos (hacia 1085); la imposición de la nueva liturgia tuvo mucha resistencia, por lo que el avance del nuevo rito fue lento. Por otra parte, hay otro elemento importante para explicar la ausencia del drama litúrgico en Castilla. El Papa encarga a los monjes cluniacenses, quienes parece que no favorecían las dramatizaciones litúrgicas, la imposición del rito romano en la Península.

Así pues, los monjes franceses, bien cluniacenses, bien benedictinos, quienes tenían la misma espiritualidad que los de Cluny, no habrían mostrado un especial entusiasmo por el drama litúrgico en latín, porque, como sugiere Donovan, la nueva lengua vulgar, que ya por entonces tenía una cierta vitalidad, habría sustituido al latín en la composición de breves piezas que se representarían en las grandes fiestas del calendario litúrgico (Navidad, Epifanía, Resurrección). El hecho de no estar escritas en latín, con una finalidad más profana que religiosa, explicaría la no inclusión de aquellos hipotéticos textos en consuetas y libros litúrgicos. Por otra parte, la anonimia y la tradición oral caracterizarían, asimismo, como en el caso de la primitiva lírica peninsular, estas primeras representaciones.

Explicada de esta manera la ausencia de drama litúrgico en la Península, siempre desde la perspectiva de Donovan, surgen algunas in-

38 Seguimos para este epígrafe la obra ya citada de Richard DONOVAN.

coherencias, formuladas por Lázaro Carreter de la siguiente manera: "1. Si los cluniacenses fueron tan hostiles a la difusion de los tropos y otras prácticas teatrales introducidas en el rito romano en diversos países europeos, y su influjo fue tan intenso en la vida eclesiástica castellana, ¿cómo no obstaculizaron el amplio desarrollo de una dramaturgia sacra popular en lengua vernácula? 2. ¿De dónde tomaron sus modelos esos supuestos dramas religiosos populares?"[39]. Tales cuestiones están lejos de estar resueltas.

La investigación realizada por Donovan puso a disposición el primer inventario del primitivo teatro litúrgico en la España Medieval. Para esta investigación, el sabio benedictino había recorrido la mayor parte de los archivos monásticos y catedralicios hasta lograr examinar más de 315 códices, análogos a los que en el resto de Europa contenían dramas litúrgicos. El resultado de dicha investigación ofrecía un gran desequilibrio a favor de Europa y Cataluña, mientras en el resto de la Península el *corpus* del primitivo teatro litúrgico quedaba reducido a los siguientes textos:

— Una *Visitatio sepulchri* de finales del siglo XI en el Monasterio de Silos. No parece que este testimonio represente una tradición, ya que no se encuentran más muestras de este subgénero en los siglos siguientes. Donovan piensa más bien que se trata de un tropo aislado, copiado quizás de un manuscrito italiano. No deja de ser significativo que, mientras en otros monasterios, como San Juan de Sahagún, San Millán de la Cogolla, o San Pedro de Cardeña, la influencia de los cluniacenses fue muy intensa en el siglo XI, no se hayan descubierto una tal impronta en Silos, en donde no se detectan huellas de monjes franceses a lo largo del siglo XI; una notoria singularidad en relación con la mayor parte de los monasterios españoles. Parece, pues, que este breve tropo de Resurrección fue introducido en Silos por algún monasterio que no siguió las costumbres litúrgicas de Cluny.

— Santiago de Compostela conserva otro tropo de la *Visitatio sepulchri.* Nada de extraño. La ruta de peregrinación al sepulcro del apóstol fue una de las más populares en Europa durante aquella época. Es fácil imaginar que los numerosos peregrinos que se congregarían para celebrar los cultos de Semana Santa fueran portadores de los gustos litúrgicos de sus países de origen[40]. Esta tradición se conservó, por lo menos hasta finales del siglo XV, según consta en algunos libros litúrgicos de la época. A partir del siglo XVI, debido quizás a las disposiciones tridentinas, desaparecen estos tropos de los breviarios en Santiago de Compostela. Determinadas características del tropo compostelano hacen pensar a Donovan que su origen no es autóctono, sino más bien catalán, habida cuenta de los intensos contactos entre Ripoll y Santiago de Compostela.

39 LÁZARO CARRETER, F., o. c., p. 37.

40 DONOVAN, o. c., pp. 52-53.

— En Huesca se conservan dos tropos. Uno perteneciente a la *Visitatio sepulchri* del ciclo de Semana Santa, y el correspondiente del ciclo de Navidad, dentro del subgénero del *Officium pastorum*. Posiblemente estas dramatizaciones, de los siglos XI y XII, procedan de Francia, ya que en el año 1073 tuvo lugar un concilio en Jaca, en el que tomaron parte varios obispos franceses.

— En la Basílica de Nuestra Señora del Pilar se encuentra, en un misal del siglo XV, el mismo tropo pascual del *Quem quaeritis* de Huesca, cuya procedencia es fácil suponer, si se tiene en cuenta la proximidad entre las dos ciudades.

— Donovan añade testimonios tardíos, del siglo XVI, sobre determinadas representaciones en Granada, Guadix, Palencia y Segovia. El problema que plantean estas noticias tardías se podría formular en los siguientes términos: ¿Se pueden utilizar estos testimonios de los Siglos de Oro para reconstruir la primitiva tradición del drama litúrgico? ¿Estas representaciones tardías pertenecen a una tradición peninsular muy antigua y no escrita hasta estas fechas, o son, por el contrario, importaciones foráneas? La respuesta depende de la actitud del crítico frente a los orígenes del teatro medieval castellano.

En resumen, pues, se puede afirmar que los testimonios de representaciones dramáticas o afines, recogidos por Donovan en el noroeste peninsular, se cifran en los siguientes: para el ciclo de Pascua, el tropo del *Quem quaeritis* en Santiago de Compostela, Huesca y Zaragoza; una *Visitatio sepulchri* en Silos; testimonios tardíos del siglo XVI en Granada, Guadix, Palencia y Segovia. Para el ciclo de Navidad, el tropo del *Quem quaeritis* en Huesca; la *Representatio pastorum* en Toledo, y el monólogo de la Sibila en Toledo y León, representaciones a las que aludiremos en el epígrafe siguiente. Donovan explicará estas huellas del drama litúrgico medieval en Castilla, no como fruto de una costumbre autóctona, sino como manifestaciones de tradiciones foráneas.

¿Por qué esta escasez de documentos sobre dramas litúrgicos en el noroeste peninsular? Donovan explica el fenómeno de la siguiente manera: Hay una serie de factores que testimonian una tradición muy fecunda de representaciones religiosas en esas zonas; sin embargo, los manuscritos litúrgicos no los recogen. Donovan atribuye esta circunstancia a la imposición del rito romano que coincide con las nuevas creaciones en lengua vulgar; de esta manera, esos hipotéticos textos, al estar escritos en lengua vulgar, no se constatan por escrito en los libros litúrgicos que utilizaban el latín (consuetas, breviarios, ordinarios). Particularmente los "ordinarios" describen detalladamente todas las ceremonias litúrgicas de una determinada comunidad. Todo ello hace concluir a Donovan que el drama litúrgico latino sólo esporádicamente se representó en el noroeste peninsular. ¿Por qué este fracaso del drama litúrgico en estas zonas? Por tres razones: 1ª: Habría que relacionar dicha ausencia con la reforma litúrgica. Los clérigos encargados de esta renovación, ante las dificultades que dicha imposición suscita, se limitaron tan sólo a lo esencial. 2ª: La mayor parte de los clérigos reformistas están vinculados a Cluny, bien desde el punto de vista jurídico, bien por afinidad a su espíritu de reforma espiritual. 3ª: El drama litúrgico no triunfó en Castilla ante la efervescencia con que nace la nueva literatura vulgar. Un testimonio de esta tendencia del drama litúrgico en lengua vulgar sería el *Auto de los Reyes Magos.* Ahora bien, ¿cuál es la fuente inmediata de esta obra, la tradición latina, o una tradición en lengua vulgar? La crítica, como veremos, está dividida.

VI.5.2. EL DRAMA LITÚRGICO EN TOLEDO

Donovan vio en Toledo el lugar más apropiado para la investigación del drama litúrgico en Castilla. De ahí que le dedique varias páginas en su investigación (pp. 30-50). La condición de esta ciudad como importante foco receptor de cultura francesa en el siglo XI, el haber sido descubierto en sus archivos el principal muestrario de teatro medieval (*Auto de los Reyes Magos*) y, por último, el testimonio de Alfonso X el Sabio en favor de representaciones litúrgicas, hacía de Toledo un lugar de privilegio para la investigación que se proponía realizar. ¿Fue Toledo un foco difusor del drama litúrgico? Es la pregunta a la que Donovan intenta dar una respuesta. Entre los documentos más importantes encuentra un manuscrito del siglo XVII, escrito por Felipe Fernández de Vallejo, con el título de *Memorias i disertaciones que podrán servir al que escriba la historia de la iglesia de Toledo desde el año MLXXXV en que conquistó dicha ciudad el rei don Alfonso VI de Castilla.* Para el tema que nos ocupa son particularmente importantes la "Disertación V. Sobre la música"; y la "Disertación VI. Sobre las representaciones poéticas en el templo y la Sibila de la noche de Navidad". Vallejo toma como fuente de información un manuscrito escrito por Juan Chaves, cuya datación se sitúa entre finales del siglo XVI y principios del XVII. En estas "Memorias" se describen dos curiosas dramatizaciones. La primera se refiere a la antífona de "laudes", *Quem vidistis, Pastores?/ Infantem vidimus pannis involutum, et choros Angelorum laudantes Salvatorem.* Esta breve antífona fue ampliada y traducida al romance, cuyo texto se recoge en estas "Memorias". El origen de esta breve representación toledana en romance castellano habría que relacionarlo con determinadas antífonas que se cantaban en algunas iglesias francesas durante el canto de laudes en la fiesta de Navidad. Estas antífonas habrían sido el germen de una representación análoga al *Quem quaeritis in praesepe?* Su introducción en Toledo habría tenido lugar en el siglo XIII.

El *Canto de la Sibila* es la segunda dramatización descrita por Vallejo. Ya se aludió al proceso formativo de esta representación litúrgica perteneciente al *Ordo prophetarum*. En las "Memorias" se la califica como "una ceremonia antiquíssima" en la catedral de Toledo, y se la describe con gran detalle: una vez concluido el *Te Deum* de los maitines de la Navidad, un seise, vestido de oriental y representando a la Sibila Eritrea, cantaba la profecía sobre el juicio final. Acompañaban al mozo de coro otros cuatro cantores, dos de ellos con guirnaldas en la cabeza y espadas desnudas, quienes hacían el papel de ángeles, y otros dos llevaban hachas encendidas para iluminar la representación. Donovan utiliza otros documentos que describen esta práctica litúrgica de la catedral toledana con el fin de buscar su naturaleza dramática y su antigüedad, así como determinar cuándo el texto romance sustituyó a la versión latina. La conclusión a la que llega es la siguiente: si bien el canto de la Sibila tiene tras sí una larga tradición muy difícil de precisar cronológicamente, los documentos escritos no permiten retrasar dicha ceremonia, como representación dramática, más allá del siglo XV.

Conviene señalar que el *Canto de la Sibila* fue común en muchas catedrales, algunas de ellas señaladas por el propio Donovan, como Palma de Mallorca, Gerona, Valencia y León. Con posterioridad, el hallazgo más importante sobre este punto tuvo lugar en la catedral de Córdoba[41]. En Oviedo también hay constancia de que dicha representación fue muy frecuente durante el siglo XVI[42].

VI.5.3. EL DRAMA LITÚRGICO EN CATALUÑA[43]

Desde la época de Carlomagno, el devenir histórico de Cataluña está más vinculado a Francia que a Castilla y al noroeste peninsular. Esta singularidad explica el desequilibrio existente entre las fuentes sobre el teatro medieval en Cataluña y las conservadas en el resto de la Península. El rito romano, favorable a las representaciones litúrgicas, se impuso muy pronto en la llamada Marca Hispánica. Esto significa que las iglesias catalanas siguieron al unísono las representaciones que se escenificaban en el resto de Europa. De ahí que el *corpus* de teatro medieval sea tan cuantioso en el área catalana, por lo que se convierte en una de las regiones más fecundas y ricas de la Romania, con particularismos innovadores que demuestran la vitalidad que el teatro tuvo en dicha región durante la Edad Media.

---

41 LÓPEZ YEPES, J., "Una representación de las sibilas..."

42 MENÉNDEZ PELÁEZ, J., *El teatro en Asturias*...

43 MILÁ Y FONTANALS, M., *Orígenes del teatro catalán*, en *Obras Completas*, Barcelona, 1895, t. VI, pp. 205-379, sigue siendo una obra muy importante para el conocimiento del teatro medieval. RUBIO GARCÍA, L., "Las representaciones sacras en Lérida", en *Estudios sobre la Edad Media Española*, Departamento de Filología Románica, Universidad de Murcia, 1973, pp.11-92.

Del ciclo de Semana Santa se conservan, aunque sin pruebas textuales literarias, abundantísimas referencias a pasiones catalanas pertenecientes al siglo XIV[44]. Es, sin embargo, la liturgia pascual la que nos legó un mayor muestrario de dramas litúrgicos, de los que es necesario reseñar una singular *Visitatio sepulchri* (siglo XI) en la catedral de Vich, en la que se unifican la antífona del *Ubi est Christus?* y el *Quem quaeritis in sepulchro?*, con lo que el texto adquiere una mayor amplitud narrativa. Particular interés tiene el desarrollo que adquiere este tropo con la adición, por primera vez en el teatro europeo, de un mercader que vende ungüentos, tal como aparece en el Monasterio de Ripoll. Se trata, por tanto, de una escena original e innovadora en el drama litúrgico. Las posibilidades escénicas que ofrecía este ingrediente eran evidentes. El texto evangélico, según el cual, "pasado el sábado, María Magdalena, María la de Santiago y Salomé compraron aromas para ir a embalsamarle" (Marc., 16, 1-2), ofrecía la posibilidad de dar entrada a elementos populares y, hasta cierto punto, burlescos. La escena en cuestión gozará de enorme éxito en el drama litúrgico europeo, a la vez que actúa como trampolín entre la desacralización de las representaciones litúrgicas y el teatro profano. Con ella se abre "la puerta a la antigua herencia del teatro popular; el boticario, el curandero, el droguero y el especiero, se contaban desde antiguo entre los personajes tipo del actor burlesco y del mimo. No había que inventarlos, sino sólo introducirlos en escena. Salen al paso de las mujeres que en el camino hacia el Santo Sepulcro y con visibles gestos les ofrecen sus mercancías"[45]. La caracterización del mercader de ungüentos, al que se unirán su mujer y sus criados, se convertirá en uno de los elementos más ricos del drama litúrgico europeo, cuya popularidad queda testificada en las representaciones iconográficas de la época. Lo que interesa señalar es que el manuscrito del Monasterio de Ripoll "is the oldest Easter play with the mercator that has been found anywhere in Europe"[46].

Si el Domingo de Resurrección propició el género de la *Visitatio sepulchri*, el lunes de Pascua fue, asimismo, de gran riqueza litúrgica, cuyo carácter festivo llega hasta el momento actual. La liturgia celebra en ese día la aparición de Jesús resucitado a María Magdalena y a los discípulos de Emaús (Jn. 11, 18; Luc. 24, 13-35). Esta fiesta dio origen a los dramas litúrgicos del "Peregrino" y del "Hortelano", que recoge un tropario de Ripoll[47]. La entrada de Jesús en escena supuso un nuevo impulso para el

44 MASSIP, J-F., "Les primeres dramatitzaciones de la Passió en llengua catalana", *D'Art*, 13 (1987)253-268.

45 BERTHOLD, M., *Historia social del teatro*, traduc. española, Madrid, Ediciones Guadarrama, 1974, t. I, p. 211.

46 DONOVAN, o. c., p. 81.

47 *Ibidem*, p. 85.

Duda de Santo Tomás. Claustro del Monasterio de Silos

desarrollo del teatro medieval, al ampliarse el ceremonial escénico: aparición de Jesús a María Magdalena como hortelano, como peregrino a los discípulos de Emaús, al incrédulo Tomás y al conjunto de los discípulos[48]. El enriquecimiento escénico complicaba, asimismo, el espacio teatral. El teatro religioso medieval se ofrecía al espectador en escenarios múltiples y simultáneos, a la manera de las artes plásticas que ilustran muchos de los retablos de las catedrales góticas.

El Cristo de la escena del *Noli me tangere* se representaba como un hortelano disfrazado con su gran sombrero y su pala; el Jesús, que se aparece a los discípulos de Emaús, se caracterizaba con una capucha, morral y un bastón de caminante; la escenificación de Pedro y Juan subiendo al sepulcro adquirió aires paródicos que caracterizaban al primer Papa como un buen aficionado a la bebida, por lo que celebra el milagro de la resurrección con un buen trago de vino; otras veces se le presenta como cocinero-jefe en el banquete celestial. Todos estos dramas se presentan, pues, con aires innovadores, lo que demuestra la vitalidad que el teatro medieval adquirió en Cataluña.

De la liturgia de Navidad lo más llamativo y relevante del teatro medieval catalán es la efervescencia de la representación del *Canto de la*

48 BERTHOLD, M., o. c., pp. 217-225.

Sibila, escenificación que, como ya indicamos, adquirió amplia difusión en otros lugares de la Península. La originalidad innovadora del teatro catalán también tuvo aquí su expresión en la catedral de Barcelona. El anuncio del juicio final, sustancia temática del *Canto de la Sibila*, se enriquece con la escenificación de la leyenda del emperador Octaviano, quien pregunta a la profetisa si hay alguien en el mundo mayor que él. Como respuesta, se ofrece una visión en la que se aparece sobre un altar el Niño-Jesús en brazos de su madre. La novedad reside aquí en que la venida de Cristo, que se anuncia, no es la del juicio final, sino su nacimiento. El emperador, según la leyenda, manda edificar una capilla en el lugar de la aparición con el nombre de Santa María Araceli. Aunque no se conserva el texto de esta representación de la catedral de Barcelona, por los libros de cuentas se deduce que hubo de ser algo realmente espectacular, que puede recordar el complicado aparato que hoy se utiliza para la representación del *Misterio de Elche*. Sí se conserva un texto de la Sibila y el Emperador perteneciente a los maitines de Navidad. En dicho texto se entrecruzan dos tradiciones; la leyenda del *Ara coeli* y la tradición peninsular de la Sibila que anuncia la segunda venida de Jesús el día del juicio final.

El tema de la liturgia asuncionista fue también objeto predilecto del teatro medieval catalán, como lo prueba la actual representación del *Misterio de Elche* con innegables resonancias del teatro medieval catalán[49]. Las referencias escritas a esta representación —no más allá del siglo XVI— no son ningún obstáculo para vincular esta representación con el teatro medieval, una vez familiarizados con las dos fases que suelen tener la mayoría de los géneros literarios en la Edad Media; una primera fase de tradición oral, etapa a la que sigue otra, en la que el texto se recoge por escrito.

La Asunción de María a los cielos, sin haber conocido la muerte, suscitó una larga disputa teológica en los tiempos medievales; los evangelios apócrifos, San Bernardo, Raimundo Lulio, dominicos y franciscanos, la *Leyenda Aurea*, don Juan Manuel, pueden considerarse representantes de toda una corriente teológica que defendía las doctrinas asuncionistas. El hecho en sí era muy apto para dar entrada a una serie de elementos dramáticos provenientes de distintas fuentes apócrifas. Así, por ejemplo, el antisemitismo, con innegable presencia en la literatura peninsular en la baja Edad Media, está muy presente al personificar en los judíos el intento de robar el cuerpo de la Virgen. Asimismo, el parlamento que tiene lugar en el infierno, cuando llega la noticia de la muerte de María; la embajada de diablos que se acercan a la casa con el fin de disputarse tan preciado galardón; la presencia de Cristo y el

49 Véase MASIP, F., "Fiesta y teatro en el *Misterio de Elche*", *Ínsula*, n. 527 (1990)19-20.

pavor que su visión produce en el cortejo infernal, eran elementos de indudable valor cómico-dramático, a la vez que tenían innegables dimensiones didácticas.

Por último, y como característica general de los distintos géneros del drama litúrgico en Cataluña, habría que señalar la importancia que la música tuvo en estas representaciones, hasta convertirse muchas veces en la nota más relevante[50].

VI.6. DEL TEATRO LITÚRGICO AL TEATRO PROFANO

Podemos decir que el teatro medieval no tiene un lugar específico para las representaciones[51]. No obstante, sí se puede afirmar que la iglesia fue, sin duda, el espacio teatral más importante durante la Edad Media[52]. Sin embargo, no hay, dentro del lugar sagrado, un lugar específico para la representación; el altar puede servir para la escenificación del sepulcro, durante la Semana Santa, y, a la vez, de pesebre, en la liturgia de la Navidad. Lo mismo se podría decir de otros espacios del recinto sagrado. Asimismo, los textos litúrgicos fueron la base literaria de aquellas representaciones.

Paralelamente a estas representaciones sacras, parece haber existido un teatro profano, cuyo espacio escénico sería tanto la plaza pública como la propia iglesia, lugar de múltiples funciones en la sociedad medieval; se trataba de un teatro que es condenado sistemáticamente por los sínodos y concilios, incluso por *Las Siete Partidas*, como ya señalamos al hablar de los orígenes litúrgicos del teatro medieval. Son las llamadas "fiestas de locos" o "juegos de escarnio". Es difícil precisar cuál era la naturaleza de estos espectáculos típicamente juglarescos, a base de pantomimas burlescas y satíricas, donde lo grotesco y lo inmoral eran los ingredientes más llamativos. Por eso la Iglesia, cultura dominante de la época, las prohíbe y sanciona.

La existencia de este teatro profano, dentro de su simplicidad y pobreza escénica, podría ser testimonio de la pervivencia de una tradición nunca interrumpida desde la época romana hasta la Edad Media[53], a partir de la cual, mediante una conversión a lo divino, habría nacido el teatro religioso por imperativos de la cultura cristiana. Desde esta perspectiva, nos encontramos con una inversión entre causa-efecto para explicar

---

50 ANGLÉS, H., *La música a Catalunya fins al segle XIII*, Barcelona, 1935

51 QUIRANTES SANTACRUZ, L., "El espacio escénico medieval", *Ínsula*, n. 527, noviembre (1990), 11-13.

52 KONIGSON, E., *L'espace théâtral médiéval*, Paris, Centre National de la Recherche, 1975.

53 BONILLA Y SAN MARTÍN, *Las Bacantes o del origen del teatro*, Madrid, 1921.

los orígenes del teatro medieval. El teatro profano no habría nacido de una secularización de determinados elementos del drama litúrgico, sino, a la inversa, sería el teatro profano la célula engendradora, a través de un proceso de purificación, del teatro litúrgico[54].

La tesis de los orígenes litúrgicos del teatro medieval, sin ningún contacto causal con el teatro antiguo, desvió la atención de los críticos hacia fuentes de la cultura eclesiástica. Sin embargo, es una veta que no debiera desdeñarse. Muchas de las representaciones dramáticas de carácter tradicional, que aún perviven en muchas regiones peninsulares, parecen enlazar con el espectáculo ofrecido por mimos e histriones latinos. En determinadas fiestas del año, particularmente del ciclo de Navidad, eran frecuentes —ahora de nuevo se están rescatando— viejas comparsas que llevaban los nombres de sidros o guirrios, zamarrones, guilandeiros, brabancos, zaparrastros y otras denominaciones con que este fenómeno común aún se conoce en distintas comarcas de Asturias[55].

El fenómeno juglaresco no parece que se pueda olvidar a la hora de explicar los orígenes del teatro medieval. Evidentemente el drama litúrgico nace por imperativos litúrgicos y catequísticos; la representación sensible era el mejor medio didáctico y pedagógico. De ahí que la Iglesia favoreciese estas representaciones siempre que no se diesen determinados excesos. A medida que estas representaciones eclesiásticas utilizan el romance castellano, se abría la posibilidad de contar con la colaboración de los juglares, animadores de todo espectáculo popular, y herederos de la vieja tradición de los histriones latinos. De esta manera, quizás se pueda pensar en una línea continuada entre la actividad lúdica, más o menos dramática de los histriones y mimos, y las aportaciones profanas con las que los juglares sazonan las representaciones en las iglesias.

Explicadas así las cosas, los orígenes litúrgicos del teatro medieval no estarían en contradicción con el espectáculo juglaresco, caldo de cultivo de las primeras manifestaciones literarias en las lenguas neolatinas. Las catedrales, primero en sus coros y, después, en sus atrios, fueron los primeros teatros de la Romania. A medida que los elementos cómicos y profanos invaden las dramatizaciones litúrgicas, la autoridad eclesiástica promoverá una traslación de la representación semilitúrgica, hasta que ésta adquiera elementos seculares que la convertirán en teatro profano, cuya representación tendrá lugar, primero, en la plaza pública y, después, en el "corral" o "casa de comedias", para desembocar finalmente en los teatros modernos.

---

54 HUNNINGHER, B., *The Origin of the Theater*, Nueva York, 1961; y, sobre todo, HARDISON, O. B., *Christian Rite and Christian Drama in the Middle Ages: Essays in the Origins and Early History of Modern Drama*, Baltimore, John Hopkings University Press, 1967.

55 MENÉNDEZ PELÁEZ, J. *El teatro en Asturias...*, pp. 159-178.

VI.7. EL TEATRO MEDIEVAL COMO ESPECTÁCULO

Tradicionalmente, desde una perspectiva académica, se viene defendiendo la prioridad textual del teatro. De ahí las frecuentes polémicas con los directores de escena, quienes subordinan con frecuencia o adaptan lo textual a la puesta en escena. Evidentemente, son dos caras de la misma moneda. Buscar el justo medio entre texto y espectáculo es uno de los objetivos de la actual ciencia de la literatura[56].

El texto en el teatro medieval vernáculo no parece haber jugado un papel muy importante, si tenemos en cuenta la precariedad con la que se han transmitido los hoy conservados. Hojas sueltas, anotaciones en libros de cuentas y en otros de escasa consistencia y estima suelen ser los lugares en los que se transmitieron algunos de esos textos. Sólo los dramas litúrgicos en latín tuvieron mejor suerte, al formar parte de la liturgia. Por eso se han conservado en breviarios y misales de la época. De aquí parece desprenderse que la teatralidad no dependía tanto de lo textual como de otros signos que configuran la puesta en escena (el espacio teatral, el gesto, la voz, el disfraz, etc.).

El dramaturgo-actor, como profesión, está muy lejos del universo teatral medieval. Cualidad esta que no es exclusiva del teatro, sino también de la poesía y de la prosa. El autor medieval no suele vivir de la literatura. El clérigo y el cortesano tienen sus propios medios de subsistencia y utilizan la literatura como mera afición, al lado de su actividad eclesiástica o política. Quizás haya sido el juglar el primero en hacer de la literatura una profesión en la medida en que el espectáculo juglaresco, del que dependía su "modus vivendi", daba entrada al hecho literario. Esta carencia de conciencia de autoría, característica de los autores del teatro medieval, explica las poquísimas referencias que se hacen a la puesta en escena. El autor deja en manos de los actores todo lo relativo al teatro como espectáculo. En ocasiones, los actores se limitaban tan sólo a ilustrar con gestos y movimientos un texto que era leído o interpretado por el coro[57].

Sin embargo, el drama litúrgico es más explícito en este punto, ya que las rúbricas descienden a un detallismo más minucioso dentro del contexto litúrgico en el que se incluye la representación.

---

56 UBERSFELD, A., *Lire le Théâtre*, Paris, Éditions Sociales, 1977, edic. española con el título de *Semiótica teatral*, Murcia, Universidad, 1989; DIEZ BORQUE, J. M., "Pórtico sencillo al teatro (Del texto a la representación)", en *Historia del teatro en España*, Madrid, Taurus, 1983, pp. 17-59. Para la aplicación de estas categorías a la Edad Media, véase Elie KONIGSON, *L'Espace Théâtral Médieval*, Paris, 1975; Henry REY-FLAND, *Pour une dramaturgie du Moyen-Âge*, París, Press Universitaires de France, 1980; Ronald E. SURTZ, "El teatro en la Edad Media", en DIEZ BORQUE, J. M.(edit.), *Historia del teatro en España*... pp. 112-128

57 Véase QUIRANTES SANTACRUZ, L., art. cit. p. 12.

Hablar de director de escena —tal y como se entiende hoy— en el teatro medieval es un claro anacronismo. El maestro de ceremonias o el maestro de capilla solían hacer esta función. Las únicas noticias a este respecto las proporcionan las actas capitulares de las catedrales, con referencias bien al encargo, bien a la cantidad asignada para esa función.

La no profesionalización de autores y directores afecta, igualmente, a los actores del teatro medieval. El drama litúrgico tenía como actores a los propios clérigos; los niños o cantores de coro en las catedrales fueron, asimismo, con frecuencia los actores del teatro religioso medieval. No obstante, a medida que el teatro religioso da cabida a determinados papeles profanos (por ejemplo, el boticario de la *Visitatio sepulchri*), éstos son interpretados por seglares, a los que se les suele dar una pequeña cantidad de dinero, según se recoge en determinadas actas de los cabildos catedralicios. La mujer no solía ser admitida, por lo menos en las representaciones religiosas, para interpretar papeles femeninos. Estos papeles eran representados por jóvenes, como en el caso actual del *Misterio de Elche*, en el que el personaje de María es representado por un joven.

En la *Crónica de Miguel Lucas de Iranzo*[58], de tantas referencias a representaciones navideñas, se alude a los pajes de la corte como actores de los autos navideños. El mismo Condestable hizo el papel de rey mago.

La verosimilitud del atuendo, sin ser una preocupación excesiva del teatro medieval, no fue desatendida. Los clérigos utilizaban sus propios ornamentos, ya de por sí llamativos. En otras ocasiones, el clérigo que cantaba el texto de la Sibila solía llevar un lujoso disfraz, cuyos costes solían ser anotados en los libros de cuentas de muchas catedrales. A los ángeles que acompañaban al cortejo se les caracterizaba con sus alas; los profetas del Antiguo Testamento llevaban sus diademas y barbas postizas para acercarse lo más posible a la iconografía tradicional de estos personajes. No debe olvidarse la relación estrecha entre lo bello/bueno y lo feo/malo. Así, las máscaras serán utilizadas para poner de relieve el antagonismo entre el bien y el mal. Lo grotesco y la maldad cobran, de esta manera, una particular significación. En otras ocasiones, en lugar de máscaras se utilizaban velos, tanto si se trataba de hacer papeles femeninos como masculinos. La individualidad del actor quedaba si no anulada, sí un tanto subordinada a la significación universal del acontecimiento que representaba dentro de la historia de la salvación.

Esta dimensión soteriológica y salvífica, que tiene el teatro medieval —revivir "hic et nunc" un acontecimiento del misterio cristiano— se proyecta hacia un cierto hieratismo en la actitud de aquellos actores que re-

58 *Crónica de Miguel Lucas de Iranzo*, edic. de Juan MATA CARRIAZO, Madrid, Espasa-Calpe, 1940.

presentan papeles sagrados. Por el contrario, lo cómico y lo grotesco se van adentrando en el teatro medieval, a medida que los elementos profanos y los papeles menos decorosos entran en escena. Esto será lo que provoque la proyección del espacio teatral medieval, originariamente sagrado (retablo, altar) hacia un espacio más profano (atrio, pórtico, plaza pública, etc.).

Otra dimensión de la puesta en escena del teatro medieval es su vinculación con la música, un aspecto frecuentemente olvidado por la crítica literaria. Música y literatura forman, en este momento —ya lo indicamos en otros lugares— un binomio difícilmente separable, cuyas mutuas relaciones es preciso poner de manifiesto para tener una exacta comprensión de un fenómeno literario-musical[59]. Las partituras de estas representaciones se conservan en gran parte para los dramas litúrgicos, pero no de la misma manera para el teatro vulgar. Las analogías con el canto gregoriano, la música trovadoresca y la música de los *Carmina Burana* podrían darnos una idea de la naturaleza musical de aquellas representaciones. En este sentido, la riqueza del teatro catalán, en relación con el resto de la Península, no admite comparación.

VI.8. EL AUTO DE LOS REYES MAGOS

VI.8.1. UN TEXTO DE FINALES DEL SIGLO XII

En el año 1863 Amador de los Ríos[60] publicaba, por primera vez, uno de los textos más sugerentes y, a la vez, más problemáticos de nuestro teatro medieval. Puede calificarse como la primera y única obra conservada del teatro castellano anterior al siglo XV. Se trata de una representación sobre la adoración de los Reyes Magos, basada bien en el texto evangélico Mat. 2, 1-12, bien en versiones apócrifas[61]. Pertenece, por tanto, al ciclo litúrgico de la Epifanía, que genéricamente se ha denominado el *Ordo Stellae*, aunque no tiene relación directa con los dramas litúrgicos latinos sobre el mismo tema.

---

59 En el capítulo "Introducción a la Literatura Medieval" ya nos referimos a esta dimensión poética de los textos medievales. En lo que se refiere a la relación entre la música y el teatro medieval, véase Higinio ANGLÉS, *La musica a Catalunya fins al segle XIII*, Barcelona, 1935; y, sobre todo, William L. SMOLDON, *The Music of the Medieval Church Dramas*, Oxford University Press, 1980.

60 AMADOR DE LOS RÍOS, J., *Historia crítica de la literatura Española* [1863], edic. facsímil, Madrid, Gredos, 1969, t. III, pp. 658-660.

61 Véase, por ejemplo, la versión muy amplificada de este pasaje en la redacción de los "Apócrifos de la Infancia", en SANTOS OTERO, A. de, *Los Evangelios Apócrifos*, edición crítica y bilingüe de, Madrid, Biblioteca de Autores Cristianos, 1979, pp. 312-313.

Los Reyes Magos ante Herodes

La fecha de composición, sus orígenes, la naturaleza lingüística, la métrica, la originalidad castellana o dependencia del texto, fueron y son los problemas críticos que llamaron la atención de los investigadores.

La versión que ha llegado hasta nosotros parece ser, según Menéndez Pidal —de quien procede la primera edición crítica[62]— de finales del siglo XII o principios del XIII.

VI.8.2. EL PROBLEMA DE LA DEPENDENCIA

Los primeros estudios ya pusieron de manifiesto que se trataba de una adaptación y traducción al castellano de algún texto francés. Las voces de quienes sostenían su vinculación con un teatro autóctono fueron acalladas. De esta manera, esta pieza dramática sería algo excepcional e importado. En Francia existía una rica tradición de poemas narrativos sobre el tema de la infancia de Jesús, basada en los evangelios apócrifos. A ella parece remitirse el texto castellano[63].

El origen francés fue reforzado desde la perspectiva métrica. Determinadas rimas irregulares, que aparecen en el texto, tendrían su explicación en un autor cuya lengua equiparase la -a y la -e átonas finales. Así ocurre en gascón y en catalán. Rafael Lapesa se inclina por el origen

62 MENÉNDEZ PIDAL, R., "Auto de los Reyes Magos", *Revista de Archivos, Bibliotecas y Museos*, 4 (1900)449-462; Idem, *Poema de Mio Cid y otros monumentos de la primitiva poesía española*, Madrid, 1919, pp. 144-145.

63 STURDEVANT, W., *The Misterio de los Magos: Its Position in Developement of the medieval Legend of the Three Kings*, Baltimore-Paris, 1927.

francés[64]. Este deslizamiento lingüístico del autor explica también las reminiscencias mozárabes. El autor, de origen gascón, adoptaría, de esta manera, una actitud ecléctica: castellano-mozárabe con rasgos de su lengua materna. Esta explicación guarda relación con la situación sociolingüística que se vive en Toledo durante los siglos XII y XIII. Junto a la comunidad cristiana, árabe y judía, existía una población gala, en su mayor parte clérigos que conocen el romance castellano. El autor escribe el "Auto" en este último sistema lingüístico por ser el más general, pero, al no existir aún una normalización del romance castellano, su escritura es permeable a determinados mozarabismos y a su propia lengua materna, de origen gascón.

No obstante, este pluralismo lingüístico, que se refleja en el texto, inclinó a otros eruditos a relacionar al autor, bien con la comunidad mozárabe[65], bien con un origen catalán[66]. Cataluña, muy en particular el Monasterio de Ripoll, pudo haber sido un importante centro de difusión de representaciones en lengua vulgar hacia occidente, tradición con la que enlazaría el anónimo autor[67].

VI.8.3. SINGULARIDAD DRAMÁTICA DEL TEXTO CASTELLANO

¿Auto o misterio? Los dos atributos fueron defendidos y señalados por la crítica. Quizás la denominación de *Auto de los Reyes Magos* haya conseguido una mayor aceptación, mientras la nominación de "misterio" quedó marginada, por ser posterior al momento en el que aparece la obra.

El tema de la Epifanía que se escenifica no deriva de los dramas litúrgicos latinos sobre el mismo ciclo. Los soliloquios independientes de los Magos, el monólogo de Herodes, la disputa entre los sabios, son algunas de las peculiaridades que lo separan del teatro litúrgico. Incluso el final "ex abrupto" podría singularizar artísticamente la obra[68].

---

64 LAPESA, R., "Sobre el *Auto de los Reyes Magos*: sus rimas anómalas y el posible origen de su autor", en *De la Edad Media a nuestros días* [1967], Madrid, Gredos, 1971, pp. 37-47; Idem, "Mozárabe y catalán o gascón en el *Auto de los Reyes Magos*", en *Miscelània Aramon i Serra*, Barcelona, Curial, v. III, 1983, pp. 277-294.

65 SOLA-SOLÉ, J. M., "El *Auto de los Reyes Magos*: ¿Impacto gascón o Mozárabe?", *Romance Phylology*, XXIX (1975-76)20-27.

66 KERKHOF, M. P. A., "Algunos datos en pro del origen catalán del autor del *Auto de los Reyes Magos*", *Bulletin Hispanique*, LXXXI (1979)281-288.

67 REGUEIRO, J. M., "Rito y popularismo en el teatro antiguo español", *Romanische Forschungen*, LXXXIX (1977)1-17.

68 DEYERMOND, A. D.-HOOK, D., "La terminación del *Auto de los Reyes Magos*", *Anuario de Estudios Medievales*, 13 (1983)269-278; RODRÍGUEZ VELASCO, J., "Redes temáticas y horizonte de expectativas: observaciones sobre la terminación del *Auto de los Reyes Magos*", *Vox Romanica*, XLVIII (1989)147-152.

Desde una perspectiva dramática, la duda es el núcleo sobre el que se asienta la acción dramática del texto castellano, observándose una gradación en el excepticismo inicial de los magos[69]; Baltasar es el más excéptico ("por tres noches me lo veré"), mientras Gaspar ("otra noche me lo cataré") y Melchor ("veer lo é otra vegada") se muestran más crédulos. El texto presenta, a su vez, otras notables peculiaridades, al apartarse de la utilización tradicional de los regalos ofrecidos. La interpretación simbólica que los Santos Padres ya vieron en estas ofrendas se refieren a la realeza (el oro), la divinidad (el incienso) y la humanidad (la mirra). Estos elementos funcionales aparecen, asimismo, en poemas narrativos franceses, en los que se presenta a los Magos haciendo la ofrenda, una vez confirmada su creencia en la polivalente naturaleza del Niño. En el texto castellano el suspense dramatizado se logra precisamente por medio de los regalos ofrecidos. Los regalos más que confirmar una creencia, sirven para despejar las dudas de los Magos.

Dentro de la técnica teatral y del simbolismo que se esboza en el texto, hay que subrayar, frente a un moderado excepticismo de los Magos, la rigidez incrédula de Herodes en el soliloquio de la escena sexta. Asimismo, la caracterización de Herodes, común en el teatro medieval europeo, como un ser físicamente violento, que lanza por los suelos las escrituras de los rabinos, en el texto castellano queda reducida a una violencia puramente verbal. Asimismo, la disputa entre los dos rabinos pone una cierta tensión, cuando discuten sobre el cumplimiento de las profecías de Jeremías sobre la venida del rey Mesías. El enfrentamiento entre las doctrinas veterotestamentarias y la nueva ley queda así manifiesto. Como señala R. E. Surtz[70], "tal actitud polémica cobra un significado especial en el contexto histórico del Toledo del siglo XII en que coinciden cristianos, judíos y musulmanes".

La polimetría, que caracteriza al texto, fue objeto de estudios y comentarios. Tal pluralismo métrico (alejandrinos, eneasílabos, heptasílabos) no sería algo anárquico, sino buscado por el autor que intenta acomodar cada situación a un peculiar "modus versificandi".

Con todo, el verdadero interés del "Auto" radica en ser la primera obra del teatro europeo compuesta en una lengua vulgar. Es posible que el anónimo autor haya bebido en fuentes francesas o catalanas, hoy perdidas. Pero también es verosímil pensar en una tradición vernácula peninsular, al margen del teatro litúrgico latino. Ninguna de las hipótesis hasta ahora formuladas tiene la exclusiva interpretativa. El camino crítico sigue, pues, abierto. Lo que sí es incuestionable es que el "Auto" no nace

---

69 SENABRE, R., "Observaciones sobre el texto del *Auto de los Reyes Magos*", en *Estudios ofrecidos a Emilio Alarcos Llorach*, Oviedo, Universidad, t. I, 1977, pp. 417-432.

70 *Teatro Medieval*, edic. de Ronald SURTZ, Madrid, Taurus, 1983, p. 17.

"ex nihilo". Está vinculado una tradición preexistente, cuyo cordón umbilical, por el momento, nos es desconocido.

A partir del siglo XV, nuevos documentos testimonian ya una intensa actividad dramática, profana y religiosa, en la Castilla medieval. Por ello, remitimos a la parte del manual titulada "El teatro en el siglo XV" a fin de que el lector se haga una idea global del teatro medieval castellano.

V.9. BIBLIOGRAFÍA

V.9.1. EDICIONES DE TEXTOS

Auto de los Reyes Magos, edic. de MENÉNDEZ PIDAL, *Textos Españoles Medievales*, Madrid, Espasa-Calpe, 1976, pp. 171-177.

Auto de los Reyes Magos, edic. modernizada de LÁZARO CARRETER, F., en *Teatro Medieval*, Madrid, Castalia, "Odres Nuevos", 4ª edic., 1976.

Teatro Medieval Castellano, edic. de SURTZ, R. E., Madrid, Taurus, 1983 [actualizada 1992].

Teatro medieval, edic. de Ana María ÁLVAREZ PELLITERO, Madrid, Espasa-Calpe, "Clásicos Castellanos", A157, 1990.

VI.9.2. ESTUDIOS

ALONSO PONGA, J. L., *Religiosidad popular navideña en Castilla y León. Manifestaciones de carácter dramático*, Junta de Castilla y León, 1986.

ÁLVAREZ PELLITERO, A. M., "Aportaciones al estudio del teatro medieval en España", *El Crotalón*, 2 (1985)13-35.

———, "Del *Officium pastorum* al auto pastoril", *Ínsula*, n. 527 (1990)17-18.

AXTON, R., *European Drama of the Early Middle Ages*, Londres, Hutchinson University Library, 1974.

COLLINS, F., *The Production of Medieval Church Music-Drama*, University Press of Virginia, 1972.

DEYERMOND, A.-HOOK, D., "El problema de la terminación del *Auto de los Reyes Magos*", *Anuario de Estudios Medievales*, (1983)270-273.

DÍAZ, J.-ALONSO PONGA, J. L., *Autos de Navidad en León y Castilla*, León, Santiago García, 1983.

DONOVAN, R. B., *The Liturgical Drama in Medieval Spain*, Toronto, Pontifical Institut of Medieval Studies, 1958.

FOSTER, D. W., "Figural Interpretation and the *Auto de los Reyes Magos*", *Romanic Review*, LVIII (1967)3-11.

GARCÍA DE LA CONCHA, V.,"Dramatizaciones litúrgicas pascuales de Aragón y Castilla en la Edad Media", en *Homenaje a Don José María Lacarra de Miguel en su jubilación*, Zaragoza, 1982, t. V, pp. 153-175.

GÓMEZ MORENO, A., *El teatro medieval castellano en su marco románico*, Madrid, Taurus, 1991.

HARDISON, O. B., *Christian Rite and Christian Drama in the Middle Ages: Assays in the Origin and Early History of Modern Drama*, Baltimore, Johns Hopkins University Press, 1965.

HUNNINGHER, B., *The Origin of the Theatre*, Nueva York, 1961.

KERKHOF, Maximin P. A. M., "Algunos datos en pro del origen catalán del autor del *Auto de los Reyes Magos*", *Bulletin Hispanique*, LXXXI (1979)281-288.

LAPESA, R., "Sobre el *Auto de los Reyes Magos*: sus rimas anómalas y el posible origen de su autor", en *Homenaje a Fritz Krüger*, Mendoza, Universidad de Cuyo, t. II, 1954; reimpreso en *De la Edad Media a nuestros días*, Madrid, Gredos, 1967, pp. 37-47.

LÓPEZ MORALES, H., *Tradición y creación en los orígenes del teatro castellano*, Madrid, Alcalá, 1968.

———, "Sobre el teatro medieval castellano: *status quaestionis*", *Boletín de la Academia Puertorriqueña de la Lengua Española*, XIV (1986)99-122.

LÓPEZ YEPES, J., "Una representación de la Sibila y un *Planctus Passionis* en el Ms. 80 de la Catedral de Córdoba: Aportaciones al estudio de los orígenes del teatro medieval castellano", *Revista de Archivos, Bibliotecas y Museos*, LXXX (1977)545-567.

MENÉNDEZ PELÁEZ, J., *El teatro en Asturias (De la Edad Media al siglo XVIII)*, Gijón, Noega, 1981.

———, "Antiguas dramatizaciones litúrgicas en Asturias: hacia los orígenes del teatro medieval", en *Archivum*, XXXVII-XXXVIII (1987-88)159-181.

PELLICER, Casiano, *Tratado histórico sobre el origen y progresos de la comedia y del histrionismo en España*, Madrid [1804], edición a cargo de DIEZ BORQUE, J. M., Barcelona, Labor, 1975.

REGUEIRO, J. M., "El *Auto de los Reyes Magos* y el teatro litúrgico medieval", *Hispanic Review*, XLV (1977)149-164.

SENABRE, R., "Observaciones sobre el texto del *Auto de los Reyes Magos*", en *Estudios ofrecidos a Emilio Alarcos Llorach* , Oviedo, Universidad, 1977, t. I, pp. 417-432.

SHERGOLD, N. D., *A History of the Spanish Stage from Medieval Times Until the End of the Seventeenth Century*, Oxford, Clereton Press, 1967.

SITO ALBA, M., "La teatralita seconda e la struttura radiale nel teatro religioso spagnolo del medioevo: la *Representación de los Reyes Magos*", en *Atti del V Convegno Internazionale del Centro di Studi sul Teatro medievale e Rinascimentale*, Viterbo, 1981.

SMOLDON, W. L., *The Music of the Medieval Church Dramas*, Oxford University Press, 1980.

SOLA-SOLÉ, J. M., "El *Auto de los Reyes Magos*: ¿Impacto gascón o mozárabe?", *Romance Philology*, XXIX (1975-1976)20-27.

STURDEVANT, W., The *"Misterio de los Reyes Magos": Its Position in the Development of the Medieval Legend of the Three Kings*, Baltimore-París, 1927.

TRAPERO, M., *La pastorada leonesa. Una pervivencia del teatro medieval*, Madrid, Sociedad Española de Musicología, 1982.

TYDEMAN, W., *The Theatre in the Middle Ages*, Cambridge University Press, 1978.

WARDROPPER, B., "The Dramatic Texture of the *Auto de los Reyes Magos*", *Modern Language Notes*, LXX (1955)46-50.

WEISS, J., "The *Auto de los Reyes Magos* and the Book of Jeremiah", *La Corónica*, IX (1981)128-131.

YOUNG, K., *The Drama of Medieval Church*, Oxford University Press, 1933, 2 vols.

CAPÍTULO VII: LA LITERATURA CASTELLANA EN EL SIGLO XV

El siglo XV marca un hito diferenciador en la creación literaria medieval. Los cambios político-sociales, derivados de la lucha dinástica entre Pedro I y los Trastámara, debilitan el poder monárquico. La nueva autocracia adquiere cada vez más un mayor protagonismo, produciéndose un verdadero caos político por las constantes luchas nobiliarias. Sin embargo, esta nobleza decadente pretende resucitar viejos ideales cortesanos en un momento en el que ya resultaban obsoletos[1]*. Es la respuesta esperada en una época de crisis y en desintegración. La clase dominante, que ve en peligro sus privilegios, adopta una actitud "arcaica", según la expresión de Arnold J. Toynbee*[2]*, y vuelve los ojos hacia atrás para idealizar tiempos pasados. Asistimos a un "revival" del viejo espíritu caballeresco. El conservadurismo político lleva a un conservadurismo cultural. Era una manera de volver la espalda a la vida real. Los ideales caballerescos y cortesanos enmascaraban, así, la dura realidad en la Castilla del siglo XV. La distorsión entre realidad social y vida palatina adquiere su máxima expresión bajo el reinado de Juan II*[3]*. Esta época, llena de sombras en lo político-social, fue, sin embargo, fecunda y brillante en el campo de las artes. La nobleza levantisca gustaba de manifestar su poder en las fiestas cortesanas: juegos, torneos, certámenes poéticos, se sucedían sin cesar. La nobleza se refugiaba, de esta manera, en este mundo anacrónico y utópico. El resurgimiento de los esquemas del amor cortés, que en Castilla triunfa en el siglo XV, tiene aquí su explicación.*

A pesar de ello, las nuevas corrientes culturales, que en ese momento ya prenden en Europa, también comienzan a manifestarse, aunque tenuemente, en muchos intelectuales castellanos. El humanismo italiano encontró, desde el principio del siglo XV, una favorable acogida[4]*.*

---

1 BOASE, R., *El resurgimiento de los trovadores*, traduc. española, Madrid, Edic. Pegaso, 1981.

2 TOYNBEE, A., *Estudios de la Historia*, Madrid, Alianza Editorial, t. 2, 1971, p. 213.

3 BOUDET, I. J., Conde de Puymaigre, *La cour littéraire de don Juan II*, Paris, Frank, 1873, 2 vols.

4 DI CAMILO, O., *El humanismo Castellano del Siglo XV*, Valencia, Fernando Torres Editor, 1976. Las investigaciones sobre bibliotecas privadas ponen de manifiesto la afición que la aristocracia castellana del siglo XV sentía por los libros; ya no son patrimonio exclusivo de la clerecía. Véanse: LADERO QUESADA, M. A.-QUINTANILLA PASO, Mª. C., "Biblioteca de la alta nobleza castellana en el siglo XV", en *Livre et lecture*, 1981, pp. 47-59; BECEIRO PITA, I.-FRANCO SILVA, A., "Cultura nobiliar y bibliotecas: cinco ejemplos, de las postrimerías del siglo XIV a mediados del siglo XVI", en *Historia, Instituciones, Documentos*, XII (1986)277-350; LAWRANCE, J. N. H., "Nuevos lectores y nuevos géneros: Apuntes y observaciones sobre la epistolografía en el primer Renacimiento español", en GARCÍA DE LA CONCHA, V. (edit.), *Literatura en la época del Emperador*, Salamanca, Universidad, 1988, pp. 81-99.

El ambiente cortesano y la nueva corriente humanística de origen italiano caracterizan la producción literaria del siglo XV. La poesía, el teatro y la prosa quedan, en buena parte, enmarcados en estas dos corrientes culturales. Esto no significa que no existan otras tendencias. La vena popular creará un nuevo género literario en íntima unión con la lírica y la épica tradicional: el romancero.

VII.1. EL AMOR CORTÉS, TELÓN DE FONDO DE LA LITERATURA CASTELLANA DEL SIGLO XV

"Al leer las composiciones de los trovadores provenzales —dice Martín de Riquer[5]— conviene tener en cuenta que muchas cosas que pueden parecer tópicos o lugares comunes, mil veces repetidos en poesía, no lo son tal, sino la manifestación de un espíritu y de un concepto de vida determinados y fijos, que hasta entonces no aparecieron ni pudieron aparecer. Lo que ocurre es que estos mismos conceptos han pasado de tal modo a la poesía posterior de occidente que al encontrarlos entre los trovadores corremos el peligro de tomarlos por puras fórmulas carentes de sentido y de originalidad, cuando son, precisamente, los modelos y arquetipos que luego se repetirán insistentemente". Estas apreciaciones del ilustre profesor catalán, uno de los mejores conocedores de la literatura provenzal, podrían servir de introducción, igualmente, para caracterizar una buena parte de la creación literaria del siglo XV castellano. La literatura del amor cortés, tanto en Provenza como en Castilla, presenta unas características estereotipadas, a modo de convenciones preestablecidas, que hacen de estas producciones algo uniforme, aparentemente sin ninguna originalidad, dando la sensación de ser producto de un único autor. De ahí el escaso interés que esta literatura cortesana suele tener entre los lectores de nuestros días. Sin embargo, el trovador provenzal o los poetas cancioneriles del siglo XV castellano, así como los autores de la novela sentimental, por citar algunos de los géneros más representativos de esta centuria, están al servicio de la demanda de un público; sus creaciones responden, pues, a una manera de ser y de entender la vida y la sociedad cortesana de aquel entonces.

El siglo XV es el momento en que triunfan en la literatura castellana, a modo de "fruto tadío", los, por aquel entonces, ya viejos esquemas de la cultura del amor cortés provenzal. Por ello, es necesario caracterizar cuáles fueron las notas que singularizaron la creación literaria del amor cortés primigenio, y examinar en qué medida y de qué manera tiene lugar la "castellanización del amor cortés" durante el siglo XV.

5 RIQUER, Martín de, *Los trovadores. Historia literaria y textos*, Barcelona, Planeta, 1975, t. I, p. 77.

VII.1.1. CARACTERÍSTICAS DEL AMOR CORTÉS PROVENZAL[6]

VII.1.1.1. Coordenadas espacio-temporales

El área geográfica del primigenio amor cortés abarca una amplia zona del Midi francés que va desde el Atlántico, se extiende por el sur de Francia, penetra en el área catalana, ocupa la parte norte de Italia, a la vez que alcanza los Alpes. Se trata, pues, de una literatura que no está condicionada por una entidad política o nacionalidad determinada que la delimite. Los trovadores, por tanto, pertenecen a distintas regiones más o menos independientes, que tienen una base idiomática común: el provenzal o lengua *d'oc*.

Desde el punto de vista cronológico, la época áurea de la literatura del amor cortés se puede decir, de forma genérica, que ocupa los siglos XII y XIII; a partir del siglo XIV, asistimos a su ocaso, no sin antes haber infeccionado la creación literaria de otros países. Su expansión hacia el sur dejará sus huellas, ya más espiritualizadas, en el "dolce stil nuovo" italiano, mientras su fuerza expansiva hacia el norte impregnará buena parte de la literatura francesa en legua *d'oïl*, donde se une a la tradición ovidiana del *Ars amandi*, hasta alcanzar la literatura inglesa (Chaucer, por ejemplo) y los *Minnesänger* alemanes. La castellanización del amor cortés tendrá lugar en el siglo XV, lo cual no significa que no hayan existido con anterioridad influjos de esta corriente; su paso hacia el reino galaicoportugués, donde ya vimos dejó su impronta en las cantigas de amor y en otros géneros, permitirá descubrir sus secuelas en determinadas composiciones castellanas, como la *Razón feyta d'amor*.

VII.1.1.2. Naturaleza del amor cortés

Se podría afirmar, creemos con toda propiedad, que el amor cortés no es sólo una corriente o estilo literario; más bien se trata de una manera de ver y entender la vida la sociedad cortesana medieval. La concepción que esta sociedad tiene de la vida amorosa será, al mismo tiempo, la expresión de una actitud frente a la existencia humana. Es, por tanto, una cultura, una *Weltanschauung*. Por eso no resulta fácil estructurar su notas caracterizadoras.

C. S. Lewis[7], con afán de simplificar el problema, caracterizó, acertadamente a nuestro juicio, la cultura del amor cortés con cuatro notas: "la humildad, la cortesía, el adulterio y la religión del amor".

- *VII.1.1.2.1. La humildad*

Los amadores, protagonistas de las creaciones literarias del amor cortés, adoptan siempre una postura servil frente a la dama. Obediencia cie-

---

6 *Ibidem*, p. 10 y ss.

7 LEWIS. C. S., *La alegoría del amor. Estudio sobre la tradición medieval*, traduc. española, Buenos Aires, Eudeba Universitaria, 1953.

ga, satisfacer todos sus caprichos, aceptar calladamente sus reproches, aunque éstos sean injustos, se convierten en la norma que todo buen amador se ufana de cumplir. Los códigos referenciales a la relación siervo/señor, típicos de la sociedad feudal, sirven de soporte axiológico, pero con la novedad de que el amante hace las veces de criado (*servus*) de la dama, a quien llamará "midons" (< *meus dominus*). Asistimos, pues, a una convención literaria dentro de las categorías del feudalismo.

- *VII.1.1.2.2. Cortesía*

El vocablo "cortesía", cuyo adjetivo vino a caracterizar la naturaleza del amor idealizado por esta cultura, tiene una doble acepción: moral y social[8]. El valor moral englobaría un conjunto de cualidades y de virtudes. Su concepto opuesto sería la "villanía", es decir, el conjunto de vicios en relación con la norma cortesana. En su sentido social, la palabra cortesía indicaría la clase aristocrática de un determinado estamento; según esto, cuando se afirma la posibilidad de que un cortesano pueda degradarse y devenir villano, o viceversa, tal afirmación habría que tomarla en sentido moral. De aquí se deriva el carácter elitista de esta cultura. Únicamente el que es cortés, no sólo en sentido moral, sino, sobre todo, social podrá acceder a sus umbrales. La cultura del amor cortés tiene, pues, un fuerte carácter aristocrático: exclusivamente el cortesano es capaz de amar. Las pastorelas de la lírica francesa y provenzal ilustran esta doctrina.

Íntimamente relacionado con la "cortesía" se encuentra el concepto de "mesura"; su contenido semántico implica un equilibrio entre lo racional y lo sentimental, armonía entre corazón e inteligencia.

- *VII.1.1.2.3. La religión del amor*

Es esta una de las características más singulares del amor cortés. Los teóricos de esta cultura utilizarán una conceptualización análoga a la empleada por las religiones positivas, muy concretamente la religión cristiana. Si el concepto de religiosidad positiva conlleva la creencia en un ser supremo, Dios, del cual el hombre se siente "religado" (religión < *religare*), la mujer ocupará el lugar de ese ser absoluto en la nueva "religión del amor". Ella será objeto de culto con características análogas a la religión cristiana. El amador hace de su amada un dios. El amor, en este contexto, cumplirá la misma función que la "gracia" en la revelación divina. De la misma manera que la gracia, en la teología cristiana, es el medio por el cual el ser absoluto comunica su vida al hombre y le hace partícipe de su existencia, en la nueva religión, el amor cumplirá la misma función. Por eso los trovadores dirán que "El amor no es pecado/ sino una virtud que hace buenos a los malvados/ y mejores a los buenos". El amor, pues, es fuente de bondad.

---

8 LAZAR, M., *Amour courtois et fin'amors*, Paris, 1964, p. 23 y ss.

Así como la religión cristiana posee sus dogmas y sus códigos ético-morales, que modulan la conducta del individuo, la religión del amor formula sus preceptos, sus normas y sus máximas para triunfar en la vida amorosa. Con la misma normativa lingüística de las grandes obras de la teología medieval (la lengua latina), y con el mismo método escolástico, Andreas Capellanus, a finales del siglo XII o principios del XIII, escribe su *De arte honeste amandi*, cuya primera parte convierte al autor en el gran teórico y propagandista de la nueva religión, quizás a pesar suyo, puesto que, al final, su "Reprobatio amoris", última parte del libro, da a entender que todo lo escrito es para que, una vez conocida esta cultura del arte de amar, se deteste. ¿Sinceridad? ¿sarcasmo? ¿parodia? Sea cual fuere la intencionalidad del autor, la obra nos proporciona una amplia información sobre la naturaleza del amor cortés, a la vez que ofrece curiosas analogías y concomitancias con la religión cristiana, que adquieren, quizás, la máxima expresión en las doctrinas sobre la retribución. Si la religión cristiana tiene su paraíso y su infierno, la nueva religión también los tendrá, pero para premiar lo que en la religión cristiana era pecado y para castigar lo que en ella era virtud. Las ejemplificaciones propuestas en el *De arte honeste amandi* son bien elocuentes[9]. De esta manera, la cultura del amor cortés se formula como una "religio amoris", sin olvidar ninguno de los elementos esenciales a una religión.

- *VII.1.1.2.4. El adulterio*

Las invocaciones del trovador se dirigen casi siempre a una mujer casada; he aquí otra característica singular de la literatura del amor cortés. Los fundamentos ideológicos en los que se apoyan los teóricos serían los siguientes. Amor y matrimonio son dos categorías antagónicas; hay una oposición absoluta e irreductible entre el verdadero amor y el matrimonio, porque las relaciones entre los esposos están marcadas por vínculos legales, ya que se han unido delante de la ley por intereses sociales de orden político o económico. Se parte, pues, de una realidad donde el matrimonio no se realiza por amor sino por conveniencia. De ahí se concluye que las relaciones entre los esposos no pueden ser corteses; falta en ellas la ansiedad, la espera, el peligro, el riesgo, la zozobra, el cortejo, cualidades todas ellas que deben sazonar la relación cortés, puesto que, en virtud del débito matrimonial, la esposa ya no resulta inaccesible. Además, el amor matrimonial resulta aburrido y monótono, mientras la relación cortés busca la "variatio". Asimismo, el amor dentro del matri-

9 CAPELLANUS, Andreas, *De Amore*, edición, con traducción castellana, notas y prólogos por Inés CREIXELL VIDAL-QUADRAS, Barcelona, El festín de Esopo, 1985; para las analogías escatológicas entre la religión cristiana y la "religio amoris" véase, particularmente, el epígrafe "Loquitur nobilis nobili", pp. 132-161. También SCHLOESSER, F., *Andreas Capellanus und seine Minnelehre und das Christliche Weltbild um 1200*, Bonn, H. Bouvier und Co. Verlag, 1960.

moniono no fomenta los celos, por lo que se conculca el principio de que *qui non zelat, amare non potest.*

Todas estas ideas, respaldadas tanto por los teóricos de la cultura del amor cortés, como por las composiciones de los propios trovadores, ponen en tela de juicio aquellas concepciones del amor cortés afines al denominado amor platónico o a la *caritas* cristiana. Una parte de la crítica se limitó a estudiar las manifestaciones más tardías o aquéllas más espirituales, estableciendo una selección en el vasto *corpus* de la poesía de los trovadores. Las conclusiones tenían que adolecer, necesariamente, del prejuicio metodológico empleado. Surgen, de esta manera, unos clichés estereotipados que, proyectados sobre el análisis de los textos de aquellas creaciones literarias, los convierten en algo poco atractivo e incomprensible para el lector moderno. A primera vista, parecen ser escasos los puntos de contacto entre el erotismo actual y las poesías de los trovadores; sin embargo, una lectura totalizadora de los textos de los trovadores pone de manifiesto el erotismo sensual de aquellas composiciones[10].

Se han formulado diversas causas para explicar la idealización del amor adúltero o extramatrimonial[11]. En primer lugar, en el sustrato de la sociedad feudal el matrimonio solía realizarse por intereses político-económicos; la institución matrimonial no era el cauce por donde podía fluir el verdadero amor; sabemos que la barraganía fue una institución paralela al matrimonio canónico. Esto explica la idealización del amor al margen de toda unión oficial, actitud no exclusiva de la Edad Media. En aquellas situaciones en las que el matrimonio tuvo una finalidad puramente utilitaria, la idealización de la relación amorosa comienza por sublimar la unión extramatrimonial o adúltera.

Por otra parte, la teología medieval, expresión de la cultura dominante de la época, tuvo una valoración negativa de la relación íntima. *Amator ardentior in suam uxorem adulter est,* fue una máxima utilizada por muchos moralistas y teólogos. El acto matrimonial, en lo que tiene de deleite, se creía que llevaba asociado una cierta pecaminosidad, incluso dentro del matrimonio. Ante esta situación, la realidad matrimonial era considerada, si no pecaminosa en sí misma, sí, al menos, imperfecta en el orden de alcanzar la virtud.

La cultura del amor cortés se presenta, en su formulación conceptual, como una alternativa a la tradición cristiana. Este enfrentamiento, aunque sólo sea pura convención literaria, ofrece una serie de antinomias no fáciles de explicar. Por una parte, parece claro que los mandamientos del amor cortés se oponen frontalmente a determinadas categorías de la moralidad cristiana. Sin embargo, esta cultura literaria se forma, se de-

---

10 LAZAR, M., "L'imagerie érotique de la fin'amors", en *Amour courtois et fin'amors*, Paris, 1964, pp. 118-134.

11 LEWIS, C. S., o. c., p. 11 y ss.

sarrolla y se difunde en un ambiente y en una atmósfera cristiana. Uno de sus teóricos, Andreas Capellanus, fue clérigo, como su apellido indica; asimismo, muchos de los trovadores fueron fervorosos cristianos; algunos terminarán sus vidas en cenobios medievales. ¿Se trataría, pues, de puras convenciones literarias, a modo de juegos de palacio, sin ninguna intencionalidad crítica ni respaldo existencial, o, por el contrario, más bien se trata de una cultura reivindicativa que fundamenta en las doctrinas amorosas literarias una nueva visión de la vida humana al margen de la cultura dominante eclesiástica? La respuesta no parece fácil. Como señala C. S. Lewis[12], habría que evitar los radicalismos dicotómicos. El amor cortés sin llegar a ser "transcripción literal de experiencias reales... no fue sólo una nueva forma convencional". Una vez más nos encontramos con las difíciles relaciones entre creación literaria y sociedad, que plantea, en este caso, el nacimiento de esta moda literaria. Su origen es uno de los aspectos más estudiados por la crítica literaria medieval. Las hipótesis formuladas son tantas y tan divergentes que debieran ser el mejor argumento para evitar dogmatismos explicativos[13]. Desde nuestra perspectiva, habría que distinguir dos orientaciones a la hora de acercarse a los orígenes del amor cortés. La primera sería sociológica, cuya formulación podría ser la siguiente: ¿Cuál es la causa social por la que un determinado grupo (los trovadores y sus círculos) expresa su concepción de la vida amorosa de manera antagónica a las doctrinas morales de la tradición cristiana? La segunda sería más bien de carácter filosófico: ¿Dónde se va a inspirar el nuevo grupo literario o social a la hora de buscar respaldo doctrinal e ideológico para fundamentar su nueva concepción de la vida amorosa?

Creemos necesario separar las dos perspectivas para una recta comprensión del amor cortés. Una gran parte de la investigación se orientó principalmente por la vereda de los orígenes filosóficos. Desde esta perspectiva, se podría decir que las hipótesis explicativas se pueden clasificar en dos grandes grupos: a) *Tendencia arabista*, que engloba a todas aquellas opiniones que vinculan el nacimiento del amor cortés con la cultura arábiga o hispanoarábiga; en este sentido, cabe destacar la llamada cultura del amor 'Udhrí. b) *Tendencia cristiana*, cuya orientación englobaría a todas aquellas hipótesis que han intentado emparentar el amor cortés con determinados núcleos de la tradición cristiana[14].

Desde una perspectiva sociológica, lo que, a nuestro juicio, es verdaderamente importante es explicar el proceso por el que un determinado

---

12 *Ibidem*, p. 19.

13 Véase un resumen de las distintas hipótesis formuladas, en BOASE, R., *The Origin and Meaning of Courtly Love. A critical Study of European Scholarship*, Manchester University Press, 1977.

14 BOASE, R., "Theory on the origin of Courtly Love", en *The Origin and Meaning*..., pp. 62-116; MENÉNDEZ PELÁEZ, J., *Nueva visión*..., pp. 136-146.

grupo crea un nuevo cliché sobre la vida amorosa —ya sea como simple parodia o juego literario, ya como crítica reivindicativa contra la cultura dominante—, que se presenta como una auténtica religión de características antagónicas a la religión cristiana. Una de las hipótesis explicativas apunta a la lucha estamental entre los dos grandes estamentos medievales, el clérigo (*clericus, orator*) y el laico (*miles, bellator*). Por determinadas circunstancias históricas, el estamento clerical fue el verdadero protagonista de la Alta Edad Media. La hegemonía que en el orden espiritual ejerció el clérigo, desde el siglo VI al siglo XI, había conducido a la transformación total del paganismo en una forma de cristianismo que tendía a condenar como pecaminoso todo impulso del hombre hacia el placer y el goce del mundo material. Sin embargo, a partir del siglo XI, el laico trata, cada vez con mayor ímpetu, de sustraerse a la tutela de la Iglesia. Surge, así, la oposición entre los dos estamentos que tendrá amplia divulgación literaria a través de los llamados "Debates entre el caballero y el clérigo". Durante un determinado momento, el estamento clerical sale victorioso en estos debates; sin embargo, paulatinamente asistimos a un predominio del laico sobre el clérigo. Esta nueva situación se intensifica en la Baja Edad Media, para dar como resultado una nueva cultura: el Renacimiento. El teocentrismo medieval dará paso al homocentrismo renacentista[15].

Esta laicización, que llevará anexa una secularización, podría explicar los fundamentos sociológicos del amor cortés. El triunfo del laico sobre el clérigo, de lo secular sobre lo sagrado, no es más que el resultado de los viejos debates medievales. Si la cultura de la Alta Edad Media era monástica, la nueva cultura será burguesa, es decir, laica[16].

La Baja Edad Media traerá consigo el triunfo definitivo del estamento laico. Este laicismo acentuará la secularización no sólo de la cultura, sino también de la religión. El cristianismo ya no será sólo una religión de clérigos y hombres de letras, sino que se convertirá, cada vez con mayor ímpetu, en una religión del pueblo. De ahí el apogeo que en este momento tiene la piedad popular[17].

---

15 BEZZOLA, R., *Les origines et la formation de la littérature courtoise en Occident (500-1200)*, París, 1958-1967, 5 vols.

16 HAUSER, A., *Historia social de la literatura y el arte*, traduc. española, Madrid, Guadarrama, 12ª edic., 1974, t. I, pp. 253-299.

17 DELARUELLE, E., *La piété populaire au Moyen Âge*, Torino, 1975; RAPP, F., "Réflexions sur la réligion populaire au Moyen Âge", en *La réligion populaire. Approches historiques*, sous la direction de B. PLONGEON, Paris, Éditions Beauchesne, 1976; GONZÁLEZ NOVALÍN, J. L., "Infiltraciones de la devoción popular a Jesús y a María en la liturgia romana de la Baja Edad Media", *Studium Ovetense*, III (1975)259-285; GIORDANO, O., *Religiosidad popular en la Alta Edad Media*, traduc. española, Madrid, Gredos, 1983; VAUCHEZ, A., *La espiritualidad del occidente medieval*, traduc. española, Madrid, Cátedra, 1985.

¿Por qué esta laicización y secularización de lo sagrado utiliza a la mujer como protagonista? Precisamente porque la tradición cristiana, a pesar del igualitarismo teológico y salvífico, se había ratificado, desde la óptica filosófica y jurídica, en la condición servil de la mujer, vieja herencia de la Antigüedad Clásica. Los fundamentos doctrinales de la Patrística, y la opinión de los juristas y teólogos medievales así lo ratifican[18].

Frente a esta situación, a lo largo de la Edad Media, se observan determinados movimientos contestatarios (*Frauenbewegung* los denomina la crítica alemana[19]). La mujer busca liberarse de la condición en la que la sociedad la margina; el terreno era, pues, favorable a toda corriente que tratase de redimirla; la ocasión la propicia la lucha entre los dos estamentos; el laico aprovecha la ocasión y pone a la mujer en el extremo opuesto en donde la había colocado la cultura dominante; de "puerta del diablo", pasará a ser una diosa; por eso ocupa la cúspide de la pirámide de la estructura conceptual del amor cortés; si para la tradición cristiana la mujer era algo pecaminoso y diabólico, el laico la convierte en objeto de adoración; si para la tradición cristiana el amor sólo se puede realizar dentro del matrimonio, el laico idealizará el amor adúltero y extramatrimonial. ¿Estas orientaciones culturales son pura bufonada artística sin rebasar los límites de las convenciones literarias, a modo de juegos y parodias, o esconden un sustrato reivindicativo de naturaleza social? Se podría responder, con palabras de Lewis, que la literatura es siempre documento autobiográfico y ejercicio literario[20].

VII.1.1.3. La poética de los trovadores

Los autores de la poesía del amor cortés son conocidos genéricamente bajo la denominación de "trovadores"[21]. El trovador, a diferencia del juglar, solía pertenecer a un estamento superior (aristócratas, clérigos de rango superior y burgueses de alto poder económico). Los autores de la poesía del amor cortés pertenecen, pues, a la clase dominante. El público receptor está, asimismo, en consonacia con el estamento de los autores de este tipo de literatura. Una literatura elitista, condicionada por la naturaleza estamental de los autores y del público receptor.

En ocasiones, se pueden encontrar trovadores, procedentes de las clases bajas de la sociedad, menos favorecidos en su *status* económico. Los códigos biográficos resultan, a veces, de gran utilidad para comprender y entender algunas de estas composiciones. De ahí el valor que tie-

---

18 MENÉNDEZ PELAEZ, J., *Nueva visión...*, pp. 40-53.

19 GRUNDMANN, H., *Religiöse Bewegung im Mittelalter*, Darmstadt, 1961.

20 LEWIS, C. S., o. c., p. 19.

21 Sobre la distinción entre "trovador" y "juglar" y sus funciones literarias, véase MENÉNDEZ PIDAL, R., *Poesía juglaresca y juglares*, Madrid, Espasa-Calpe, "Colección Austral", n. 300, 1942; Idem, *Poesía juglaresca y orígenes de las literaturas románicas*, Madrid, Instituto de Estudios Políticos, 1957.

nen las referencias biográficas de determinados trovadores, que aparecen en los cancioneros. El refinamiento social, tanto de los autores como del público receptor, explica las características de la poética que subyace en las composiciones de la lírica de los trovadores.

La música es el vehículo difusor de estas composiciones. Se trata, por tanto, de una poesía para ser cantada. En este sentido, la poética de los trovadores es heredera de una larga tradición musical que irradia del sureste francés (Monasterio de Saint Gall y de San Marcial de Limoges). Sus repercusiones literarias dejarán sus huellas, asimismo, en el drama litúrgico medieval[22]. Esto quiere decir que la poeticidad literaria estará, en ocasiones, condicionada por la música. Los trovadores eran los autores de la música y de la letra de sus canciones, lo que revela un grado de cultura nada despreciable. El arte de *trobar* exigía un aprendizaje que se conseguía, bien en las escuelas palatinas, en el caso de los trovadores pertenecientes a la aristocracia nobiliaria, bien en las escuelas episcopales o monásticas, en donde se formaban los clérigos, sin olvidar, incluso, los *Estudios Generales* o las propias Universidades, verdaderos talleres poéticos donde ya existía una tradición de poesía latina cantada, con una poética bien configurada en la llamada poesía de los goliardos (*Carmina Burana*). Junto a esta formación erudita y libresca, no debe olvidarse la función de una pedagogía oral, al margen de los círculos escolares, muy del gusto medieval.

Esta doble tendencia (culta y erudita/oral y popular) explicará la doble orientación que se observa en la poética de los trovadores. Una, de base popular, de fácil comprensión, sin grandes adornos estilísticos, dentro de la tradición del *ornatus facilis* (la poética del *trobar leu*); la segunda, basada más bien en la complejidad formal y estilística, con abundantes juegos de palabras, dentro de una imaginería conceptual y léxica, que recuerda determinados aspectos del culteranismo y conceptismo de nuestro siglo XVII, según los presupuestos medievales del *ornatus difficilis* (la poética del *trobar clus*).

En resumen, la poética de la lírica del amor cortés busca la poeticidad en la utilización de un lenguaje como desvío del lenguaje coloquial y cotidiano. La dificultad por la dificultad, a base de entrecruzamientos conceptuales y sonoros ("rimas caras") en busca siempre de poner obstáculos a la comprensión del discurso poético. Poesía culta y erudita, verdadera antítesis de la poética de la lírica tradicional. A esta complejidad literaria se añadía la dificultad de la interpretación musical, alejada ya de la salmodia de la canción tradicional. Las notaciones, conservadas en los cancioneros de la poesía de los trovadores, testimonian la dificultad que

22 SMOLDON, W. L., *The Music of the Medieval Church Dramas*, London, Oxford University Press, 1980.

encerraba su interpretación. Es una dimensión más del carácter aristocrático y elitista de esta cultura literaria. Un enfrentamiento más entre la *Kuntspoesie* y la *Naturpoesie*.

VII.1.1.4. Formas y estructuras de la lírica del amor cortés

La artificiosidad de la poesía del amor cortés se manifiesta, asimismo, en la diversidad de formas y estructuras con una función específica dentro del marco convencional de la poética de los trovadores.

La *canción* (*cansó*) es una composición puesta en labios de un hombre que canta las experiencias o los deseos que le inspira su amada. Es, sin duda, la forma estrófica más característica de la poesía de los trovadores, ya que, a través de esta combinación estrófica (no tiene rigidez formal), los trovadores dieron a conocer su peculiar concepción de la vida amorosa.

El *serventesio* (*seventés*) era la forma estrófica que canalizaba la función satírica. Según el tema o la naturaleza de la persona o estamento satirizados, recibe distintas denominaciones (serventesios políticos, literarios, morales).

El *planto* es una composición mortuoria, a modo de panegírico, dirigida a una persona cercana al trovador (mecenas, amada, amigo); suele ofrecer un esquema estructural bastante uniforme en los distintos plantos.

El *alba* es una composición en la que se describe la despedida de los amantes que, después de haber pasado juntos la noche, han de separarse con la llegada del alba. Aunque es un género común en la literatura universal[23], el tratamiento que de él hacen los trovadores provenzales le convierte en uno de sus géneros más representativos, si lo comparamos con las alboradas de la tradición peninsular hispánica, en donde los enamorados se reúnen precisamente con la llegada del alba.

La *pastorela* describe el encuentro en el campo entre un noble y una pastora, a la que el caballero requiere de amores. La cultura literaria cortesana, incluida la Antigüedad Clásica, siempre gustó de presentar personajes villanos que servían para contraponer la diferencia estamental que rodeaba a los dos grupos sociales. Se trata, pues, de un género literario que se desarrolló normalmente dentro de los refinamientos cortesanos, aunque posteriormente haya dejado sus huellas en la poesía de tipo popular. Las serranas del *Libro de Buen Amor*, así como las serranillas del Marqués de Santillana, son deudoras a este grupo genérico, muy frecuente en la literatura francoprovenzal[24].

---

23 SCUDIERI RUGGIERI, J. M., "Per le origini dell'alba", *Cultura Neolatina*, III (1943) 191-202.

24 BIELLA, A., "Considerazioni sull'origine e sulla diffussione della pastorella", *Cultura Neolatina*, XXV (1965) 236-267; ZINK, M., *La pastourelle: poésie et folklore au Moyen Âge*, Paris, 1972.

Fiesta palaciega

Las fiestas palatinas, telón de fondo de la creación poética de los trovadores, reunían con frecuencia a diversos poetas provenientes de las distintas regiones de la Provenza medieval. Entre ellos se establecían debates sobre una temática pluriforme (preferencias poéticas, amorosas, políticas) con la única finalidad de servir de pretexto para poner de manifiesto la agudeza y habilidad dialéctica de los contendientes. Era la traslación al terreno literario del torneo armado. Así se configuraron otros géneros literarios que tienen como denominador común la estructura dialogada y el ingenio lingüístico: el *tornejamen*, la *cobla*, la *tensó* y el *partimen*.

VII.1.1.5. Los cancioneros de la lírica trovadoresca

Todo este vasto *corpus* de formas y estructuras, que configuran la poesía provenzal, se conservó en los llamados *cancioneros*, fenómeno que recuerda el modo de transmisión de otras líricas, como la galaico-portuguesa o la poesía cancioneril castellana de los siglos XV y XVI. El proceso genético de estos cancioneros siguió fases muy semejantes en las distintas líricas[25]. En principio, se forman y compilan en torno a la cor-

25 GROEBER, G.,"Die Liedersammlungen der Troubadours", *Romanische Studien*, II (1877)337-670.

te real o episcopal. Las fiestas en la corte eran, ya lo indicamos, el telón de fondo de la actuación de los trovadores. En el *scriptorium* o biblioteca palatina, en torno al señor feudal (rey, noble, obispo), serán depositadas las partituras sueltas (*Liederblätter*) que contenían la letra y la música; en algunas ocasiones, se reunirían grupos de canciones pertenecientes a un solo autor (*Liederbücher*); en otras, se formarían antologías de canciones de varios autores (*Gelegenheitssammlungen*). Cada una de estas fases parecen haber sufrido los noventa y cinco cancioneros que se conservan, en la actualidad, de aquella magna producción de poesía lírica. Posiblemente haya que pensar que esta labor de compilación estaba avalada por un equipo integrado por amanuenses, eruditos y miniaturistas, ya que muchos de los cancioneros aparecen ilustrados con dibujos, auténticas joyas del arte medieval; asimismo, muchas de las canciones están acompañadas por glosas y comentarios en prosa sobre la vida del autor o la circunstancia que motivó su composición.

VII.1.2. LA EXPANSIÓN DE LA LITERATURA DEL AMOR CORTÉS A OTRAS LITERATURAS

La poesía de los trovadores, nacida en la Provenza medieval en el siglo XII, muy pronto se difundió por otros reinos medievales, merced a los constantes viajes realizados por trovadores y juglares, que iban de corte en corte con un espectáculo pluriforme, en el que la canción cortés era un elemento más dentro de un programa que incluía otras muchas actuaciones, según los gustos del espectador medieval en donde actuaban.

La fuerza expansiva de la cultura del amor cortés siguió varias direcciones. Hacia el norte se dejará sentir, en primer lugar, en la literatura francesa en legua *d'oïl*, donde se integrará a la corriente amorosa de la tradición ovidiana del *Ars amandi*; asimismo, sus efectos impregnarán la literatura anglogermánica, cuyos testimonios son claros en los cuentos ingleses de Chaucer o en la tradición germánica de los *Minnesänger*. Sin embargo, desde nuestra óptica, merece especial atención el influjo ejercido hacia el sur, particularmente en Italia, en donde se inicia una nueva concepción de la poesía que marcará el devenir literario del occidente europeo con el llamado "dolce stil nuovo". Tres palabras que explican la novedad de la nueva corriente poética. El estilo será una de sus preocupaciones formales más intensas; se buscará la poeticidad en el buen uso de la palabra. El artificio estilístico será, pues, una de sus grandes preocupaciones; la "dulzura" se refiere no sólo a los aspectos léxico-formales, sino también a los temáticos; la mujer sigue siendo el objeto que sirve de inspiración poética. Sin embargo, la mujer cantada por estos poetas difiere notablemente de la dama provenzal, "cruel y sanguinaria", la "dame sans merci", en la que los trovadores provenzales, si bien la deificaban, valoraban más en ella los aspectos materiales y físicos de la relación amorosa. La nueva corriente italiana propende más hacia la espiritualización. La deificación de la mujer se humaniza, a la vez que se ponen de manifiesto sus virtudes morales como criatura divina: la "dama-ángel", cuya dulzura y bondad canta el poeta a través de la interiorización sicológica. Este nuevo ser se convierte en la máxima expresión de la belleza creada, según las categorías filosóficas del neoplatonismo que identifica la bondad y la belleza, atributos esenciales de la divinidad. "Beatriz", la mujer cantada por el poeta más representativo de esta escuela, Dante Alighieri (1265-1321), es el retrato espiritual de la nueva "donna", concebida como revelación divina[26].

Desde estas bases doctrinales, la poesía pasa a ser el culto y la liturgia con que el poeta se relaciona con la amada. Siguen, pues, aunque purificadas, las categorías de la "religio amoris". La poesía viene a significar el culto de "dulía" que el amador tributa a la mujer. Estos nuevos matices de la creación poética no son ajenos a las nuevas orientaciones de la mariología bajomedieval[27]. Una vez más las interferencias entre teología y creación literaria son manifiestas. Por otra parte, asistimos a un nuevo cambio social. La aristocracia nobiliaria pierde protagonismo. El feudalismo, como sistema social, comienza a decrecer. De ahí que la "poesía feudal" del amor cortés sufra una evolución. Asimismo, la ciudad adquiere, paulatinamente, un mayor papel como centro de irradición cultural y literaria, mientras la corte y su entorno pierden protagonismo ante la pujante burguesía. Italia marcará, en este sentido, las pautas de la nueva cultura[28].

De Italia irradiará la nueva poesía que marcará los nuevos rumbos de la poesía europea; el *Canzoniere* de Francesco Petrarca (1304-1374), significa el comienzo de una nueva época literaria. La mujer, "Laura", se convierte en su musa; sus recuerdos y sus vicisitudes "in vita" e "in morte", constituyen el eje referencial de la mayor parte de las composiciones. "Laura" ya no es la "donna angelicata" de los poetas del "dolce stil nuovo"; la humanización de la mujer se intensifica; la nostalgia, la melancolía y la reflexión sobre la contingencia humana son otros tantos aspectos temáticos del *Canzoniere.* Desde el punto de vista formal, Petrarca manifiesta sus preferencias por el soneto; la "canción", típica forma estrófica de los trovadores provenzales, cultivada por el poeta italiano en las primeras redacciones del *Canzoniere,* deja paso al soneto, estrofa característica de la poesía amorosa renacentista.

26 Véase este aspecto, aplicado a la literatura española, en LIDA DE MALKIEL, M. R., "La dama como obra maestra de Dios", en *Estudios sobre la Literatura Española del Siglo XV,* Madrid, Ediciones Porrúa Turranzas, Madrid, 1984, pp. 179-290.

27 MENÉNDEZ PELÁEZ, J., "La marianización del amor cortés", en *Nueva visión...,* pp. 163-190.

28 BURCKHARDT, J., *La cultura del renacimiento en Italia,* [1860] traduc. española, Barcelona, Editorial Iberia, 1964.

VII.1.3. LA POESÍA DEL AMOR CORTÉS EN LA PENÍNSULA IBÉRICA

La Penísula Ibérica fue escenario, desde muy temprano, de los espectáculos ofrecidos por los trovadores provenzales[29].

VII.1.3.1. En la lírica galaico-portuguesa

Ya nos hicimos eco del influjo ejercido por la lírica provenzal en determinados géneros de la lírica galaico-portuguesa. Las mutuas interferencias entre lo provenzal y lo galaico-portugués caracterizan un capítulo importante en el estudio de la primitiva lírica peninsular.

VII.1.3.2. En la lírica catalana

Mención especial tiene la implantación de la corriente provenzal en Cataluña. La historia política nos ayuda a comprender el fenómeno literario. Desde el siglo IX, con la llamada Marca Hispánica, Cataluña vive políticamente ligada a los avatares del sur de Francia. Esta circunstancia explica el hecho de que Cataluña vivió y cultivó, al unísono con Provenza, la lírica del amor cortés. Guillem de Berguedà, Guillem de Cabestany, Cerverí de Girona, son algunos de estos trovadores catalanes que utilizan el provenzal y la concepción del amor, según las convenciones de la poética provenzal.

Sin embargo, a partir del siglo XIV, la *langue d'oc* comienza a decaer como cultura dominante de la poesía lírica, mientras la *langue d'oïl* se especializa en la prosa narrativa con la llamada "materia de Bretaña", a la vez que Italia, cuna del Renacimiento, comienza a adquirir su hegemonía en la poesía lírica.

Ante esta situación, el ocaso de la poesía de los trovadores parecía inminente, sobre todo a partir de la derrota de los albigenses; con el fin de revitalizar y estimular el cultivo de la poesía provenzal, un grupo de caballeros tolosanos convoca un certamen poético que habría de celebrarse anualmente, el primero de mayo, en la ciudad de Toulouse. Consistorios poéticos semejantes tendrán lugar en Barcelona, a finales del siglo XIV, bajo los auspicios de Juan I de Aragón. Estos certámenes literarios consiguen mantener viva en Cataluña la vieja escuela de la poesía provenzal, sazonada ya, en este momento, por la nueva savia que llega de Italia. El fenómeno tiene lugar al socaire de la corte de Alfonso V el Magnánimo, cuyo reinado marca la época áurea de la poesía trovadoresca en Cataluña. Las estructuras cortesanas que se dieron bajo su mandato, sobre todo a partir de 1442, convirtieron su corte en un brillante foco cultural y artístico. Estos círculos acogen y alimentan los viejos esquemas

29 MENÉNDEZ PIDAL, R., *Poesía juglaresca y orígenes de las literaturas románicas*, Madrid, 1957; ALVAR, C., *La poesía trovadoresca en España y Portugal*, Barcelona, Planeta, 1977.

de la poesía de los trovadores. A Cataluña acuden literatos castellanos como Enrique de Villena o el Marqués de Santillana, cuya amistad con el poeta catalán Jordi de Saint Jordi dejó manifiesta en su poema "Coronación de Mosén Jordi de Saint Jordi". Con todo, el gran poeta catalán, heredero de la poesía trovadoresca, es Ausías March (1397-1459); sus referencias biográficas son las propias de un señor feudal, que intenta conjugar las armas y las letras, actitud típica de la nueva época renacentista. Como hombre de armas, participa en las campañas de Italia al servicio de Alfonso el Magnánimo, lo que le permite tomar contacto con las nuevas corrientes literarias que, en aquel momento, surgen en Italia. Esto explica un cierto hibridismo poético; a la vez que hereda la tradición de la poesía provenzal, se deja influenciar por la corriente italiana, que tiene en Petrarca a su más cualificado exponente.

VII.1.3.3. En la lírica castellana del siglo XV

• *VII.1.3.3.1. Problemas críticos en torno al amor cortés en la literatura castellana*

La presencia de la cultura del amor cortés en la literatura castellana plantea una serie de problemas al historiador de la literatura, que distan mucho de estar resueltos. Se puede decir que la lírica trovadoresca no prende en Castilla hasta el siglo XV; hay resonancias en poemas anteriores como en la *Razón feyta d'amor* o en la canción "En un tiempo cogí flores", composición atribuida a Alfonso XI, si bien, como fenómeno generalizado, no aparece hasta la poesía cancioneril del siglo XV. ¿Cómo explicar el hecho de que Castilla no siga al unísono la moda provenzal? Hay varias explicaciones. Para determinados críticos la causa estaría en la actividad guerrera en la que se encontraba Castilla, empeñada en su afán por expulsar a los moros; dicha actividad sería incompatible con el lirismo erótico del amor cortés; para otros críticos el fenómeno se explicaría, más bien, por el fuerte influjo de las formas tradicionales castellanas que manisfestarían su predilección por el cantar de gesta. Sólo a lo largo del siglo XV, las peculiares circunstancias que vive Castilla habrían favorecido, a modo de "frutos tardíos", la implantación de lo que ya era una moda literaria decadente. Por otra parte, esta actitud es la respuesta esperada en una época de crisis y desintegración social. La aristocracia nobiliaria dominante ve en peligro sus privilegios; por ello, intenta resucitar e idealizar tiempos pasados. De esta manera, asistimos a un "revival" del espíritu trovadoresco[30].

Cualesquiera que fueran los motivos para explicar la tardía aparición de esta cultura literaria, lo cierto es que el tema del amor cortés castellano tiene unos rasgos peculiares que lo distinguen del amor cortés provenzal. ¿Cómo explicar esas peculiaridades? Existen también diversas hi-

---

30 BOASE, R., *The Troubadour Revival. A Study of Social Change and Traditionalism in Late Medieval Spain*, London, Routled & Kegan Paul, 1978 [traduc. española, Madrid, Pegaso, 1981].

pótesis explicativas. El amor cortés penetraría en Castilla, según unos críticos, no directamente, sino a través del filtro italiano del "dolce stil nuovo" y de Petrarca[31]. Para Otis H. Green[32], sin embargo, la poesía de los cancioneros castellanos del siglo XV mantiene los mismos elementos esenciales que la lírica provenzal; de esta manera, todo estudio sobre la lírica castellana del siglo XV ha de tener muy en cuenta la lírica provenzal, por ser la fuente y el espejo en el que beben y se miran los poetas cancioneriles castellanos. Una posición análoga es la sostenida por Pedro Salinas[33], para quien el *Cancionero de Baena* es mera traslación de la poética de los trovadores. La posición contraria es la sostenida por Antony van Beysterveldt[34]; para el hispanista holandés la tradición provenzal penetra en la Península Ibérica a través del vehículo de la lengua galaico-portuguesa en el siglo XIII, pasaría a Castilla en el XIV, dejando sus huellas en el *Cancionero de Baena*, única manifestación de la "castellanización de la lírica provenzal"; tal habría sido la castellanización que habría borrado todo elemento foráneo; de este proceso habría salido un producto típicamente castellano cuyos núcleos esenciales habrían sido tomados de los elementos autóctonos; las resonancias provenzales en nuestra lírica cancioneril serían mínimas y sin ninguna importancia. A nuestro juicio, tanto la posición de Otis Green como la de Antony van Beysterveldt son excesivamente radicalistas; se puede llegar a un eclecticismo, a una interpretación de la lírica del siglo XV, a la luz de la poesía provenzal, sin olvidar, al mismo tiempo, las características peculiares que el amor cortés reviste en la literatura castellana[35]. Tal posición crítica parece estar respaldada por la realidad de los propios textos.

VII.1.4. LA POESÍA CANCIONERIL CASTELLANA DEL SIGLO XV

Los orígenes de la canción lírica en romance castellano han suscitado arduos problemas críticos que expusimos en el capítulo dedicado a los orígenes de la primitiva lírica peninsular. La existencia de una corriente lírica tradicional castellana, en sincronía con la lírica mozárabe y la lírica galaico-portuguesa, es un hecho hoy fuera de toda duda. Asimismo, el

---

31 LAPESA, R., "Poesía de cancionero y poesía italianizante", en *De la Edad Media a nuestros días*, Madrid, Gredos, 1967, pp. 148.

32 GREEN, O. H.,"Courtly Love in the Spanish Cancioneros", *Publications of the Modern Language Association of America*, 64 (1949)247-301; Idem, *El amor cortés en Quevedo*, traduc. española, Zaragoza, 1955; Idem, *España y la tradición Occidental,* traduc. española, Madrid, Gredos, 1969, 4 vols.

33 SALINAS, P., *Jorge Manrique o tradición y originalidad*, Barcelona-Buenos Aires, 1962.

34 BEYSTERVELDT, A. van, *La poesía amatoria de siglo XV y el teatro de Juan del Encina*, Madrid, 1972.

35 MENÉNDEZ PELÁEZ, J., *Nueva visión...*, pp. 191-286.

romance castellano sirvió de cauce lingüístico para la poesía épica, testimoniada en el *Cantar de Mio Cid*, y para la poesía narrativa, dentro del taller poético del mester de clerecía. Sin embargo, el romance castellano se especializa tardíamente en la poesía lírica culta. La lengua gallego-portuguesa ocupó, durante mucho tiempo, la hegemonía lingüística, incluso entre los poetas castellanos, según el testimonio recogido por el Marqués de Santillana en su *Carta-Proemio*. Castellanos, andaluces y extremeños usaban, pues, según dicho testimonio, la lengua gallega como convención lingüística en las composiciones de la lírica culta. *Las Cantigas* de Alfonso X el Sabio son un claro testimonio.

El ocaso de la lírica galaico-portuguesa, a finales del siglo XIV, marca, asimismo, el orto de la poesía lírica castellana, recogida, por primera vez, en el *Cancionero de Baena*, compilado bajo el reinado de Juan II, en el que se recogen canciones desde finales del siglo XIV hasta mediados del siglo XV. A partir de este acontecimiento, el castellano, progresivamente, se impone como lengua culta, y rivaliza con otras lenguas en los cancioneros compilados en las distintas lenguas. Factor decisivo en este cambio axiológico fue la corte de Juan II, un reinado, aunque mediocre en lo político, de gran importancia en lo literario. Asistimos a un renacimiento del espíritu cortesano que enmascara los problemas político-sociales y económicos de la sociedad castellana del siglo XV con celebraciones de fiestas fastuosas en las que los pasatiempos literarios juegan un papel muy importante. Componer versos es un adiestramiento que forma parte del ideal cortesano. Como señala Carlos Alvar, "prácticamente todos cuantos vivían en una corte, real o nobiliaria, dedicaban buena parte de su tiempo a escribir poemas; así, podemos afirmar, sin temor a equivocarnos, que la poesía en cualesquiera de sus formas es un fenómeno endémico de la cultura castellana del siglo XV"[36].

El sentimiento amoroso, a modo de convención o fingimiento, seguirá siendo el eje referencial temático de un tipo de poesía conocida genéricamente bajo la denominación de "poesía cancioneril". Centenares de poetas han dejado miles de composiciones en los numerosos cancioneros, unos ya publicados, otros, la mayor parte, aún inéditos en manuscritos. Tipificar y catalogar este inmenso *corpus* de poesía es uno de los intentos de la crítica actual[37]. Una tarea nada fácil por la complejidad y

36 ALVAR, C.-GÓMEZ MORENO, A., *La poesía lírica medieval*, Madrid, Taurus, 1987, p. 87.

37 STEUNOU, J.-KNAPP, L., *Bibliografía de los cancioneros castellanos del siglo XV y Repertorio de sus géneros poéticos*, París, CNRS, 1975-1978, 2 vols; GONZÁLEZ CUENCA, J. "Cancioneros manuscritos del Prerrenacimiento", *Revista de Literatura*, XL (1978) 177-215; Idem, "Márgenes de rigor en los inventarios del material poético cancioneril", *El Crotalón*, 1 (1984) 777-783; DUTTON, B., *Catálogo-Índice de la poesía cancioneril del siglo XV*, Madison, Hispanic Seminary of Medieval Studies, 1982; Idem, *El Cancionero del siglo XV (1360-c.1520)*, Salamanca, Biblioteca Española del Siglo XV, 1990-1991, 6 vols. (se trata, sin duda, de la aportación más importante sobre la poesía cancioneril).

diversidad temática, genética y funcional de estas colecciones. La compilación de estos cancioneros siguió fases muy similares en las distintas literaturas; por ello, sería necesario recordar lo ya dicho a propósito de los cancioneros de la lírica provenzal. Generalmente suelen ser obras colectivas, a modo de antologías; no faltan, sin embargo, cancioneros particulares, con carácter monográfico, que recogen sólo la obra de un determinado autor. La mayoría de los cancioneros suelen llevar textos en prosa, a modo de introducciones, que explican, ya los principios poéticos que informan el cancionero, ya el contexto social o biográfico de una determinada composición. La importancia de estos textos prosísticos es fundamental para conocer el sustrato histórico-social de la creación literaria en aquella época.

En el capítulo dedicado a la "primitiva lírica peninsular" ya pusimos de relieve la importancia de algunos de estos cancioneros para el conocimiento de la lírica tradicional en Castilla, muy en particular del villancico. La intensa efervescencia de la corriente musical polifónica, durante el Renacimiento, utilizará muchas de las viejas letras tradicionales que servirán de soporte a la compleja arquitectura musical de la época. Gracias a ello se ha conservado un importante legado de poesía tradicional castellana.

VII.1.4.1. Naturaleza de la poesía cancioneril

La poesía culta medieval suele ser normativa, en el sentido de que trata de ajustarse a unas normas previas, preconcebidas por los teóricos de la poética medieval. Estos tratados abundaron, primero entre los poetas latinos medievales, y, más tarde, entre los trovadores provenzales y catalanes. Asimismo, la poesía galaico-portuguesa nos ha legado un breve fragmento en el *Códice de Colocci-Brancutti,* como ya indicamos. Los poetas cultos castellanos sintieron también la necesidad de ajustar sus creaciones a una normativa, si bien los testimonios conservados son escasos. No se conserva, por ejemplo, el *Libro de las reglas de cómo se debe trovar* de Don Juan Manuel; del siglo XV tenemos, sin embargo, más referencias, provenientes de la pluma del Marqués de Santillana, a estos tratados, a la vez que se conservan algunos de ellos, como el *Arte de poesía castellana* de Juan del Encina y la introducción al *Cancionero de Baena.* A pesar de su brevedad y concisión, son documentos valiosísimos para la configuración de una poética medieval, en general, y, más concretamente, de la poesía cancioneril, aunque será el análisis de los distintos cancioneros la fuente principal para trazar las líneas básicas de la poeticidad de aquellas composiciones.

Desde el punto de vista temático, la poesía cancioneril nos ofrece un pluralismo de asuntos en los que la canción de amor ocupa un lugar preferencial. La corriente religiosa, de naturaleza didáctico-moral, adquiere cada vez más un mayor protagonismo debido al interés que manifiesta una parte de la aristocracia nobiliaria, afín a determinadas órdenes religiosas en consonancia con la "devotio moderna". Las composiciones satíricas, vieja herencia de la poesía latino-medieval, de la poesía provenzal y de la lírica galaico-portuguesa, continúan su presencia en los juegos florales áulicos. El verso será utilizado, asimismo, como medio de enseñanza de la teología[38] y de la historia[39].

Desde el punto de vista de la estructura externa, la poesía cancioneril marca unas tendencias u orientaciones muy claras. La versificación se especializa en dos direcciones; de una parte, el octosílabo configurará aquellas composiciones de naturaleza lírico-amorosa, mientras el arte mayor, a través del verso dodecasílabo, cobrará un interés creciente en aquellos poemas de naturaleza narrativa[40].

Las denominaciones estróficas son ambiguas y poco precisas; así, por ejemplo, la lírica amorosa utilizará términos como *decir*, *trova*, *canción*; otros términos parecen tener una mayor especialización, como la *esparza*, la *estrena*, el *repullón*.

Al lado de estas tendencias estróficas, encontramos otras, menos importantes desde el punto de vista cuantitativo, que apuntan ya hacia los nuevos gustos italianizantes, como el soneto que triunfará en el siglo XVI.

Desde el punto de vista lingüístico y estilístico, las composiciones están condicionadas por la temática y las opciones versificatorias. Los temas lírico-amorosos, en arte menor octosilábico, serán expresados a través de un léxico conceptual y con unos recursos estilísticos que buscan la poeticidad en el desvío lingüístico, a base de juegos léxicos antitéticos (conceptismo); asimismo, la "poesía feudal" y la "religio amoris" dejarán su impronta en numerosas composiciones cancioneriles. Por su parte, los temas doctrinales, en arte mayor, serán sazonados por un léxico cultista que marcará una fase determinante en la historia de la lengua castellana[41].

VII.1.4.2. Los cancioneros de la poesía lírica del siglo XV

La mayor parte de la producción lírica castellana del siglo XV se conserva en una serie de colecciones llamadas genéricamente "cancio-

---

38 MENÉNDEZ PELÁEZ, J., "Catequésis y literatura en la España medieval", *Studium Ovetense*, VIII (1980)7-41.

39 Pablo de SANTAMARÍA, *De las Edades Trovadas*, edic. de Foulché-Delbosc en *Cancionero Castellano del Siglo XV*, Madrid, Nueva Biblioteca de Autores Españoles, n. 22, t. II, 1915, pp. 155-188.

40 LE GENTIL, P., *La poésie lyrique espagnole et portugaise à la fin du Moyen Âge*, Rennes, 1949-1953, 2 vols; CLARKE, D. C., *Morphology of Fifteenth Century Castilian Verse*, Pittsburg-Lovaina, 1963; LÁZARO CARRETER, F., "La poética del arte mayor castellano", en *Studia hispanica in honorem R. Lapesa*. I, Madrid, Cátedra-Seminario Menéndez Pidal-Gredos, 1972, pp. 342-378; reimpreso en *Estudios de poética*, Madrid, Taurus, 1976, pp. 71-111; BELTRÁN, V., *La canción de amor en el otoño de la Edad Media*, Barcelona, PPU, 1988.

41 LAPESA, R., "Transición del español medieval al clásico", en *Historia de la lengua española*, Madrid, Gredos, 8ª edic., 1980, pp. 265-290.

neros", concepto literario frecuente en otras líricas (galaico-portuguesa, provenzal...). Estos cancioneros recogen generalmente composiciones de distintos autores, aunque también se conservan cancioneros que contienen únicamente poemas de un solo autor (por ejemplo, el Marqués de Santillana, Gómez Manrique, Juan del Encina, Íñigo de Mendoza fueron autores, cuyas composiciones circularon en cancioneros individuales).

Uno de los aspectos menos conocidos de la poesía cancioneril es el referido a la génesis y proceso formativo de los distintos cancioneros, así como su relación con los escritorios y bibliotecas donde se compilaron. Habría que pensar, como en el caso de otras líricas, en un trabajo en equipo, del que formarían parte amanuenses, músicos, miniaturistas y eruditos, todos ellos al amparo de la corte. En ocasiones, los cancioneros contienen las notaciones musicales destinadas al canto, frecuentemente polifónico con o sin acompañamiento de instrumentos (*Cancionero Musical de Palacio, Cancionero de la Colombina, Cancionero Musical de Segovia, Cancionero de Upsala*). Precisamente fue el resurgimiento que experimenta la música durante el Renacimiento la ocasión que propició la publicación de un legado literario, que, de otra manera, hubiera desaparecido. Es esta una de las características del Renacimiento español, cuyo interés por la canción tradicional pusimos de manifiesto en el capítulo dedicado a "La Primitiva Lírica Peninsular".

Dentro de la amplísima nómina de cancioneros catalogados, según distintos criterios (autor principal, compilador, poseedor), y pertenecientes a los siglos XV y XVI (el fenómeno de la literatura cancioneril se extiende a lo largo de la centuria de 1500), la crítica se fijó, de manera especial, en algunos de ellos, cuyas notas más relevantes serían las siguientes:

1. *Cancionero de Baena* (este nombre le viene de su compilador y poeta, Alfonso de Baena[42]). Marca la transición entre la lírica galaico-portuguesa y la castellana en un segmento cronológico que abarca desde el último tercio del siglo XIV hasta la primera mitad del siglo XV. Los autores más representativos son: Macías[43], prototipo de poeta enamorado, por parte de la escuela gallega; Micer Francisco Imperial[44], autor del *Dezir de las siete virtudes*, una de las primeras manifestaciones de la poesía italianizante en lengua castellana, y

42 AVALLE-ARCE, J. B., "Sobre Juan Alfonso de Baena", *Revista de Filología Hispánica*, VIII (1946) 141-147; PICCUS, J., "El Dezir que fizo Juan Alfonso de Baena", *Nueva Revista de Filología Hispánica*, XII (1958) 335-356.

43 MARTÍNEZ BARBEITO, C., *Macías el "Enamorado" y Juan Rodríguez del Padrón*, Santiago de Compostela, 1951.

44 LAPESA, R., "Notas sobre Micer Francisco Imperial", *Nueva Revista de Filología Hispánica*, VII (1953) 337-351; reproducido en *De la Edad Media hasta nuestros días*, Madrid, Gredos, 1971, pp. 76-94.

Villasandino[45], uno de los máximos exponentes de la poesía erótica castellana. Asimismo, el sustrato filosófico-teológico, relacionado con la corriente de los conversos, es frecuente en determinadas composiciones[46].

2. *Cancionero de Estúñiga*[47] (Lope de Estúñiga, primer poeta que aparece en dicha compilación). Recoge fundamentalmente poesía amorosa de poetas de la corte de Alfonso V el Magnánimo; los autores más significativos son Rodríguez del Padrón y Carvajal, sin olvidar al poeta que da nombre al conjunto, Lope de Estúñiga.

3. *Cancionero de Herberay des Essarts* (nombre del poseedor). Recoge la poesía cortesana bajo el reinado de Carlos III de Navarra entre 1461-1464.

4. *Cancionero Musical de Palacio.* Contiene poesía cortesana de la corte castellana de Juan II y de la aragonesa de Alfonso V el Magnánimo. Tiene como característica significativa las notaciones musicales de unas composiciones fundamentalmente de naturaleza erótica.

VII.2. LOS GRANDES POETAS DEL SIGLO XV

Dentro de la poesía lírica del siglo XV, emergen algunos poetas que, si bien cultivaron también la poesía cancioneril, y muchas de sus poesías se encuentran dispersas por los cancioneros, sin embargo, su originalidad les hace acreedores a ser estudiados de forma individual. La crítica tradicional viene asignando los marbetes de "grandes poetas" o "poetas mayores" a Don Íñigo López de Mendoza ("Marqués de Santillana"), a Juan de Mena y a Jorge Manrique.

VII.2.1. EL MARQUÉS DE SANTILLANA (1398-1458)

VII.2.1.1. Perfil humano

Don Íñigo López de Mendoza, primer Marqués de Santillana, nace en Carrión de los Condes en el seno de una familia muy influyente dentro de la nobleza del siglo XV; las constantes luchas nobiliarias, que caracterizan al reinado de Juan II, marcarán su propia personalidad, dentro de

---

45 BLASI, F., "La poesía de Villasandino", *Messana*, I (1950) 89-102; CARAVAGGI, G., "Villasandino et les dernières troubadours de Castille", en *Mélanges oferts à Rita Lejeune*, I, Duculot, Gembloux, 1969, pp. 395-421; BAHLER, I., *Alfonso Álvarez de Villasandino: poesía de petición*, Madrid, Editorial Maisal, 1977.

46 FRAKER, Ch., *Studies on the "Cancionero de Baena"*, University of North Carolina, Chapel Hill, 1966; Idem, "The Theme of Predestination in the *Cancionero de Baena*", *Bulletin of Hispanic Studies*, LI (1974)228-243.

47 Una descripción exhaustiva de los distintos poetas que forman la colección puede verse en SALVADOR MIGUEL, N., *La poesía cancioneril. El "Cancionero de Estúñiga"*, Madrid, Alhambra, 1977.

El marqués de Santillana, por un pintor anónimo del siglo XV

una veleidad común a muchas conductas de la época; unas veces luchará contra el rey; otras será su aliado. Son los vaivenes de un esquema existencial que singulariza a muchos personajes de la época[48].

Su afición a la literatura la hereda de su padre, también poeta. Debe subrayarse, asimismo, su vasta formación cultural, puesta de manifiesto en lo que conocemos de su biblioteca[49]. Seis años pasó en la corte de Alfonso V el Magnánimo, circunstancia que le permitió conocer la literatura catalana e italiana. Su estancia en la corte aragonesa le facilitó, asimismo, la relación con poetas catalanes, como Jordi de Saint Jordi y Ausias March, cuya poesía le puso en contacto con la tradición provenzal. Gran aficionado a la literatura clásica, favoreció y

48 AMADOR DE LOS RÍOS, J , *Vida del Marqués de Santillana*, Madrid, Espasa-Calpe, "Colección Austral", n. 293, 2ª edic. 1947; PÉREZ BUSTAMANTE, R., *Íñigo López de Mendoza, marqués de Santillana (1398-1458)*, Santillana del Mar, 1981.

49 SCHIFF, M., *La Bibliothèque du Marquis de Santillana*, Paris, 1905.

apoyó la traducción de varios clásicos, pues no conocía el latín ni el griego. La lectura, desde muy joven, de la tradición lírica galaico-portuguesa[50], completa el universo literario de su formación intelectual como hombre de letras, cuya biblioteca fue una de las más voluminosas de la época.

Se trata, pues, de un perfil humano e intelectual típico de una época, que conjuga y armoniza, en la misma persona, la vieja dicotomía medieval de las armas y las letras; hábil y brillante militar, erudito y sensible escritor, devoto y fervoroso cristiano[51].

VII.2.1.2. Evolución poética

Rafael Lapesa[52] en un estudio clásico sobre el Marqués de Santillana, distingue tres etapas en su poesía. La primera, cuyo término "ad quem" sería el año 1433, está marcada por el influjo de su maestro, Enrique de Villena; concibe la poesía como juego, experimento y exploración; es la poesía juvenil de Santillana; en palabras de Lapesa es la "lírica menor": serranillas, canciones y decires. La segunda, se inicia a partir de 1433, aproximadamente, cuando se produce en Santillana una nueva concepción de la poesía bajo el signo de la poética culta italiana; los *Dezires narrativos* y, sobre todo, los tres poemas largos, *El sueño*, *El infierno de los enamorados* y la *Comedieta de Ponza* constituirían las producciones más representativas de esta etapa. Por último, la tercera etapa de su quehacer poético está marcada por un fuerte didactismo; son los poemas morales, políticos y religiosos; *Bías contra Fortuna* y *Doctrinal de privados* son las composiciones más características de esta etapa final.

VII.2.1.3. La lírica menor: Serranillas, canciones y decires

A pesar de la valoración negativa que Santillana tenía de esta su primera experiencia poética, fue, sin embargo, la que más popularidad dio al poeta, muy en particular las serranillas. Es un tipo de poesía que enraíza con la lírica popular castellana a través del Arcipreste de Hita, a la vez que se combina con el influjo de la pastorela francesa y provenzal. La estructura del relato es muy uniforme. Comienzan con la localización geográfica de la acción en un marco agreste en el que se encuentran un caballero y una pastora, a quien aquél requiere de amores; normalmente la serrana alega la desigualdad social para evitar el encuentro amoroso; en algunos casos, sin embargo, el "amor mixtus" se consuma.

---

50 SANTILLANA, Marqués de, *El proemio e carta*, edic. de Manuel DURÁN, en *Obras Completas*, Madrid, Clásicos Castalia, t. II, n. 94, 1980, p. 218.

51 PULGAR, Hernando, *Claros varones de Castilla*, edic. de Jesús DOMÍNGUEZ BORDONA, Madrid, Espasa-Calpe, "Clásicos Castellanos", n. 49, 1923.

52 *La obra literaria del Marqués de Santillana*, Madrid, Ínsula, 1957.

La crítica se fijó de manera primordial en rastrear los orígenes del género[53]; mientras Jeanroy vio en las serranillas un mero transplante de la pastorela francoprovenzal, Menéndez Pidal, después de analizar, sobre todo, lírica popular peninsular (cantigas galaico-portuguesas y villancicos castellanos), constató una tradición genuinamente ibérica, cuyas características aparecerían, primero en la lírica galaico-portuguesa y, más tarde, en el *Libro de Buen Amor* con unas serranas forzudas y armadas de honda y de cayado, que guardan las angostas sendas de la sierra, saltean al caminante, a quien exigen regalos u otras donaciones para poder seguir el viaje. Esta tradición peninsular habría sufrido el influjo de la herencia francoprovenzal. De ahí que en las serranillas de Santillana aparezcan las dos tradiciones.

Desde el punto de vista de la estructura externa, todas ellas, salvo la VII y la VIII —que parecen incompletas— tienen la misma arquitectura narrativa, a la que ya aludimos; la métrica alterna el octosílabo y el hexasílabo, mientras que la combinación estrófica se inicia con una cabeza, a modo de introducción, en la que se indica la localización geográfica del encuentro; siguen varias estrofas, normalmente octavas, que relatan el desarrollo de la escena amorosa y su desenlace. Es una estructura muy semejante a la "dansa" provenzal. Genéticamente parece que respoden a distintos momentos de la vida del poeta desde 1423 hasta 1440[54].

Dentro de esta primera fase de la creación poética de Santillana, hay una serie de composiciones, mezcla de elementos populares y cultos, según los esquemas de una poética híbrida, inspiradas unas en la tradición galaico-portuguesa, otras en villancicos tradicionales castellanos, como el titulado "Villancico que hizo el marqués a tres hijas suyas". En todas

---

53 SCHULTZ-GORA, O., "Das Verhältnis der provenzalischen Pastourelle zur altfranzösischen", *Zeitschrift für romanische Philologie*, VIII (1884)106-112; JEANROY, A., *Les origines de la poésie lyrique en France au Moyen Âge*, París, 2ª edic. 1904; PILLET, A., *Studien zur Pastourelle*, Breslau, 1902; MENÉNDEZ PIDAL, R.,"La primitiva poesía lírica española", *Ateneo científico, literario y artístico de Madrid. Discurso leído en la inauguración del curso 1919-1920*, reimpreso en *Estudios Literarios*, Madrid, Espasa-Calpe, "Colección Austral", n. 28, 9ª edic., 1968, pp. 157-212; AUDIAU, J., *La pastourelle dans la poésie occitane au Moyen Âge*, Paris, 1923; DELBOUILLE, M. "Les origines de la pastourelle", *Memoires de l'Académie Royale de Bélgique*, Bruselas,1926; PIGUET, E., *L'évolution de la pastourelle du XIIe. siècle à nos jours*, Basilea, 1927; POWEL JONES, W., "Some recent Studies on the Pastourelle", *Speculum*, V, (1930)207-215; Idem, *The Pastourelle, a Study of a Lyric Type*, Cambridge, 1931; SINGER, "Die Grundlagen der Pastourelle", *Miscellany of Studies presented to L. A. Kastner*, Cambridge, 1932, pp. 474-480; BLASI, F., "La 'serranilla' spagnola", *Archivum Romanicum*, XXV (1941) 86-139; MENÉNDEZ PIDAL, R., "Sobre primitiva lírica española", *Cultura Neolatina*, III (1943) 203-213; CASAS HOMS, J. M., "Persistencia de la pastorella en la poesía popular catalana", *Boletín de la Real Academia de Buenas Letras de Barcelona*, XX (1947) 171-196; BIELLA, A., "Considerazioni sull'origine e sulla diffusione della pastorella", *Cultura Neolatina*, XXV (1965) 236-267.

54 LAPESA, R., o. c., p. 52 y ss.

estas composiciones Santillana conjuga la tradición de las serranas peninsulares con la descripción idealizada de la canción de amor cortesana; un viejo ideal del quehacer poético: conciliar la *Naturpoesie* con la *Kunstpoesie*.

VII.2.1.4. Poesía retórica y alegórica

A partir de 1433, aproximadamente, se produce en Santillana una nueva concepción de la poesía. En esa fecha su amigo, Enrique de Villena, le sugiere que debe conocer con mayor profundidad las retóricas clásicas. No sabemos cuáles hayan podido ser esas fuentes clásicas; lo cierto, sin embargo, es que, a partir de esa fecha, la poesía de Santillana pierde el carácter festivo que tenía en la primera etapa para cobrar un tono más grave, más sublime, cuasi-divino. La poesía será, como él mismo dirá, "un zelo celeste, una afección divina, un insaciable cibo del ánimo... ese fingimiento de cosas útyles, cubiertas o veladas con muy fermosa cobertura"[55]; lo esencial de la poesía es la forma ("fermosa cobertura") que el poeta puede conseguir mediante la utilización de figuras retóricas (pretericiones, anáforas, apóstrofes) que hacen que la materia lingüística se transforme en forma poética ("gaya sciencia"); el quehacer poético se convierte, de esta manera, en una actividad sublime a la que se dedicaron "claros ingenios e elevados spíritus". La "fermosa cobertura" se conseguirá, asimismo, mediante la intensificación de símiles y comparaciones con la Antigüedad Clásica. Si un acontecimiento o un personaje, descrito por el poeta, puede ser comparado favorablemente con un hecho o héroe de la Antigüedad, eso significa enaltecerlos en grado máximo. Esta igualación con personajes o acontecimientos del pasado se logrará mediante distintos procedimientos como alusiones, perífrasis, imágenes o invocaciones mitológicas. Con frecuencia, nos encontramos, en esta concepción poética, frente a una lista de personajes antiguos, míticos o fabulosos, cuya única función es la de realzar a los personajes modernos o simplemente servir de pretexto para desplegar un alarde de erudición. La poesía adquiere, así, aires aristocráticos y elitistas: sólo quien esté instruido podrá cultivar y entender la "gaya sciencia".

Dentro de los recursos formales más utilizados para conseguir la "fermosa cobertura" se encuentra la alegoría. La narración poética queda velada mediante este artificio poético, a modo de símil prolongado, en el que las palabras quedan deslexicalizadas en su significación denotativa, por lo que su significado se restringe dentro de los niveles subjetivos de la connotación con el objeto de revelarnos una significación oculta; se trata de una técnica que Santillana recoge de la tradición italiana de

55 SANTILLANA, *Carta-Proemio*, edic. de Manuel DURÁN, Madrid, Castalia, n. 94, 1980, p. 210. Véase también el estudio y notas de Ángel GÓMEZ MORENO, El *Probemio e carta del Marqués de Santillana y la teoría literaria del S. XV*, Barcelona, PPU, 1988.

Dante y Petrarca, ya cultivada con anterioridad en nuestras letras por Micer Francisco Imperial. La alegoría proporciona a Santillana la gran ocasión para dar riendas sueltas a su gran erudición; de esta manera, el autor consigue, asimismo, ese carácter cuasi-divino de la poesía. El poema alegórico nos acerca a un mundo sacral para cuya comprensión serían casi necesarios unos ritos de iniciación. Santillana es consciente de que sólo una minoría selecta es capaz de comprender este modo de hacer literatura. En este sentido, su poética culta enlaza con la tradición trovadoresca del llamado "trobar clus". Asimismo, la alegoría hace que la fantasía o ficción poética ("fingimiento de cosas útyles") sea otra de las características de su creación literaria. Una ficción encaminada a un fin ético; de ahí su utilidad. Santillana enlaza con la concepión horaciana de la poesía como algo "dulce y útil". La dulzura se conseguirá por la "fermosa cobertura" (figuras, tropos) y por la versificación ("por cierto cuento, peso e medida"); Santillana recalca la importancia del metro no sólo como nota diferenciadora de la poesía, sino también como elemento en el que reside la poeticidad de la creación literaria ("la excelencia e prerrogativa de los rimos e metros... me esfuerzo a dezir el metro ser origen e causas de las cosas e de mayor perfección e más autoridad que la soluta prosa"); con argumentos tomados, unos de la Biblia, otros de la gentilidad greco-romana o de poetas románicos, intenta probar la excelencia de la poesía. La teoría de los estilos se vincula en Santillana no tanto al *modus scribendi* ni al *status hominum*, según la tradición medieval de la rueda virgiliana, cuanto a la pericia versificatoria en las distintas lenguas. La versificación griega y latina ocupan el mayor grado de perfección ("grado sublime"); le siguen las composiciones en provenzal o italiano ("grado mediocre"); mientras que la poesía popular sin orden ni regla ("romances y cantares") ocupa el último lugar ("grado ínfimo").

Sin pretender segmentar cronológicamente el quehacer poético de Santillana, se puede decir que pertenecen a esta segunda etapa los llamados "dezires narrativos" y, de manera especial, *El sueño, El infierno de los enamorados* y la *Comedieta de Ponza*; evidentemente, ya se encuentran huellas de esta nueva poética en poemas anteriores, pero será en estos poemas donde aparecen más nítidamente.

Sin duda, la obra más lograda, dentro de esta segunda etapa, es la *Comedieta de Ponza*. Santillana eleva a la categoría poética la desgracia que padeció la casa real de Aragón en la batalla de Ponza. El 25 de agosto de 1435 el rey Alfonso V el Magnánimo era vencido y apresado por los genoveses; con él quedaban cautivos dos de sus hermanos, don Juan y don Enrique; la madre, doña Leonor, no podrá sobrevir al dolor que le produjo aquel sentimiento. Esta será la sustancia del contenido poético. La "fermosa cobertura" se logra a través de la ficción o "fingimiento", en este caso una visión alegórica en la que intervienen doña Leonor y las esposas de sus hijos, que exponen su dolor a Boccaccio; actúa también la diosa Fortuna, que predice futuras glorias para el monarca aragonés. El título de "comedieta", según explica el autor en la introducción a la obra, viene dado, aunque no se trate de un género dramático propiamente tal, porque se ajusta al desarrollo narrativo de tal género, dentro de la concepción de Dante ("Comedia es dicha aquella cuyos comienços son trabajosos e tristes, e después el medio e fin de su vida alegre, goso e bienaventurado"[56]). La octava real de la tradición italiana es la estructura utilizada a lo largo de todo el poema, por ser la estrofa más adecuada a la sonoridad grandilocuente del asunto. Particular tratamiento tiene en esta obra el tema de la Fortuna; es una especie de Demiurgo platónico cristianizado, en cuanto que actúa como delegada del Dios, uno y trino. Una fuerte dosis de filosofía estoica sazona el poema para prevenir, con fortaleza de espíritu, a la aristocracia ante las adversidades de la Fortuna.

VII.2.1.5. Poemas morales, políticos y religiosos

El didactismo impregnará el quehacer poético de la última etapa literaria del Marqués de Santillana; la "fermosa cobertura", que busca el deleite, aunque sin desaparecer, queda mitigada ante las orientaciones más pragmáticas y utilitarias. El equilibrio entre los binomios antitéticos, el deleite/el aprovechamiento, y lo dulce/lo útil, que caracterizaron siempre la creación literaria, se inclinan, en esta tercera etapa de Santillana, hacia orientaciones más utilitarias. La madurez física y síquica del autor, así como la particular situación histórica de la Castilla del siglo XV, acosada por una difícil situación política y social, no fueron ajenas a este cambio en la concepción literaria del Marqués de Santillana. El marbete *Quid verum, quid utile*, ideario de otras épocas culturales, parece resonar en la mente del poeta. Santillana abandonará la visión alegórica como recurso narrativo en favor de una poesía moral, inspirada en sus propias experiencias. Las largas listas de héroes y heroínas del mundo antiguo ceden el paso a las reflexiones éticas. *Bías contra Fortuna* y *Doctrinal de privados* son los dos grandes poemas más representativos de esta tercera etapa.

En *Bías contra Fortuna* Santillana toca el tema de la soledad y el desamparo del hombre frente a las asechanzas de la adversa Fortuna; el poeta lo dedica a su primo, el conde de Alba, encarcelado, en 1448, por orden de don Álvaro de Luna, para que le sirva de consuelo y de guía espiritual. De ahí la impronta existencial, de naturaleza estoica, que impregna todo el poema; sus reflexiones sobre la caída del poder, la muerte y la contingencia están inspiradas en los libros sapienciales de la Biblia, particularmente en el *Eclesiastés*, y en determinados autores latinos afines al estoicismo. El personaje de "Bías", uno de los siete sabios de Grecia, es una ejemplificación de cómo el individuo puede

56 SANTILLANA, edic. cit. t. I, p. 238.

vencer, con paciencia y abnegación, los embates de un destino adverso. La elección de este personaje no fue casual; en la vida de "Bías" hay una anécdota ejemplar, transmitida por Diógenes Laercio y Valerio Máximo; mientras se incendia su ciudad, y sus conciudadanos se aprestan a salvar sus bienes materiales, "Bías" sólo centra su atención en los bienes espirituales, sin intentar salvar nada de cuanto poseía, mientras exclamaba: *omnia mea bona mecum porto*. Una actitud paradigmática para Santillana; asimismo, el carácter lejano y difuso del personaje permitía proyectar sobre él los propios ideales del poeta: hacer de él su alter ego. "Bías" viene a ser el doble de Santillana. Sabe conjugar el adiestramiento de las armas con el ejercicio de las letras; habla de sus lecturas y de su biblioteca con el mismo amor con que lo hace el poeta. El tratamiento del tema de la Fortuna difiere notablemente en relación con la proyección del mismo personaje en la *Comedieta de Ponza*. La Fortuna ya no es un instrumento al servicio de la divinidad, sino un poder arbitrario y ciego, que sólo puede ser vencido ajustando la vida a la razón; frente a las adversidades con que la Fortuna amenaza a "Bías", éste permanece inalterable: su ciudad será incendiada; su mujer y sus hijos serán víctimas de la desgracia; él mismo será desterrado. Nada de esto, sin embargo, amedrentará al sabio que ha cifrado sus riquezas en la virtud. La vinculación con el pensamiento estoico es manifiesta; no se trata, no obstante, de un estoicismo pagano; la concepción cristiana de esta doctrina aparece en determinadas estrofas, en las que se alude al paraíso cristiano (estrofa 153); la virtud tendrá, a su vez, una recompensa en el más allá. Se trata, pues, de una moral no encerrada en el inmanentismo pagano, sino abierta a la transcendencia cristiana.

En el *Doctrinal de privados* el poeta asume la personalidad de quien, por entonces, ya había sido depuesto y ejecutado, Álvaro de Luna. Sus reflexiones, a modo de confesión, son como avisos para que sus yerros y pecados, así como su actitud ante la vida, no sean seguidos por otras personas.

La poesía netamente religiosa está también presente en la creación literaria de Santillana, sobre todo, al final de su vida. Su visión de la existencia estaba orientada por el cristianismo, cuyas fuentes rastrea en la Biblia y en determinados escritores, como San Isidoro. Su ascetismo cristiano está infeccionado por la moral estoica, como ya señalamos, mientras su piedad mariana inspirará algunos de sus poemas ("Los goços de Nuestra Señora", "Coplas a Nuestra Señora de Guadalupe"); su admiración por algunas vidas ejemplares, como la del predicador Vicente Ferrer o la de Fray Pedro de Villacreces, reformador de la orden franciscana, quedará manifiesta en su deseo de que sean canonizados ("Canoniçaçión de los bienaventurados sanctos, maestre Viçente Ferrer, predicador, e maestre Pedro de Villacreces").

VII.2.1.6. Otros poemas "fechos al itálico modo"

La estética de la poética italiana será el soporte de otros muchos poemas. Representan hoy, sin embargo, su obra menos conocida y apreciada por parte del lector moderno. Su puesto en la histora de la literatura es meramente testimonial, en cuanto que representan, junto con los *Dezires a las siete virtudes* de Micer Francisco Imperial, los primeros eslabones de una corriente literaria que producirá sus mejores frutos en el siglo XVI. Santillana había tomado contacto con la estética italiana aprovechando su estancia en la corte aragonesa de Alfonso V. Era la nueva moda a la que el poeta dedicó una buena parte de sus teorías literarias hasta configurar su canon poético, que plasmará en su *Carta-proemio*. La alegoría visionaria, las alusiones y citas de personajes, históricos o míticos, de la Antigüedad Clásica constituyen el recurso narrativo más socorrido, mientras el endecasílabo y el soneto ("Sonetos fechos al itálico modo") marcan las nuevas pautas versificatorias. Los temas, aunque variados, giran preferentemente en torno al amor en sintonía con la poesía cancioneril —cultivada también por el poeta—, la tradición trovadoresca y la escuela del "dolce stil nuovo". El mal de amores (*Querella de amor*), las cortes del amor (*Triunfete de amor*), las penas del amor (*El sueño, El infierno de los enamorados*) son algunas de las variaciones de los tópicos de esta poesía amorosa.

Por último, muertes de personas cercanas al poeta fueron la ocasión de determinadas composiciones, dentro de la misma estética ("Planto de la reina Margarita", "Coronación de Mosén Jordi", "Defunssión de don Enrique de Villena").

VII.2.1.7. La prosa del Marqués de Santillana

Si bien la importancia de Santillana se debe a su poesía, algunos de sus escritos en prosa ofrecen gran interés, particularmente aquellos que se refieren a su visión política y a su concepción de la literatura. La *Lamentación de España* es una visión pesimista sobre una segunda destrucción de la Península bajo el poder de Mahoma; alegorías, simbologías y metáforas constituyen los recursos literarios utilizados en el discurso narrativo.

La *Carta-proemio*, dedicada al condestable de Portugal, representa un documento de valor incomparable para conocer la evolución estética del poeta, así como para pergeñar una historia de la poética medieval. A esta obra se hizo alusión anteriormente.

En el *Proemio* que precede al poema *Bías contra Fortuna*, dedicado al conde de Alba, explica su ideal estoico y la motivación por la que había elegido al sabio griego como ejemplo de conducta.

Por último, se discute la atribución al Marqués de Santillana de los *Refranes que dicen las viejas tras el fuego*; mientras unos editores lo incluyen en sus ediciones, otros, por el contrario, los excluyen.

VII.2.2. JUAN DE MENA

VII.2.2.1. Referencias biográficas

Pocos son los datos biográficos[57] que conocemos sobre Juan de Mena (1411-1456); cordobés de nacimiento, se discute su condición de converso[58]. Estudió en Salamanca y completó estudios en Italia. "Secretario de cartas latinas" y cronista de Juan II, tomó la opción política de Álvaro de Luna, lo que no le impidió trabar estrecha amistad con el Marqués de Santillana, declarado enemigo de don Álvaro.

Su formación anuncia lo que será el hombre renacentista[59]; fue insigne latinista, una cualidad que dejará huellas en su creación literaria[60]. Su afición a la lectura quedó reflejada en el perfil biográfico ofrecido por Juan de Lucena en su *De vita beata*. Su autoridad en el dominio de la lengua fue reconocida por Nebrija en su *Gramática*, al ratificar sus teorías lingüísticas con ejemplos sacados de la obra del cordobés.

Mena fue un autor afortunado entre el público de su tiempo; el *Laberinto* atrajo rápidamente la atención de los editores y comentaristas renacentistas[61].

VII.2.2.2. La trayectoria poética de Juan de Mena

Valbuena Prat[62] distingue dos estilos, desarrollados simultáneamente, en la trayectoria poética de Juan de Mena. El *primer estilo* vendría caracterizado por la poética cancioneril, según los gustos de la poesía trovadoresca y cortesana. El verso de arte menor octosilábico y la estrofa de pie quebrado serían dos de sus notas relevantes en este estilo de tipo tradicional. El intelectualismo, a la manera provenzal del *trobar clus*, predomina por encima de la espontaneidad lírica de la poesía tradicional

---

57 LIDA DE MALKIEL, M. R., "Para la biografía de Juan de Mena", *Revista de Filología Hispánica*, III (1941)269-299; STREET, F., "La vida de Juan de Mena", *Bulletin Hispanique*, LV (1953)149-173.

58 CASTRO, A., *La realidad histórica de España*, México, Porrúa, 2ª edic. 1965; LIDA DE MALKIEL, M. R., *Juan de Mena, poeta del Prerrenacimiento español*, El Colegio de México, 1950; STREET, F., "La vida de Juan de Mena"...; ASENSIO, E.,"La peculiaridad literaria de los conversos", *Anuario de estudios medievales*, IV (1967)344-351.

59 LIDA DE MALKIEL, M. R., *Juan de Mena, poeta del Prerrenacimiento español*, El Colegio de México, 1950.

60 REICHENBERGER, A., "Classical antiquity in some poems of Juan de Mena", en *Studia hispanica in honorem R. Lapesa*, Madrid, Cátedra-Seminario Menéndez Pidal-Gredos, t. III, 1975, pp. 405-418; CUENCA, L. A. de, "Juan de Mena en su *Laberinto*", *Cuadernos Hispanoamericanos*, n. 386 (agosto, 1982) 431-434.

61 BATAILLON, M., "La edición princeps del *Laberinto* de Juan de Mena", en *Estudios dedicados a Menéndez Pidal*, Madrid, t. II, 1955, pp. 325-334; reproducido en *Varia lección de clásicos españoles*, Madrid, Gredos, 1964, pp. 9-20.

62 VALBUENA PRAT, A., *Historia de la Literatura Española. I. Edad Media*, 9ª edic. ampliada y puesta al día por Antonio Prieto, Barcelona, Gustavo Gili, 1981, p. 347.

castellana; juegos de palabras, antítesis, oposiciones y otros recursos, caracterizan el estilo de muchas de estas composiciones; este recargamiento formal denota un cierto amaneramiento lingüístico que dificulta su lectura. El *corpus* representativo de este estilo se difundió en muchos de los cancioneros del XV[63].

El *segundo estilo* sigue las orientaciones de la poesía culta que viene de Italia, marcada por la poética de arte mayor; la octava dodecasilábica, utilizada en las letras castellanas desde López de Ayala, recibió un nuevo tratamiento hasta ser considerada, por antonomasia, la "copla de Juan de Mena". La alegoría será, asimismo, el recurso estilístico que envuelve el discurso poético; la poesía es elitista y aristocrática, destinada a un público minoritario; el lenguaje poético se define como desvío del lenguaje cotidiano o coloquial; las innovaciones lingüísticas, poéticas y léxicas estarán, de esta manera, plenamente justificadas para lograr este extrañamiento del lenguaje poético. En este sentido, Mena sigue una estética muy del gusto de los poetas cordobeses, desde Lucano hasta Góngora. Hipérbatons, cultismos, perífrasis, referencias mitológicas, serán algunos de los recursos que configuran un credo poético, basado en la preocupación estilística, muy cercano a la estética del barroco del siglo XVII[64]. *La Coronación del Marqués de Santillana, Claro-escuro* y *El Laberinto*, particularmente este último, constituyen la muestra más representativa y genuina del *segundo estilo* de Mena, una estética cimentada en una poesía culta, dirigida a unos receptores minoritarios dentro de los círculos cortesanos: sólo el cortesano puede hacer y entender la poesía.

La Coronación es un poema alegórico en el que se describe el más allá, desde la óptica de la visión dantesca; el contraste infierno/parnaso sirve para marcar la significación del Marqués de Santillana a cuya coronación asiste el poeta. Esta antítesis, característica del estilo de Juan de Mena, se encuentra, a su vez, en el nombre elegido por el autor para designar a la estrofa utilizada, la quintilla doble, que el autor denomina "calamicleos", nombre derivado del latín "calamitas" y del griego "cleos" (gloria); dentro de la situación calamitosa de la sociedad del siglo XV emerge la figura gloriosa de Santillana.

Claro-escuro, como indica su título, es una mezcla de estilo cultista, a modo de marco decorativo, sobre el que se expone un conflicto amoroso, según la estética cancioneril; la misma estructura híbrida está reflejada en la métrica con la presencia de versos de arte mayor, el dodecasílabo, con el arte menor octosilábico, sin olvidar el verso de pie quebrado.

---

63 Véase la selección hecha por FOULCHÉ-DELBOSC, R., *Cancionero Castellano del siglo XV*, Madrid, Nueva Biblioteca de Autores Españoles, 1912, 2 vols.

64 BLECUA, J. M., en "Introducción" a la edic. de *El Laberinto de Fortuna o Las Trescientas*, Madrid, Espasa-Calpe, "Clásicos Castellanos, n. 119, 1968, pp. LXIX-LXXXIV.

El Laberinto de Fortuna es, sin duda, el poema más representativo no sólo de su segundo estilo, sino también de todo el quehacer poético de Mena. Se le conoce también bajo la denominación de *Las Trescientas*, designación que alude a las trescientas estrofas de que constaban las ediciones clásicas; según el Brocense, Juan II, a quien el autor dedica la obra, habría deseado que el poeta prosiguiese su obra hasta hacer tantas estrofas como días tiene el año; sin embargo, parece que sólo son auténticas 297. La estructura abierta del poema hizo posible estas variaciones en las distintas ediciones realizadas desde el siglo XVI. La popularidad que este poema alcanzó entre los medios cortesanos explica la abundancia de manuscritos y de ediciones que se conservan de la obra, entre las que destacan las realizadas por Hernán Núñez, conocido por el seudónimo del "Comendador griego", cuyas ediciones están acompañadas de numerosas glosas y notas explicativas; el mismo Brocense acometió una edición rigurosa a finales del siglo XVI. Estas ediciones constituyen la base de la crítica textual moderna en torno al *Laberinto*[65].

La alegoría, a la manera de Dante, es el recurso principal del discurso poético, cuyo tema fundamental, sobre el mito de la diosa Fortuna, está sazonado con determinados episodios y personajes históricos. Una particular concepción del cosmos, sobre la base del sistema de Tolomeo, sirve de escenario a una acción poética en la que la simbología del círculo cobra significaciones connotativas especiales en torno a los movimientos de los astros y a las ruedas del tiempo. Sobre este fondo, en el que la mitología y la simbología son códigos de constante referencia lingüística y literaria, el poeta desarrolla la sustancia del contenido poético: personajes históricos y mitológicos, determinados episodios de la historia nacional se dan cita bajo el ropaje de la alegoría. Cristianismo y paganismo se armonizan sin excesivas estridencias, fenómeno que anuncia la cristianización de elementos provenientes de la cultura pagana, una de las características más significativas de la cultura renacentista.

Se ha discutido el grado de dependencia entre el *Laberinto* y *La Divina Comedia*; mientras la crítica decimonónica vió en la obra de Mena una mera adaptación de la obra de Dante, la crítica moderna pone de manifiesto que el influjo del italiano fue mínimo en comparación con otros poetas clásicos como Virgilio y Lucano; junto a estos influjos del mundo clásico latino, hay que señalar la presencia de autores cristianos, como San Anselmo en su *Imago mundi*[66].

---

65 BATAILLON, M., "La edición *princeps* del *Laberinto...*"

66 POST, R., "The sources of Juan de Mena", *Romanic Review*, III (1912) 223-279; STREET, F., "The Allegory of Fortune and the Imitation of Dante in the *Laberinto* and *Coronation* of Juan de Mena", *Hispanic Review*, XIII (1955) 1-11.

María Rosa Lida, en un estudio ya clásico sobre el poeta[67], califica esta obra como una especie de bisagra entre la Edad Media y el Renacimiento; la preocupación por la fama y el aprecio en este mundo, así como el valor ejemplificante que tienen en el poema los personajes y los hechos del mundo clásico constituyen algunos de los elementos renacentistas; por su parte, el medievalismo estaría presente en la actitud moralizadora que el poeta adopta en determinados momentos, que hacen recordar la herencia de los ejemplarios de la tradición medieval.

En su conjunto *El Laberinto* tiene una clara finalidad moralizadora y política[68]. Se trata de una encendida y apasionada protesta contra la corrupción moral de la época. Mena es un hombre esencialmente preocupado por la situación anárquica que vive la Castilla del siglo XV. ¿Quién puede restablecer la moralidad conculcada? El rey. Con ello el poema adquiere, asimismo, una clara significación política. El monarca se concibe como el restaurador de una sociedad desorganizada políticamente y con una moralidad decadente. Por otra parte, esta orientación política, según A. Deyermond[69], estaría encaminada a conseguir el apoyo del monarca en favor de don Álvaro de Luna por quien el poeta siente una predilección especial; una estructura interna de tipo maniqueo sirve de soporte narrativo a una acción en la que participan dialécticamente, de una parte, la maldad (la Fortuna, determinados nobles, el pecado), de la otra, la bondad, personificada en la Providencia, Álvaro de Luna, el monarca y el propio Mena. La significación y la enseñanza política del poema queda manifiesta dentro del clásico binomio malos/buenos.

VII.2.2.3. La prosa de Juan de Mena

Si bien la crítica tradicional[70] ha subestimado la prosa de Juan de Mena, al compararla con su condición de poeta, no faltan entusiastas defensores, entre los críticos modernos, que ven en la prosa de Mena un decisivo intento por enriquecer y elevar el lenguaje de la prosa medieval, al tomar como modelo la prosa latina. Es esta su mayor contribución en la historia de la lengua castellana, si bien las voces y giros latinos, acompañados de violentos hipérbatons, pueden convertir su estilo prosístico en excesivamente culto y recargado. *La Ilíada en romance* u *Omero romançado*, así como los *Comentarios a la Coronación de Santillana* son

---

67 LIDA DE MALKIEL, M. R., *Juan de Mena, poeta del prerrenacimiento español*, México, El Colegio de México, 1950.

68 LAPESA, R., "El elemento moral en el *Laberinto* de Mena: su influjo en la disposición de la obra", *Hispanic Review*, XXVII (1959)257-266; reimpreso en *De la Edad Media a nuestros días*, Madrid, Gredos, 1971, pp. 112-122.

69 DEYERMOND, A. D., *Historia de la Literatura Española. 1. La Edad Media*, Madrid, Ariel, 4ª edic. 1978, p. 331.

70 Particularmente caracterizada como "de lo más enfático y pendastesco de su tiempo" por MENÉNDEZ PELAYO, M., *Historia de la poesía castellana en la Edad Media*, Madrid, 1914, p. 147.

sus obras más representativas. Se discute la paternidad de Mena sobre el llamado *Tratado de amor*; se conoce por tal un breve documento, en tono didáctico, sobre el sentimiento amoroso; la fuerte impronta moralizante, así como la coincidencia, a modo de glosa, de determinadas estrofas de *El Laberinto*, son los argumentos más decisivos para atribuir su autoría a Juan de Mena[71].

VII.2.2.4. El estilo de Juan de Mena

Con Juan de Mena culmina todo un proceso cultista, procedente de Italia, que inicia Micer Francisco Imperial, lo continúa Santillana y llega a su plenitud con Mena. Se trata de una corriente que busca en la lengua latina la perfección estética. Los humanistas no son ajenos a esta orientación poética; el latín marcará la norma que deben reflejar las distintas lenguas romances. "El latinismo, escribe Menéndez Pidal, de léxico, de sintaxis, y de imágenes invadía por todas partes, sin que el idioma pudiese digerirlo ni asimilarlo, como se ve sobre todo en Juan de Mena"[72]. Se parte de la idea de que una lengua es tanto más perfecta cuanto más cercana está a la lengua latina. El extrañamiento lingüístico respecto del latín es considerado una corruptela. El latín es modelo y guía para el quehacer literario en lengua castellana. Este será el fundamento lingüístico que caracteriza el estilo latinizante de una serie de autores como Enrique de Villena, Santillana, Rodríguez del Padrón y, sobre todo, Juan de Mena. No se trata de renunciar al castellano y volver al latín, sino de enriquecer y ennoblecer nuestro romance con préstamos léxicos y sintácticos que tenía la tradición latina.

Esta actitud, que busca en el latín la norma lingüística, explica el estilo de Juan de Mena caracterizado por la crítica como excesivamente rebuscado y retórico.

VII.2.3. LA POESÍA DE JORGE MANRIQUE

VII.2.3.1. Biografía

Tan escasos son los datos que poseemos de sus primeros años, que no podemos afirmar con seguridad ni la fecha ni el lugar de nacimiento[73]. Paredes de Nava, en la provincia de Palencia, suele señalarse como la cuna del poeta donde habría nacido en 1440. Su familia pertenecía a la

---

71 *Tratado de amor*, atribuido a Juan de Mena, edición y estudio de María Luz GUTIÉRREZ ARAUS, Madrid, Ediciones Alcalá, "Colección Aula Magna", 1975.

72 MENÉNDEZ PIDAL, R., "El lenguaje del siglo XVI", en *La lengua de Cristóbal Colón*, Madrid, Espasa-Calpe, "Colección Austral", n. 280, 5ª edic. 1968, p. 54.

73 La biografía más completa es la de SERRANO DE HARO, A., *Personalidad y destino de Manrique*, Madrid, 1966; también NAVARRO, G., "Segura de la Sierra, lugar de nacimiento de Jorge Manrique", *Boletín del Instituto de Estudios Jienenses*, n. 44 (1965)9-18.

vieja nobleza castellana que se vio involucrada en las contiendas que llenan la segunda mitad del siglo XV castellano; su padre, el Maestre don Rodrigo, a quien el poeta dedica sus *Coplas*, participó activamente al lado del infante don Alfonso contra Enrique IV. El joven Jorge siguió las opciones políticas de su padre y de su tío, el poeta y dramaturgo Gómez Manrique; las letras y las armas fueron sus dos grandes aficiones, como ocurrió a otros muchos intelectuales de la época; su corta existencia le permitió, no obstante, contemplar las vicisitudes de tres grandes momentos del siglo XV: los últimos años de Juan II, el reinado completo de Enrique II, y el comienzo prometedor de los Reyes Católicos. Muere como soldado en Garci-Muñoz en 1479[74].

VII.2.3.2. Tradición y originalidad en la creación poética de Jorge Manrique[75]

El *corpus* de la creación poética de Jorge Manrique es escaso, fruto de su corta existencia: en torno a las cincuenta composiciones. Su poética se inserta dentro de la tradición provenzal del amor cortés, así como de la corriente italiana de Dante y Petrarca. No obstante, el poeta sella con su propia originalidad estas tradiciones sin caer en extremismos. De ahí que se aparte tanto del conceptismo y del amaneramiento retórico del *trovar clus* de los trovadores, como de los radicalismos estéticos de la alegoría dantesca, excesivamente recargada de citas y alusiones al mundo mitológico. Asimismo, el didactismo moralizante de la tradición religiosa castellana aflorará en sus *Coplas*, mientras los poemas burlescos podrían relacionarse, en cierta manera, con la tradición peninsular que se encuentra en la lírica galaico-portuguesa y en Castilla.

La tradición del amor cortés es, sin duda, la que aparece más nítidamente en sus poesías amorosas; la condición del amador como vasallo, dentro de la tradición del *Frauendiens* y de la "feudalización del amor"; la discreción en la relación amorosa como principal atributo del amante; la "religio amoris" con la divinización de la amada, a quien el poeta rinde su culto, son algunas notas, caracterizadoras de la lírica provenzal, que se observan en muchas de las composiciones amorosas de Jorge Manrique. En ningún momento, sin embargo, se hace una apología del amor adúltero o extramatrimonial, lo que representa una nota diferenciadora con relación a la corriente trovadoresca, al tiempo que vincula al poeta con la tradición hispánica más bien de carácter promatrimonial. También debe considerarse como una originalidad del poeta el trata-

74 LOMAX, D., "¿Cuándo murió don Jorge Manrique?", *Revista de Filología Española*, LV (1972)1-2.

75 Es esta la orientación de Pedro SALINAS, *Jorge Manrique o tradición y originalidad*, Buenos Aires, Editorial Sudamericana, 1947; reimpreso en Barcelona, Seix Barral, 1973.

Jorge Manrique

miento que hace de "la muerte como amada" en sus poesías amorosas[76]; una manera muy particular de recrear el viejo tópico del "morir de amores", común en la creación lírica universal.

VII.2.3.3. Las Coplas a la muerte de su padre

Se trata, sin duda, del poema más célebre de Jorge Manrique, hasta ser considerado como una de las elegías más socorridas y celebradas de las letras castellanas. Los numerosos manuscritos y glosas conservados de los siglos XV y XVI dan cuenta del éxito inmediato que las *Coplas* alcanzaron entre el público medieval y de los Siglos de Oro. La génesis del poema es discutida entre los críticos; unos piensan que el poeta inicia la composición incluso antes de la muerte de su padre; otros, por el contrario, lo sitúan muy próximo a la muerte del poeta[77]. Por otra parte, el poema plantea determinados problemas de crítica textual que no han sido resueltos a pesar de las decenas de ediciones que de la obra existen[78].

---

76 Véase FERNÁNDEZ ALONSO, R., "La muerte como amada", en *Una visión de la muerte en la lírica española*, Madrid, Gredos, 1971, pp. 18-22.

77 KINKADE, R. P., "The Historical Date of the *Coplas* and the Death of Jorge Manrique", *Speculum*, XLV (1970) 216-224.

78 CARAVACA, F., "Foulché-Delbosc y su edición 'crítica' de las *Coplas* de Jorge Manrique", *Boletín de la Biblioteca Menéndez Pelayo*, XLIX (1973) 229-279; CARRIÓN GUTIEZ, M., *Bibliografía de Jorge Manrique* (1479-1979), Palencia, Diputación Provincial, 1979.

Desde la óptica de la *estructura externa*, el poema consta de cuarenta coplas de pie quebrado; son estrofas ordenadas por dos sextillas, cuyos versos tercero y sexto están formados por versos de cuatro o cinco sílabas que son los que constituyen el llamado "pie quebrado"[79]. Fue una estrofa muy utilizada por determinados poetas del siglo XV, como Juan de Mena y Álvarez Gato; sin embargo, fue Jorge Manrique el poeta que la selló con su propio nombre hasta ser conocida como la "copla manriqueña" por antonomasia.

Desde el punto de vista de la *estructura interna*, el poema suele dividirse en tres partes[80], que recuerdan, en cierta manera, la estructura interna del sermón literario:

a) Estrofas 1-13: Tema: Brevedad y caducidad de la vida.- El poema se inicia con una llamada a la vigilia intelectual, pues la vida humana es contingencia y fugacidad; los códigos de la filosofía neoplatónica se hacen explícitos cuando se invita al alma a recordar su origen divino y su destino inmortal. El letargo de la vida terrenal, que es necesario avivar para comprender la Verdadera Vida, se basa en la concepción platónica del alma encadenada al cuerpo, a la materia. La vida es vista como camino, río y corriente presurosa, recursos metafóricos de la tradición bíblica y cristiana; también aquí Jorge Manrique enlaza con toda una tradición que intentó encontrar un sentido de la vida desde una reflexión sobre la muerte: el *Eclesiastés* ("vanitas vanitatum"), San Pablo (la vida como peregrinaje), Boecio (*De consolatione Philosophiae*), Berceo (la vida como romería), Inocencio III (*De contemptu mundi*). Simultáneamente con el "ars amandi", la Edad Media fue elaborando su "ars moriendi". Ya desde estas primeras coplas Manrique se aleja de la visión de la muerte como enemiga: el vivir ("cómo se pasa la vida") y el morir ("cómo se viene la muerte") son dos procesos irreversibles y, a la vez, naturales; un proceso conlleva el otro, son la misma cosa.

b) Estrofas 14-24: Ejemplificaciones.- El poeta desarrolla la vieja fórmula bíblica del *Ubi sunt qui ante nos in hoc mundo fuere?* ¿Dónde están los que habitaron este mundo antes que nosotros? Con ella retoma el viejo tópico del *Ubi sunt?*, y lo orienta hacia determinados personajes cercanos a las coordenadas espacio-temporales de su entorno. De esta manera, consigue una enseñanza moral más eficaz, al presentarse próxima y directa al lector del siglo XV. La enumeración desciende al terreno individualizado: reyes, papas, emperadores, prelados; todos han sucumbido ante la muerte. Esta igualación social ante la muerte cobró en la

---

79 NAVARRO, T., "Métrica de las *Coplas* de Jorge Manrique", *Nueva Revista de Filología Hispánica*, XV (1961) 169-179; Idem, *Los poetas en sus versos: desde Jorge Manrique a García Lorca*, Barcelona, Ariel, 1973.

80 BURKART, R., "Leben, Tod und Jenseits bei Jorge Manrique und François Villon", *Kölner Romanischen Arbeiten*, I, Marburg, 1931.

Baja Edad Media un interés especial que vemos, igualmente, en las *Danzas de la muerte*. Con estas ejemplificaciones, el autor entronca con la tradición medieval del "exemplum", una técnica narrativa que, si bien se utilizó como mero apéndice funcional en el sermón culto medieval, se consolidó como el tema nuclear del sermón popular en la Baja Edad Media y en los Siglos de Oro. A ello ya hicimos alusión al comentar la *Vida de Santa María Egipcíaca*, y ahora lo recordamos de nuevo; la importancia que estos "cuentos" o "ejemplos" tuvieron en la literatura medieval y de los Siglos de Oro es uno de los capítulos pendientes en la historia de la predicación en lengua castellana.

c) Estrofas 25-40: Elogio de su padre.- A partir de la estrofa 25 el poeta desarrolla el motivo inicial de la composición: la muerte del maestre don Rodrigo; se elogian sus virtudes y sus méritos naturales, a la vez que se describen las hazañas realizadas; su biografía es un dechado de moralidad comparable a determinados personajes de la Antigüedad. La muerte se le presenta en tono familiar y afable, y le invita a aceptar el tránsito a una "vida más larga"; el protagonista así lo acepta (estrofa 38). La "peroratio" o conclusión es una oración en boca del moribundo que solicita el perdón divino. Rodeado de su mujer, hijos, hermanos y criados, "dio el alma a quien ge la dio". De esta manera, la muerte de don Rodrigo se convierte en paradigma del arte de bien morir.

La fama y el éxito de las *Coplas* fue inmediato; las numerosas ediciones y glosas conservadas, desde finales del siglo XV y a lo largo de los Siglos de Oro, así lo testifican[81]; asimismo, desde el siglo XVI hasta los cantautores actuales, la música se ocupó en numerosas ocasiones del texto de las *Coplas*. Incluso, la sabiduría popular se nutre con frecuencia de sentencias de las *Coplas* que segmentan el poema en aforismos de tradición oral, máxima categoría a la que puede aspirar un texto literario.

VII.3. EL ROMANCERO

A finales del siglo XIV vimos cómo entra en crisis la cuaderna vía, elemento caracterizador del mester de clerecía; la rigidez métrica de los poemas del siglo XIII se va deteriorando desde principios del siglo XIV para finalmente orientarse hacia una polimetría que singulariza las últimas obras de aquel taller literario. El verso corto aparece, cada vez con mayor insistencia, en la expresión lírica, mientras el didactismo dogmático y moralizante abandona la cuaderna vía y utiliza otras estructuras mé-

81 SÁNCHEZ ARCE, N. E., *Las glosas a las "Coplas" de Jorge Manrique*, Madrid, 1956; *Glosas a las "Coplas" de don Jorge Manrique*, reedición de Antonio PÉREZ GÓMEZ, Cieza, 1961-1963, 6 vols.

tricas de arte mayor[82]. Paralelamente, asistimos a una decadencia de la épica; la profunda crisis política que vive la Castilla del siglo XV, dividida en luchas internas, no era el mejor terreno para la difusión del canto épico, cuya función había sido mantener unido el espíritu de un pueblo. La sociedad castellana, envuelta en luchas civiles, era más receptiva a un tipo de poesía satírico-burlesca comprometida en aquella contienda. La poesía del mester de clerecía y la épica eran, pues, dos géneros que habían quedado en desuso; el sustrato social en el que se habían apoyado estaba experimentando una profunda evolución; la laicización de la cultura y la vida cortesana serán los códigos de referencia de los nuevos géneros literarios. El romancero nacerá como consecuencia de la transformación político-social que vive la Castilla del siglo XV, y del desgaste experimentado por la épica y el mester de clerecía.

VII.3.1. ¿QUÉ ES UN ROMANCE?

Es común en los manuales al uso comenzar el tema sobre el romancero partiendo de una definición previa de lo que es un romance. Hemos de señalar que todo estudio sobre este género literario ha de partir principalmente de los estudios de Pidal[83]. En este trabajo el padre de la filología hispánica comienza por resumir las distintas acepciones que tuvo la voz "romance" en la historia de la lengua y de la literatura castellana. La primera significación se refiere a la "lengua vulgar" como contraposición a la lengua latina; es este el sentido que tiene dicha palabra en Berceo ("Quiero fer una prosa en roman paladino"); la misma acepción encontramos en la *Crónica General* compuesta por Alfonso X, cuando se contrapone la *Estoria del Romanz del Infant García* a las crónicas de Lucas de Tuy escritas en latín. Pasó luego a designar cualquier composición en verso; el mester de clerecía nos ofrece abundantes testimonios ("Componer un romance de nueva maestría" se dice en el *Libro de Apolonio*; "era de mill e trescientos e ochenta e un annos/ fue compuesto el romance por males de dannos", fecha de composición de una de las versiones del *Libro de Buen Amor*). A partir del siglo XV la palabra "romance" se especializa para designar a un tipo de canción que merece el

82 SAAVEDRA MOLINA, J., *El verso de arte mayor*, Santiago de Chile, 1946; CLARKE, D. C., *Morphology of Fifteenth Century Castilian Verse*, Pittsburgh-Lovaina, 1964; TAVANI, G., "Considerazioni sulle origini dell'arte mayor", *Cultura Neolatina*, XXV (1965)15-33; BARCLAY-TITTMAN, "Further Remarks on the Origins of Arte mayor", *Cultura Neolatina*, XXIX (1969)274-282; LÁZARO CARRETER, F., "La poética de arte mayor castellano", en *Studia hispánica in honorem R. Lapesa*, Madrid, Cátedra-Seminario Menéndez Pidal-Gredos, 1972, t. I, pp. 343-378; reimpreso en *Estudios de poética (La obra en sí)*, Madrid, Taurus, 1976, pp. 75-111.

83 La obra fundamental, en este sentido, es *Romancero Hispánico. Teoría e historia*, Madrid, Espasa-Calpe, 1953, 2 vols.

ROMANCERO GE-
NERAL, EN QVE SE CON-
tienen todos los Romances que andan
impressos en las nueue partes
de Romanceros.
AORA NVEVAMENTE
impresso, añadido, y emendado.

Año 1600

Con licencia, En Madrid, Por Luis Sanchez.
A costa de Miguel Martinez.

Portada del Romancero. Edición de 1600

desprecio del Marqués de Santillana en su *Carta-Proemio* ("Ínfimos son aquellos que sin ningún orden, regla nin cuento façen estos romances o cantares de que las gentes de baxa e servil condición se alegran"). En la perspectiva de Menéndez Pidal los romances se definen como "poemas épico-líricos breves que se cantan al son de instrumentos, sea en danzas corales, sea en reuniones para el recreo simplemente o para el trabajo"[84]. De esta definición pidaliana conviene tener en cuenta tres notas: 1. Carácter colectivo o social ("en reuniones", "trabajo en común"); de aquí derivará la pertenencia a la literatura tradicional en la que se encuadra el romancero. 2. Su unión con la música ("que se cantan al son de instrumentos"), lo que une al romance con la primitiva lírica peninsular. El doble adjetivo "épico-lírico" hace que los romances sean un género híbrido. ¿Cuál es el elemento primordial, lo lírico o lo épico? La respuesta difiere según se defienda el origen épico o el origen lírico de los romances.

84 MENÉNDEZ PIDAL, R., *Flor nueva de romances viejos*, 19ª edic., Madrid, Espasa-Calpe, "Colección Austral", n. 100, 1969, p. 9.

VII.3.2. ORIGEN Y PROCESO FORMATIVO DEL ROMANCERO

La tesis tradicional defiende el origen narrativo de los primeros romances por fragmentación de los viejos cantares de gesta. A medida que el gusto por la épica fue decreciendo, ante el nuevo cambio social, el juglar cantor de los viejos poemas épicos buscó modificaciones con el objeto de mantener la atención de su auditorio. En vez de recitar todo el poema, se limitaba a interpretar aquellos pasajes que resultaban más atractivos a su público, seguro de obtener más fácilmente el éxito buscado; de esta manera, del poema largo se fueron desmembrando fragmentos que el pueblo aprendía de memoria, se popularizaban, se transmitían oralmente de pueblo en pueblo, de generación en generación, mientras los elementos subjetivos se intensificaban, hasta llegar a tener una autonomía respecto del cantar largo del que inicialmente habían formado parte. Estas unidades narrativas, de naturaleza épica, serían los primeros *romances épico-tradicionales*. Las gestas tardías, refundiciones de los antiguos cantares de gesta, ofrecían un material épico-legendario muy del gusto de la nueva moda romancística. El éxito alcanzado por esta nueva forma de hacer literatura instaría a los juglares a componer nuevos romances sobre temas históricos o legendarios, líricos, novelescos, que constituyen los llamados *romances juglarescos*. Este proceso formativo de los romances implicaba una recreación de la materia épica con aportaciones subjetivas, líricas o dramáticas, no presentes en el poema épico. Esto explica el doble adjetivo épico-lírico con que Pidal caracteriza a los romances.

La teoría individualista explicará de manera diferente el proceso formativo del romancero. Conviene señalar que la relación entre los cantares de gesta y los romances sufrió variaciones desde finales del siglo XIX. Ya Gastón Paris defendía la prioridad de los romances, bajo la denominación de *cantilenas*, como primeras células del canto épico, tesis desautorizada ya por Milá y Fontanals a finales del siglo XIX[85]. Sin embargo, muchos críticos ven en el romance restos de una creación individual realizada por un autor concreto, sin que existiese vinculación alguna con el cantar épico. Estas creaciones se habrían tradicionalizado de manera semejante a como llegaron a esa fase otros géneros líricos. Vistas así las cosas, la lírica primitiva podría ser la fuente originaria de donde habría surgido el romancero, cuya estructura métrica se vería tan sólo favorecida por el verso épico. Determinados géneros, como la *endecha*, proporcionan analogías reveladoras entre el romancero y la tradición lírica peninsular; se trata también de poemas que combinan, igualmente, los conte-

85 MILÁ Y FONTANALS, M., *De la poesía heroico-popular castellana*, [1874] edic. preparada por Martín de RIQUER y Joaquín MOLÁS, Barcelona, 1959.

nidos líricos y épicos[86]. Las semejanzas entre la poética de la primitiva lírica peninsular, particularmente el villancico, con el estilo de los romances resultan llamativas. De aquí se podría deducir que los romances pudieron haber vivido en tradición oral con anterioridad al siglo XV, aunque será en la segunda mitad de esta centuria cuando el género experimentará un fuerte auge debido al apoyo de los poetas de la corte de los Reyes Católicos. Este intento de querer buscar relaciones literarias entre el romancero y la tradición lírica peninsular es quizás el aspecto más innovador de la crítica actual[87]. ¿No se podría explicar el carácter lírico de muchos romances haciéndolos entroncar con aquella tradición lírica tanto peninsular como europea (piénsese en las *baladas*, cantos lírico-narrativos que fructificaron en muchos países europeos)? Esto no invalidaría, en manera alguna, la explicación pidaliana para una gran parte del romancero; lo que parece arriesgado es afirmar que todos los romances, como género literario, hayan derivado de la épica. Menéndez Pidal no desarrolló este aspecto que también podía conjugarse con su teoría neotradicionalista; quizás el gran maestro juzgó peligroso afirmar la conexión de los romances con la primitiva lírica peninsular por las implicaciones que de tal planteamiento se pudieran deducir en apoyo de la tesis de Gastón Paris en lo que se refiere a la precedencia cronológica del romancero sobre la épica. Lo que sí parece cierto, como señala Deyermond, es que "la épica constituye un modelo adoptado por los romances"; y que se puede "afirmar que pasajes concretos de un poema épico se desgajaron del total de la obra, desarrollándose, a su vez, como pieza por separado"[88].

VII.3.3. VERSIFICACIÓN DEL ROMANCERO[89]

¿Cuál es el verso original del romance, el verso de ocho o el verso de dieciséis sílabas? Según se considere que el romance tiene procedencia épica o procedencia lírica, se afirmará que está formado por versos monorrimos de 16 sílabas o por octosílabos con rima en los pares. Las ediciones de los siglos XV y XVI utilizaron siempre el verso octosilábico. Parece, sin embargo, que estas ediciones seguían criterios funcionales, particularmente para facilitar la impresión musical. Desde el siglo XIX, no obstante, las grandes ediciones de romances utilizan el verso largo como

---

86 VOSSLER, K., *Algunos caracteres de la cultura española*, Madrid, Espasa-Calpe, "Colección Austral", n. 270, 4ª edic. 1962, p. 18; DEYERMOND, A. D., *Historia de la Literatura Española. La Edad Media...*, pp. 221-226.

87 Véase, por ejemplo, *El romance "Ya se salen de Castilla"*, edición facsímil, transcripción y estudio de Joaquín GONZÁLEZ CUENCA, Toledo, Instituto Provincial de Investigaciones y Estudios Toledanos, 1987.

88 DEYERMOND, A. D., *Historia de la Literatura...*, p. 225.

89 MENÉNDEZ PIDAL, *Romancero Hispánico*, t.I, pp. 81-147.

norma editorial. "El verso del romance, dirá Pidal, es un verso largo bimembre; un doble octosílabo... es el verso constituido por dos hemistiquios octosilábicos...; la indivisibilidad del verso largo es regla absoluta"[90].

La *rima* que caracteriza al romance es la asonante, sobre todo, en los textos más antiguos; no obstante, al tratarse de literatura tradicional, no se puede buscar una rigidez versificatoria, sino un esquema en el que el verso de dieciséis sílabas marca la norma y las tendencias más usuales. Así, la asonancia, nota caracterizadora del romancero, puede coexistir, en determinadas ocasiones, con rimas consonánticas; incluso podemos encontrar dos o tres asonancias en un mismo romance. Estas "irregularidades" son debidas a varios factores: desaparición de la llamada *e* paragógica o etimológica (madre/cantare>cantar) o a la unificación de romances con distinta rima. Asimismo, el pareado, estructura métrica de fuerte raigambre popular, puede servir de estructura métrica de algunos romances. Los hemistiquios octosilábicos marcan la tendencia del cómputo silábico, aunque, a veces, huellas heptasilábicas, recuerdo del bimembrismo del viejo alejandrino del mester de clerecía, pueden hacer acto de presencia. Las concomitancias del romancero con la lírica popular explican la presencia de algunos romances con un estribillo; se trata de un recurso muy utilizado en el canto del villancico tradicional, desde donde posiblemente, a través de los gustos de poetas populares, haya infeccionado a algunos romances como el de la *Pérdida de Alhama*, que contiene el estribillo "¡Ay de mi Alhama!"; la música, una vez más, forma parte indivisible de la literariedad en la creación literaria medieval.

VII.3.4. LA POÉTICA DEL ROMANCERO

VII.3.4.1. La estructura interna

Menéndez Pidal[91] clasifica a los romances, desde el punto de vista de la estructura interna, en *romances narrativos* ("romances-cuento") y *romances dialogados* ("romances-diálogo"), según predomine en ellos el carácter narrativo o el dialogado, respectivamente. Lo normal, sin embargo, es que la narración esté animada por el diálogo. El "romance-cuento" presenta una acción completa: antecedentes, nudo, desenlace. Este tipo de estructura no fue del gusto de los colectores y editores del siglo XVI; fueron los romances dialogados los que gozaron de mayor aprecio entre cantores y recitadores, pues permitían una mayor viveza para atraer la atención del público[92].

---

90 *Ibidem*, p. 90.

91 *Ibidem*, pp. 63-65.

92 Una matización a esta clasificación pidaliana puede verse en DI STEFANO, G.,"Tradición antigua y tradición moderna. Apuntes sobre poética e historia del Romancero", en *El romancero en la tradición oral moderna. Primer coloquio internacional* (1971), edic. de Diego CATALÁN y Samuel G. ARMISTEAD, Madrid, "Seminario Menéndez Pidal", 1972, pp. 277-296.

VII.3.4.2. Fragmentarismo

La acción del romance suele presentársenos "ex abrupto", sin situarnos en los antecedentes, a la vez que termina, igualmente, sin una gradual evolución en el desenlace. La tesis tradicional fundamenta esta característica en el origen épico del romancero. El juglar, impulsado por los gustos del pueblo, recoge de los cantares de gesta aquellos episodios que más podían agradar a su público. Eran fragmentos breves en su primera versión, que luego, en sucesivas elaboraciones, adquieren mayor amplitud. Este fragmentarismo podemos considerarlo un recurso formal, ya que obedece a una intencionalidad estética: afán de dramatismo, para dejar en el ánimo del oyente un principio de incertidumbre.

VII.3.4.3. Formulismo[93]

De la misma manera que el cantar de gesta utilizaba fórmulas nemotécnicas que facilitaban la memorización en el recitado, con el fin de acomodar la materia épica a las muy distintas situaciones que presentaba el público medieval, el recitador de romances empleaba, del mismo modo, sus fórmulas con una doble finalidad estética y funcional. Unas servirán para introducir los parlamentos y saludos; otras para referirse a una misma situación espacial o temporal; determinadas disposiciones existenciales aparecen estereotipadas, asimismo, por sintagmas que se repiten, una y mil veces, a modo de clichés fijos e inalterables, con el objeto de potenciar la función apelativa de la comunicación lingüística: invocaciones, juramentos, maldiciones, se acomodan fácilmente a estos formulismos que adquieren categoría de tópicos, cuya dimensión semántica resultaría fácilmente reconocida por el público medieval. Una gran parte de la poeticidad de los textos residiría, sin duda, en estas fórmulas.

VII.3.4.4. Otros recursos

Como literatura tradicional que es, el romancero utilizará toda la gama de recursos formales propios de la tradición oral. A pesar de su sencillez y simplicidad, propios de la poética popular, resultan sumamente expresivos. El estilo directo, a través del diálogo, da vivacidad y agilidad al relato. Repeticiones anafóricas, paralelismos, antítesis, enumeraciones, configuran algunos de estos recursos de la poética del romancero[94]. A todo esto habría que añadir las características de un lenguaje arcaizante, dentro de las tendencias marcadas por el estilo y la lengua tradicionales[95].

---

93 WEBER, R. H., *Formulistic Diction in the Spanish Ballad*, Berkeley-Los Angeles, University of California Press, 1951.

94 DÍAZ ROIG, M., *El romancero y la lírica popular moderna*, El Colegio de México, 1976.

95 LAPESA, R., "La lengua de la poesía épica en los cantares de gesta y en el romancero viejo", en *De la Edad Media a nuestros días*, Madrid, Gredos, 1971, pp. 9-28; SZERTICS, J., *Tiempo y verbo en el Romancero viejo*, Madrid, Gredos, 1974.

VII.3.5. LA VIDA INTERNA DE UN ROMANCE[96]

Un romance nace un día concreto y es obra de un poeta individual, cuyas coordenadas existenciales nos resultan hoy imposibles de fechar, al haberse perdido, con posterioridad, la noción de autor. El profesional lo canta en público; algunos de los romances tienen un cierto éxito, y los cantan los no profesionales, en principio con la misma letra y la misma música que oyeron ("etapa de popularización"). Durante esta primera etapa, desaparecen la mayor parte de los romances; aquellos que consiguen perdurar entran en la segunda etapa ("etapa de tradicionalización"). En esta segunda etapa, la transformación la realiza el no profesional, a través de la vía oral; de esta manera, el romance, originariamente obra individual, se diversifica en nuevas versiones o variantes de versión; puede ocurrir que alguna de estas versiones adquiera un mayor prestigio ("versión tipo"), por lo que consigue imponerse en una determinada área geográfica que ejerce su radio de acción en regiones limítrofes; sin embargo, las leyes de la tradición oral pueden seguir actuando sobre estas versiones que viven en constantes variantes, modificaciones realizadas por los propios gustos o por fallos en la memoria. La colectividad tiene conciencia de que esa canción es patrimonio común, y por eso lo cambia y lo modifica acomodándolo al entorno y a la circunstancia histórica y existencial del cantor y de su auditorio. A su vez, alguna de estas variantes puede ser el comienzo de un nuevo proceso de tradicionalización que se repite, así, indefinidamente.

Esta peculiar vida romancística determina algunas normas hermenéuticas. La versión original de un romance es inasequible. Esto quiere decir que resulta imposible fijar el texto primigenio de un romance, tal como salió de manos del primer autor, como fija la filología el texto crítico de una obra literaria. Como una canción no se hace tradicional en un momento preciso, sino en un período extenso de popularización, desde el comienzo de su difusión las variantes abundaron; los rasgos constitutivos de la primera versión sólo se conservan dispersos en versiones diferentes o en variantes de versión; por ello, resulta imposible establecer su árbol genealógico. De la misma manera, no resulta factible pretender delimitar su autoría[97]. El romance es anónimo no porque se haya olvidado

---

96 MENÉNDEZ PIDAL, R.-CATALÁN, D.-GALMÉS DE FUENTES, Á, *Cómo vive un romance. Dos ensayos sobre tradicionalidad*, Madrid, 1954; más sintéticamente GALMÉS DE FUENTES, Á., en "Introducción" a *El Romancero Hispánico*, edic., prólogo y notas de..., León, Editorial Everest, 1989, pp. 25-27.

97 DEVOTO, D., "Sobre el estudio folklórico del Romancero español. Proposiciones para un método de estudio de la transmisión tradicional", *Bulletin Hispanique*, LVII (1955)233-291.

el nombre del autor, sino porque es obra de muchos autores que profesan el anonimato; el romance es anónimo porque el autor no puede ser nombrado; su único nombre sería legión[98].

Por otra parte, las variantes en la canción tradicional no son fruto de un proceso de adulteración (*Zersingungsprocess*), como lo entendió la crítica positivista alemana del finales del siglo XIX. La variante en poesía oral se distingue esencialmente de la variante en la obra escrita por un autor culto. Un mismo cantor, en dos ocasiones distintas, puede intercalar modificaciones derivadas, no de fallos en la memoria, sino de su propia recreación poética. La materia poética romancística es algo, pues, cambiante, fluido, que se adapta al gusto y a la sensibilidad no sólo de distintos cantores sino de un mismo recitador en distintas sesiones.

Por todo lo que venimos diciendo, se deduce que el texto de un romance no tiene una fijeza precisa e inalterable, aunque sí tiene una estabilidad dentro de ciertos límites. Todas las variantes llevan una dirección determinada por los gustos y las tendencias de la sensibilidad popular. Menéndez Pidal expresa esta idea con una imagen muy plástica para referirse a este fenómeno: "el río canta siempre el mismo verso pero con distinta agua"[99]. La vida de un romance es como la vida del ser humano: nace, se desarrolla y evoluciona conservando siempre su identidad personal.

VII.3.6. CLASIFICACIÓN DE LOS ROMANCES

Uno de los aspectos más problemáticos a la hora de estructurar este enorme *corpus* literario es precisamente su clasificación; la cantidad, la diversidad y la complejidad de la materia literaria excede, con mucho, la simplicidad de los esquemas propuestos, prioritariamente, con una finalidad didáctica y pedagógica. Admitiendo esta limitación metodológica, aceptamos un cuádruple criterio de sistematización: cronológico, temático, genético y estilístico.

VII.3.6.1. Clasificación temática y genética

Ya los alemanes Wolf y Hofmann, en una de las más célebres colecciones del siglo XIX, distinguen entre *Romances viejos* (aquellos que, nacidos en los siglos medievales, vivieron en tradición oral, y, a finales del siglo XV o durante el siglo XVI, pasaron a ser consignados por escrito) y *Romances nuevos* (obra de poetas cultos que intentaron imitar el estilo tradicional desde el Renacimiento hasta la época moderna). Sin embargo, como la datación se basa en fundamentos muy inseguros y escurridi-

98 MENÉNDEZ PIDAL, R., *Romancero Hispánico*..., t. I, p. 49.

99 *Ibidem*, pp. 43-44. Menéndez Pidal recoge el símil de Steinhal.

zos, no resulta fácil establecer con rigidez esta doble categoría de romances en viejos y nuevos; por otra parte, el poeta mezcla, en ocasiones, el estilo culto e individual con elementos de la poética tradicional, lo que dificulta, aún más, una delimitación precisa entre las dos poéticas.

Menéndez Pelayo sistematizó la materia romancística con criterios temáticos en una clasificación universalmente aceptada en la mayoría de los manuales:

- *VII.3.6.1.1. Romances histórico-heroicos sobre temas nacionales*

Sus temas giran en torno a la historia de España. Son tan numerosos que con ellos se podría reconstruir una gran parte de la historia de la Península durante la Edad Media. Su importancia es capital no sólo para el conocimiento de la historia literaria, sino también desde el punto de vista político y social de una época convulsionada por los múltiples problemas de la sociedad medieval; el romance, al ser literatura tradicional, testimonia el sentir del pueblo frente a un acontecimiento, al margen, en ocasiones, de los documentos positivistas en los que se fundamenta la historiografía moderna; es una manera distinta, aunque complementaria, de interpretar el acontecer histórico. Se distinguen varios ciclos, agrupados por el núcleo temático que inspira la canción.

Menéndez Pelayo

El "Rey don Rodrigo y la pérdida de España" recoge la interpretación popular sobre la caída del imperio visigodo en manos de los árabes. Se trata de una explicación doctrinal, basada en el principio de que todo mal físico procede de un mal moral, enseñanza de amplia tradición eclesiástica, y recogida en la *Crónica sarracina*, de finales del siglo XV[100]. La violación de la Cava, hija del conde don Julián, por el rey don Rodrigo sería el mal moral que propicia el castigo divino: "por lo cual se perdió España/ por aquel tan gran pecado"[101]. Dentro de este mismo ciclo, fueron también muy populares los romances que narran las penitencias impuestas al rey por un ermitaño para purgar su culpa[102].

El "Ciclo de Bernardo del Carpio", personaje legendario, según la crítica más autorizada, relata la derrota que el héroe leonés infringe al ejército francés de Carlomagno en Roncesvalles, a la vez que narra la oposición de Bernardo del Carpio a las pretensiones de Alfonso II de someterse al emperador francés. Los hechos históricos y fabulosos se mezclan y entrecruzan, a la vez que alimentan una de las tradiciones más oscuras de la materia épica y romancística[103].

La historia de los Condes de Castilla fue, como en el caso de la épica, materia de inspiración del romancero, por fragmentación de los antiguos cantares de gesta, según la tesis tradicional. Así, se conocen distintos ciclos sobre aquellos héroes de la historia castellana. "Ciclo de Fernán González"[104], "Ciclo de los Infantes de Lara"[105], "Ciclo de la condesa traidora"[106],"Ciclo sobre el Cid", son algunos de los núcleos temáticos más importantes de esta sección del romancero histórico. El subjetivismo y la novelización son los rasgos más característicos de unos temas que, aceptada su vinculación genética con el cantar de gesta respectivo, se fueron apartando del verismo y verosimilitud narrativa del primitivo canto épico.

---

100 MENÉNDEZ PIDAL, R., *Floresta de leyendas heroicas españolas. Rodrigo, el último godo*, Madrid, Espasa-Calpe, "Clásicos Castellanos", nos. 62, 71 y 84, 1958.

101 *Romances del rey don Rodrigo*, edic. de MENÉNDEZ PELAYO, M., en *Antología...*, t. VIII, p. 85.

102 "Romance de la penitencia del rey don Dodrigo", *Ibidem*, pp.90-92. Otros romances de este ciclo en GALMÉS DE FUENTES, Á., *El Romancero Hispánico*, León, Everest, 1989, pp. 43-63.

103 FRANKLIN, A. B., "A Study of the Origins of the Legend of Bernardo del Carpio", *Hispanic Review*, V (1937)286-303; LANGFORD,W. M.,"Bernardo del Carpio", *Hispania*, XX (1937)253-264; MENÉNDEZ PIDAL, R., *Romancero tradicional de las lenguas hispánicas...*, t. I, pp. 141-270. Para consultar versiones, véase GALMÉS DE FUENTES, Á., *El Romancero...*, pp. 64-72.

104 MENÉNDEZ PIDAL, R. *Romancero Hispánico*, t. II, pp. 1-82. Para otras versiones, véase GALMÉS DE FUENTES, Á. o. c., pp.73-83.

105 MENÉNDEZ PIDAL, R., *Romancero Hispánico*, t. II, pp. 83-252. Asimismo, GALMÉS DE FUENTES, Á., o. c., pp. 96-112.

106 GALMÉS DE FUENTES, Á, o. c., pp. 84-95.

El "Ciclo del Cid" es, sin duda, el más fecundo, como era de esperar, y el que atrajo más intensamente la atención de la crítica[107]; la popularidad alcanzada por este héroe épico inspiró, junto con un cantar de gesta tardío, el *Cantar de las Mocedades de Rodrigo*, un inmenso *corpus* de romances, agrupados en tres grandes secciones: las mocedades de Rodrigo y su relación con el rey Fernando I, el cerco de Zamora, la conquista de Valencia y la afrenta de Corpes. Las divergencias éticas y sicológicas entre el Cid del poema épico y el protagonista del romancero son absolutas, al tiempo que se alteran y modifican los hechos históricos.

Al margen de esta categoría o clasificación histórica de romances vinculados genéticamente a cantos épicos, se encuentran los llamados "romances fronterizos"[108]. Nacen al calor de hechos históricos, sin relación alguna con el poema de gesta, protagonizados entre moros y cristianos dentro de unas coordenadas geográficas limítrofes entre las dos comunidades; de ahí su denominación de fronterizos. Cumplieron la función de informar al pueblo sobre las noticias bélicas entre los contendientes, de manera semejante a los primitivos "cantos noticieros", primeras células engendradoras del canto épico. Dentro de esta serie, tienen particular interés los "romances moriscos", que nos ofrecen una visión simpática y atractiva de todo cuanto rodea al mundo musulmán, aunque fueron compuestos en tierras de cristianos; del moro se predican los más nobles atributos éticos y cortesanos, actitud no fácilmente explicable; según Pidal, una vez que los moros, reducidos al reino de Granada, ya no representan un peligro para los reinos cristianos, los castellanos idealizan a sus antiguos enemigos; su civilización, rodeada de ostentación, se convierte en exótica; la *maurofilia* se puso de moda; una disposición que perdurará hasta bien entrados los Siglos de Oro[109]. Por otra parte, la crítica acentuó el carácter sustancialmente histórico de los romances fronterizos, dentro de la ficción literaria que caracteriza al género[110].

---

107 ESCOBAR, J. de, *Historia y romancero del Cid*, Lisboa, 1605, edic. actualizada por RODRÍGUEZ-MOÑINO, A., (Valencia, Castalia, 1973); MENÉNDEZ PIDAL, R., *El Cid. Romances viejos*, Madrid, 1915; GALMÉS DE FUENTES, Á, o. c., pp. 115-149.

108 GALMÉS DE FUENTES, Á., o. c., pp. 403-433.

109 MENÉNDEZ PIDAL, R., *Romancero Hispánico*..., t. II, pp. 9-12. Idem, "La maurofilia", en *España y su Historia*, t. II, pp. 276-277; CIROT, G., "La maurophilie littéraire en Espagne au XVIe. siècle", título genérico de varios artículos publicados en *Bulletin Hispanique* desde 1938 hasta 1944.

110 ALVAR, M., *El romancero. Tradicionalidad y pervivencia*, Barcelona, Planeta, 4ª edic., 1974. Para una información bibliográfica fácilmente accesible sobre los romances fronterizos, véase ALBORG, J. L., *Historia de la Literatura Española*, t. I, Madrid, Gredos, 5ª reimpresión, 1981, nota 44, p. 420.

• *VII.3.6.1.2. Romances heroicos sobre temas extranjeros: el ciclo carolingio*[111] *y el ciclo bretón*[112]

De la misma manera que la épica castellana acogió el tema de Carlomagno, cuyos testimonios se perciben, aunque fragmentariamente, en el *Cantar de Roncesvalles*, e, hipotéticamente, en un poema épico sobre la juventud de Carlomagmo (*Mainete*), el romancero castellano se alimentó, asimismo, de temas épicos franceses, a modo de restos de antiguos cantos épicos que habrían tenido también su vitalidad por los reinos cristianos; novelización, acentuación del sentimiento amoroso, carencia de verosimilitud narrativa, son algunas de las características de esta serie, cuyos temas fundamentales giran en torno a la derrota de Roncesvalles y a la muerte de los Doce Pares de Francia, una tradición que se unifica con el ciclo sobre Bernardo del Carpio[113]. La francofilia, puesta de moda entre muchos recitadores, explica la existencia de otros muchos romances de este ciclo genéticamente no vinculados a cantares de gesta.

Asimismo, la llamada "materia de Bretaña", que sirvió de soporte argumental a las novelas de caballerías, ocupa una buena parte del romancero tradicional castellano. No proceden de una tradición épica, sino de la popularización que había tenido en España la novelización de temas bretones[114]. Sus características estilístico-formales participan, igualmente, de los recursos propios que el tema caballeresco tiene en la Península.

Determinadas baladas europeas informan, asimismo, el tema de algunos romances castellanos, un aspecto genético de difícil explicación[115].

VII.3.6.2. Romances lírico-novelescos

No todos los romances tienen un origen épico, ni están enraizados en un hecho histórico concreto; una vez que el género romancístico se puso de moda, el poeta individual utiliza el esquema del nuevo género para canalizar su propia vena poética, y vierte en los "nuevos odres" los más diversos y variados temas, cuyo proceso de tradicionalización es semejante al experimentado por el romancero de origen heroico-histórico. El lirismo y la novelización son los ingredientes que los singularizan,

---

111 GALMÉS DE FUENTES, Á., o. c., pp. 153-352.

112 *Ibidem*, pp. 353-359.

113 MENÉNDEZ PIDAL, R., *Romancero Hispánico*..., t. I, pp. 244-300.

114 BRUCE, J. E., "The Development of the most Arthur Themes in medieval romance", *The Romanic Review*, IV (1913) 403-471; PEROLTT, J. de, "Reminiscencias de romances en libros de caballerías", *Revista de Filología Española*, II (1915) 289-292; REYES, A., "Influencia del ciclo artúrico en la literatura castellana", *Boletín de la Academia Argentina de Letras*, VI (1938) 59-68.

115 MENÉNDEZ PIDAL, R., "Las baladas europeas importadas en el romancero", en *Romancero Hispánico*, t. I, pp. 317-334; GALMÉS DE FUENTES, Á, o. c., pp. 435-460.

dentro de una temática que va desde lo lírico-amoroso[116], hasta las viejas resonancias de la tradición clásica greco-romana[117] o bíblico-religiosa[118], sin olvidar otros, referidos al mundo del rústico pastor[119], o, simplemente, de asuntos varios[120].

No abundan los romances de temas estrictamente religiosos, aunque sí son muy frecuentes aquéllos que intentan inculcar una determinada orientación moral; es el caso de la actitud del romancero frente a la corriente adúltera del amor cortés. Prácticamente el romancero desconoce las situaciones de amor adúltero consumado; ni siquiera los casos de la llamada "mal maridada" terminan en adulterio; todo intento de realización del amor fuera del matrimonio es severamente castigado; la mujer puede, incluso, recurrir al crimen para guardar su honra[121].

VII.3.7. De la tradición oral a la tradición escrita

Fue tal el éxito obtenido por este nuevo género literario entre las masas populares, a finales del siglo XV y, sobre todo, a lo largo del siglo XVI, que la imprenta se ocupó de él de forma primordial. Las primeras ediciones son los conocidos *pliegos sueltos*, es decir, hojas sueltas sin coser y sin encuadernar. La difusión de estos pliegos sueltos tenía lugar particularmente en ferias y mercados, una tradición que llegó hasta la época moderna a través de los conocidos "vendedores de coplas". La fragilidad y la falta de consistencia de los materiales empleados en estas publicaciones fue la causa de que muchas de aquellas versiones, de esta singular forma de difusión, hayan desaparecido[122].

Paralelamente al interés popular, los poetas cultos fijaron también su atención en aquellas canciones, bien como fuente de inspiración para poemas eruditos, bien como simple comentario a modo de glosa. Esta demanda explica las numerosas colecciones que se realizarán, particularmente, durante el siglo XVI. En 1511 el *Cancionero General* de Hernando del Castillo, cuya materia fundamental es de lírica tradicional, contiene ya medio centenar de romances; en torno a 1530, una nueva

---

116 GALMÉS DE FUENTES, Á., o. c., pp. 475-515; 550-559.

117 *Ibidem*, pp. 463-474.

118 *Ibidem*, pp. 560-570.

119 *Ibidem*, pp. 531-549.

120 *Ibidem*, pp. 516-529.

121 MENÉNDEZ PELÁEZ, J., "Amor y matrimonio en el Romancero viejo", en *Nueva visión del amor cortés. El amor cortés a la luz de la tradición cristiana*, Oviedo, Universidad, 1980, pp. 235-269.

122 RODRÍGUEZ-MOÑINO, A., *Diccionario bibliográfico de pliegos sueltos poéticos (siglo XVI)*, Madrid, Castalia, 1970; MARCO, J., "El pliego suelto", *Revista de Occidente*, núms. 101-102 (1971) 334-339.

publicación acoge nuevos romances[123]. No obstante, la gran colección de romances del siglo XVI es el *Cancionero de Romances* de Martín Nucio, publicado en Amberes entre 1547-1549; pliegos sueltos, materiales manuscritos, tradiciones orales y el propio *Cancionero general* de Hernando del Castillo, son las principales fuentes de información de aquellos primeros autores-compiladores. La publicación constituyó un verdadero éxito editorial, cuyas reediciones se multiplicarán, algunas con nuevas adiciones y modificaciones, a lo largo del siglo XVI. A partir de 1550 asistimos a una verdadera eclosión de impresiones de romances[124]. El colector-recopilador, con el objeto de facilitar la comprensión en el lector de la época, suele, a veces, modificar los textos tradicionales por considerar algunos de sus términos ininteligibles o arcaizantes; una actitud no exclusiva de los editores del siglo XVI sino de muchos colectores modernos, lo que, de alguna manera, corrompe la versión tradicional.

La música renacentista contribuyó, asimismo, a difundir el género romancístico[125]. El romance, desde sus orígenes, vive unido a la música, de tal manera que, incluso en la tradición romancística actual, el recitador no es capaz de repetir la letra si no es cantando. No se trataba de una melodía polifónica, según los gustos eruditos de la época renacentista, sino, más bien, de una música tradicional muy simple y austera; era un tipo de melodía acomodaticia a distintas letras, dado que el octosílabo, al no tener acentos fijos ni una división estrófica determinada, permitía que una misma estructura musical sirviese para distintos romances. Los tratados musicales del siglo XVI recogen también numerosos romances por lo que se convierten en otra de las fuentes más importantes del romancero antiguo, término que sirve para delimitar dos categorías de romances.

---

123 RODRÍGUEZ-MOÑINO, A., *Los pliegos poéticos de la colección del Marqués de Morbecq (siglo XVI)*, Madrid, Estudios bibliográficos, 1962.

124 A modo de simple reseña informativa citamos algunas de las más significativas: ESTEBAN DE NÁJERA, *Silva de varios romances*, 2 vols. en 1550 y otro en 1551, edic. de RODRÍGUEZ-MOÑINO, A., Zaragoza, 1970, y, sobre todo, del mismo editor la edición reunificada de la conocida *Silva de romances* (Barcelona, 1561), en Valencia, Castalia, 1953, que completa con su estudio *La "Silva de romances" de Barcelona, 1561. Contribución al estudio bibliográfico del romancero español en el siglo XVI*, Salamanca, Universidad, 1969; LORENZO DE SEPÚLVEDA, *Romances nuevamente sacados de historias antiguas*, Amberes, 1551, otra obra que gozó de gran éxito editorial, según el estudio de su editor moderno, RODRÍGUEZ-MOÑINO, A., Madrid, Castalia, 1967; JUAN DE TIMONEDA, *Rosa de amores, Rosa española, Rosa gentil y Rosa Real*, Valencia, 1573, colección que tiene la novedad de imprimir, junto con romances viejos, muchos de los compuestos por autores modernos, edic. moderna de RODRÍGUEZ-MOÑINO, A. y DEVOTO, D., Valencia, Castalia, 1963; a partir de 1575, aproximadamente, asistimos a una decadencia del romancero tradicional en favor del llamado romancero nuevo, un aspecto que se tratará al hablar de la lírica popular en el siglo XVI, en el Vol. II de este Manual.

125 ANGLÉS, H., *La música en la corte de Carlos V con la transcripción del Libro de Cifra nueva de Luys Venegas de Henestrosa*, Barcelona, 1944; MENÉNDEZ PIDAL, R., *Romancero Hispánico...*, t. II, pp. 81-93.

Con el siglo XVIII, la canción tradicional pierde prestigio entre los poetas cultos; la orientación clasicista de la creación poética margina al romancero que se refugia en pueblos y aldeas; bajo el reinado de Carlos III, en 1767, se prohíbe incluso la impresión de romances por considerarlos nocivos para la instrucción pública; se trataba, pues, de un género "nocivo y abominable"[126], que usaba un metro "bajo, familiar y tabernario", como señalará un teórico de la época[127]. Con el siglo XIX, asistimos a un resurgimiento del romancero, particularmente a través del romanticismo alemán que ve en el romancero español la fuente más singular para comprender el modo de ser de un pueblo (*Volksgeits*), en este caso del pueblo hispano. Acercarse al romancero era acercarse a lo más auténtico del modo de ser de una colectividad; el romancero era visto como un espejo en el que se reflejaba el ser y el sentir de lo más genuino de una comunidad. España se convertirá en el país romántico por antonomasia; sus canciones tradicionales atraerán la atención de la investigación de la época; precisamente, al calor de estos ideales románticos, se publicarán nuevas colecciones que marcarán el inicio de una tradición que, con breves altibajos, no será interrumpida hasta el momento actual[128]. Nuevas colecciones de romances siguen inundando el mercado editorial con una finalidad escolar y académica[129]. Sin embargo, el gran proyecto para recuperar la tradición romancística, tanto del romancero viejo como de la pervivencia del género en la actualidad, lo constituyen las ediciones realizadas por el "Seminario Menéndez Pidal", justa denominación en homenaje al gran maestro, cuyos estudios siguen siendo la mejor contribución para conocer uno de los géneros literarios más representativos de

126 MENÉNDEZ PIDAL, R., *Romancero Hispánico...*, t. II, p. 249.

127 HERMOSILLA, *Arte de hablar*, II, 1826; tomo la cita de MENÉNDEZ PIDAL, R. o. c., p. 251.

128 Baste citar, como las más significativas, las siguientes: GRIM, J., *Silva de romances viejos*, Viena, 1815; DURÁN, A., *Romancero general o Colección de romances castellanos anteriores al siglo XV*, Madrid, 1828-1832, 5 vols.; OCHOA, E. de, *Tesoro de los romances y cancioneros españoles, históricos, caballerescos, moriscos y otros*, París, 1838; HARTZENBUSCH, E. de, *Romancero pintoresco o Colección de nuestros mejores romances antiguos*, Madrid, 1848; WOLF, F. J-HOFMANN, C., *Primavera y flor de romances. Colección de los más viejos y más populares romances castellanos*, Berlín, 1856, 2 vols., colección completada por MENÉNDEZ PELAYO, M., *Antología de poetas líricos castellanos. Los romances viejos*, t. VIII, Santader, C.S.I.C., 1945.

129 En este sentido hay que recordar la función desempeñada por la antología realizada por MENÉNDEZ PIDAL, R., *Flor nueva de romances viejos*, Madrid, Espasa-Calpe, "Colección Austral", n. 100, 1938, obra de la que se han hecho numerosas ediciones; *El romancero viejo*, edición de DÍAZ ROIG, M., Madrid, Cátedra, n. 52, 2ª edic. 1977; *El Romancero*, edición, estudio, notas y comentarios de DI STEFANO, Madrid, Ediciones Narcea, 1981; *Romancero*, edición, estudio y notas de DEBAX, M., Madrid, Alhambra, 1982; *El Romancero Hispánico*, edición, prólogo y notas de GALMÉS DE FUENTES, Á., León, Ediciones Everest, 1989, sin duda, una de las mejores colecciones realizadas hasta ahora para el estudiante universitario.

las literaturas peninsulares[130]. En determinadas regiones, como Asturias o Galicia, quizás por sus particularismos geográficos y la naturaleza de vida de sus habitantes, la materia romancística prendió con fuerza, y fue tan fecunda que aún hoy vive con frescura en muchos de sus pueblos y aldeas, a la espera de ser consignados por escrito, antes de que desaparezcan los últimos "juglares oralistas" de una tradición que inexorablemente camina hacia su desaparición[131]. La tradición oral es, sin duda, el medio ambiente natural para el desarrollo del romancero; no obstante, al desaparecer aquellas actividades recreativas, particularmente del mundo rural, que servían de soporte y de telón de fondo para la difusión del romancero, se corre el peligro de que desaparezca para siempre un legado cultural tan característico de la literatura española. Por eso, en la actualidad, es uno de los campos más activos de la investigación histórico-literaria medieval.

VII.4. LA PROSA CASTELLANA EN EL SIGLO XV

Una vez que la lengua castellana, al final de la Edad Media, adquiere carta de ciudadanía en los medios intelectuales, la prosa castellana se enriquece con nuevos géneros literarios.

La historia, a través de las crónicas, se convierte en uno de los núcleos temáticos más importantes de la prosa del siglo XV; de una parte, se prolongará la tradición alfonsí, pero pronto aparecerán nuevas innovaciones en el género cronístico, a partir del modelo configurado por López de Ayala; poco a poco, el hecho histórico se eleva a la categoría literaria, al introducir elementos ficticios y novelescos, en los que la voluntad de estilo y la subjetividad narrativa sustituyen al laconismo de las primeras crónicas. La biografía, fruto del interés por el hombre particular en las nuevas doctrinas humanísticas, irrumpe como nuevo género literario. El interés por conocer nuevas regiones del planeta fructificará literariamente en los primeros libros de viaje, cuya estructura narrativa alterna

---

130 *Romancero tradicional de las lenguas hispánicas (español-portugués-catalán-sefardí)*, edición dirigida por Diego CATALÁN, Madrid, "Seminario Menéndez Pidal"-Ediciones Gredos, Madrid, 1957-78, 11 volúmenes ya publicados. En esta misma dirección conviene destacar las ediciones facsímiles de ediciones antiguas o modernas de romances enmarcados en límites geográficos concretos, entre las que destacamos, a modo de ejemplo, la *Colección de los viejos romances que se cantan por los asturianos en la danza prima, esfoyazas y filandones*, edición de Juan MENÉNDEZ PIDAL, Madrid, 1885, edición facsímil, Madrid, Gijón, "Seminario Menéndez Pidal"-Editorial Gredos-GH Editores, 1986.

131 MENÉNDEZ PELÁEZ, J., "Hacia la recuperación del romancero asturiano", *La Nueva España* (Oviedo), 22 de marzo de 1987, p. 40. La bibliografía sobre la recuperación del romancero en la tradición oral actual es muy abundante; véase, por ejemplo, SÁNCHEZ ROMERALO, A.-ARMISTEAD, S.-PETERSEN, S., *Bibliografía del romancero oral*, Madrid, "Seminario Menéndez Pidal", Madrid, 1977.

la ficción con un pretendido verismo histórico y geográfico. Por último, el recuerdo del propio acontecer histórico toma expresión literaria en unas curiosas "memorias", precedente singular de un género muy fecundo en la literatura moderna y contemporánea.

VII.4.1. LAS CRÓNICAS DEL SIGLO XV

Si las crónicas representan el primer intento historiográfico, conviene señalar que éstas sufrieron una profunda evolución a lo largo de la Edad Media. Es bien sabido que el taller alfonsí marcó nuevas directrices en esta labor historiográfica; sin embargo, al desaparecer la escuela alfonsí, los planteamientos cronísticos cambiaron de perspectiva. Los grandes proyectos historiográficos, de carácter nacional o universal, emprendidos por el equipo alfonsí, se van reduciendo paulatinamente hasta niveles exclusivamente individuales, en torno a la figura de un rey o un noble. A su vez, el relato escueto y lacónico deja paso a nuevas técnicas narrativas: inserción de diálogos que darán un mayor interés al relato, utilización de nuevos artificios literarios con predominio de descripciones, con el objeto de penetrar mejor en la caracteriología de los personajes; interés por la historia interna, con predominio de lo social; incluso hay ciertos atisbos de una historia comparada, al ofrecer datos y noticias de otros pueblos. López de Ayala puede ser considerado como el iniciador de esta nueva concepción de la crónica. Los modelos árabes, que habían sido imitados en la prosa anterior, dejan paso a los clásicos latinos y a los textos sagrados. En este sentido, López de Ayala puede ser considerado como precursor del Renacimiento. El autor interpretará el hecho histórico desde su óptica predominantemente moralista; abundan las reflexiones personales propias de un hombre que, al final de su vida, hace un examen del devenir histórico de Castilla, después de una larga experiencia política en uno de los períodos más difíciles y conflictivos. Sus crónicas recogen los avatares ocurridos en Castilla entre 1350 y 1396, bajo los reinados de Pedro I, Enrique II, Juan II y parte del reinado de Enrique III[132]. El pesimismo es la nota que caracteriza a estas crónicas. El acontecer histórico (Cisma de Occidente, peste negra, problemas raciales, enfrentamientos políticos) no podía ofrecer una literatura placentera en un autor que se presenta como censor y moralista. Su formación eclesiástica, ya como clérigo (noticia que aparece en algún documento), ya como acompañante de su tío, el Cardenal Pedro Gómez Barroso, dejó una profunda huella en el futuro canciller de Castilla. Su intensa espiritualidad queda

132 El gran problema que sigue presentando la obra cronística de López de Ayala es la carencia de ediciones críticas solventes, una tarea en la que se encuentra empeñado Germán ORDUNA, a quien se deben ya algunas valiosas aportaciones sobre este punto.

también reflejada en sus crónicas, cuya redacción definitiva parece haberse realizado en la última década del siglo XIV. Su compromiso político ha sido utilizado contra la objetividad de los hechos históricos que narra. En algunos casos, la crónica (por ejemplo, la *Crónica de Pedro I*) se convierte en una justificación de sus opciones políticas. Un cierto maniqueísmo sazona la estructura narrativa, lo que confiere al relato un innegable dramatismo. Así, Pedro I se presenta como el rey cruel y sanguinario, mientras que Enrique de Trastámara es un dechado de virtudes y bondades. Todo ello, gracias a la habilidad narrativa del canciller, mantiene el interés del lector, y eleva, de esta manera, a la categoría literaria el frío y escueto material histórico. La inclusión en la trama histórica de discursos, arengas, cartas, está dentro de los clichés de la retórica clásica.

A lo largo del siglo XV, siguiendo la trayectoria de López de Ayala, se escriben varias crónicas sobre el reinado de Juan II; en ellas se ofrecen abundantes materiales para reconstruir la vida cortesana de la época.

El reinado de Enrique IV fue, asimismo, recogido en algunas crónicas, que van desde la apología más apasionada (Diego Enríquez del Castillo) a la más implacable crítica (Alfonso de Palencia, Diego de Valera).

El reinado de los Reyes Católicos fue fecundo en el género cronístico, donde el relato histórico se utiliza, ya para plasmar las directrices ideológicas de los monarcas, ya para dar al acontecer histórico una orientación didáctico-moral, no faltando determinadas interpretaciones providencialistas, según la tradición medieval, dentro de los clichés de la cultura eclesiástica.

La crónica biográfica nobiliaria adquiere en estos momentos amplia difusión. Es el resultado de la lucha por el poder entre el absolutismo real y una nobleza cada vez más poderosa. Surgen, así, crónicas, a modo de panegíricos, cuya finalidad es la presentación de un determinado noble como modelo de conducta, dentro de los esquemas axiológicos de la sociedad cortesana. El protagonista será un perfecto caballero y un perfecto cristiano, que, a su vez, domina los preceptos amorosos de las "cortes de amor". La crónica se convierte, de esta manera, en una biografía heroica, cuya función principal es la ejemplaridad. Estos esquemas literarios se extraen de la *Crónica de don Pero Niño, Conde de Buelna*[133], conocida también por "El Victorial", escrita por Gutierre Díez de Games, hacia la mitad del siglo XV. El detallismo con que se nos describe el devenir de la vida en la corte, tal como aparece en la *Crónica del Condestable Miguel Lucas de Iranzo*, atribuida a Pedro de Escavias, convierten la obra en un precioso documento costumbrista de gran valor so-

133 DÍEZ DE GAMES, G., *El Victorial. Crónica de Don Pero Niño*, edic. de Jorge SANZ, Madrid, Ediciones Polifemo, "Crónicas y memorias", 1989.

cial para conocer la vida cortesana del siglo XV, escenario principal de la recepción literaria de la época. Ya nos hemos referido, en otro lugar, a la importancia de esta crónica para reconstruir la actividad teatral de la escena castellana del XV.

La vieja tradición historiográfica de Lucas de Tuy ("el Tudense"), Jiménez de Rada ("el Toledano") y el taller alfonsí se prolonga durante este siglo, bien a modo de historias universales (*Crónica de 1404*), bien restringiendo su contenido a la Península (*Sumario de los Reyes de España desde el año 711 hasta el de 1451, Refundición de la Crónica de 1344, Suma de Crónicas de España* —Pablo de Cartagena o de Santa María—).

La novelización y la ficción literaria sustituyen al verismo histórico cuando se tratan viejos temas épicos (*Crónica de Fernán González, Crónica del Cid Ruy Díaz*). Lo legendario, asimismo, es el elemento caracterizador para explicar la caída del reino visigodo en poder de los musulmanes (*Crónica sarracena*, de Pedro del Corral), tradición que recoge la literatura tradicional en el romancero ("Don Rodrigo y la Cava").

Las "memorias", de tanta fecundidad en la literatura contemporánea, tienen un curioso precedente, a principios del siglo XV, en las *Memorias de Leonor López de Córdoba*; en ellas se recogen las vicisitudes vividas por la protagonista y su familia, partidaria de Pedro el Cruel, cuando sube al trono Enrique II.

Dentro de la prosa cronística, merece mención especial, por su singularidad temática, que recuerda la novela de caballerías, el *Libro del passo honroso*, de Pedro Rodríguez de Lena; se trata de una crónica histórica, cuyo protagonista es Suero de Quiñones, joven leonés, quien por el amor de su amada reta a cuantos caballeros intenten pasar por un puente sobre el río Órbigo, próximo a León.

VII.4.2. LIBROS DE VIAJE

El siglo XV es la centuria medieval que dedicó una mayor atención al viaje literario. Es un género muy del gusto de la mentalidad caballeresca. A pesar de las dificultades que, sin duda, habían de comportar los viajes medievales, el hombre de la época sintió una inclinación, cada vez más creciente, por salir del entorno en que había nacido. Razones de tipo religioso (peregrinaciones, cruzadas) o de tipo comercial, a partir del nacimiento de la burguesía, eran motivo para emprender un viaje. El Concilio de Lyon de 1245 marcó un hito decisivo, al recomendar la evangelización del vasto y poderoso imperio mongol. Asia se convierte en un reto para los misioneros, principalmente franciscanos.

La fabulación es una de las características de estos libros; la descripción de animales monstruosos, el relato de prodigios que los viajeros dicen haber observado en aquellas lejanas tierras, subyugan al hombre occidental. La flora y la fauna, que ilustran el arte medieval, son fruto de este mundo fabuloso. Los bestiarios, los tratados de geografía (*Specula naturalia*), se dejan infiltrar por esta literatura fantástica de los libros de viaje.

VII.4.2.1. Hacia una tipología del género[134]

Tratar de buscar aquelllos rasgos comunes que actúen de denominador común en todas y cada una de estas obras no resulta fácil. Es un género multiforme, con muy diversas funciones y finalidades. Tipificar los distintos géneros medievales es una tarea, aunque ardua, necesaria. R. Jauss ha planteado el problema de manera clara, como ya señalamos en el Capítulo I de este manual. Las dificultades surgen en aquellos textos que se apoyan más bien en una poética popular, al margen de la tradición culta latina.

Hubo ya intentos de ofrecer los rasgos tipológicos de este género[135]. Sin embargo, en estos estudios no se ofrecen, con nitidez, las características significativas y pertinentes. Sus innegables lazos de unión con otros géneros o subgéneros (biografía, crónica histórica), dan a estos relatos un cierto carácter híbrido.

Parece, sin embargo, que los libros de viaje se ajustaban a unos presupuestos estéticos y a unas técnicas literarias conocidas por sus autores, por lo que puede hablarse de una "retórica del viaje literario". Así, el itinerario es el esqueleto sobre el que se apoya el cuerpo del discurso narrativo; es obvio que lo geográfico era un elemento principal en esta prosa narrativa; asimismo, la distribución temporal (días, semanas, meses, años) actúa como elemento estructural del relato; en ocasiones, estas unidades temporales conllevan unidades narrativas cerradas, que pudieran funcionar literariamente de forma autónoma. El espacio narrativo suele ser urbano, hasta convertirse la ciudad en el centro de interés de la descripción, según los clichés heredados de la tradición clásica: historia externa, situación geográfica, recursos económicos, principales monumentos. Un esquema que recuerda las modernas guías turísticas. La identificación entre narrador y protagonista es norma común en los libros de viaje; de esta manera, el relato consigue motivar su lectura.

La literatura de viajes comienza con las llamadas "guías de peregrinación", en torno a los grandes centros de la religiosidad medieval:

134 Dentro de la "Tipología de fuentes medievales", dirigida por Genicot se dedica, precisamente, una de las monografías al género de la literatura de viajes, elaborada por RICHARD, J., "Le récit de voyages et de pèlerinages", en *Tipologie de sources du moyen âge occidental*, Turnhout-Belgium, Brepols, 1981, fasc. n. 38.

135 RICHARD, J., "Le récits de voyages..."; PÉREZ PRIEGO, M., "Estudio literario de los libros de viajes medievales", *Epos*, I (1984)217-239; RUBIO TOVAR, J., "Estudio preliminar" a *Libros españoles de viajes medievales*, Madrid, Taurus, 1986.

Codex Calistinus o Liber Sancti Jacobi

Santiago de Compostela, Jerusalén, Roma. El *Liber Sancti Jacobi* (siglo XII), relacionado con el culto al apóstol Santiago, es un claro ejemplo de una guía-itinerario, entreverado de narraciones legendarias sobre la figura de Carlomagno; La *Fazienda de Ultramar*, a la que se ha hecho referencia en otro lugar, es un testimonio de una guía de peregrinación a Tierra Santa en romance castellano.

Muy pronto estas "guías de peregrinación" pasan a ser "relatos de peregrinación" en los que la aventura personal, descrita por un peregrino, es el cuerpo narrativo del relato.

Las Cruzadas, además de haber sido una empresa militar, se convirtieron también en un *itinerarium peregrinorum*, lo que dificulta un deslinde preciso entre la crónica histórica (verismo) y el libro de viajes (fabulación, exotismo).

Los relatos escritos por los misioneros, como testimonio de la expansión evangélica, se transformaron con frecuencia en libros de viaje; la misma afinidad con el género guardan los relatos de los conquistadores y embajadores, en los que se mezclan aspectos políticos con un cierto exotismo a la hora de describir los países ocupados.

Asimismo, las "guías para mercaderes" pretenden dar una información precisa sobre los productos, sistemas de peso y medidas, itinerarios, etc., lo que constituye un capítulo importante en este género de literatura de viajes.

Por último, hay que mencionar los "viajes imaginarios", escritos por falsos viajeros con la ayuda de una información procedente, ya sea de enciclopedias, ya de relatos escritos por viajeros reales. Estos viajes imaginarios son más bien tratados de geografía. El dato científico se entremezcla con la fabulación, por lo que el relato se convierte en una "novela geográfica medieval"[136]. El *Libro del conoscimiento de todos los reinos* (siglo XIV) sería un ejemplo de esta categoría.

VII.4.2.2. La literatura de viajes en el siglo XV

Las particulares características de la minoría dominante del siglo XV castellano favorecieron este género literario. La nobleza gustaba de este tipo de narraciones que permitían revivir viejos ideales. Era una manera de evadirse de la realidad circundante que ponía en crisis los privilegios de su propio estamento. Una reacción que explicará el éxito de otros géneros literarios, como la poesía cancioneril, la novela sentimental y la novela de caballerías. Hasta cierto punto, podríamos hablar, con toda propiedad, de una literatura de evasión.

A finales del siglo XIV y principios del XV llegan a Europa las resonantes victorias del imperio mongol, sobre todo, bajo el mandato de Tamerlán. Ante el peligro musulmán, Europa desea buscar su aliado en el imperio mongol. Castilla, al unísono con el occidente europeo, envía sus emisarios bajo el reinado de Enrique III. Este es el telón de fondo de la *Relación de la embajada de Enrique III al gran Tamorlán*. El relato se ajusta a los clichés del viaje literario[137].

Las *Andanças y viajes* de Pero Tafur constituyen un alarde de imaginación y fantasía, dentro de la literatura de viajes. El autor y protagonista de la obra, Pero Tafur, es un hidalgo andaluz de la corte de Juan II; Sevilla, ciudad a la que parece estar vinculada la existencia del autor, era por entonces un centro a donde llegaban constantemente comerciantes y viajeros. La pertenencia del autor al estamento de la caballería, del que siempre se siente orgulloso, fue, asimismo, un constante estímulo para realizar sus andanzas y aventuras. Tierra Santa, Egipto, Turquía, Bizancio, Bélgica, Alemania, Atenas, Italia, Austria, etc. son algunas de las naciones visitadas y relatadas por el hidalgo andaluz. La habilidad narrativa del autor hace de la narración una lectura amena y atractiva, llena de anécdotas y leyendas entre la realidad y la fantasía, muy próximas a los libros de caballerías.

---

136 RICHARD, J., "Le récits de voyages ...", p. 46.

137 LÓPEZ ESTRADA, F.,"Los procedimientos narrativos en la *Embajada a Tamorlán*", *El Crotalón. Anuario de Filología Española*, I (1984)129-146).

VII.4.3. LA BIOGRAFÍA

La prosa histórica conoce en el siglo XV un nuevo género literario: la biografía, un género de fecunda tradición en la literatura clásica grecolatina; se apaga, sin embargo, durante la Alta Edad Media por el triunfo de una antropología basada en las doctrinas del *De contemptu mundi*, cuyo máximo exponente es el poema del mester de clerecía *De miseria de omne*; en ese momento, tan sólo la hagiografía guardaría relación con la biografía clásica. No obstante, a partir del siglo XV, una nueva concepción del hombre empieza a configurarse. El teocentrismo medieval pasa a un antropocentrismo, no sólo referido a la especie humana, sino al individuo concreto. La transcendencia del otro mundo se conjuga con una inmanencia terrenal. Es ésta otra de las manifestaciones de la idiosincrasia de la nobleza del XV. Pérez de Guzmán y Hernando del Pulgar son los más importantes cultivadores de este género. Sus obras guardan entre sí una evidente correspondencia literaria, fruto de la relación maestro-discípulo habida entre los dos autores.

De Fernán Pérez de Guzmán, sobrino de Pero López de Ayala y tío del Marqués de Santillana, aunque escribió varias composiciones de tipo moralizante y de reflexión filosófica, de tono siempre pesimista, la obra más importante es *Generaciones y semblanzas*.

La estructura de estas biografías es casi siempre la misma: linaje, retrato físico y sicológico, descripción de su actividad y, finalmente, la muerte[138]; de esta manera, se puede decir, con toda propiedad, que el autor sigue una norma retórica en sus descripciones. Estas breves biografías se refieren a nobles de la corte de Enrique III y Juan II, a los que el autor conoció y con quienes mantuvo, bien una profunda amistad, bien una declarada aversión. De ahí, la pasión con que se describen los vicios y virtudes de sus personajes. Son, además, frecuentes sus digresiones de tipo moral, un aspecto que preside constantemente su producción literaria, actitud que había adoptado igualmente su tío, el canciller López de Ayala.

Tomando como modelo la obra precedente, Hernando del Pulgar, cronista oficial de los Reyes Católicos, escribió *Claros varones de Castilla*; son veinticuatro biografías de personajes ilustres de la corte de Juan II y Enrique IV; desde el punto de vista de la historia de la literatura,

---

138 LÓPEZ ESTRADA, F., "La retórica en las *Generaciones y semblanzas* de Fernán Pérez de Guzmán", *Revista de Filología Española*, XXX (1946)310-352. CLAVERIA, C., "Notas sobre la caracterización de la personalidad en las *Generaciones y semblanzas*", *Anales de la Universidad de Murcia*, X (1951-1952)481-526; desde otra perspectiva BELTRÁN LLAVADOR, R., "De la crónica oficial a la biografía heroica: algunos episodios de López de Ayala y Alvar García de Santa María y su versión en *El Victorial*", en *Actas del I Congreso de la Asociación Hispánica de Literatura* Medieval, Barcelona, PPU, 1988, pp. 177-185.

interesa citar su retrato del Marqués de Santillana. Los procedimientos narrativos y la estructura literaria son análogos a los utilizados en las biografías de Pérez de Guzmán. Quizás se puede hablar de una mayor voluntad de estilo y de erudición en éste que en aquél.

El *Espejo de las historias*, de Alfonso de Toledo, también cronista oficial de los Reyes Católicos, ofrece un perfil humano, con intención moralizadora, de distintos personajes de la historia universal.

Por último, el *Libro de las virtuosas e claras mujeres* del Condestable Álvaro de Luna puede incluirse en este grupo genérico, ya que la obra es una colección de biografías de personajes femeninos de esclarecida virtud.

VII.4.4. LA PROSA DIDÁCTICA

Durante el siglo XV la prosa didáctica, de tonalidad moralizante, continúa utilizando los viejos moldes literarios de siglos anteriores, como el cuento y el apólogo, si bien aparecerán nuevos "tratados" de asunto muy diverso, a la vez que los autores clásicos latinos intensifican su presencia, en consonancia con las nuevas doctrinas humanistas que empiezan a difundirse. El interés por el hombre y el cosmos atraerán la atención de muchas de estas obras de prosa didáctica.

VII.4.4.1. Enrique de Villena (1384-1434)

- *VII.4.4.1.1. Biografía y personalidad intelectual*

Su biografía y su personalidad literaria, rodeada de un cierto cariz legendario, fueron y son dos aspectos que atrajeron y siguen atrayendo la atención de la crítica[139]. Vinculado por lazos de sangre a los dos reinos que llevarán a cabo la unificación nacional, Aragón y Castilla, ostentó, primero, el título de conde de Cangas de Tineo (Asturias) y, después, el de maestre de Calatrava, no así el de Marqués de Villena, como frecuentemente se afirma. No fueron, sin embargo, las armas ni la política el objeto de su predilección profesional, sino las letras, a las que dedicó todas sus preocupaciones, hasta ser considerado por sus contemporáneos como uno de los grandes intelectuales de la época, cuyo magisterio admitieron el Marqués de Santillana y Juan de Mena. Fernán Pérez de Guzmán caracteriza su talante intelectual como "inclinado a las çiençias

139 COTARELO MORI, E., *Don Enrique de Villena. Su vida y obras*, Madrid, 1896; MENÉNDEZ PELAYO, M., *Historia de la poesía...*, t. 2, pp. 31-50; GASCÓN VERA, E., "Nuevo retrato histórico de Enrique de Villena (1384-1434)", *Boletín de la Real Academia de la Historia*, n. 175 (1978)107-143; CICERI, M., "Per Villena", *Quaderni di lingue e letterature* (Universidad de Padua), (1978-79) 295-335; CÁTEDRA, P., *Sobre la vida y la obra de Enrique de Villena*, Universidad Autónoma de Barcelona, 1981; TORRES ALCALÁ, A., *Don Enrique de Villena, un mago al dintel del renacimiento*, Madrid, 1983.

e artes más que a la caualleria e aun a los negoçios çeuiles nin curiales"[140]. Es, en este sentido, a pesar de las limitaciones señaladas por Di Camilo[141], un claro adelantado que encarna la personalidad renacentista, por su afición a los clásicos, cuyas traducciones de la *Eneida* y de la *Divina Comedia* representan las primeras versiones castellanas de estas dos grandes obras de la literatura universal. Fue "este amor de las escrituras" el que le llevó a estudiar las "artes de adeuinar e interpretar sueños e estornudos e señales e otras cosas tales que nin a prínçipe real e menos a católico christiano convenían"[142]. Estos deslizamientos suscitaron sospechas en la ortodoxia cristiana por sus relaciones con determinados círculos hebraicos, aficionados a la magia y a las ciencias ocultas; a su muerte, una parte de su biblioteca fue quemada por orden de Juan II, sentencia que fue ejecutada por el obispo Lope de Barrientos[143], acontecimiento recordado y reprobado por Juan de Mena[144]. Esta circunstancia rodeó a Villena de una cierta aureola de misterio en torno a sus lecturas y a sus posibles maestros, que la crítica moderna intenta esclarecer[145].

• *VII.4.4.1.2. Obra prosística*

Si dejamos a un lado la hipotética producción como poeta y dramaturgo[146], su puesto en la literatura española se debe a sus obras en prosa. Unas son originales, de su propia creación; otras son traducciones, aspecto este de los más significativos de su labor intelectual.

Los doce trabajos de Hércules[147] es, sin duda, su obra de creación más pretenciosa; escrita originalmente en catalán, fue traducida por el mismo

---

140 PÉREZ DE GUZMÁN, F., *Generaciones y semblanzas*, edición, introducción y notas de J. DOMÍNGUEZ BORDONA, Madrid, Espasa-Calpe, "Clásicos Castellanos", n. 61, 1965, pp. 99-101.

141 DI CAMILO, O., *El Humanismo Castellano del Siglo XV*, Valencia, Fernando Torres, 196, pp. 114.

142 PÉREZ DE GUZMÁN, F., o. c., p. 100.

143 GETINO, L. G. A., *Vida y obras de fray Lope de Barrientos*, Salamanca, 1927.

144 MENA, Juan de, *Laberinto de Fortuna*, estr. 128.

145 CICERI, M., "Per Villena", art. cit.; CÁTEDRA, P., "Algunas obras perdidas de Enrique de Villena con consideraciones sobre su obra y su biblioteca", *El Crotalón. Anuario de Filología Española*, 2 (1985) 53-75; GASCÓN VERA, E., "La quema de los libros de don Enrique de Villena: una maniobra política y antisemítica", *Bulletin of Hispanic Studies*, LVI (1979) 317-324.

146 WALSH, J. K.-DEYERMOND, A., "Enrique de Villena como poeta y dramaturgo: bosquejo de una polémica frustrada", *Nueva Revista de Filología Hispánica*, XXVIII (1979) 57-85.

147 La edición más recomendadable sigue siendo la de Margherita MORREALE, *Los Doze Trabajos de Hércules*, edición, prólogo y notas de, Madrid, Real Academia Española, 1958; Desde el punto de vista crítico merecen citarse: MORREALE, M., "'Los doze trabajos de Hércules' de Enrique de Villena. Un ensayo medieval de exégesis mitológica", *Revista de Literatura*, V (1954) 21-34. KEIGHTLEY, G. R., "Enrique de Villena's *Los doze trabajos de Hércules*: a reappraisal", *Journal of Hispanic Philology*, III (1978) 49-68.

autor al castellano; el didactismo cristiano medieval se reviste de la alegoría dantesca para buscar una enseñanza en la mitología pagana, dentro de la tendencia a conciliar la Antigüedad Clásica con las verdades de la fe cristiana. Los doce capítulos de que consta la obra —uno por cada trabajo— están divididos en cuatro partes, según las convenciones de la exégesis medieval (literal, alegórica, moral e histórica). La aplicación práctica se detiene en cada estado o estamento, con lo que la obra ofrece, asimismo, una visión de la sociedad de la época, en la línea del didactismo medieval que recuerda a Don Juan Manuel.

El arte de trovar es particularmente interesante, dentro de la escasez de tratados de poética en literatura medieval castellana. Sabemos que su afición por la poesía le llevó a presidir los juegos florales que tuvieron lugar en Barcelona y Zaragoza, con motivo de la coronación de Fernando de Antequera como rey de Aragón. Villena dedica esta obra al Marqués de Santillana, a la manera de un tratado que viene a ser una preceptiva poética, según los gustos de los trovadores provenzales y catalanes, por lo que se convierte en "lazo de unión entre la Cataluña del siglo XIV y la Castilla del XV"[148]; se conserva fragmentariamente esta obra gracias a la recopilación hecha por Gregorio Mayans y Siscar en el siglo XVIII[149]; este tratado tiene además un interés lingüístico y social, ya que nos informa sobre las normas ortográficas y prosódicas que regían en lengua castellana en aquella época.

La gastronomía también ocupó la atención del saber de Villena, un arte del cual dejó constancia en su *Tractado de cortar del cuchillo* o *Arte de cisoria*, en el que se nos dan un sinfín de noticias sobre la sociedad cortesana de la época, a la vez que marca una línea didáctica que seguirán otros tratadistas del arte culinario[150].

De las llamadas artes ocultas, se conserva su *Libro de aojamiento o fascinología*, que se salvó de la quema del obispo Barrientos; el mal de ojo, su diagnóstico y su terapia, con métodos más bien supersticiosos

148 VALBUENA PRAT, A., *Historia de la Literatura Española*, edic. cit. p. 326.

149 *Orígenes de la lengua española*, Madrid, 1737. Hay varias ediciones modernas: MENÉNDEZ PELAYO, M., *Antología de poetas líricos castellanos*, Santander, C.S.I.C., 1944, t. IV, pp. 7-19; SÁNCHEZ CANTÓN, J., *Revista de Filología Española*, V (1919)158-180.

150 Según Valbuena Prat (*Historia de la Literatura*..., t. I, p. 326, nota 3), la obra se conserva en dos códices, uno en la Biblioteca Menéndez Pelayo, el otro, al que le falta una hoja, en la Biblioteca de El Escorial, que se edita en 1766, edición ilustrada por Felipe BENICIO NAVARRO, Barcelona, 1979. Como estudio histórico literario y social, véase BROWN, R. V., "Ceremony and stylistic awqreness in Enrique de Villena's *Arte cisoria*", *Revista de estudios hispánicos*, XV (1981) 75-83.

que científicos, ocupan la atención del autor; fue una de sus obras más conocidas, uno de los aspectos que contribuyó a difundir las aficiones nigromantes de Villena[151].

Otras obras de las consideradas originales son el *Tratado de la lepra*, el *De consolación*[152] y la *Exposición del salmo "Quoniam videbo"*[153]; también se le considera autor de un *Tratado de astrología*[154].

Una de las facetas intelectuales más sobresalientes de Enrique de Villena fue la desarrollada como traductor. A él se le deben las primeras traducciones en romance castellano de la *Eneida*[155] y la *Divina Comedia*[156], a petición de Juan II y del Marqués de Santillana, respectivamente.

VII.4.4.2. Colecciones de exemplos, libros de espiritualidad, misticismo, profeminismo

El didactismo, función principal que había caracterizado a una gran parte de la prosa de los siglos XIII y XIV, continúa en el siglo XV con la ampliación de nuevos temas, en consonancia con el prerrenacimiento que vive la cultura de la época. En otro lugar de este manual ya se hizo referencia a los ejemplarios del XV, en un intento de ofrecer la tipología del grupo genérico.

El humanismo italiano se empieza a dejar sentir, a la vez que provoca las esperadas polémicas en una época de transición. El intento de buscar una felicidad terrenal, basada en el *carpe diem* horaciano, categoría existencial que triunfará con el Renacimiento, provocará una cierta tensión. La visión transcendente de la existencia se opondrá a esta nueva corriente. Se advertirá que los placeres del mundo pondrán en peligro la felicidad última del hombre (*Vençimiento del mundo*, de Alonso Núñez de Toledo); la verdadera felicidad no se puede conseguir en la tierra

---

151 Una edición de este tratado puede verse en ALMAGRO, F.-FERNÁNDEZ CARPINTERO, J., *Heurísticas a Villena y los tres tratados*, Madrid, Editora Nacional, "Biblioteca de Visionarios, Heterodoxos y Marginados", 1977; en esta misma obra aparecen editados el *Tratado de la lepra* y el *De la consolación*.

152 Edición de Derek C. CARR, Madrid, Espasa-Calpe, "Clásicos Castellanos", n. 208, 1976.

153 Edición a cargo de Pedro CÁTEDRA anunciada como *Anejo del Anuario de Filología Española* de *El Crotalón*.

154 *Tratado de astrología atribuido a Enrique de Villena*, introducción de Julio SAMSÓ, edición y noticia preliminar de Pedro M. CÁTEDRA, Barcelona, 1983.

155 GONZÁLEZ DE LA CALLE, P. U., "Contribución al estudio de la primera versión castellana de la *Eneida*. Ensayo", *Anales de la Universidad de Madrid*, II (1933)131-157; 259-284. La "Biblioteca Española del Siglo XV" (Salamanca) anuncia como ya aparecidos varios volúmenes bajo el título "Enrique de Villena, Traducción y glosas a la 'Eneida'". Edición de Pedro M. CÁTEDRA.

156 SCHIFF, M., "La première traducion espagnole de la *Divine Comédie*", en *Homenaje a Menéndez y Pelayo*, I, 1899, pp. 269-307; PASCUAL, J. A., *La traducción de la "Divina comedia" atribuida a D. Enrique de Aragón. Estudio y edición del Infierno*, Universidad de Salamanca, 1974.

(*Libro de vita beata*, de Juan de Lucena); se previene contra los peligros de la concupiscencia de la carne, la soberbia y la avaricia (*Espejo del alma*, de Lope Fernández de Miranda); aceptar con resignación los sufrimientos tiene valor redentor para el alma (*Libro de las tribulaciones*, también de Lope Fernández de Miranda).

El intimismo y la piedad individual se intensifican con la aparición de una corriente mística que cristalizará en los grandes místicos del siglo XVI; las obras de Hernando de Talavera son un preanuncio de la mística franciscana.

Las doctrinas sobre el amor cortés, con su deificación de la mujer, se dejan sentir, igualmente, en el siglo XV. El profeminismo y la misoginia son la respuesta a esta corriente provenzal[157]. El *Jardín de nobles donzellas*, de Fray Martín de Córdoba se inscribe dentro de la tradición de los "espejos de príncipes", en este caso, se aplica su orientación a las mujeres; es, pues, un tratado de educación de la mujer cortesana. El detallismo narrativo sobre la sicología y las costumbres de las mujeres da a su lectura una amenidad y encanto especiales. El *Libro de las virtuosas e claras mujeres*, de Álvaro de Luna; el *Triunfo de las donas*, de Juan Rodríguez del Padrón, y la *Defensa de las virtuosas mugeres*, de Diego de Valera, forman parte de esta corriente profeminista en íntima relación con el amor cortés.

VII.4.4.3. El *Corbacho*

• *VII.4.4.3.1. Contenido y estructura*

La postura contraria, misógina, común en la tradición cristiana, tanto en la patrística, como en los tratados de derecho y de teología medieval, encuentra su más genuino representante en Alfonso Martínez de Toledo, "Arcipreste de Talavera", con el *Corbacho*, cuya singularidad tanto temática como estilística convierten la obra en una de las creaciones más originales de la prosa del XV. Su autor es un hombre de iglesia, capellán de Juan II y Arcipreste de Talavera, dignidad eclesiástica que dio título original a la obra, aunque pronto se la conoció simplemente por el de el *Corbacho*, en recuerdo de la obra antifeminista de Boccaccio, con la que, sin embargo, no parece tener ninguna relación genética; el subtítulo reza "reprobación del amor mundano", sintagma que traduce textualmente un epígrafe del libro de Andreas Capellanus *De amore*, obra con la que el autor está muy familiarizado.

La obra no presenta graves problemas de crítica textual. Un único manuscrito de 1466, próximo, por tanto, a la composición de la obra, nos transmite el texto. La edición de 1498 incorpora la controvertida "Demanda", un *explicit* final en el que el autor se retracta de todo lo que

---

157 ORNSTEIN, J., "La misoginia y el profeminismo en la literatura castellana", *Revista de Filología Española*, III (1941)219-232.

ha dicho anteriormente, y termina el libro con las palabras "¡Guay del que duerme solo!". Si bien parece que este epílogo pudiera haber sido fruto de otro autor, la crítica, casi unánimemente, defiende la unidad de autor. Esto plantea el problema de cuál es la significación de la obra. ¿Es un antifeminismo sólo de palabra? El binomio "buen amor/loco amor" atraviesa la estructura profunda de la narración. El relato tiene una estructura muy definida. Cuatro partes, cada una de las cuales comporta un objetivo.

La primera parte describe el loco amor y cuáles son sus consecuencias para el alma y el cuerpo; esta *reprobatio amoris* guarda estrecha relación con la última parte del libro de Andreas Capellanus, *De amore*; el buen amor es para el Arcipreste de Talavera la caritas cristiana, es decir, el amor divino.

La segunda parte desarrolla las doctrinas antifeministas y misóginas que caracterizan al libro; la mujer es una diablesa, encarnación de todas las maldades. Seguirla es someterse al loco amor, mientras que el amor divino es camino de salvación y signo de sabiduría ("amar a Dios es sabieza e lo ál locura"[158]). Desde el punto de vista literario, es esta la parte más interesante, donde la pluma del Arcipreste alcanza los mejores momentos descriptivos, a la vez que la sátira y la caricatura, a la hora de describir las costumbres femeninas, son todo un ejemplo narrativo.

La tercera parte del relato tiene como objetivo presentar a la mujer como la culpable de todos los males que sobrevienen al hombre.

Por último, la cuarta parte desarrolla el tema del libre albedrío que guarda, aunque no lo parezca, estrecha relación con el tema amatorio. Recuérdense las estrofas que el *Libro de Buen Amor* dedica también a la astrología y su vinculación con la actividad amorosa. Toda esta cuarta parte es la más saturada de reflexiones moralizantes con abundantes citas bíblicas, lo que hace decaer la frescura narrativa de las partes anteriores.

La edición de 1498 termina con un epílogo en el que el autor se retracta de todas sus doctrinas antifeministas y misóginas, lamenta la situación del hombre que duerme solo, a la vez que pide perdón por sus improperios a las mujeres, "so qual manto viví en esta vida". ¿Sinceridad? ¿Sarcasmo?

- *VII.4.4.3.2. El Corbacho y el amor cortés*

Ya no resulta tópico afirmar que el amor es el núcleo temático más importante —por lo menos desde el punto de vista cuantitativo— de la creación literaria en el siglo XV. El resurgimiento de los viejos ideales de la caballería se ha señalado como su causa. Lo cierto es que durante esta centuria asistimos, a modo de frutos tardíos, a una floración o adaptación en la literatura castellana del, por entonces, ya viejo amor cortés en los ambientes cortesanos provenzales. Sin embargo, sus ideales adúlteros no

158 Edic. de J. GONZÁLEZ MUELA, Madrid, Clásicos Castalia, n. 24, 1970, p. 175.

triunfan en la Península. La fuerte impronta de la tradición judía, que idealiza la realización del amor dentro del matrimonio, pudo haber sido la causa. La deificación de la mujer, nota caracterizadora de la cultura del amor cortés, parece quedar en entredicho en el *Corbacho*. La mujer, más que una diosa, es una encarnación diabólica. El autor sigue, en este sentido, las viejas tesis de una parte de la tradición cristiana que considera a la mujer como *ianua diaboli*. Estas tesis son el reverso de la configuración de la mujer que, en esa misma época, cantan los poetas de cancionero. El autor del *Corbacho* adopta la actitud del *agere contra*, propia de un moralista que conoce y frecuenta los círculos cortesanos en los que se cantaba y se idealizaba a la mujer. ¿Hay sinceridad en este planteamiento o es un puro juego retórico? ¿Es la frustración de un clérigo nostálgico de la compañía femenina? El epílogo de la "Demanda", en el que se retracta de todas sus doctrinas antifeministas, y en el que lamenta la situación del hombre que duerme sin compañía de mujer, ponen serias dudas a una interpretación unidimensional, sobre todo, admitida, como parece, la unidad de autor. Un tratamiento semejante se observa, de manera análoga, en el *Libro de Buen Amor;* también allí hay abundantes pasajes que desarrollan la *reprobatio amoris*. La clave de lectura quizás haya que buscarla en la estructura escolástica que, tanto en uno como en otro caso, sazona el discurso narrativo; tal discurso exigía, a la hora de exponer una tesis, desarrollar las doctrinas contrarias ("sententiae") a la tesis expuesta. Frente a una tradición eclesiástica misógina y antifeminista, que ve en la mujer el cúmulo de todos los pecados (doctrina), se impone la realidad existencial del hombre (praxis). Por eso, lanza ese grito lastimero: "¡guay del que duerme solo!", y desea la "bienquerencia de aquellas so qual manto viví en esta vida".

- *VII.4.4.3.3. La literariedad del texto*

Como señala González Muela[159], en el *Corbacho* hay una clara voluntad de estilo. El autor es consciente en cada momento, tanto del público al que se dirige, como del medio lingüístico del que se vale. Lenguaje culto unas veces, con reminiscencias latinas, a base del hipérbaton y el infinitivo con acusativo. Otras veces, utiliza un estilo más popular, en el que el refrán, los ejemplos, determinadas anécdotas llenas de expresividad popular, son un ingrediente constante. De todo ello surge un estilo semiculto o semipopular, en el que el arte refinado se une al sentir y decir del pueblo. Un ejemplo de este hibridismo estilístico se observa en el uso de la particula latina "item", de origen culto, que el autor utiliza para introducir párrafos de sabor popular. Por otra parte, la subordinación y la coordinación se acumulan, de forma a veces un tanto anárquica, lo que revela un estilo más bien popular que culto. Esta combinación de lo culto y lo popular le ha valido la caracterización de estilo semipopular.

---

159 *Ibidem*, p. 17.

También se ha subrayado el arte novelístico y dramático que se observa en el *Corbacho*[160]. En ocasiones, la forma del discurso utiliza el diálogo con gran valor dramático.

Otra de las características de la prosa del *Corbacho* es la utilización del "exemplum", género auxiliar del sermón literario, que tenía como finalidad amenizar la enseñanza de la doctrina cristiana a un público no especializado en las verdades de la teología moral y dogmática. A través de estos breves relatos, la narración gana en amenidad; estas ejemplificaciones son como cuadros costumbristas, donde el realismo es su nota más significativa. Los personajes protagonistas de estos ejemplos utilizarán un lenguaje vivo y expresivo, dentro de una norma popular.

En definitiva, en el *Corbacho* se encuentran los elementos fundamentales de una novela, cuyo objetivo prioritario parece ser un moralismo con una fuerte dosis de sátira. Aunque no sea una novela, en su sentido más riguroso, puede ser considerada esta obra como uno de los antecendentes más característicos del realismo costumbrista en la novela española. Este realismo costumbrista explica el estilo a veces un tanto descuidado y desordenado, fruto de la vena popular que atraviesa sus páginas.

VII.4.5. LA NOVELA SENTIMENTAL

VII.4.5.1. Hacia una delimitación tipológica del género

Durante la centuria crucial del siglo XV, en la que se inician cambios decisivos para la modernidad, nace un nuevo género literario que ha sido de gran transcendencia para las letras españolas: la *novela sentimental*. Se trata de un género en el que confluyen varias tradiciones en torno al tema amatorio, sobre un fondo simbólico y alegórico que dificulta la lectura al investigador actual. Fue un género que gozó de gran popularidad entre el público femenino que vivía en la corte. Cvitanovic[161], autor de una de las monografías sobre el tema, coloca el término "a quo" de este grupo genérico en España con la aparición del *Siervo libre de amor*, en 1440, mientras *Grimalte y Gradisa* marcaría el término "ad quem", en 1495; otros autores, como A. Deyermond[162], extienden las coordenadas cronológicas del género hasta la mitad del siglo XVI.

---

160 ALONSO, D., "El Arcipreste de Talavera a medio camino entre moralista y novelista", en *De los Siglos Oscuros al de Oro*, Madrid, Gredos, 1958, pp. 125-136.

161 CVITANOVIC, D., *La novela sentimental española*, Madrid, Editorial Prensa, 1973.

162 DEYERMOND, A. D., "Las relaciones genéricas de la ficción sentimental", en *Simposium in honorem prof. M. de Riquer*, Barcelona, Universitat de Barcelona & Quaderns Crema, 1986, pp. 75-92.

Escena de Amor Cortés

En su génesis, el género tiene muchos puntos en común con la poesía de cancionero, hasta proyectarse en la narrativa posterior, de la que se hace eco el propio Cervantes, al intercalar en *El Quijote* muchos casos de amor, tratados al estilo de la novela sentimental.

Los orígenes de la novela sentimental están íntimamente relacionados con la cultura del amor cortés con su peculiar concepción de la mujer, al margen de los códigos axiológicos de la tradición cristiana. El resurgimiento del espíritu caballeresco, dentro del arcaísmo cultural y político que fomenta la aristocracia nobiliaria, es el telón de fondo del nuevo género. La corriente profeminista del amor cortés alimenta intelectualmente la novela sentimental.

El eje del relato en estas novelas es la pasión amorosa; los autores se detienen a describir los sentimientos y la sicología de los protagonistas; de ahí, la denominación con que la crítica, a partir de Menéndez Pelayo, singularizó a este grupo genérico con el marbete de "novela sentimental". Este intento de caracterizar a todo un grupo genérico bajo dicho epígrafe es puesto en tela de juicio por algunos críticos; R. Schevill[163] propone la denominación de "cuentos o novelas ovidianas", por estar llenas de citas, reminiscencias, preceptos, motivos y temas de las obras de Ovidio; por otra parte, la dependencia del género de obras italianas, como la *Fiammetta* de Boccaccio, y la *Historia de duobus amantibus Eurialo y Lucretia* de Eneas Silvio Piccolomini, no parece ser excesivamente intensa en determinadas creaciones[164]; para otros crí-

163 SCHEVILL, R., *Ovid and the Renascense in Spain*, Berkeley, California, 1913, reimpresión, Hildesheim, 1971; véase también SAMONA, C., *Studi sul romanzo sentimentale e cortese nella letteratura spagnola del quattrocento*, Roma, 1960.

164 LIDA DE MALKIEL, M.. R., "Juan Rodríguez del Padrón. Vida y obra", *Nueva Revista de Filología Hispánica*, VI, (1952), pp. 313-351.

ticos[165] la tipología del género o caracterización genérica, a modo de denominador común a una serie de obras, sería lo más relevante de estas creaciones, que irrumpen en el devenir literario del siglo XV; Whinnom[166], en su intento de buscar notas comunes en estas narraciones, caracteriza genéricamente este grupo dentro de una cierta heterogeneidad: "Todas estas obras tienen en común ciertas características: son cortas —muchísimo más cortas que las ficciones caballerescas—, son historias amorosas y, en mayor grado que los demás tipos de ficción, concentran su atención sobre los estados emocionales y los conflictos internos más bien que sobre las acciones externas"; A. Deyermond sintetiza los rasgos genéricos en los siguientes términos: "La brevedad; el predominio del interés psicológico sobre la acción externa; una visión trágica del amor; el autobiografismo (narración en primera persona, o un narrador que es también un personaje); y la inclusión de cartas o poesías (o, a menudo, las dos) en la narración"[167]; Moreno Báez[168] define la novela sentimental como "fruto tardío de la cultura gótica por estar fundada sobre el concepto aristotélico del amor, pasión o enfermedad del alma"; López Estrada[169] prefiere la denominación de "libros sentimentales", en cuanto que serían una prosificación de la poesía cancioneril. De todo ello se deduce que se trata de un grupo genérico cuya tipología no resulta fácil determinar.

Con todo, se puede afirmar que la novela sentimental, juntamente con la novela de caballerías, serán los dos códigos literarios más impor-

---

165 VARELA, J. L., "Revisión de la novela sentimental", *Revista de Filología Española*, XLVIII (1965) 351-382; DURÁN, A., *Estructura y técnica de la novela sentimental y caballeresca*, Madrid, Gredos, 1973; CVITANOVIC, D., *La novela sentimental española*, Madrid, Editorial Prensa Española, 1973; DEYERMOND, A. D., "Las relaciones genéricas de la ficción sentimental española", en *Symposium in honorem prof. M. de Riquer*. Barcelona, Universidad de Barcelona & Quaderns Crema, 1986, pp. 75-92; Idem, "El punto de vista narrativo en la ficción sentimental del siglo XV", en *Actas del I Congreso de la Asociación Hispánica de Literatura Medieval*, Barcelona, PPU, 1988, pp. 45-60; LACARRA, M. E., "Sobre la cuestión de la autobiografía en la ficción sentimental", en *Actas del I Congreso de la Asociación Hispánica de Literatura Medieval...*, pp. 359-368; ROHLAND DE LANGBEHN, R., "Desarrollo de géneros literarios: la novela sentimental española de los siglos XV y XVI", *Filología*, XXI (1986) 57-76; MARTÍNEZ LATRE, Mª. P., "La evolución genérica de la ficción sentimental española: un replanteamiento", *Berceo*, 116-117 (1989) 7-22.

166 WHINNOM, K., en "Introducción" a Diego de San Pedro, *Obras Completas*, I, Madrid, Castalia, 1973, p. 49. Este hispanista inglés es uno de los mejores conocedores del género, algunos de cuyos trabajos son imprescindibles para conocer la dimensión de la "novela sentimental", como su *The Spanish Sentimental Romance 1440-1550: A Critical Bibliography*, Research Bibliographies and Checklists, 41, London, Grant & Cutler, 1983.

167 DEYERMOND, A. D., art. cit., p. 77.

168 MORENO BÁEZ, E.,"Introducción" a Diego de San Pedro, *Cárcel de amor*, Madrid, Cátedra, 1974, p. 18.

169 LÓPEZ ESTRADA, F., *Introducción a la literatura medieval.*, edic cit. p. 528.

tantes que adopta la narración novelesca en el siglo XV. La idealización de la mujer, en uno y otro género, es la nota más característica. Se intensifica el erotismo, pero sin llegar a la "recompensa". La dama se muestra cruel y sanguinaria ante las pretensiones del amador. En este sentido, la novela sentimental bebe en la tradición de la "dame sans merci" de la poesía provenzal. Los amadores adoptan una actitud servil y lacrimógena. Suspiros y lágrimas son los adornos de sus lamentos en el cortejo amoroso. La sumisión y el servicio ante los caprichos de la amada son su regla. Unos comportamientos amorosos poco atractivos para el lector moderno, como fácilmente puede deducirse. Y, sin embargo, este tipo de narraciones atrajo la atención del público cortesano de la época, a juzgar por el número de ediciones que alcanzaron estas novelas.

VII.4.5.2. Rodríguez del Padrón

La biografía real de Rodríguez del Padrón o de la Cámara es poco conocida[170]; no así la biografía literaria; junto con Macías, cuya tradición continúa, sirvió de inspiración, dentro de códigos utópicos y fabulosos, a una *Vida de Juan Rodríguez del Padrón*, obra, asimismo, del siglo XVI. Ambos se convirtieron en héroes legendarios de la actividad amorosa.

Su condición de hidalgo, educado en la corte de Juan II, viajero por Italia y otros países, explica su conciencia de clase y el hecho de que todos los personajes de sus obras pertenezcan a la clase nobiliaria. Dentro del binomio medieval antifeminismo/profeminismo, Rodríguez del Padrón arremete contra la corriente misógina en su *Triunfo de las donas*.

Sin embargo, su fama como autor literario se debe al *Siervo libre de amor*, considerada la primera novela sentimental. Escrita en forma autobiográfica, en la que el yo es más bien literario que real, la obra está estructurada en tres partes o tiempos: amar y ser amado, amar y no ser amado, y ni amar ni ser amado.

Después del prólogo, donde se explica el valor alegórico de los elementos utilizados en el relato, nos describe cada una de las partes:

Primera parte: bien amó > espaciosa vía > verde arrayán > corazón. Conviene notar aquí algunos recursos estructurales. El autor adopta, como excusa para escribir, la obligación de contestar a su amigo, Gonzalo de Medina, juez de Mondoñedo[171], y le cuenta la "muy agria relación del caso"; un tópico que recuerda el prólogo del *Lazarillo*[172]. El autor tomará como ejemplos poéticos a los grandes autores de la Antigüedad:

170 LIDA DE MALKIEL, M. R., "Juan Rodríguez del Padrón: Vida y obra", *Nueva Revista de Filología Hispánica*, IV, 4 (1952) 313-351.

171 "la instancia de tus epístolas, oy me hace escrevir... escrivo a ty, cuyo ruego es mandamiento".

172 "y pues vuestra merced escribe se le escriba y relate el caso muy por extenso", *Lazarillo de Tormes*, edic. de Francisco RICO, Barcelona, Planeta, 1976, p. 7.

"Trayendo ficciones, según los gentiles nobles, de dioses dañados e deesas, no porque yo sea honrador de aquellos, mas pregonero del su gran error, y siervo yndigno del alto Jhesús". Texto que alude ya, desde el principio, a la fuerte intencionalidad moralizante; la enseñanza moral será revestida literariamente por medio de "ficciones" y el "seso alegórico", para que resulte más ameno. ¿Y qué es lo que va a contar? "La muy agria relaçión del caso"; para lo cual se pone como protagonista ("e por mi juzgues a ty amador"). Se trata, pues, de un caso de amor a la manera provenzal del amor cortés. Por ello, ha de hacerse vasallo (*servus*) de una dama (*domina*) en el más alto sentido feudal ("luego prendí señora, e juré mi servidumbre"). Este vasallaje hace que el amador pierda la libertad: se convertirá en un cautivo. Esta servidumbre del amador es la nota dominante de esta novela; de ahí su título. La lucha interna que se establece en su ánimo le hace caer en la cuenta de la "follía" que acaba de cometer. Es la voz de la "discreçión", que le recuerda sus denuestos con el amor; un texto poético, que evoca en el lector los improperios del protagonista del *Libro de Buen Amor* ante los primeros fracasos amorosos; para triunfar en el amor es necesario un adoctrinamiento; allí será el magisterio de Don Amor y Doña Venus; aquí se recordará simplemente que: "bien amar, aunque's follía/ quiere arte y discreçión"; el éxito le acompaña, pero no le da la felicidad que esperaba; el autor utiliza en este momento el tópico del amor cortés como religión del amor.

Segunda parte: bien amó y fue desamado > vía de la desesperación > árbol del paraíso > libre albedrío. En esta parte se nos describe el estado anímico del amador que ama sin ser correspondido. El dolor del yo autobiográfico se proyecta a la propia naturaleza. El arrayán y la verde oliva se quedan sin hojas; el ruiseñor entona un triste canto, y las demás aves cambian sus dulces cantos en lamentos doloridos. El didactismo de esta segunda parte lleva una ejemplificación: la "estoria de dos amadores", Ardanlier y Liessa, que terminan siendo víctimas de la pasión amorosa. El carácter ejemplar y didáctico queda patente en el epitafio que el autor coloca sobre su tumba: "Exemplo y perpetua membraça, con gran dolor sea a vos, amadores, la cual muerte de los muy leales Ardanlier y Liessa, fallecidos por bien amar".

Tercera parte: Ni amó ni fue amado > angosta senda > verde oliva > Sindéresis: El autor despierta exaltado de su visión para incorporarse a la realidad temporal del "ahora". La categoría temporal tiene dos dimensiones en la novela. El tiempo narrativo (descripción de la acción caballeresca del caso) y el tiempo sicológico (desde el yo en que el autor cuenta su caso); hay, pues, una bipolaridad temporal: el "ayer", que abarca los tres tiempos del proceso amoroso del "caso", y el "hoy" desde el que el autor describe su historia amorosa, con clara intención ejemplarizante.

Otra dualidad presente en la novela es el binomio sentimiento/entendimiento, que recuerda la dualidad loco amor/buen amor en el *Libro de Buen Amor*, o el insano amor/lícito amor, de Juan de Mena. Esta presión dicotómica produce una tensión dramática en los protagonistas.

Por último, conviene reparar en la palabra "tratado", con que el autor califica a su obra en la primera línea; aunque es un término cuya precisión conceptual es difícil de delimitar, podría dar al relato una cierta orientación doctrinal, a través de una ejemplaridad: la historia de dos amadores. De esta manera, la obra se sitúa entre el tono didáctico medieval, no ajeno a la retórica del sermón literario, y un simbolismo, de origen italiano, que mira hacia el Renacimiento.

VII.4.5.3. Diego de San Pedro

Los datos biográficos que de este autor tenemos son imprecisos y poco abundantes[173]. Parece que sus coordenadas existenciales abarcan la segunda mitad del siglo XV y los primeros años del siglo XVI. Se ha discutido con vehemencia su condición de converso, sin que se tenga una prueba definitiva. Sí sabemos que fue un autor que obtuvo un enorme éxito entre el público cortesano de los siglos XV y XVI. Poeta cancioneril, de quien el *Cancionero General* recoge 28 canciones, debe su fama, no obstante, a sus novelas sentimentales.

1. *Sermón de amores.* Es bien sabido cómo en la Edad Media se aplicaron conocidas formas y fórmulas religiosas a objetos o temas profanos. Es el reverso de la literatura a lo divino, esto es, secularización de códigos religiosos, con frecuencia sazonados de claras resonancias paródico-burlescas.

En esta línea, nuestro autor escribió su *Sermón de amores ordenado por Diego de San Pedro porque dixeron unas señoras que le deseavan oir predicar.* Los contenidos de dicho sermón son los propios de un *ars amandi*: los preceptos y las reglas del amor. Las connotaciones paródicas y festivas resultan evidentes.

La estructura se acomoda a la retórica del sermón literario, que el autor domina con soltura: a) *Thema*: un versículo de las Sagradas Escrituras: *In patientia vestra sustinete dolores vestros*; b) *Pro-thema*: breve explicación de la cita: su localización (en este caso referencias de ficción amorosa), traducción y propósito; c) *Divisiones*: El desarrollo del tema había de estar perfectamente estructurado, según las leyes de la lógica aristotélica; en esto demostraba el predicador su valía. El "sermón de amores" tiene tres partes, cada una de las cuales persigue un propósito: 1. Cómo se debe servir a las mujeres. 2. Cómo se puede consolar al amante no correspondido. 3. Cómo las damas deben corresponder al amante.

173 Véase WHINNOM, K., "Introducción" a Diego de San Pedro, *Obras Completas*, I, Madrid, Castalia, 1973.

El sermón contenía ejemplificaciones que ilustraban la parte doctrinal; los ejemplarios medievales cumplían esta función. En el "sermón" se incluye, como ejemplo ilustrativo, la historia de Píramo y Tisbe.

Finalmente, la "peroratio" o conclusión, por la cual el predicador exhortaba a su auditorio a seguir o evitar la conducta propuesta en el ejemplo: "Señoras, os suplico que os parezcáis a la leal Tisbe".

Dentro del conjunto de la obra de Diego de San Pedro, el "sermón" viene a significar los fundamentos doctrinales de su "arte de amar". Por eso, utiliza el esquema literario usual para transmitir este tipo de contenidos. Andreas Capellanus, de manera análoga, en su *De amore*, había empleado el esquema de los tratados teológicos escolásticos. La idea o tesis motriz de todo el "sermón" es la superioridad de la dama con relación al amador, característica nuclear del amor cortés: "O, amador, si tu amiga quisiere que penes, pena; e si quisiere que mueras, muere; e si quisiere condenarte, vete al infierno en cuerpo y alma".

2. *Cárcel de amor*. Es, quizás, la obra más representativa del género. El mismo título nos indica una de las alegorías más frecuentes en el siglo XV para designar al amor: es una cárcel, es decir, priva de la libertad.

Su peculiar estructura ha llamado la atención de la crítica. Moreno Báez[174] estudia la distribución de la novela en función de la arquitectura del gótico tardío; metodología esta que, aunque legítima para tener una visión de conjunto de una determinada época, encierra el grave peligro de la extrapolación metodológica. Whinnom[175], por su parte, analiza la estructura de la obra a la luz de la retórica medieval; a su juicio, la retórica o lo retórico no sólo afecta al estilo, sino también a los elementos estructurales. Lo primero que llama la atención, respecto de la estructura externa, son las cartas que se insertan en el relato. ¿Quiere esto decir que estamos ante una forma o estructura epistolar? En la novela epistolar (*Las cuitas de Werther*, de Göthe, por ejemplo) todos los acontecimientos que se narran en el relato aparecen en las cartas. No sucede así en la *Cárcel de amor*. Un análisis puramente cuantitativo resulta evidente; de los 49 epígrafes de que consta la obra, sólo hay siete cartas. Es, desde esta perspectiva estructural, un precedente importante de la novela epistolar, sin que, a juicio de Whinnom, pueda calificarse de tal.

La crítica también se planteó el problema de si se puede aplicar el género "novela" a estas narraciones, ya que la "novela" es un género desconocido para la retórica medieval. La "narratio" era un subgénero del discurso. ¿Cómo clasificar una ficción narrativa en prosa? El autor la denomina "tratado", la misma denominación utilizada por el autor del *Siervo libre de amor*, término que posiblemente sea el exacto para designar a este tipo de relatos.

---

174 MORENO BÁEZ, E., "Introducción"... p. 31.

175 WHINNOM, K., "Introducción"... p. 44 y ss.

El tema es una historia de amor, cuyos protagonistas son Leriano y Laureola, entre quienes se cruza Persio, que pretende, igualmente, a Laureola; es el clásico triángulo amoroso, que descubriremos en otros géneros literarios, por ejemplo, en la comedia barroca. La originalidad en el tratamiento de este conflicto es lo que ha dado singularidad a esta obra. En ella se idealiza la fidelidad del amador perfecto, personificado en Leriano, quien sufre "prisión en la cárcel de amor" ante los primeros rechazos de su amada, Laureola; el Autor, a modo de Celestina, hace de intermediario entre los amantes, por medio de cartas que fructifican en una cita. Entre tanto, Persio, enamorado a su vez de la dama, irrumpe en el relato como elemento perturbador, al presentar falsos testimonios que ponen en peligro el honor de la pareja; Laureola entonces, para salvaguardar su honra, decide no volver a ver a Leriano; éste se deja morir de hambre y de tristeza, después de haber bebido en una copa las cartas de su amada. La trama argumental justifica la denominación de Leriano como "el Werther de su tiempo".

La novela se inscribe dentro de la literatura profeminista; ¿debe Leriano maldecir a Laureola y, con ella, a todas las mujeres por anteponer la fama al amor? Diego de San Pedro aprovecha este momento del relato para exponer quince razones que explican por qué yerran quienes hablan mal de las mujeres, y veinte argumentos por los que el hombre está obligado a amar a las mujeres. Leriano verá en la mujer la imagen y la semejanza de la divinidad; amando en la mujer la belleza del ser, se ama, al mismo tiempo, la belleza de Dios; es la solución tomista al problema del amor, que con anterioridad habían utilizado los poetas italianos del "dolce stil nuovo".

3. *Tractado de amores de Arnalte y Lucenda.* En esta obra Diego de San Pedro sigue su actitud profeminista; utiliza la carta como recurso estructural preferencial del relato, alternando la prosa con el verso, como es lo habitual en este grupo genérico. Wihnnom, quien negaba la denominación de "cuento ovidiano" a la *Cárcel de amor,* lo admite, sin embargo, para esta obra, en el sentido de que Ovidio llega a través del influjo ejercido por la *Historia de duobus amantibus,* tipo perfecto del cuento ovidiano; sin embargo, no debe olvidarse que Ovidio está muy presente también en la poesía cancioneril y, en general, en toda la poesía amorosa europea, corriente que parte de Italia por medio de los casos de amor ("fabula amoris"). La comicidad es uno de los rasgos distintivos de esta obra, dentro de lo que puediera llamarse "poética de lo cómico"[176].

---

176 LANGBEHN-ROHLAND, R., *Zur Interpretation der Romane des Diego de San Pedro,* Heidelberg, C. Winter-Universitätsverlag, 1970; WHINNOM, o. c., p. 57.

La obra está dedicada a las "virtuosas señoras" de la reina Isabel; eran las damas a quienes más gustaba el estilo y los temas de Diego de San Pedro.

La intercalación de poemas independientes y autónomos, que nada tienen que ver con la trama del "tratado" (por ejemplo, el poema "Las siete angustias de Nuestra Señora") restan unidad estructural a la obra; unido esto a las semejanzas, en algunos puntos, entre el *Tratado* y la *Cárcel de amor* hizo pensar a algunos críticos que aquél fuera un primer esbozo de ésta.

Dentro del conjunto de la producción de la obra de Diego de San Pedro hay que citar su *Pasión trovada*, cuyo estudio habría que afrontar, bien dentro del grupo genérico de las "Vitae Christi", bien, quizás mejor, dentro del teatro litúrgico del siglo XV.

VII.4.5.4. Juan de Flores[177]

Es el tercer autor más importante de la novela sentimental. *Grimalte y Gradisa*, *Grisel y Mirabella* y el *Triunfo de amor* son sus contribuciones al género.

Grimalte y Gradisa [1495] pretende ser una continuación de la *Fiammetta* de Boccaccio; en esta obra el influjo italiano es evidente, sazonado, a la vez, con no pocos elementos del género caballeresco.

Grisel y Mirabella [1495] es un relato con dos partes relacionadas entre sí. La primera trata de los trágicos amores de los enamorados que dan nombre al relato, quienes son sorprendidos en el ejercicio amoroso; la segunda es un debate promovido por el rey de Escocia, padre de Mirabella, sobre cuál de los dos amantes había sido más culpable; el veredicto recae sobre la muchacha, que es condenada; conocedor de la noticia, Grisel se arroja a las llamas para no presenciar el suplicio de su amada, la cual, a su vez, se precipita al patio de los leones del castillo. Entretanto, las damas de la corte torturan y dan muerte a Torrellas, defensor de la causa misógina.

Con este planteamiento Flores deja bien claro su posición profeminista. El amor trágico, a lo romántico, es la nota más característica de esta concepción del amor. Una mayor libertad de la mujer en el terreno amoroso, con participación activa, explica el éxito que estas narraciones tuvieron en los medios palatinos del siglo XV.

Triunfo de amor[178] viene a ser una disputa entre los detractores del amor (amadores muertos) y sus apologetas (amadores vivos); la contienda termina con el triunfo del amor que da título al relato.

---

177 LACARRA, M. E., "Juan de Flores y la ficción sentimental", en *IX Congreso Internacional de Hispanistas*, agosto, 1986.

178 Edic. de Antonio GARGANO, Pisa, 1981.

VII.4.5.5. Éxito de la novela sentimental

Resulta difícil al lector moderno explicar el gran éxito que tuvo la novela sentimental en la sociedad cortesana del siglo XV y buena parte del siglo XVI. *Cárcel de amor*, por ejemplo, tuvo 36 ediciones entre 1492 y 1551, con traducciones a otros idiomas, hasta convertirse en lectura obligada entre la aristocracia europea de la época. Lo mismo se puede decir del *Tratado de amores de Arnalte y Lucenda*. Éxitos editoriales sólo comparables, en nuestros días, a uno de nuestros novelistas de moda. Juan de Flores fue, asimismo, un autor afortunado desde el punto de vista de la recepción del público. Este éxito impulsó a otros muchos escritores a probar suerte; la nómina de autores y obras no se reduce a los señalados; fue toda una eclosión. A modo de simple muestra, se podrían citar a don Pedro, Condestable de Portugal (*Sátira de felice e infelice vida, Trayectoria de la Insigne Reina doña Isabel*); a Luis de Lucena (*Repetición de amores*); a Nicolás Núñez, con una continuación de la *Cárcel de amor*; a Pedro Manuel de Urrea (*Penitencia de amor*) y al autor anónimo de *Triste deleitación*.

La repercusión social de estos relatos, con la difusión de determinadas doctrinas morales, incompatibles con la cultura dominante eclesiástica, hizo que la Inquisición se ocupase de algunas de estas novelas, considerando su lectura como perniciosa y vana. Esto le ocurrió a *Cárcel de amor*.

La explicación del éxito alcanzado por este género literario quizás haya que relacionarlo con el renacimiento generalizado de los viejos ideales, que se observa en la sociedad del siglo XV[179]; para Boase se trata de una actitud tópica en una época de crisis, como lo era el siglo XV español; la minoría social aristocrática pretendía, de esta manera, rescatar los ya viejos códigos del amor cortés, para refugiarse en sus estereotipadas estructuras que permitían evadirse de la cruda realidad, encaminada a la desintegración de su privilegiada situación. Es este, en definitiva, el espíritu que explica toda la literatura amorosa del siglo XV, "fruto tardío" en España de la poesía provenzal de los trovadores.

La fecundidad de la novela sentimental no termina con el siglo XV; sus consecuencias literarias se prolongan en la centuria siguiente, dejando innegables huellas en la novela de caballerías.

---

179 Véase BOASE, R., *The Troubadour Revival*, London, Henley y Boston, 1978 (traduc. española, Madrid, Pegaso, 1981).

VII.5. LA POESÍA RELIGIOSA Y SATÍRICA EN EL SIGLO XV

VII.5.1. POESIA RELIGIOSA

La poesía religiosa castellana sufre un paréntesis singular durante esta centuria[180]. Son varias las causas que pueden aducirse. Las órdenes religiosas, principalmente mendicantes, que habían sido los verdaderos animadores intelectuales de la Europa medieval, experimentan una notoria decadencia en este otoño medieval. La explosión de cultura literaria religiosa de los siglos XIII y XIV decae paulatinamente a finales del XIV y durante buena parte del XV. La corriente laicista y secular, que traerá consigo el Renacimiento, puede ser un anuncio de esta decadencia de la literatura religiosa. No se pueden olvidar otras causas extrínsecas que convulsionan el otoño de la Edad Media, como la peste negra que, según parece, hizo verdaderos estragos particularmente en las comunidades conventuales[181]; tampoco se deben desdeñar, por otra parte, las repercusiones ocasionadas por el Cisma de Occidente y la Guerra de los Cien Años, que dividen la Europa Occidental; una división que en Castilla se ve incrementada por las luchas civiles. Todo ello contribuyó a debilitar el espíritu religioso y su repercusión en la literatura. De esta manera, la vida conventual se ve mermada cuantitativa y cualitativamente en los tradicionales focos de literatura religiosa. Por otra parte, la vida conventual y monástica vive en estos últimos siglos medievales una crisis de identidad que muy pronto provocará luchas y disensiones internas dentro de las propias órdenes. Unos serán partidarios de una vuelta a los orígenes de su regla, que potencia la austeridad, la pobreza y la vida retirada: son los "observantes" o "reformados" que propugnan la vida eremítica como ideal de vida religiosa, frente a los "claustrales" o "conventuales" que viven al amparo de su cenobio, centro no sólo religioso, sino también con una intensa proyección económica y social, que permitía a las distintas jerarquías conventuales una relativa comodidad y bienestar social, irre-

---

180 Para un conocimiento general de la literatura religiosa y teológica de la época, véase ANDRÉS, M., *La teología española en el siglo XVI*, Madrid, Biblioteca de Autores Cristianos, 1976, 2 vols; el vol. I dedica una buena parte de sus páginas a analizar la situación del siglo XV.

181 Véase, por ejemplo, GARGANTA, J. M.-FORCADA, V., *Biografía y escritos de Vicente Ferrer*, Madrid, Biblioteca de Autores Cristianos, n. 153, 1956, pp. 19-21. Se refieren los autores a las consecuencias que tal epidemia causó en los conventos dominicos de Aragón. En otras naciones, como Francia e Italia, tal acontecimiento fue, asimismo, catastrófico en la vida monástica (DENIFFLE, H., *La désolation des églises, monastères, hôpitaux en France vers le milieu du XVe. siècle,* Maçon, 1897-1899, 3 vols; CIPOLLA, C. M., "Une crise ignoré. Comment s'est perdue la propiété ecclesiastique dans l'Italie du Nord entre le XIe siècle et le XVIe siècle", *Annales* —julio-septiembre— (1947)317-327.

conciliables, a juicio de los primeros, con los ideales evangélicos y el espíritu de sus respectivos fundadores. Esta dualidad existencial marcará la historia de la espiritualidad occidental europea en los últimos siglos medievales. El movimiento reformista de la observancia prendió con intensidad en determinadas órdenes religiosas como los franciscanos, dominicos, agustinos y carmelitas[182]. Al intensificar la vida interior y eremítica, la observancia se alejó de los centros universitarios, a la vez que despreciaba el intelectualismo nominalista, en el que había caído la escolástica especulativa (los llamados "verbosi doctores"), que en aquel momento se expande por toda Europa, por considerarlo enemigo de una sana espiritualidad. De manera genérica, se puede decir que "los observantes españoles no entraron por los caminos del humanismo renacentista ni aun después de su triunfo en España en los últimos años del siglo XV y en los primeros del siglo XVI"[183]. Muchos observantes de la centuria del XV ven con recelo la corriente renacentista por el peligro que pudiera suponer el mundo paganizante y mitológico en el que se inspiran. Esta línea de protesta contra los desvíos de la literatura renacentista cristaliza en una actitud de cristianización de elementos paganos, una literatura a lo divino, orientación que se acentuará en la centuria siguiente. La ejemplaridad de los "exempla" buscará en la humanidad de Cristo un modelo de imitación, que se convierte, para la observancia, en el centro de la nueva espiritualidad, según las reglas de las distintas comunidades religiosas: franciscanos, dominicos, agustinos, jerónimos. Esta corriente, que atraviesa todo el occidente europeo, es conocida como la *devotio moderna*, cuya manifestación más representativa es *La imitación de Cristo*, de Tomás de Kempis, una de las obras más influyentes en la espiritualidad cristiana moderna. Sin entrar a detallar los particularismos que esta línea de pensamiento adquiere en los distintos países, se puede afirmar, de manera genérica, que se trata de una actitud antiintelectual, que desconfía del estudio de la teología especulativa, y centra su atención en la oración, la pobreza, la austeridad, la humildad y la mortificación, con la mirada siempre puesta en la persona humana de Cristo. Si durante la Edad Antigua los Santos Padres, ante la corriente gnóstica, habían insistido en afirmar la divinidad de Cristo, a partir del siglo XIII, cistercienses y franciscanos, buscarán una espiritualidad fundamentada en la humanidad de Cristo para salir al paso de las doctrinas de los begardos.

---

182 Para una visión sistemática de esta reforma, véase, entre otros, ANDRÉS, M., *La teología Española en el Siglo XVI...*, particularmente el t. II, en el que se abordan los problemas religiosos y teológicos de la España del siglo XV; y, sobre todo, *Historia de la Iglesia en la España de los siglos XV y XVI*, vol. III-1 dirigido por José Luis GONZÁLEZ NOVALÍN, dentro de la obra general *Historia de la Iglesia en España*, bajo la dirección de Ricardo GARCÍA-VILLOSLADA, Madrid, Biblioteca de Autores Cristianos, 1980.

183 ANDRÉS, M., o. c., t. I, p. 100.

Las consecuencias que esta esta espiritualidad tuvo en la creación artística, tanto literaria como de las artes plásticas y la música, fueron enormes. El arte debía ayudar a revivir los momentos más importantes de la trayectoria humana de Cristo, particularmente su pasión, muerte y resurrección. La imaginería religiosa de Semana Santa se intensificará con Cristos que traslucen el dolor y la angustia de la crucifixión; la música con sus motetes evocará, asimismo, los momentos cumbres de la Pasión. La piedad popular irrumpirá en las calles, con sus "pasos", intentando revivir y acompañar al Cristo que sufre y agoniza. Es la gran eclosión del arte religioso español de la llamada Contrarreforma o Reforma Católica que marcará los siglos XVI y XVII, si bien ya se inicia en el siglo XV con esta corriente de espiritualidad y de reforma[184].

VII.5.1.1. Las "Vidas de Cristo" como género literario

¿Qué consecuencias tuvo esta reforma en la creación literaria? La idea tantas veces esbozada de que el siglo XV es un siglo de transición entre lo medieval y el Renacimiento se puede aplicar con toda propiedad a la literatura religiosa castellana. La crisis de la espiritualidad, a la que aludíamos anteriormente, explica este aparente frenazo que sufre la literatura espiritual en esta centuria. Al ponerse en entredicho la vida conventual, principal motor de expansión de la literatura religiosa medieval, unido a la actitud antihumanista y antiintelectual que en un principio adoptó una parte de esta reforma, particularmente entre los franciscanos[185], es explicable que el sentimiento religioso recelase de la creación literaria como forma de expresión de la vida espiritual. Habrá que esperar a finales del XV y principios del XVI para que esta reforma se purifique de sus radicalismos y haga aflorar el Siglo de Oro de nuestra literatura religiosa. De ahí que la literatura religiosa, en general, y de la poesía en particular, sea escasa durante el siglo XV, si la comparamos con otros temas. No obstante, la espiritualidad cristocéntrica, ideal de la reforma, dejará su impronta en las numerosas "Vidas de Cristo", unas en latín, otras en castellano y catalán, que se escriben a lo largo de los siglos XV y XVI. Bien se puede hablar, a nuestro juicio, de un grupo genérico —cuya tipología sería necesario estudiar—, que nace como fruto de las nuevas tendencias espirituales, y pone en la naturaleza humana de Cristo su ideal de perfección.

---

184 Véase, por ejemplo, MARTÍNEZ MEDINA, F. J., *Cultura religiosa en la Granada renacentista y barroca (estudio iconológico)*, Granada, Universidad, 1989.

185 El radicalismo de algunos reformistas, por ejemplo, el franciscano Villacreces, les llevó a despreciar los grados universitarios, particularmente en gramática, filosofía y derecho; es más, convento hubo, como el de los franciscanos de Oviedo, que prohibió, en 1409, que sus miembros se licenciasen o magistrasen. Véase ANDRÉS, M., o. c., t. I, p. 97.

La nómina de autores es muy amplia[186]; sin embargo, los autores más citados y estudiados suelen ser Fray Íñigo de Mendoza[187], Fray Ambrosio Montesino[188] y Fray Juan de Padilla, franciscanos el primero y el segundo, cartujano el tercero, quienes escriben sus obras una vez superada la aversión intelectual que caracterizó a los primeros reformistas; el triunfo del programa de Cisneros y la favorable actitud de los Reyes Católicos, verdaderos impulsores de la reforma, consolidaron las innovaciones de la observancia dentro de un equilibrio entre lo intelectual y un cierto sensualismo espiritual.

La piedad cristocéntrica, basada en su humanidad, arranca de una corriente que tiene en la espiritualidad cisterciense de San Bernardo uno de sus mayores defensores, juntamente con los franciscanos. Esta piedad dejó pronto sus huellas en obras que marcaron un hito en la literatura espiritual del Renacimiento: la *Imitación de Cristo* de Tomás de Kempis, el *Horologium* de Enrique de Suso y las anónimas *Meditationes Vitae Christi*. Particular interés tiene esta última obra para comprender el grupo genérico de las "Vidas de Cristo", cuya tipología e importancia literaria pretendemos subrayar; se trata de una obra, escrita en el siglo XIII,

---

186 Véanse, por ejemplo, las citadas por REINHARDT, K.-SANTIAGO-OTERO, H., *Biblioteca Bíblica Ibérica Medieval*, Madrid, C.S.I.C., 1986, p. 371; y por ANDRÉS, M., o. c., t. I, pp. 323-324. Entresacamos algunos autores que compusieron o tradujeron sus *Vitae Christi* en castellano, como Roman Comendador (*Trobas de la gloriosa pasión de nuestro redentor Jesucristo*, Toledo, 1490); Diego de San Pedro (*Passión trovada*, Salamanca, 1492); Hernando de Talavera (*Primer volumen de vita Christi de fray Francisco Xymenes corregido y añadido por el Arzobispo de Granada*, Granada, 1496); Juan de Padilla (*Retablo de la vida de Christo fecho en metro por un devoto frayle de la Cartuxa*, Sevilla, 1505); Gonzalo de Ocaña (*La vida y pasión de nuestro Señor Jesucristo*, Zaragoza, 1516); Pedro de la Vega (*La vida de Jesucristo y de su santísima Madre*, Zaragoza, 1521); A. Gómez de Ciudad Real, (*Thalichistia*, Alcalá, 1525); Anónimo franciscano ("Vita Christi", en *Fuente de vida*, Valencia, 1527); Fray Domingo de Valtanás (*Confessionario breve y muy provechoso, con el "Vita Christi" e una instrucción para los nuevamente convertidos, de fray...*, Sevilla, 1538); anónimo, (*Memorial de la vida de nuestro Redentor*, Amberes, 1551); San Francisco de Borja (*Tratado llamado Vita Christi*, Medina del Campo, 1552); Beato Orozco (*Comienza un Vita Christi breve en el cual cada día se debe ocupar cualquier cristiano*, Sevilla, 1554). A estas obras habría que añadir las de autores catalanes como Bernardo de Fenollar (*Istoria de la Passió. Contempalció a Jesu Crucificat*, Valencia, 1493); Francisco Eximenis (*Vita Christi*, hacia 1497); Isabel de Villena (*Vita Christi*, Valencia, 1497), véase el artículo de HAUF I VALLS, A. G., "La *Vita Christi* de Sor Isabel de Villena y la tradición de las *Vitae Christi* medievales", en *Studia in honorem prof. M. de Riquer*, Barcelona, Edicions dels Quaderns Crema, II, 1987, pp. 105-164); Juan Roig Corella (*Vida de Jesus del Cartoxa*, Valencia, 1495). Otras muchas "Vidas de Cristo" se escribieron en latín. Todo ello nos da idea de la importancia de este grupo genérico.

187 RODRÍGUEZ PUÉRTOLAS, J., *Fray Íñigo de Mendoza y sus "Coplas de Vita Christi"*, Madrid, Gredos, 1968.

188 ÁLVAREZ PELLITERO, A. M., *La obra lingüística y literaria de Fray Ambrosio Montesino*, Universidad de Valladolid, 1986.

Escena de la Vida de Cristo

que contiene varios tratados; su parternidad se atribuye, en parte a San Buenaventura, en parte al franciscano italiano, Jacobo de Cardone[189]. Estas "Meditaciones" influirán, de manera particular, en la *Vita Christi* de Ludolfo de Sajonia, "el Cartujano", quien marcará con su obra otro de los hitos fundamentales en esta literatura religiosa, cuyo influjo en el devenir del grupo genérico de las "Vidas de Cristo" peninsulares parece incuestionable[190].

• *VII.5.1.1.1. Fray Íñigo de Mendoza*[191] *(h. 1430-h. 1508)*

De origen converso, estuvo emparentado con los Mendoza y los Cartagena, dos influyentes familias de la Castilla de la época, referencias que le vinculan a una tradición intelectual y nobiliaria, afín a la alta nobleza castellana. Profesa en la orden franciscana y llega a ser predicador

189 FISHER, C., *Die Meditationes Vitae Christi,* AFH, XXV (1932)3-35; 127-209; 305-348; 449-483; asimismo, "Introducción" a las *Obras de San Buenaventura*, edic. de León AMORÓS, Bernardo APERRIBAY y Miguel OROMI, Madrid, Biblioteca de Autores Cristianos, 1946, t. II (tomo las citas de ÁLVAREZ PELLITERO, A. M., o. c., n. 47, p. 28).

190 BODENS, Sor María, *The Vita Christi of Ludolphus the Cartusian*, Washinton, The Catholic University of America Press, 1944. Téngase en cuenta que la obra de Ludolfo de Sajonia, conocido también por "El Cartujano" fue aprobada solemnemente por el Concilio de Basilea, lo que llevaba implícito su recomendación.

191 CANTERA BURGOS, F., *Alvar García de Santa María. Historia de la judería de Burgos y de sus conversos más egregios*, Madrid, 1952; también RODRÍGUEZ PUÉRTOLAS, J., *Fray Íñigo de Mendoza...*

de Isabel la Católica. Por esta razón conoció y vivió de cerca la vida cortesana, cuyas experiencias dejó plasmadas en su *Cancionero*[192], en el que se recoge un tipo de poesía religiosa de orientación moralizante.

La *Vita Christi* es, sin duda, su obra más conocida, un poema, cuyas fuentes hay que rastrear en la tradición sermonística franciscana de tonalidad popular[193]. No parece que sea muy fuerte la impronta de la *Vita Christi* de Ludolfo de Sajonia, ya que la obra del cartujano no se difunde en traducción castellana hasta finales del siglo XV, mientras que el poema de Fray Íñigo se escribe no más allá de 1468[194]. Las coincidencias y analogías entre las dos obras podrían explicarse, más bien, por la utilización de fuentes cristianas comunes[195]. La *Vita Christi* de Fray Íñigo alcanzó una gran difusión, si tenemos en cuenta el número de manuscritos y de ediciones impresas conservados. La actitud moralizante, a veces satírica, que sazona muchas de las coplas, provocó, asimismo, reacciones violentas que acrecentaron su popularidad más allá, quizás, de los méritos literarios. Es esta orientación moralizante una de las notas más características del poema. Las coplas religiosas que narran la vida de Cristo se ven entreveradas por digresiones satíricas sobre la situación política y social de la Castilla de la época, particularmente del reinado de Enrique IV, con alusiones muy directas tanto al propio rey como a la nobleza que le rodea; la Castilla de la época ofrecía, como ya sabemos, una situación caótica en todos los órdenes, desde los puramente políticos hasta los éticomorales. En este sentido, Fray Íñigo sigue la actitud de los predicadores franciscanos al denunciar semejantes aberraciones. De ahí que este poema pueda ser considerado como obra de devoción religiosa y, a la vez, como poesía de denuncia social con una fuerte carga moralizante, sin olvidar las innegables referencias satíricas.

Dentro de la técnica literaria utilizada por Fray Íñigo en esta obra, destaca la presencia de elementos ornamentales característicos de la poética popular con inclusiones de romances y villancicos; esta vena popular se observa, asimismo, en la utilización de *exempla* en consonancia con la tradición de la predicación popular, muy característica de la orden

192 Edic. de RODRÍGUEZ PUÉRTOLAS, J., Madrid, Espasa-Calpe, "Clásicos Castellanos", n. 163, 1968.

193 WHINNOM, K., "The Supposed Source of Inspiration of Spanish Fifteenth-Century Narrative Religious Verse", *Symposium* (1963)268-291.

194 RODRÍGUEZ PUÉRTOLAS, J., o. c., p. 112.

195 WHINNOM, K., "The Supposed Sources..."; K. Whinnom supone, de manera general, que la obra de Ludolfo de Sajonia no influyó en las "Vidas de Cristo" escritas antes de 1490, al no haber documentos que acrediten una difusión de su obra en romance castellano; el citado investigador asigna un mayor influjo a las anónimas *Meditationes Vitae Christi*; sin embargo, no debe olvidarse que el Cartujano reelabora toda una tradición medieval de difícil delimitación tanto de autoría como de cronología, por lo que se convierte en lugar común de la espiritualidad medieval.

franciscana. El influjo de esta *Vita Christi* se dejó sentir tanto en la poesía religiosa posterior como en el teatro renacentista; particular interés tiene constatar la relación con la égloga pastoril de estructura dramática[196]; las coplas 122-158, tituladas "Comiença la revelaçion del angel a los pastores" tienen muchos puntos en común con el teatro renacentista de Juan del Encina y Lucas Fernández, pudiendo ser consideradas como un eslabón más entre el *Officium pastorum* medieval y el teatro de pastores del Renacimiento.

Además de la *Vita Christi*, Fray Íñigo es autor de otras poesías religiosas y políticas, estas últimas dedicadas a los Reyes Católicos, de cuya amistad y protección disfrutó, muy en particular la de la reina Isabel; algunos autores también le consideran autor de las *Coplas de Mingo Revulgo* por las analogías que presentan con algunas coplas de la *Vita Christi*.

- *VII.5.1.1.2. Fray Ambrosio de Montesinos*[197]

Natural de Huete (Cuenca), parece que ingresó de muy temprana edad en la orden franciscana, cuyas vicisitudes reformistas siguió al unísono con su hermano de orden, Francisco Jiménez de Cisneros[198], futuro cardenal, quien, bajo la protección de los Reyes Católicos, apoyará la corriente más intelectual y humanística de la observancia, cuyos frutos espirituales y literarios se recogerán a principios del siglo XVI.

La simpatía y el apoyo que los Reyes Católicos dispensaron a la orden franciscana, particularmente la reina Isabel[199], proporcionó a Fray Ambrosio el nombramiento de predicador de la corte, como lo había sido con anterioridad su hermano en religión, Fray Íñigo de Mendoza. En la corte Fray Ambrosio fue protegido y apoyado constantemente por la reina, merced a su valía y prestigio intelectual. Él será, junto con Cisneros, uno de los protagonistas de la reforma, programada y ejecutada jurídicamente por los Reyes Católicos. Se trataba, ya lo indicamos, de una corriente espiritual basada en la meditación de los misterios que encierra la naturaleza humana de Cristo, particularmente su nacimiento y

---

196 STERN, Ch., "Fray Íñigo de Mendoza and medieval dramatic ritual", *Hispanic Review*, XXXIII (1965)197-245.

197 ÁLVAREZ PELLITERO, A. M., *La obra lingüística y literaria de Ambrosio Montesino*, Universidad de Valladolid, 1986.

198 VALLEJO, J. de, *Memorial de la vida de fray Francisco Jiménez de Cisneros*. Prólogo y notas de A. de la Torre, Madrid, 1913; FERNÁNDEZ DE RETANA, L., *Cisneros y su siglo*, Madrid, Editorial "El Perpetuo Socorro", 1929; SÁINZ RODRÍGUEZ, P., *La siembra mística del Cardenal Cisneros y las Reformas en la Iglesia*, Universidad Pontificia de Salamanca y Fundación Universitaria Española, 1979.

199 MESEGUER FERNÁNDEZ, J., "Franciscanismo de Isabel la Católica", AIA, XIX (1959) núm. 74, pp. 5-34 (tomo la cita de Álvarez Pellitero, A. M., o. c., nota 23, p. 22); AZCONA, T. de, *Isabel la Católica. Estudio crítico de su vida y reinado*, Madrid, Biblioteca de Autores Cristianos, 1964.

su pasión. San Bernardo, San Francisco de Asís y San Buenaventura marcaron los inicios de esta tendencia espiritual que se expande por toda Europa durante los siglos XIV y XV, especialmente en los Países Bajos, Alemania y Francia. Serán los Reyes Católicos quienes encarguen a su predicador la traducción de la *Vita Christi* de Ludolfo de Sajonia, "el Cartujano", cuyo primer volumen saldrá a la luz a finales de 1502. La preeminencia del texto evangélico, el rigor científico, la disposición didáctica y la traducción literal son, a juicio de Álvarez Pellitero, los criterios de traducción utilizados por Fray Ambrosio en su *Vita Christi*.

La obra literaria de Fray Ambrosio de Montesinos abarca, además, un amplio *corpus* de sermones y de poesía religiosa. Su poesía gozó de gran popularidad, primero, a finales del XV, por medio de pliegos sueltos, y, posteriormente, en un *Cancionero*, cuya primera edición se data en 1508 con varias ediciones a lo largo del siglo XVI. La poética en la que se basan estas composiciones está al servicio de la funcionalidad espiritual y devota; con terminología saussuriana se podría decir que el significante está en función del significado; esto es, una poética supeditada a una finalidad prioritariamente didáctica de orientación moralizante. Algo común en la historia de la poesía religiosa. Lejos estamos de una concepción del arte por el arte. Poesía lírica en honor de María con ecos relativos a la polémica sobre su inmaculada concepción, agrio problema que divide a determinadas órdenes religiosas, unas a favor, como los franciscanos[200], otras en contra, como los dominicos[201]; determinados temas de la mariología ocupan también la atención poética de fray Ambrosio, como la virginidad de María; el metaforismo y las comparaciones utilizadas tratan de subrayar una verdad teológica de difícil comprensión, hoy dogma, entonces objeto de polémicas, incluso a nivel popular, como parece deducirse de determinados textos de los "Autos del nacimiento", género muy del gusto de la época[202]; la concepción de María como abogada y defensora, a la vez que medianera, tenía tras sí una larga estela en la poesía castellana, particularmente en Berceo y Alfonso X el Sabio, a quienes llega a través de la orden del císter, que tenía en San Bernardo al gran defensor y propagandista de esta afirmación. Fue esta una doctrina muy del gusto franciscano; de ahí que Fray Ambrosio la utilice como fuente de inspiración poética. Los misterios de la vida de Cristo, en particular su nacimiento y su pasión, centrarán el

---

200 AMARO, A., "La Inmaculada Concepción en la predicación franciscano-española", AIA, XV (1955)105-200.

201 Sobre las polémicas entre fransciscanos y dominicos en esta materia, véase Julio RODRÍGUEZ PUÉRTOLAS en su *Fray Íñigo de Mendoza...* recoge, en sus apéndices VIII y IX, documentación bien significativa, véanse pp. 281-284.

202 LÓPEZ MORALES, H., *Tradición y creación en los orígenes del teatro castellano*, Madrid, Ediciones Alcalá, 1968, particularmente el epígrafe "Hacia la secularización temática", pp. 143-146.

contenido de lo que bien pudiera llamarse cristología poética; los recursos estilíticos estarán supeditados a una piedad afectiva y sensual, que busca intensificar el sentimentalismo ante los gozos o sufrimientos de un Cristo, cuya visión, a través de la descripción literaria, puede incluso provocar las lágrimas. La poesía, como el arte en general de la época, debe predicar a los ojos.

El hombre medieval asistía habitualmente a espectáculos pródigos en esta sensibilidad para las lágrimas: procesiones, ejecuciones, sermones, duelos[203]. La devoción a los santos, otro de los núcleos de la piedad cristiana medieval, dentro de las dos funciones que la teología les asigna, ejemplaridad y poder de intercesión, inspira sus poemas hagiográficos dedicados a Juan Bautista, Juan Evangelista y María Magdalena, sin olvidar al fundador de su orden, San Francisco de Asís[204]; la proyección moralizante, a veces con tintes satíricos, en consonancia con la tradición franciscana, parece ser una preocupación en el poeta. En Fray Ambrosio, como en muchos otros autores medievales y de los Siglos de Oro, se unifican de manera sigular religiosidad y creación literaria.

- *VII.5.1.1.3. Juan de Padilla, el Cartujano (1468-1522)*

Perteneciente a la orden de San Bruno, una de las más influyentes en la nueva espiritualidad, es autor, asimismo, de un *Retablo de la vida de Cristo* con treinta ediciones aparecidas a lo largo del siglo XVI, lo que demuestra su influjo en la literatura espiritual de la época[205]. Parece haber sido la vida de Cristo más leída en la primera mitad del siglo XVI[206]; consta de cuatro tablas[207]: "Las quales quatro tablas corresponden a los quatro Evangelios... La primera tabla comienza del principio hasta el bautismo

---

203 Véase HUIZINGA, J., *El Otoño de la Edad Media*, traduc. española, Madrid, Revista de Occidente, 9ª edición, 1973, pp. 13-49.

204 Llama la atención —como subraya HUIZINGA, J., o. c. pp. 233-271— el desdén con que el arte medieval, particularmente las artes plásticas, trató la figura de San José, caracterizado como un personaje ridículo y tosco, una corriente que comienza en los Evangelios Apócrifos, uno de los cuales, *La historia de José el carpintero* —SANTOS OTERO, A., *Los Evangelios Apócrifos*, edición crítica y bilingüe de..., Madrid, Biblioteca de Autores Cristianos, 1979, pp. 339-358—, nos presenta a José contrayendo segundas nupcias con María a la edad de noventa años. La apasionada veneración que la Edad Media dedicó a María, Virgen, repercutió en esta imagen un tanto irrisoria con que el arte medieval caracterizó a San José. Sin embargo, durante la Baja Edad Media asistimos a un movimiento restaurador de la figura de José como esposo y padre. Fray Ambrosio, como señala Álvarez Pellitero, se inscribe en esta corriente; algunas de sus poesías así lo testifican.

205 Véase NORTI GUALDANI, E., *Studio Introduttivo* a Juan de Padilla (El Cartujano), *Los doce triunfos de los doce apóstoles*, Messina, Firenze, Casa Editrice d'Anna, 1975, pp. 8-12.

206 ANDRÉS, M., o. c., t. I, p. 324.

207 Esta terminología arquitectónica alude al interés del autor en ofrecer, en consonancia con las artes plásticas del "plateresco", una especie de retablo visual a través de la literatura.

de Cristo. La segunda, de allí hasta el domingo de Lázaro, que se llama *Dominica in Passione*. La tercera, de allí hasta que espiró en la Cruz, y lo pusieron en el monumento. La quarta, desde la Resurrección hasta que subió a los cielos, y ha de venir a juzgar los vivos y los muertos"[208]. La obra está escrita en versos de arte mayor "a causa que mejor sea leída, porque según la sentencia de Aristóteles, naturalmente se deleita el hombre en el verso y música"[209]. Como el propio autor explica en su prólogo, la obra toma como fuentes la *Catena Aurea* de Santo Tomás y la *Vita Christi* de Ludolfo de Sajonia. Conviene señalar la repulsa del autor ante las fuentes paganas, actitud común en muchos autores de literatura religiosa frente a la corriente paganizante que vive la época: "Y protesta [el autor] de no poner historias de gentiles paganos, salvo algunas que mucho hicieren al caso y fueren verdaderas. Cosa temorizada es poner entre las historias de Cristo historias reprobadas y falsas, salvo las verdaderas y aprobadas, que tiene el Testamento viejo y nuevo"[210].

Juan de Padilla fue, asimismo, autor de *Los doce triunfos de los doce apóstoles*, obra de menor transcendencia espiritual y literaria que la anterior; se trata, como el mismo autor afirma, de "componer doce triunfos, en que describe los hechos maravillosos de los apóstoles, los cuales van divididos por los signos del zodíaco, que ciñe toda la esfera: donde debéis primeramente considerar que el autor, para que fuese su obra más altamente fundada, toma la semejanza del firmamento, ques el cielo estrellado, el cual divide en doce partes iguales, que son los doce signos del zodíaco, por los cuales el sol y los planetas hacen su curso. Por el sol se entiende Cristo... y todos los otros planetas y señales dél, allende del texto literal e historial, los trae sutilmente al seso moral alegórico". El influjo alegórico dantesco es claro[211]. Tomando como imagen el sistema planetario, Cristo es el sol y los doce apóstoles los doce signos del zodíaco; doce tipos de pecadores son absorbidos por las doce bocas de la tierra que llevan al infierno. San Pablo, que es el reverso de Virgilio en la obra de Dante, acompaña al autor en su viaje por los países en donde predicaron el evangelio los doce apóstoles.

---

208 Juan de PADILLA, *Retablo de la vida de Cristo*, edic. de FOULCHÉ-DELBOSC, R., en *Cancionero Castellano del Siglo XV*, Madrid, Nueva Biblioteca de Autores Españoles, Madrid, 1912, t. I, p. 423.

209 *Ibidem*, p. 423.

210 *Ibidem*, p. 423.

211 AMADOR DE LOS RÍOS, J., *Historia Crítica de la Literatura Española*, edic. facsímil, Madrid, Gredos, 1969, t. VII, pp. 266-273. BLECUA, J. M., "Los grandes poetas del siglo XV", en *Historia General de las Literaturas Hispánicas*, Barcelona, Vergara, 1953, t. II, pp. 143-145; VALBUENA PRAT, A., *Historia de la Literatura Española*. T. I. Edad Media, 9ª edición ampliada y puesta al día por Antonio Prieto, Barcelona, Gustavo Gili, 1981, pp. 492-496; y, sobre todo, NORTI GUALDANI, E., *Studio Introduttivo* a Juan de Padilla (el Cartujano), *Los doce triunfos de los doce Apóstoles*, Messina-Firenze, Casa Editrice d'Anna, 1975.

VII.5.2. POESÍA SATÍRICA DE NATURALEZA POLÍTICA Y SOCIAL

VII.5.2.1. Las danzas de la muerte

• *VII.5.2.1.1. Hacia la configuración de un nuevo género literario*

El tema de la muerte fue, junto con el tema del amor, uno de los más recurrentes en la creación literaria universal; prueba de ello es que determinados géneros literarios se han especializado en el tratamiento de la muerte como motivo literario: el planto, la elegía, la endecha, sin olvidar que muchos loores del panegírico tienen lugar con motivo de la muerte de un personaje.

Durante la Edad Media, la literatura trata el hecho de la muerte del hombre desde varias ópticas; lo más frecuente es la consideración de la muerte como liberación de este mundo, considerado como un "valle de lágrimas"; una gran parte de la literatura eremítica y monacal se basa en una visión transcendentalista de la existencia humana, dentro de una concepción antropológica maniquea: el alma como principio del bien, mientras el cuerpo es la cárcel que impide el contacto con la transcendencia. Desde esta perspectiva, la muerte es algo deseable, porque significa la liberación del espíritu. Es esta la orientación que subyace en todas aquellas obras que se inspiran en las doctrinas del *De contemptu mundi* de Inocencio III, cuyas huellas encontramos en autores tan significativos como Berceo o en la tradición europea de los *Debates entre el alma y el cuerpo*. La vida es una peregrinación, cuya etapa final es la muerte que sirve de tránsito a otra vida más perfecta. Toda esta corriente ve el mundo como algo malo; de ahí que se idealice la vida eremítica y conventual, como única vía posible de salvación. Así, las hagiografías de Berceo nos presentan a unos protagonistas, a la manera de héroes épicos, cuyas hazañas son precisamente vivir apartados del mundo, en el yermo. Desde esta perspectiva, la muerte es siempre punto referencial de la vida humana, cuya finalidad será adquirir méritos para presentarse el día del juicio con las maletas bien abastecidas de mortificaciones, ayunos, penitencias, cilicios[212]. Ir en contra de las apetencias del cuerpo (*agere contra*) se convierte en ideal existencial. Podemos decir que esta visión de la muerte es lo más común durante la Edad Media[213], una concepción que los medie-

---

212 En este sentido, es bien significativo el metaforismo que Berceo utiliza en su *De los signos que aparesçerán ante el juiçio*: "Correrán al juiçio quisque con su maleta", estr. 22, d. Aunque Corominas (*Dicc. Crit. Eti.*, t. III, voz "maleta") interpreta el término como derivado de *male factum*, referido, por tanto, a los pecados, otros filólogos le asignan la significación de "valija" (BOGGS, KASTEN, KENISTON and RICHARDSON, *Tentative Dictionary of Medieval Spanish*, Chapel Hill, 1946).

213 Para una visión general de la muerte y de lo elegíaco en la poesía española, véanse CAMACHO GUIZADO, E., *La elegía funeral en la poesía española*, Madrid, Gredos, 1969; FERNÁNDEZ ALONSO, M. R., *Una visión de la muerte en la lírica española*, Madrid, Gredos, 1971.

vales heredan de la literatura patrística. El pensamiento sobre la muerte viene a ser un elemento corrector ante las tentaciones de la carne (la avaricia, la gula, la lujuria).

Durante el siglo XV se intensifican las doctrinas del *memento mori.* "No hay época, escribe Huizinga[214], que haya impreso a todo el mundo la imagen de la muerte con tan continuada insistencia como el siglo XV". La escuela cartujana, centro difusor de la *devotio moderna*, empalmará, a finales del XV, con la escuela espiritual de la observancia española, y dejará su impronta en la concepción que sobre la muerte ofrece la literatura[215]. La predicación popular de las órdenes mendicantes será otro factor que intensifique el pensamiento sobre la muerte como elemento corrector de las aberraciones morales. Estos predicadores sacudían la mente del pueblo a base de descripciones sobre los últimos acontecimientos de la historia humana. Huizinga subraya "el poderoso efecto de la palabra hablada sobre un espíritu ingenuo e ignorante"[216]. Nuestra cultura actual difícilmente puede imaginar el espectáculo que ofrecían estos sermones medievales; el cementerio de los Inocentes de París, por ejemplo, era lugar frecuentado para estas predicaciones en las que el orador podía alargar su discurso necrológico cuatro o cinco horas, teniendo como telón de fondo una galería donde yacían cráneos y calaveras. La palabra del predicador estaba acompañada, en el mismo cementerio, por nuevas representaciones plásticas de la muerte, cuya enseñanza era fácilmente inteligible a todas las capas sociales. El grabado en madera o en piedra se convierte, a su vez, en medio de expresión tan eficaz como la palabra hablada. Tres temas recorrerán la inspiración literaria e iconográfica durante el XV: el tema de la caducidad humana, rememoración del viejo tópico del *Ubi sunt qui ante nos in hoc mundo fuere*; la corrupción de la belleza humana, y la igualdad de los hombres ante la muerte, tema este desarrollado por la nueva concepción iconográfica de la muerte.

Junto con el tema de los novísimos, los predicadores populares condenaban el lujo y la vanagloria de los poderosos, particularmente del clero alto y de la nobleza. La sátira sazonaba aquellas descripciones apocalípticas. Es preciso llamar la atención sobre este aspecto de la predicación popular medieval, porque quizás estén en estos sermones

---

214 HUIZINGA, J., *El otoño de la Edad Media*, traduc. española, Madrid, Revista de Occidente, 1973, p. 212.

215 Particular importancia tiene la obra de Dionisio de Rijkel, "El Cartujano", *Manual de los cuatro novísimos. Libro de las cuatro cosas postrimeras*, Sevilla, 1495. Se trata de un tratado de espiritualidad, basado todo él en una reflexión, a modo de sentencias, sobre los novísimos. Sobre el influjo ejercicido por la *devotio moderna* en la literatura española, véase GROULT, P., *Les mystiques des Pays-Bas et la littérature espagnole du XVI siècle*, Loovaine, 1927.

216 HUIZINGA, o. c., pp. 17-18.

los orígenes[217] de la nueva concepción de la muerte que aparecerá en las llamadas *Danzas macabras*. Con las órdenes mendicantes, la predicación popular, de temas frecuentemente apocalípticos y necrológicos, penetra en todas las capas de la sociedad; se establece, de esta manera, una conexión entre los comentarios sobre las doctrinas del *De contemptu mundi* de la tradición culta y la tradición más popular de la predicación mendicante; si a esto unimos la dimensión dramática del sermón medieval y su caracterización satírica[218], se presenta verosímil la hipótesis de relacionar el origen del grupo genérico de las "danzas de la muerte" con la predicación popular, un nuevo género literario que se difunde por Europa al final de la Edad Media. De esta manera, el tema sobre la muerte se convierte en instrumento de denuncia social. La alegría del disfrute de la vida, que se percibe en los aledaños del Renacimiento, se ve truncada por la muerte, acontecimiento humano que une a las capas más altas de la sociedad con los desheredados de la fortuna. La literatura utilizará el tema de la muerte desde una perspectiva social e inmanentista, con el fin de corregir las desigualdades sociales. La muerte organiza un baile al que invita a los distintos estamentos sociales, desde el rey y el papa hasta el último lacayo; su fuerza destructora alcanza a todos por igual; las desigualdades ante la fortuna terrenal se unifican a la hora de morir, a la vez que todos se resisten, por igual, a cumplir el designio fatal. Con ello, una nueva concepción sobre la muerte irrumpe en la literatura europea, al final de la Edad Media. Durante una gran parte del medioevo, la muerte era aceptada con serena resignación, al poner el hombre su confianza en el más allá. En la Baja Edad Media, la muerte provocará angustia y revolución en las conciencias. El resultado literario no será uniforme; en Francia, por ejemplo, se asiste a una paganización que busca la inmortalidad no por la vía de la transcendencia del más allá, sino en la inmanencia terrenal (culto al honor o al progreso), a la vez que se debilita la fe tradicional en la inmortalidad del alma; de tal manera que en el Concilio de Letrán de 1516 el papa León X tendrá que recordar el dogma de la supervivencia humana más allá de la muerte[219].

---

217 Sobre los orígenes del género de las "Danzas de la muerte", véase, entre otros, SAUGNIEUX, J., *Les dances macabres de France et d'Espagne et leurs prolongements littéraires*, Paris, Société d'édition "Les belles lettres", 1972; DEYERMOND, A., "El ambiente social e intelectual de la *Danza de la muerte*", en *Actas del III Congreso Internacional de Hispanistas*, El Colegio de México, 1970, pp. 267-276. Un resumen bibliográfico sobre esta cuestión en BOILEVE-GERLET, A., "*La danza general de la muerte.* Dans le contexte de l'Europe médiévale", en *Homenaxe ó profesor Constatino García* (eds. Mercedes BREA-Francisco FERNÁNDEZ REI), Santiago de Compostela, Universidad de Santiago, 1991, pp. 243-258.

218 OWST, G. R., "The Preaching of Satira and Complaint" (Chapter V) and "Sermon and Drama" (Chapter VIII), en *Literature and Pulpit in Medieval England*, Oxford, Basil Blackwell, 1966, pp. 210-470, y 471-547, respectivamente.

219 SAUGNIEUX, J., o. c., p. 13.

Estas *Danzas macabras*[220] ponen de relieve la decrepitud biológica que lleva consigo el fenómeno físico de la muerte, descripciones que recoge otro género necrológico afín a las "danzas": el *ars moriendi*; se trata de un género literario conocido en literatura francesa como "le miroir de mort"; en él abundan descripciones patéticas y prolijas de las transformaciones físicas que se operan en el ser humano en el momento de morir.

La muerte había sido representada iconográfica y literariamente con anterioridad de muy diversas formas[221]; como caballero que galopa sobre una muchedumbre humana que yace tumbada en el suelo; como Megera, personaje de la mitología griega, provisto de alas de murciélago que castiga a los culpables; como esqueleto, que en sus manos empuña una guadaña, una flecha o un arco, y entronizado en un carro tirado por una yunta de bueyes, o como jinete, que cabalga sobre un buey o una vaca. Las "danzas macabras" buscan lo patético, el horror, la angustia que producen las convulsiones de un cadáver desnudo, con sus miembros retorcidos, la boca entreabierta, mientras sus entrañas son carcomidas por los gusanos; la misma finalidad persiguen determinadas rondas de espectros, de esqueletos y calaveras, en medio de la paz del cementerio, que se reproducen en muchos frisos de cementerios, iglesias y catedrales francesas[222]. Francia parece haber sido el país donde más prendió el tema macabro de las danzas.

Se discute cómo y de qué manera se produjo el nacimiento de esta concepción de la muerte. ¿La representación escénica precedió a las representaciones plásticas? La tesis afirmativa es sostenida en el libro clásico de Emile Mâle[223]. Sea cual fuere el origen de este singular tratamiento de lo necrológico, lo cierto es que estas representaciones pasan a ser un tema recurrente en las miniaturas de misales, libros de horas, vidrieras de las catedrales, etc. hasta convertirse en una verdadera pesadilla en la vida religiosa del XV.

---

220 Conviene señalar un aspecto terminológico que tiene su importancia. En Francia siempre se designará a este género como *Danza Macabra*, cuyo adjetivo parece relacionarse etimológicamente con el *Libro de los Macabeos*, uno de cuyos pasajes (1 Macabeos, 12, 38-46) formaba parte de la liturgia de difuntos, por lo que Judas Macabeo pasó a ser considerado el primero en instituir el culto a los muertos, puesta su fe en la resurrección. Al margen del sentido bíblico de la referencia etimológica, lo "macabro" de las mismas comienza por ser representaciones sobre grabados, pinturas o esculturas, como las del cementerio de los Santos Inocentes de París, que ejercerá una intensa influencia en toda Europa.

221 HUIZINGA, J., o. c., p. 222.

222 Véase TENENTI, A., *La vie et la mort à travers l'art du XVe siècle*, Paris, Colin, 1952, pp. 90-91; SAUGNIEUX, J., o. c., p. 18.

223 MÂLE, E., *L'art religieux de la fin du Moyen Âge en France*, Paris, Colin, 5ª edic., 1949.

• *VII.5.2.1.2. Las danzas de la muerte en la literatura castellana*

Ya señaló Menéndez Pelayo[224] que el género de las *Danzas de la muerte* llega a España tardíamente y por vía erudita. Asimismo, Joël Saugnieux subraya las diferencias entre la literatura francesa y la literatura española en el desarrollo de este género literario; en España no prende la dimensión macabra que se detecta en Francia ni la orientación paganizante, antes bien la literatura española se esforzará "de s'adapter aux exigences de la spiritualité chrétienne. Cette évolution spécifique du thème macabre en Espagne témoigne de l'emprise exceptionnelle exercée sur les sprits par les convictions religieuses et l'autorité de l'Eglise"[225].

Hay que señalar que no se conoce en España ninguna representación pictórica de la *Danza general* o *Danza de la muerte*[226]. Tampoco poseemos un paralelo español de grabados que recojan la tradición francesa. Asimismo, son raras las ediciones castellanas del texto literario que vayan acompañadas de ilustraciones o grabados. Todo ello parece indicar que en España el tema y el género literario se desarrollan con cierta originalidad. Por ello, se puede decir que se trata de un género extranjerizante y erudito, que no ha calado en la tradición popular. La misma tradición manuscrita, con una sola versión medieval, ratifica esta misma consideración. No obstante, algunos críticos tratan de subrayar la no dependencia de la tradición francesa[227]; tanto su datación (muy a principios del siglo XV[228]) como la singular disposición del tratamiento literario no permitirían vincular la versión castellana a la tradición gala. Más bien se piensa que la versión castellana habría que relacionarla con una tradición catalano-aragonesa, región donde fue muy intensa, entre los moriscos, la corriente elegíaca y de costumbres funerarias. La versión catalana, de la que sería adaptación

224 MENÉNDEZ PELAYO, M., *Historia de la poesía castellana en la Edad Media*, Madrid, Librería General de Victoriano Suárez, 1911-1913, t. I, p. 344.

225 SAUGNIEUX, J., o. c., p. 14.

226 La denominacion de *Danza general* corresponde a la versión conservada en el manuscrito escurialense, Ms. b IV, que recoge la más antigua de las versiones castellanas del tema, mientras que *Danza de la muerte* designa a la versión publicada por Juan Varela, en Sevilla en 1520; esta última versión —publicada por José Amador de los Ríos, *Historia de la Literatura Española*, edic. facsímil, Madrid, Gredos, 1969, t. VII, pp. 505-540— casi duplica en estrofas y en número de personajes a la primera versión. Conviene señalar que el códice escurialense, donde se conserva la versión de la *Danza general*, contiene, asimismo, los *Proverbios* de Sem Tob, la *Revelación de un ermitaño*, el *Tratado de la doctrina* de Pedro de Veragüe y el *Poema de Fernán González*.

227 SOLA-SOLÉ, J. M., "El Rabí y el Alfaquí en la *Dança general de la muerte*", *Romance Philology*, XVIII (1965) 272-283; Idem, "En torno a la *Dança General de la Muerte*", *Hispanic Review*, XXXVI, n. 4 (1968) 303-327; SAUGNIEUX, J., o. c., pp. 41 y ss.

228 La cronología de su composición abarca un segmento que va desde finales del siglo XIV (WHYTE, F., *The Dance of Death in Spain and Catalonia*, Baltimore, Waverly Press, 1931) hasta casi mediados del siglo XV (MORREALE, M., *Para una antología de literatura castellana medieval: la "Danza de la muerte", Estrato dagli Anali del Corso di Lingue e Letterature Straniere presso l'Università di Bari*, 1963).

el poema castellano, tendría como fuente un poema latino, compuesto en Alemania, donde existió, desde el siglo XIII, una fuerte tradición de utilizar la danza como metáfora en la literatura mística[229]. La inclusión de dos personajes, como el rabino y el alfaquí, hace pensar a Sola-Solé en un autor cristiano, buen conocedor del mundo hispano-musulmán e hispano-judío, si bien con una predisposición antisemítica. Sea cual fuere su árbol genealógico, lo cierto es que se trata de un género, que, si bien no parece haber prendido en la tradición castellana durante la Baja Edad Media, renacerá, sin embargo, con cierta fuerza, en la literatura posterior, como se verá.

El texto castellano de la *Danza general* insiste en dos puntos: la igualdad de los hombres en su destino mortal y la reflexión moral desde una óptica cristiana. Todos los danzantes asisten al baile contra su voluntad, porque el mundo ya ha dejado de ser un valle de lágrimas para convertirse en un lugar de goce y de placer que se ve truncado por la muerte. Con todo, la esperanza cristiana abre una puerta de cierto optimismo a través de la penitencia y las buenas obras: "Con pura conciencia todos trabajemos/ en servir a Dios syn otro comedio/ por do sy le place abremos folgura". De esta manera, la dimensión macabra de la muerte, de origen pagano, que se difunde en Francia, en España queda sublimada por el cristianismo: "Du conflit qui, pendant la Renaissance, oppose la conception chrétienne et officielle de la mort à la concepcion populaire entachée de paganisme, c'est l'Eglise en Espagne, qui sort vainqueur"[230].

La estructura formal, octavas de arte mayor, parlamentos en estilo directo en boca de la muerte y de los distintos personajes que con ella dialogan, convierte el texto literario de la *Danza general* en texto dramático fácilmente representable. Por ello, muchos críticos consideran estas versiones como textos para ser representados. Se sabe, por ejemplo, que algunas versiones, particularmente francesas, fueron escenificadas[231]. Ninguna noticia, sin embargo, se tiene de la representación en España, a pesar de las conjeturas favorables de Leandro Fernández de Moratín o Milá y Fontanals; otros críticos piensan que la versión castellana era un texto más bien destinado a la lectura, incluso vinculado a la liturgia, aunque nunca habría sido escenificado, a pesar de las posibilidades dramáticas que el texto encierra[232].

---

229 STAMMLER, W., *Die Totentänzen des Mittelalters*, München, C.Hanser, 1949; un completo árbol genealógico de numerosas versiones europeas en ROSENFELD, H., *Der mittelalterliche Totentanz*, Munster-Colonia, 1952.

230 SAUGNIEUX, J., o. c., pp. 72-73.

231 HUIZINGA, J., o. c., p. 224; otros testimonios en CLARK, J., *The Dance of Death in de Middle Ages and the Renaissance*, Glasgow, 1950.

232 MENÉNDEZ PELAYO, M., *Historia de la poesía castellana en la Edad Media*, Madrid, Librería General de Victoriano Suárez, 1911-1913, t. I, p. 345; SEGURA COVARSI, E.,"Sentido dramático y contenido litúrgico de las *Danzas de la muerte*", *Cuadernos de Literatura*, V (1949)251-271; LÁZARO CARRETER, F., *Teatro medieval*, Madrid, Castalia, "Odres Nuevos", 1976, pp. 80-86.

• *VII.5.2.1.3. El Influjo de las "Danzas de la muerte" en el teatro renacentista*

La importancia de las "danzas de la muerte" en la literatura española se fundamenta no tanto en su calidad literaria cuanto en el cosmopolitismo del género en cuya tradición se inserta la versión castellana, y por la influencia que el tema tuvo en la literatura renacentista, particularmente en el teatro[233]. Ya se ha indicado que este género literario alcanza en la literatura española unas particularidades funcionales desconocidas en las versiones extranjeras. No se dan en nuestras letras la rebeldía que los personajes adoptan en las versiones de otras literaturas. La actitud de resignación ante la muerte, característica de la versión castellana, se quiso explicar por la prolongación del espíritu medieval, de naturaleza cristiana, que informaría la cultura española del Renacimiento. Será precisamente durante el Renacimiento español cuando el tema de las danzas de la muerte informe de nuevo la creación literaria en dos direcciones; una, la más próxima a la tradición medieval, dejará sus huellas en una corriente de dramaturgos que utilizarán el tema de la muerte como elemento unificador de los destinos del hombre, incorporando nuevas raíces, de naturaleza popular, que actúan como elementos regenadores, inyectando, a la vez, una nueva savia dramática; dentro de esta corriente del teatro prelopista, merecen mención especial Juan de Pedraza, Diego Sánchez de Badajoz, Micael de Carvajal y Sebastián de Horozco.

Ecos de las danzas de la muerte se advierten, asimismo, en toda una tradición que va desde el *Diálogo de Mercurio y Carón* de Alfonso de Valdés hasta determinados autos de Calderón, creaciones literarias en las que se entremezcla el espíritu medieval con las nuevas categorías renacentistas y barrocas.

VII.5.2.2. Coplas de la panadera

Los conflictos político-sociales, las luchas intestinas entre monarquía y nobleza, que vive la Castilla del siglo XV, fueron ocasión propicia para el desarrollo de una serie de creaciones literarias dominadas todas ellas por la sátira[234]. Una buena parte de la poesía cancioneril tiene esta dimensión satírica, sea de naturaleza política, sea de orientación didáctico-moral. Hemos observado esta tendencia de la literatura castellana del siglo XV en autores tan significativos como el Marqués de Santillana o Juan de Mena, sin olvidar a determinados poetas del *Cancionero de Baena*, como Alfonso de Villasandino o a los mismos autores de las "Vidas de Cristo", quienes mezclan estrofas de la más abstracta espiritualidad con puyas muy concretas contra determinados personajes de la vida pública castellana.

233 VALBUENA PRAT, A., o. c., t. I. pp. 321-323.

234 SCHOLBERG, K. R., "La sátira política y social en el siglo XV", en *Sátira e invectiva en la España medieval*, Madrid, Gredos, 1971, pp. 227-302.

Las *Coplas de la panadera*[235] forman parte de esta tradición que bien pudiera calificarse, con las oportunas reservas semánticas, de "literatura comprometida", en el sentido de que se utiliza la literatura como instrumento de renovación social. Se discunte su autoría, y se ha atribuido su paternidad, aunque sin pruebas concluyentes, a diversos autores, como Rodrigo Cota, Juan de Mena o Íñigo Ortiz de Estúñiga, "Mariscal de Navarra"; de ahí que deban ser calificadas, más bien, de anónimas.

El contexto histórico hay que situarlo en las luchas mantenidas entre Juan II y Álvaro de Luna, de una parte, y los nobles contestatarios, contrarios al Condestable, de la otra; en concreto, las "coplas" intentan ridiculizar a los dos bandos tras la batalla de Olmedo (año 1445). Se les acusa de ser avaros, a la vez que se ridiculiza su cobardía y su altanería, siempre dentro de una tonalidad satírica[236]. El poeta inicia su composición tomando como interlocutora a una "panadera", —que dará nombre a las coplas—, para que le cuente las noticias que corren entre la gente del pueblo: "Panadera soldadera,/ que vendes pan de barato,/ quéntanos algún rebato/ que te aconteció en la vera". El personaje elegido tiene, sin duda, la finalidad de presentar la difusión popular que tales noticias tenían entre las gentes sencillas. A continuación, se relata el comportamiento vergonzoso que tuvo la nobleza castellana en la batalla que sirve de pretexto para la mofa y la invectiva.

VII.5.2.3. Coplas de Mingo Revulgo

El reinado de Enrique IV fue también muy fecundo en literatura satírica destacando las, también anónimas[237], *Coplas de Mingo Revulgo.* La sátira se reviste en este caso bajo la alegoría de un mundo pastoril en el que intervienen el pastor, las ovejas y el lobo, todo ello para criticar el mal gobierno del monarca. Este revestimiento literario de la alegoría dificultó su lectura y, consiguientemente, el mensaje que, a través de ellas, se buscaba transmitir, por lo que fueron ñecesarias glosas que pretendían facilitar su intelección; en este sentido, fueron muy populares las glosas hechas por Hernando del Pulgar, circunstancia esta que propició considerar al glosador también como autor.

La estructura de las *Coplas de Mingo Revulgo* adopta la forma dialogada (coplas mixtas a base de una redondilla y una quintilla) entre dos

---

235 Para el texto, véase ELIA, P., *Coplas hechas sobre la batalla de Olmedo que llaman las de la Panadera,* edic. de, Universidad de Verona, 1982.

236 GUGLIELMI, N., "Los elementos satíricos en las *Coplas de la panadera*", *Filología,* XIV (1970)49-104.

237 No obstante, se han atribuido a determinados autores, como Hernado del Pulgar, Rodrigo Cota, Alfonso de Palencia, Juan de Mena y, más recientemente, Fray Íñigo de Mendoza, cuya autoría es defendida por Rodríguez Puértolas ("Sobre el autor de las *Coplas de Mingo Revulgo*", en *Homenaje a Rodríguez Moñino,* Madrid, Castalia, 1966, t. II, pp. 131-142). Una edición moderna en CICERI, M., "Le *Coplas de Mingo Revulgo*", *Cultura Neolatina,* XXVIII (1977)74-149.

Página de las Coplas de Mingo Revulgo con sus glosas

personajes alegóricos, los pastores Mingo Revulgo —que representa al pueblo— y Gil Arribato (símbolo alegórico del moralista), quienes critican y denuncian el modo de proceder de otro pastor, Candau, personificación literaria del rey, Enrique IV. La alegoría pastoril exige una constante deslexicalización semántica como base hermenéutica: el pastor Candau trata con desprecio a su grey; los perros guardianes ("perras", en este caso) tampoco le defienden porque la justicia, la fuerza y la templanza, representadas por las perras "Justilla", "Azarilla" y "Tempera" se encuentran atemorizadas por una gran loba, la codicia, que lidera a una manada de perros hambrientos (el estamento nobiliario) que constantemente acechan al rebaño. Por su parte, el pastor Gil Arribato, personificación de la actitud moralizante, culpa también al rebaño por su negligencia y carencia de espíritu religioso. De esta manera, la denuncia, en mayor o menor medida, afecta a todos los estamentos sociales.

VII.5.2.4. Coplas del provincial

Se trata de otro largo poema de 149 coplas, escritas en torno a 1465[238]. También se discute, como en los casos anteriores, la autoría, atribuyéndose la paternidad a un pluralismo de autores como Hernando del Pulgar, Alonso de Palencia, Rodrigo Cota y Antón de Montoro, sin argumentos concluyentes, por lo que se las debe considerar anónimas. Merecen citarse los juicios de Menéndez Pelayo sobre este poema al que

238 En tiempo de Carlos V se añadieron otras estrofas, formándose un poema de 306, con una amplia difusión clandestina, que dio al poema una notoria popularidad.

califica de "pasquín infamatorio que ni ha salido hasta ahora, ni es de presumir que en tiempo alguno salga de lo más recóndito de la necrópolis literaria... tal es lo soez de su forma, lo brutal y tabernario de sus personalísimos ataques.... No es obra poética, sino libelo trivialmente versificado, una retahíla de torpes imputaciones, verdaderas o calumniosas, que afrentan por igual a la sociedad que pudo dar el modelo para tales pinturas, y a la depravada imaginación y mano grosera que fueron capaces de trazarlas, deshonrándose juntamente con sus víctimas. Es una sátira digna de Sodoma o de los peores tiempos de la Roma imperial. El cuadro que describe provoca a náuseas el estómago más fuerte... El artificio con que están engarzadas no puede ser más tosco: el maldiciente autor transforma la corte en convento, y hace comparecer ante el Provincial a los caballeros y damas de ella, para recibir, no una corrección fraterna, sino una serie de botanozas de fuego"[239].

Las descalificaciones morales a personajes ilustres de la Castilla del siglo XV se concretiza en calificativos como "sodomita, cornudo, judío, incestuoso, y tratándose de mujeres, el de adúltera o el de ramera"[240]. La naturaleza de tales acusaciones convirtió a tales "coplas" en objeto de persecución de la Inquisición, lo que acrecentó aún más su interés y popularidad, por lo que durante el siglo XVI un "segundo provincial" actualiza aquella materia literaria con nuevas invectivas contra determinadas familias de la época[241].

VII.5.2.5. El problema de los conversos en la literatura satírica del siglo XV[242]

La pacífica convivencia entre las tres religiones (cristianos, moros y judíos), que caracterizó a una buena parte de la cultura medieval española, entra en crisis ya a finales del siglo XIV[243], cuya manifestación litera-

239 MENÉNDEZ PELAYO, M., *Historia de la poesía castellana en la Edad Media*, Madrid, Librería General de Victoriano Suárez, 1914, t. II, pp. 292-293.

240 *Ibidem*, p. 293.

241 Fue Menéndez Pelayo quien ofreció, por primera vez, en nota a pie de página de la obra anteriormente citada (pp. 294-297), una publicación parcial de aquellas coplas, que juzgó menos escandalosas. Una edición moderna en CICERI, M., "Las Coplas del Provincial", *Cultura Neolatina*, XXXV (1975)39-210.

242 SCHOLBERG, K. R., *Sátira e invectiva*...pp. 303-360.

243 El antisemitismo, sin embargo, siempre estuvo presente, con mayor o menor intensidad, en las letras hispánicas, como en el resto de Europa; la condición de pueblo deicida fue un estigma que acompañó al pueblo judío desde los orígenes mismos del cristianismo; sin embargo, en la Península la convivencia de la cultura cristiana con las culturas de origen semítico tuvo momentos de pacífica coexistencia que representó etapas de gran esplendor cultural que han marcado la idiosincrasia del pueblo español. No obstante, el antisemitismo nunca desapareció de la cultura literaria española: el pasaje de Vidas y Raquel del *Cantar de Mio Cid*, determinados pasajes de la obra de Berceo, el *Rimado de Palacio*, así como algunas de las *Cantigas* de Alfonso X el Sabio, demuestran que los brotes antisemíticos estuvieron siempre presentes en las letras hispánicas medievales.

ria más explícita se encuentra en el *Rimado de Palacio*, de Pero López de Ayala, muchas de cuyas estrofas tratan de culpar a los judíos de los males que acechaban a la sociedad castellana de aquella centuria. Esta línea de pensamiento se intensificará, no sólo por motivos políticos sino más bien religiosos, a lo largo del siglo XV. El cristianismo, religión dominante, se volverá cada vez más intransigente hasta conseguir de los Reyes Católicos la expulsión de aquellos judíos que no abdicasen de su religión y no se convirtiesen al cristianismo; surge, así, una nueva casta, la de los conversos o cristianos nuevos[244], cuya importancia histórica es transcendental para entender la cultura española en la llamada "edad conflictiva"[245].

Durante el siglo XV asistimos a una actitud crítica, de tonalidad satírica, cuyos protagonistas serán estos cristianos nuevos, que toman con frecuencia como motivo de sus invectivas las rivalidades poéticas entre escritores de la misma estirpe[246]; en otras ocasiones determinadas prácticas religiosas, fueran éstas de su antiguo credo o de la nueva religión, serán la ocasión de tales invectivas. Destaca, en este sentido, Antón de Montoro[247], judío converso, quien, a diferencia de sus hermanos de raza, tuvo una profesión humilde en la época, como era la de sastre o "ropero"; sobresalió como poeta satírico-burlesco bajo los reinados de Juan II, de Enrique IV y de los Reyes Católicos; uno de sus poemas más célebres es

---

244 Una bibliografía sobre los conversos no puede olvidar, entre otros, estudios como los siguientes: AMADOR DE LOS RÍOS, J., *Estudios sobre los judíos de España*, Madrid, 1948; PORTNOY, A., *Los judíos en la literatura española medieval*, Buenos Aires, 1942; SINGERMAN, R., *The Jews in Spain and Portugal. A Bibliography*, New York and London, 1975; ASENSIO, E., *La España imaginada de Américo Castro*, Barcelona, 1976; SUÁREZ FERNÁNDEZ, L., *Judíos españoles en la Edad Media*, Madrid, 1980; BAER, Y., *Historia de los judíos en la España cristiana*, traduc. española, Madrid, 1981; CANTERA MONTENEGRO, E., *Los judíos en la Edad Media Hispánica*, Madrid, 1986. Más recientemente los estudios de GUTWIRTH, E. constituyen nuevas aportaciones para conocer la impronta que el mundo de los conversos tuvo en la creación literaria de la España del siglo XV (véase, por ejemplo, "From Jewis to Converso Humour in Fithteenth-Century Spain", *Bulletin of Hispanic Studies*, LXVII (1990)233-333).

245 Expresión consagrada por Américo Castro en su obra *De la Edad conflictiva* (1961), en la que estudia, en distintos artículos, la problemática de los conversos en la sociedad española de los Siglos de Oro. La actitud del autor (particularmente en su *La realidad histórica de España*, 1954) frente a la posición de Claudio Sánchez Albornoz (*España, un enigma histórico*, 1956) dio origen a una larga polémica entre la intelectualidad española de mitad de siglo.

246 El *Cancionero de Baena* nos dejó muestras de estas creaciones literarias, como ha señalado FRANKER, Charles F., *Studies on the "Cancionero de Baena"*, Chapel Hill, University of North Carolina Studies in the Romance Languages and Literatures, n. 61, 1966.

247 MENÉNDEZ PELAYO, M., *Historia de la poesía castellana en la Edad Media*, Madrid, Librería General de Victoriano Suárez, 1914, t. 2, pp. 307-325; también SCHOLBERG, K. R., *Sátira e invectiva...*, pp. 310-327.

aquel que dedicó a la reina Isabel, y cuyo primer verso reza así: "¡Oh, Ropero, amargo, triste". Asimismo, merecen citarse sus diatribas contra Juan Poeta y Rodrigo Cota[248], poetas cancioneriles, también de origen converso, que adoptaban, más bien, una posición hostil y de acoso contra su propia estirpe[249].

La actitud de los conversos frente a su problema existencial es muy distinta entre los diversos poetas; mientras unos, desde su condición de conversos, no renuncian a sus orígenes, como el caso de Montoro, otros, por el contrario, no desvelan abiertamente su nueva condición; actitud esta que podría explicarse ante el nuevo cariz de rigorismo e intransigencia que adoptará, paulatinamente, la cultura cristiana a lo largo del siglo XV. Uno de estos casos es Juan Álvarez Gato[250], de ascendencia judía, uno de los más renombrados poetas de la corte de Juan II y Enrique IV; además de cultivar la poesía amorosa, al estilo cancioneril, utilizó la sátira político-social, pero sin traslucir nunca su condición de cristiano nuevo, lo que confundió al propio Menéndez Pelayo, quien no sospechó su verdadero origen[251].

Los conversos fueron, asimismo, objeto de sátiras e invectivas por parte de los cristianos viejos; en estos casos, el humor y la burla se entremezclan con el odio, el desprecio y la xenofobia, según los autores; así, mientras Alfonso Álvarez Villasandino realiza su crítica desde una tonalidad humorístico-burlesca, Gómez Manrique, en sus diatribas contra el poeta judeoconverso, Juan Poeta, se desliza más bien hacia el insulto, la aversión y el aborrecimiento. A medida que transcurre el siglo XV, el antisemitismo aumenta en la Península Ibérica. La rápida ascensión social de muchos conversos provoca la envidia y el rencor entre los cristianos viejos, preámbulo de lo que serán los estatutos de pureza de sangre que tendrán lugar en el siglo XVI.

---

248 CANTERA BURGOS, F., *El poeta Rodrigo de Cota y la familia de judíos conversos*, Madrid, Universidad Complutense, 1970. Rodrigo Cota es conocido, sobre todo, por su *Diálogo entre el Amor y un viejo*, poema al que se aludirá al tratar del teatro en el siglo XV.

249 MONTORO, Antón de, *Cancionero*, Edición crítica de Marcella CICERI; estudio y notas de Julio RODRÍGUEZ PUÉRTOLAS, Salamanca, "Biblioteca Española del siglo XV", 1989.

250 MÁRQUEZ VILLANUEVA, F., *Investigaciones sobre Juan Álvarez Gato. Contribución al conocimiento de la literatura castellana del siglo XV*, Madrid, Anejo al Boletín de la Real Academia Española, Madrid, 1960.

251 MENÉNDEZ PELAYO, M., *Historia de la poesía...*, t. 2, pp. 327-344.

VII.6. EL TEATRO EN EL SIGLO XV

VII.6.1. TEATRO, PARATEATRO Y FORMAS AFINES[252]

El laconismo, cuando no la ausencia, de textos y noticias sobre teatro medieval castellano comienza a cambiar de signo durante el siglo XV. Referencias indirectas, en unos casos, descubrimientos de textos dramáticos, preferentemente de naturaleza litúrgica, en otros, permiten, si no reconstruir la historia del teatro castellano durante esta centuria, sí al menos comprobar la existencia de dos tradiciones, una de naturaleza religiosa, la otra de orientación profana.

Las actas de sínodos y concilios medievales[253], a lo largo de la centuria del XV, se enfrentan con frecuencia a las aberraciones que tales espectáculos producen en las iglesias, al tiempo que estimulan a los clérigos a que representen motivos religiosos sobre el nacimiento, muerte y resurrección de Jesús, según las orientaciones ya recogidas en *Las Partidas*. Estas disposiciones disciplinares son reiterativas, y se repiten una y mil veces en los sínodos y concilios de la iglesia española hasta finales del siglo XVIII[254], un hecho que demuestra la fuerte raigambre de estas costumbres. La naturaleza dramática de tales escenificaciones no parece ofrecer duda por la terminología empleada ("ludi theatrales", "representaciones", "mascaradas").

---

252 Es frecuente en la investigación actual la utilización de conceptos y marbetes lingüísticos como "teatralidad medieval", "manifestaciones parateatrales", "teatro medieval y folclore", "teatralidad y rito", dentro de una tendencia crítica y una línea de investigación que intenta delimitar el concepto de teatro en la Edad Media. Con ello se pretende esclarecer la dimensión escénica de una serie de composiciones tituladas coplas, diálogos, coloquios, debates, momos, que proliferan en los códices cancioneriles de los siglos XV y XVI. Véanse, entre otros, los estudios de: STERN, Ch.,"The Early Spanish Drama: From Medieval Ritual to Renaissance Art", *Renaissance Drama*, VI (1973)177-201; Idem, "The *Coplas de Mingo Revulgo* and the Early Spanish Drama", *Hispanic Review*, 44 (1976)311-332; Idem, "The Genesis of the Spanish Pastoral: from Lyric to Drama", *Kentucky Romance Quaterly*, 25 (1978)413-332; SURTZ, R. S., "El teatro en la Edad Media", en *Historia del teatro en España. T. I. Edad Media. Siglo XVI. Siglo XVII*, dirigida por José María Diez Borque, Madrid, Taurus, 1984, particularmente las pp. 129-149; DIEZ BORQUE, J. M., *Los géneros dramáticos en el siglo XVI (El teatro hasta Lope de Vega)*, Madrid, Taurus, Historia Crítica de la Literatura Hispánica, n. 8, 1990.

253 Véase VAREY, J. E., "A note on the Councils of the Church and Early Dramatic Spectacles in Spain", en *Medieval Hispanica Studies presented to Rita Hamilton*, London, Tamesis Books, 1976, pp. 241-244; MENDOZA DÍAZ-MAROTO, F., "El Concilio de Aranda (1473) y el teatro medieval castellano", *Criticón*, n. 26 (1984)5-15; ÁLVAREZ PELLITERO, A. M., "Aportaciones al estudio del teatro medieval en España", *El Crotalón*, n. 2 (1985)13-35.

254 "Ni se hagan representaciones u otras cosas profanas, ni canten cosas livianas o indevotas, aunque sea la noche de Navidad", en GONZÁLEZ PISADOR, A., *Constituciones Synodales del Obispado de Oviedo*, Salamanca, Andrés García Rico, 1786, Tit. XIV, Const. I, Ley VII, p. 264.

Durante el siglo XV también tenemos noticias, suministradas principalmente en las crónicas, de un teatro profano, quizás aún embrionario, que tiene como lugar escénico la corte y su entorno. Son los momos y mascaradas, diversiones sin una delimitación teatral precisa, espectáculos cuyos protagonistas son los juglares y otras especies afines ("cazurros", "zaharrones", etc.), portadores de una teatralidad tradicional que sirve de enlace entre los histriones de la Antigüedad Clásica y el Renacimiento. La corte fue, asimismo, lugar donde se representó un determinado teatro sacroprofano de tipo navideño; la *Crónica de Miguel Lucas de Iranzo*[255], de tantas referencias a escenificaciones navideñas, nos ofrece abundantes noticias en este sentido. Los entretenimientos cortesanos, descritos en muchas de estas crónicas, incluían, asimismo, espectáculos, de naturaleza parateatral, que preparaban al caballero para la guerra, como los pasos de armas o justas caballerescas[256]. El vocablo "entremés"[257], referencia léxica a uno de los géneros más fecundos del teatro posterior, comienza a ser utilizado como "carro" o lugar escénico sobre el que se representaban algunos de estos espectáculos.

Dentro de esta corriente de teatralidad medieval del siglo XV entresacamos la obra dramática de Gómez Manrique, el *Auto de la Pasión* de Alonso del Campo, el *Auto de la huida a Egipto* y el *Diálogo del viejo, el Amor y la hermosura.*

VII.6.2. TEATRO RELIGIOSO

VII.6.2.1. Gómez Manrique (h. 1412-1491)

La personalidad literaria de Gómez Manrique[258] viene asociada a dos géneros literarios: la poesía y el teatro[259]. Como poeta cultivó la poesía

---

255 *Crónica de Miguel Lucas de Iranzo*, edición de Juan de MATA CARRIAZO, Madrid, Espasa-Calpe, 1940. Sobre las noticias teatrales de esta crónica, véase AUBRUN, Ch. V., "La Chronique de Miguel Lucas de Iranzo: I. Quelques clartés sur la genèse du thèâtre en Espagne", *Bulletin Hispanique*, XLIV (1942)166-167.

256 Véase, por ejemplo, BARRIENTOS, L. de, *Refundición de la crónica del halconero*, edic. de Juan de MATA CARRIAZO, Madrid, Espasa-Calpe, 1946, pp. 59-60.

257 Para una evolución semántica del término y su relación con el teatro medieval peninsular, véase: JACK, W. S., *The Early entremés in Spain: The Rise of a Dramatic Form*, Filadelfia, 1923; LÁZARO CARRETER, F., *Teatro medieval...* edic. cit., pp. 45-53.

258 PALENCIA FLORES, C., *El poeta Gómez Manrique, corregidor de Toledo*, Ayuntamiento de Toledo, 1943.

259 Para la edición de los textos, véanse: FOULCHÉ-DELBOSC, R., *Cancionero Castellano del Siglo XV*, Madrid, Nueva Biblioteca de Autores Españoles, 1915, t. II; LÁZARO CARRETER, F., *Teatro Medieval...*, edic. cit., pp. 107-131; *Teatro medieval*, edic. de Ronald E. SURTZ, Madrid, Taurus, 1983, pp. 58-70; *Teatro medieval*, edic. de Ana Mª ÁLVAREZ PELLITERO, Madrid, Espasa-Calpe, "Colección Austral", 1990, pp. 105-139.

cancioneril sobre temas profanos, de tonalidad amorosa o satírico-burlesca, según los gustos de la época, faceta que complementó con otros poemas, más bien de orientación didáctica, impregnados de una fuerte impronta moralizante y religiosa[260].

Su teatro se inspira en la tradición medieval en consonancia con los ciclos litúrgicos de la Navidad y la Semana Santa. Del primer ciclo merece citarse su *Representación del nacimiento de Nuestro Señor*, obra que se inscribe dentro de la tradición temática del "Officium pastorum", aunque con notables diferencias de elementos y técnicas dramáticas[261]; parece que fue compuesta a petición de su hermana doña María, vicaria del monasterio de Calabazanos, aunque no se tiene constancia de que haya sido representada. La crítica se divide a la hora de emitir un juicio sobre el valor dramático de la obra; mientras unos críticos sólo ven en ella un interés puramente testimonial[262], otros, por el contrario, la califican como "uno de los más grandes logros del teatro medieval no sólo español, sino europeo"[263]. Llama la atención la función dramática que el autor asigna a la figura de José, hasta convertirse en "el personaje central y más importante de toda la obra"[264]. Parece que la duda bíblica de José[265] fue muy popular en la tradición española, pudiendo ser considerada como un elemento distintivo de la religiosidad popular española, frente a la rica

260 Una síntesis de su poesía, en MENÉNDEZ PELAYO, M., *Historia de la poesía castellana en la Edad Media*, edic. cit., t. 2, pp. 345-385; BLECUA, J. M., "Los grandes poetas del siglo XV", en *Historia General de las Literaturas Hispánicas*, bajo la dirección de Guillermo DÍAZ PLAJA, Barcelona, Vergara, 1968, t. II, pp. 109-115; LAPESA, R., "La poesía docta y afectiva en las 'consolatorias' de Gómez Manrique", en *Estudios sobre literatura y arte dedicados al profesor Emilio Orozco Díaz*, Universidad de Granada, 1979, t. II, pp. 231-239. Para los textos, véase FOULCHÉ-DELBOSC, R., *Cancionero Castellano del Siglo XV*, Madrid, Nueva Biblioteca de Autores Españoles, 1915, t. II, pp. 1-154.

261 LÁZARO CARRETER, F., *Teatro Medieval*, edic. cit., p. 61; ALBORG, J. L., *Historia de la literatura...*, edic. cit., t. I, p. 488.

262 RUIZ RAMÓN, F., *Historia del teatro español*, Madrid, Alianza, 1967, t. I, p. 23; LÁZARO CARRETER, F., *Teatro medieval*, edic. cit. pp. 60-63.

263 ZIMIC, S., "El teatro religioso de Gómez Manrique (1412-1491)", *Boletín de la Real Academia*, Tomo LVII, Cuaderno CCXII, Septiembre-Octubre (1977)355.

264 ZIMIC, S., art. cit., p. 363.

265 Mat., 1, 18-25. La posibilidad de que José hubiera sido engañado se convierte en el inicio de la acción dramática, si bien el autor no desarrolla todas las virtualidades dramáticas que de tal conjetura se pudieran derivar. Hay que reseñar que el arte medieval, al intentar potenciar y subrayar la virginidad de María, presenta la figura de José de una manera tosca y hasta ridícula. Esta corriente aparece ya en los evangelios apócrifos, uno de los cuales, *La historia de José el carpintero*, nos describe a María, de doce años, que contrae nupcias con José, viudo y de noventa años; de esta manera, la imagen de José quedaba así devaluada sexualmente en función de salvaguardar la virginidad de María. La angustia de José al conocer la maternidad de María la recogen los apócrifos (véase "Evangelio del Pseudo Mateo", edic. cit. de SANTOS OTERO, A. de, o. c., p. 202).

tradición francesa de misterios que desconoció, sin embargo, la función dramática del citado pasaje bíblico[266]. También hay que subrayar la presencia de determinados símbolos de la pasión[267]; la reflexión conjunta del nacimiento y la muerte de Jesús fue muy del gusto de la espiritualidad franciscana, orden religiosa a la que pertenecían las monjas de Calabazanos. La representación pudo tener lugar, bien en un salón del propio monasterio, como sugiere Álvarez Pellitero, bien en el templo dentro de la liturgia de Navidad.

La métrica utilizada por Gómez Manrique en esta y en otras composiciones dramáticas está basada en la copla castellana; es la estrofa típica de la poesía cancioneril; se trata de una estructura métrica de origen provenzal que penetra en Castilla a través de la poesía catalana[268].

El tema de la pasión y muerte de Cristo será otro de los momentos de la historia del Salvador que inspira al autor el poema titulado *Lamentaciones fechas para la Semana Santa*; se discute su función escénica, por lo que algunos críticos lo vinculan más bien dentro de la tradición lírica del *Planctus Mariae*; otros, por el contrario, sostienen la intencionalidad teatral dentro de la liturgia de Semana Santa[269].

Gómez Manrique fue autor, asimismo, de algunos poemas profanos, representados por mimos, para amenizar determinados acontecimientos de la vida cortesana en los círculos nobiliarios[270]. El término "momo", voz que originariamente servía para designar a la divinidad griega de la locura y la burla, se especializa, dentro del campo semántico festivo, a partir del siglo XV, quizás por influencia francesa[271], para referirse a determinadas fiestas palatinas en las que intervenían los "mimos", vocablo también de origen clásico, que significó, en una primera fase, un género dramático marcado por su fuerte realismo; a partir del siglo XV, las crónicas utilizan también este vocablo para designar, bien a determinados comediantes que ejecutaban bailes burlescos o alegóricos en las fiestas palatinas,

---

266 LÓPEZ MORALES, H., *Tradición y originalidad...*, p. 125.

267 Estos símbolos de la pasión fueron muy socorridos en la poesía religiosa del siglo XV (DARBORD, M., *La poésie religieuse espagnole des Rois Catholiques à Philipe II*, París, Centre de Recherches de l'Institut d'Études Hispaniques, 1965).

268 NAVARRO TOMÁS, T., *Métrica Española*, Nueva York, Las Américas Publishing Company, 1966, pp. 106-107.

269 PARKER, A. A., "Notes on the Religious Drama in the Medieval Spain and the Origins of the Auto sacramental", *Modern Language Review*, 30 (1935) p. 179; ZIMIC, S., art. cit., p. 382.

270 Véase FOULCHÉ-DELBOSC, R., *Cancionero Castellano...*, edic. cit., t. II, nos. 316 y 391.

271 MULERTT, W., "Der 'wilde Mann' in Frankreich", *Zeitschrift für französische Sprache und Literatur*, LVI (1932)69-88; MAZUR, O., *Wild Man in the Spanish Renaissance and Golden Age Theatre! A Comparative Study Including the Indio, The Bárbaro and Their Counterparts in European Lores*, Ann Arabor, UMI, 1980.

bien al tipo de comedia popular que ponían en escena. "Momo" y "mimo" se entrecruzan con frecuencia semánticamente, por lo que son términos que pueden ser sinónimos en algunos contextos[272]. La composición destinada por Gómez Manrique para el citado momo palatino tenía como finalidad amenizar el cumpleaños del infante don Alfonso, muchacho de catorce años; la simplicidad escénica es extrema: Isabel, hermana del festejado, es acompañada por un grupo de muchachas, que acuden, muy de mañana, a la alcoba del joven; mientras duerme, le hacen caricias para que se despierte, a la vez que le recitan algunos versos en los que se hacen portadoras de mensajes divinos, dentro de los moldes de la mitología clásica, que vaticinan la alta gloria que el infante ha de conseguir; en el texto hay también determinadas alusiones a la madurez sexual del muchacho, de alguna manera tentado y estimulado por las hadas con sus gestos y danzas.

VII.6.2.2. El Auto de la huida a Egipto

El pasaje evangélico Mat. 1, 13-23 inspira al autor de esta breve obra, dentro de la tradición del "Officium stellae", aunque sazonado con tradiciones apócrifas de los evangelios, cuya influencia en la creación literaria medieval se puso de manifiesto, cuando se estudió la *Infancia de Jesús*, uno de los llamados poemas ajuglarados del mester de clerecía. Las dos obras tienen entre sí algunos paralelismos en el desarrollo de la acción, dramática en un caso, narrativa en el otro.

El texto dramático está estructurado en seis breves escenas o estampas; la acción dramática se inicia con el mandato del ángel a José para que huya a Egipto, pasaje que recogen tanto los evangelios canónicos (Mt.1, 13-23) como los apócrifos[273]; el protagonismo dramático de las cuatro primeras escenas se concentra en la persona de José[274]. La escena cuarta dramatiza el encuentro con los ladrones. En la quinta estampa el autor nos introduce en el hogar de San Juan Bautista quien pide licencia a sus padres para ir a predicar al desierto, escenario éste de la última estampa que recoge el encuentro entre el Bautista y un peregrino, el cual le anuncia el nacimiento y la estancia del Mesías en Egipto.

272 COROMINAS, J., *Diccionario Crítico Etimológico de la Lengua Castellana*, Madrid, Gredos, 1974, t. III, voz "mimo", pp. 376-378.

273 En el *Evangelio del Pseudo Mateo* y en el *Evangelio árabe de la Infancia* se recogen toda una serie de milagros y prodigios que realiza el Niño-Jesús en el largo camino por el desierto; de estas fuentes apócrifas parece haber tomado el anónimo autor del auto varios elementos temáticos, como la sumisión de las fieras que protejen y custodian a la sagrada familia a través del desierto, así como el encuentro con los ladrones, episodio que recrea, asimismo, el poema de *La Infancia de Jesús*.

274 Se trata de una notoria singularidad que testimonia el comienzo de la dignificación artística de un personaje que había sido denostado y ridiculizado por una buena parte del arte medieval y de la literatura de los apócrifos evangélicos; esta corriente espiritual y artística alcanzará su más alta cota con el poema épico de José de Valdivielso, *Vida de José* (1604).

Portada del Auto de la Huida a Egipto

Este auto tiene algunas singularidades que conviene subrayar. El anónimo autor une, mediante la inclusión del personaje del "Peregrino", el tema de la huida a Egipto con el de la predicación de San Juan Bautista; de esta manera, el valor de la penitencia, juntamente con la eficacia de la gracia y la intercesión de María son, a nuestro juicio, las enseñanzas doctrinales que se deducen de esta dramatización.

El manuscrito[275] que conserva la obra fue descubierto en el convento de las clarisas de Santa María de la Bretonera (Burgos); una vez más la orden de San Francisco, que prodigó una espiritualidad basada en la humanidad de Cristo, se nos presenta como una célula engendradora de actividad dramática con la intencionalidad de elevar a la categoría sensible los conceptos doctrinales. La música parece haber sido un componente de la escenificación, principalmente para marcar los cambios más notorios en la puesta en escena, modificaciones que repercuten, igualmente, en la métrica: la redondilla, metro fundamental de la obra, se entrecruza con el villancico, forma literario-musical de raigambre tradicional.

275 *Auto de la huida a Egipto*, edic. de Justo GARCÍA MORALES, Madrid, Joyas Bibliográficas, II, Madrid, 1948; AMICOLA, J., "El *Auto de la huida a Egipto*, drama anónimo del siglo XV", *Filología*, XV (1971)1-29; SURTZ, R. E., *Teatro medieval...* edic. cit., pp. 92-109; ÁLVAREZ PELLITERO; A. M., *Teatro medieval...*, edic. cit., pp. 141-170.

VII.6.2.3. El Auto de la Pasión de Alonso del Campo

La catedral de Toledo fue el lugar donde se encontró el único testimonio directo de teatro medieval castellano: el *Auto de los Reyes Magos.* Durante el siglo XV, la fiesta del Corpus Christi en Toledo fue, asimismo, ocasión para representaciones de las que no conocemos el texto dramático, aunque sí los gastos que producía la puesta en escena. Fue precisamente en un libro de cuentas de la catedral toledana donde se descubrió un *Auto de la Pasión*[276], atribuido a Alonso del Campo, quien lo escribiría a finales del siglo XV. No obstante, estudios posteriores[277] replantean, con argumentos fidedignos, la autoría, la génesis y el proceso formativo de esta obra de la que Alonso del Campo sería el último eslabón de una obra tradicional que empieza a gestarse mucho antes, obra sobre la cual habrían dejado su impronta creadora autores como Diego de San Pedro, cuya *Pasión trobada* ocupa también buena parte en esta composición. Si esta explicación genética es correcta, una vez más nos encontraríamos con el peculiar concepto de autoría literaria en la Edad Media: la obra abierta a posibles modificaciones y transformaciones, porque pertenece al patrimonio de la colectividad en función, asimismo, de un bien común: estimular el sentimiento religioso mediante la meditación en los misterios de la pasión de Cristo a través de la representación sensible. La piedad cristocéntrica que lleva a cabo la reforma de la observancia, durante esta centuria, quizás no sea ajena a estas dramatizaciones sobre el acontecimiento más penetrante de la naturaleza humana de Cristo: su pasión.

VII.6.3. TEATRO PROFANO

A lo largo del siglo XV, la vida cortesana se convierte en lugar propicio donde se van a representar determinados poemas recogidos en los cancioneros en forma dialogada. Se podrá seguir discutiendo el grado de teatralidad que tales obras poseen; con todo, parece verosímil pensar que no sólo los centros donde se desarrolla y realiza la liturgia (catedrales, conventos, iglesias) fueran los únicos lugares escénicos. La corte fue un importante foco de actividades lúdicas con juegos florales, debates poéticos, de temática y estructura muy aptas para la representación[278]. Por todo ello, se podría hablar, con toda propiedad, de un teatro profano

---

276 TORROJA MENÉNDEZ, C.-RIVAS PALA, M., *Teatro en Toledo en el siglo XV. "Auto de la Pasión" de Alonso del Campo*, Madrid, Anejo XXXV al Boletín de la Real Academia Española, 1972.

277 BLECUA, A., "Sobre la autoría del 'auto de la Pasión'", en *Homenaje a Eugenio Asensio*, Madrid, Gredos, t. II, 1989, pp. 79-112.

278 Véase FERRER VALS, T., "Fasto y teatro: sus vinculaciones en el quinientos", en *La práctica escénica cortesana: De la época del emperador a la de Felipe III*, Londres, Tamesis Books, 1991, pp. 19-47.

en la Castilla del siglo XV[279], que coexiste con determinadas escenificaciones religiosas, representadas también en la corte, particularmente durante el tiempo de Navidad; la *Crónica de Miguel Lucas de Iranzo*[280] es un documento auténticamente testimonial, como lo será la actividad dramática realizada por Juan del Encina en el palacio de los duques de Alba en la última década del siglo XV.

Estos textos profanos abarcarían varias tendencias, de las cuales se nos conservan aisladamente algunos textos, caracterizados como "debates", "diálogos", "disputas", que, aunque sean de escaso valor dramático, resultan importantes para comprender la historia y la evolución del teatro castellano, ya que, por una parte, podrían enlazar con la tradición de los mimos e histriones de la Antigüedad Clásica, una herencia, según parece, nunca interrumpida, a la vez que se convertirán en el germen de una parte del teatro profano posterior.

La *Égloga* de Francisco de Madrid, de tendencia política, según Crawford[281], utiliza la alegoría pastoril, recurso literario empleado en las *Coplas de Mingo Revulgo*, aunque de signo contrario, ya que Francisco de Madrid, secretario de los Reyes Católicos, compone esta égloga para elogiar a don Fernando. Tres pastores, que representan distintas personalidades —"Evandro" (que canta a la paz del momento presente), "Peligro" (Carlos VIII de Francia) y "Fortunado" (Fernando el Católico)— dialogan entre sí sobre distintos aspectos de la vida pastoril, velamen literario que encubre alegóricamente aspectos de la política de la época en la que intervienen Francia, el Vaticano y Castilla. La alegoría envuelve, pues, todo el discurso dramático de los personajes, por lo que la connotación se convierte en el centro de la literariedad textual. El carácter festivo y propagandístico de la obra parecen exigir una puesta en escena en el entorno de la corte. Un teatro, por tanto, de raíces medievales por su sencillez argumental, en el que se atisban elementos de una nueva época literaria por la alegoría, así como por su métrica (octavas de arte mayor).

Rodrigo de Cota es el probable autor de otra composición dramática de este teatro áulico y profano del siglo XV, titulada *Diálogo entre el amor y un viejo*. Amor y vejez son los términos que cobran cuerpo existencial dramático en un poema que debe mucho, en su estructura y desa-

---

279 LÁZARO CARRETER, F., "Actividades teatrales profanas", en *Teatro medieval...* edic. cit. pp. 66-71.

280 La importancia de esta crónica para la historia del teatro ha sido puesta de relieve por OLEZA, J., "Fastos cortesanos y teatralidad religiosa. Vinculaciones medievales", en CHIABO, M.-DOGLIO, F.,(edi.), *Actas del Congreso Ceti sociali ed ambienti urbani nel teatro religioso europeo del '300 del '400*, Viterbo, Union Printing Editrice, 1986, pp. 265-294.

281 CRAWFORD, J. P., *Spanish Drama before Lope de Vega*, University of Pennsylvania Press, reimpresión, 1975, p. 57.

rrollo, a los viejos debates medievales. La impronta didáctica está, asimismo, muy presente, a través de un metaforismo prolongado de raigambre pastoril y agrícola ("huerto", "vergel", "flores", "jardín", "fuentes", "cabañas"); el tiempo ha deteriorado todos estos elementos del *locus amoenus* medieval, de innegables connotaciones para el encuentro y la actividad amorosa. El dios amor promete al viejo revitalizar su vetusto jardín con nueva savia, y restaurar su cabaña ("De verdura muy gentil/ tu huerta renovaré;/ la casa edificaré/ de obra muy rica y sutil"). El viejo, a pesar de sus denuestos e invectivas iniciales contra el amor, se pone en sus brazos ("Vente a mí, muy dulce amor,/...aquí está tu servidor,/ esclavo ya y no señor"). El debate termina con el desengaño que sufre el viejo al no poder ya ascender a la cabaña del amor, mientras éste le vitupera y se mofa de sus pretensiones.

Las desavenencias entre el amor y la vejez aparecen en otro poema, muy semejante al anterior, quizás una refundición, titulado por Lida de Malkiel *El viejo, el amor y la hermosura*[282].

A finales del XV, el teatro castellano tendrá ya dos orientaciones muy claras, que atravesarán la centuria siguiente; una vertiente, de naturaleza religiosa, que desembocará en los autos sacramentales, sin duda, la expresión dramática más genuina del teatro religioso español, mientras la tendencia profana tendrá en la comedia barroca la ramificación quizás más representativa del llamado "teatro clásico". Entre ambas, toda una serie de tanteos, que se observan a lo largo del siglo XVI, en busca de una nueva fórmula dramática que, finalmente, traerá el *Arte nuevo* de Lope de Vega. Este logro, sin embargo, provocará abundantes disensiones, conflictos y polémicas que serán estudiados en el volumen II de este manual con los llamados dramaturgos de la "generación de los Reyes Católicos", grupo generacional que sirve de bisagra entre la Edad Media y el Renacimiento.

---

282 LIDA DE MALKIEL, M. R., reseña a Rafael Lapesa, *La obra literaria del Marqués de Santillana*, Madrid, Ínsula, 1957, en *Romance Philology*, XIII (1960), p. 292; edición de los dos textos bajo el título de *Diálogo entre el amor y un viejo*, edic. de Elisa RAGONE, Florencia, Le Mounier, 1961; también: MARTÍNEZ, S., "*El viejo, el amor y la hermosura* y la aparición del tema del desengaño en el teatro castellano primitivo", *Revista Canadiense de Estudios Hispánicos*, 4 (1980)311-328; Idem,"*El viejo, el amor y la hermosura*. A los umbrales del teatro profano en Castilla", en *Anuario de Letras* (Facultad de Filosofía y Letras. Centro de Lingüística Hispánica. México), XXVII (1989)127-190.

VII.7. BIBLIOGRAFÍA

VII.7.1. ASPECTOS POLÍTICO-SOCIALES DEL SIGLO XV

BENITO RUANO, E., *Toledo en el siglo XV. Vida política*, Madrid, 1961.

HUIZINGA, J., *El otoño de la Edad Media*, Madrid, Revista de Occidente, 5ª edic., 1960.

KAMEN, H., *La inquisición española*, Barcelona, 1967.

MARAVALL, J. A., *Estado moderno y mentalidad social. Siglo XV a XVII*, Madrid, 1972.

PÉREZ, J., *L'Espagne des Rois Catholiques*, Paris, 1971.

SELKE, A., *El santo Oficio de la Inquisición*, Madrid, 1968.

SUÁREZ FERNÁNDEZ, L., *Nobleza y monarquía. Puntos de vista sobre la historia castellana del siglo XV*, Valladolid, 1959.

VICENS VIVES, J., *Juan II de Aragón (1398-1479). Monarquía y revolución en la España del siglo XV*, Barcelona, 1953.

VII.7.2. ASPECTOS HISTÓRICO-TEOLÓGICOS

ANDRÉS, M., *La teología española en el siglo XVI*, Madrid, Biblioteca de Autores Cristianos, 1976, 2 vols. El vol. I dedica una buena parte a estudiar los movimientos de reforma durante el siglo XV.

Diccionario de Historia Eclesiástica de España, Madrid, Instituto "E. Flórez", C.S.I.C., 1972-1975, 4 vols.

GONZÁLEZ NOVALÍN, J. L., *La Iglesia en la España de los siglos XV y XVI*, en *Historia de la Iglesia en España*, dirigida por Ricardo GARCÍA VILLOSLADA, Madrid, Biblioteca de Autores Cristianos, 1980, 2 vols.

Repertorio de la Historia de las Ciencias Eclesiásticas en España, Salamanca, Instituto de Historia de la Teología Española, 1967-1979, 7 vols.

VII.7.3. AMOR CORTÉS: SUS TEXTOS, SU TEMÁTICA, SU POÉTICA Y SUS ORÍGENES

ALVAR, C., *Poesía de Trovadores, Trouvères y Minnesinger. Edición bilingüe*, Antología de, Madrid, Alianza Editorial, 1981.

BEYSTERVELDT, A. van, *La poesía amatoria del siglo XV y el teatro de Juan del Encina*, Madrid, Ínsula, 1972.

BEZZOLA, R., *Les origines et la formation de la littérature courtoise en Occident (500-1200)*, Paris, 1958-1967, 5 vols.

BOASE, R., *The Origin and Meaning of Courtly Love. A Critical Study of European Scholarship*, Manchester University Press, 1977.

———, *The Trouvador Revival. A Study of Social Change and Traditionalism in Late Medieval Spain*, London, Henley and Boston, 1978. [Traduc. española, *El resurgimiento de los trovadores*, Madrid, Pegaso, 1981.]

CAPELLANUS, A., *De amore*, prólogo de Inés CREIXELL VIDAS-QUADRAS, Barcelona, El festín de Esopo, 1985.

DENOMY, A. J.,"An Inquiry to the origins of Courtly Love", *Medieval Studies,* VI (1944)175-261.

———, "Fin'amors: the Pure Love of the Trouvadours, its Amorality and Possible Source", *Medieval Studies,* VII (1945)139-207.

DRONKE, P., *Medieval Latin and the Rise of European Love-Lyric,* Oxford, University Press, 1965-1966, 2 vols.

GREEN, H. O., "Courtly Love in the Spanish Cancioneros", *Publications of the Modern Language Association of America* (1949)247-301.

GRUNDMANN, H., *Religiöse Bewegung in Mittelalter,* Darmstadt, 1961.

KOEHLER, E., *Trobadorlyrik und höfischer Roman,* Berlin, 1962.

———, *Ideal und Wirklichkeit in der höfischer Epik,* Tübingen, 1970 [Traduc. española: *La aventura caballeresca: ideal y realidad en la narrativa cortés,* Barcelona, Sirmio, 1990].

———, "Observations historiques et sociologiques sur la poésie des troubadours", *Cahiers de Civilisation Médiévale,* (1964)27-51.

LAZAR, M., *Amour courtois et Fin'amors dans la littérature du XIIe siècle,* Paris, Klincksieck, 1964.

LEWIS, C. S., *La alegoría del amor. Estudio de la tradición medieval,* traduc. española, Buenos Aires, Editorial Universitaria, 1953.

MENÉNDEZ PELÁEZ, J., *Nueva visión del amor cortés. El amor cortés a la luz de la tradición cristiana,* tesis doctoral dirigida por José Miguel CASO GONZÁLEZ, Oviedo, Universidad, 1980.

NELLI, R., *Écrivains anticonformistes du moye-âge occitan. La Femme et l'Amour,* Paris, Phébus, 1977.

RIQUER, M. de, *Los trovadores. Historia literaria y textos,* Barcelona, Planeta, 1975, 3 vols.

ROUGEMONT, D. de, *El amor y occidente,* traduc. española, Barcelona, Kairós, 1978.

SCHLOESSER, M. F., *Andreas Capellanus, seine Minnelehre und das christliche Weltbild um 1200,* Bonn, H. Bouvier und CO. Verlag, 1960.

ZUMPTOR, P., *Le masque et la lumière. La poétique des Grands Rhétoriqueurs,* Paris, Seuil, 1978.

VII.7.4. POESÍA CANCIONERIL

VII.7.4.1. Ediciones de textos

Cancionero castellano del siglo XV, edic. de FOULCHÉ-DELBOSC, R., Madrid, Nueva Biblioteca de Autores Españoles, nos. 19 y 22, 1912 y 1915.

Cancionero de Baena, edic. de J. M. AZACETA, Madrid, C.S.I.C., 1966, 3 vols.

Cancionero de Baena, edic. facsímil de H. R. LANG, Nueva York, 1926, reimp., Nueva York, Hispanic Society, 1971.

Cancionero de Estúñiga, edic. de Elena y Manuel ALVAR, Zaragoza, C.S.I.C., 1981.

Cancionero de Estúñiga, edic. de Nicasio SALVADOR MIGUEL, Madrid, Alhambra, 1987.

Cancionero de Palacio (Ms. Nº. 594), edic. de F. VENDREL DE MILLAS, Barcelona, 1945.

Le chansonnier espagnol d'Herberay des Essarts, edic. de Ch. V. AUBRUN, Burdeos, 1951.

Poetas cortesanos del siglo XV, edición de José ONRUBIA DE MENDOZA, Barcelona, Bruguera, 1975.

Poesía femenina en los cancioneros, edic. introducción y notas de Miguel Angel PÉREZ PRIEGO, Madrid, Castalia, "Instituto de la mujer", 1990.

VII.7.4.2. Estudios

ALVAR, C.-GÓMEZ MORENO, A., *La poesía lírica medieval*, Madrid, Taurus, Historia Crítica de la literatura Hispánica, n. 1, 1987.

BATTESTI PELLEGRIN, J., *Lope de Stúñiga. Recherches sur la poésie espagnole du XVe. siècle*, Universidad de Aix-en-Provence, 1982, 3 vols.

BELTRÁN, V., *La canción de amor en el otoño de la Edad Media*, Barcelona, PPU, 1988.

BLECUA, A., *La poesía del siglo XV*, Madrid, La Muralla, 1975.

CARAVAGGI. G.-WUNSTYER, M. vom-MAZZOCCHI, G.-TONINELLI, S., *Poeti cancioneriles del seculo XV*, L'Aquila, Japadre, 1985.

CLARKE, D. C., *Morphology of Fifteenth Century Castilian Verse*, Pittsburg-Lovaina, 1963.

DUTTON, B., *Catálogo-Índice de la poesía cancioneril del siglo XV*, Madison, Hispanic Seminar of Medieval Studies, 1982.

———, *El Cancionero del siglo XV (1370-c.1520)*, Salamanca, Biblioteca Española del Siglo XV, 1989, 6 vols.

LAPESA, R., "Poesía de cancionero y poesía italianizante", en *De la Edad Media a nuestros días*, Madrid, Gredos, 1971, pp. 145-171.

LÁZARO CARRETER, F., "La poética del arte mayor castellano", en *Studia hispanica in honorem R. Lapesa*, Madrid, Cátedra-Seminario Menéndez Pidal-Gredos, 1972, t. I, pp. 342-378, reimpr. en *Estudios de poética*, Madrid, Taurus, 1976, pp. 71-111.

LE GENTIL, P., *La poésie lyrique espagnole et portugaise a la fin du Moyen Âge*, Rennes, 1949-1953, 2 vols.

MENÉNDEZ PELAYO, M., *Poetas de la corte de Juan II*. Selección y prólogo de Enrique SÁNCHEZ REYES, Buenos Aires, Espasa-Calpe, "Colección Austral", n. 350, 3ª edic., 1959.

RICO, F., *Texto y contexto. Estudio sobre la poesía española del siglo XV*, Barcelona, Editorial Crítica, 1990.

SALVADOR MIGUEL, N., *La poesía cancioneril. El cancionero de Estúñiga*, Madrid, Alhambra, 1977.

STEUNOU, J-KNAPP, L., *Bibliografía de los cancioneros castellanos del siglo XV y repertorio de sus géneros poéticos*, Paris, 1975-1978, 2 vols.

WHINNOM, K., *La poesía amatoria cancioneril en la época de los Reyes Católicos*, Durham, DMLS, 1981.

VII.7.5. LOS GRANDES POETAS DEL SIGLO XV

VII.7.5.1. Marqués de Santillana

— *Ediciones de textos*

Poesías completas. I. Serranillas, cantares y decires. Sonetos fechos al itálico modo, edic. de Manuel DURÁN, Madrid, Castalia, n. 64, 1975.

Poesías completas. II. Poemas morales, políticos y religiosos. El proemio e carta, edic. de Manuel DURÁN, Madrid, Castalia, n. 94, 1980.

Poesías completas, I, edic. de Miguel Ángel PÉREZ PRIEGO, Madrid, Alhambra, 1983.

Comedieta de Ponça. Sonetos, edic. de Maximiliam P. A. M. KERKHOF, Madrid, Cátedra, 1986.

Obras completas, edic. de Ángel GÓMEZ MORENO y Maximiliam P. A. M. KERKOHF, Barcelona, Planeta, 1988.

El probemio e carta del Marqués de Santillana y la teoría literaria del siglo XV, edición, crítica, estudio y notas de Ángel GÓMEZ MORENO, Barcelona, PPU, 1990.

— *Estudios*

AZACETA, J. M., "Italia en la poesía de Santillana", *Revista de Literatura*, 3 (1953)17-54.

DURÁN, M. "Santillana y el prerrenacimiento", *Nueva Revista de Filología Hispánica*, 15 (1961)343-363.

FARINELLI, A., "La biblioteca de Santillana e l'Umanesino italo-ispanico", en *Italia e Spagna*, Turín, Bocca, t. I, 1929.

LÓPEZ BASCUÑANA, M. I., "El mundo y la cultura grecorromana en la obra del Marqués de Santillana", *Revista de Archivos, Bibliotecas y Museos*, (1980)271-320.

LAPESA, R., *La obra literaria del Marqués de Santillana*, Madrid, Ínsula, 1957.

———, "Las 'serranillas' del Marqués de Santillana", en *El comentario de textos. La poesía medieval*, Madrid, Castalia, 1983, pp. 243-276.

PÉREZ BUSTAMANTE, R., *El Marqués de Santillana. Biografía y documentación*, Santillana del Mar, Taurus, 1983.

VII. 7.5.2. Juan de Mena

— *Edición de textos*

El Laberinto de Fortuna o Las Trescientas, edic. de José Manuel BLECUA, Madrid, Espasa-Calpe, "Clásicos Castellanos", 1943.

Laberinto de Fortuna, edic. de Louis VASVARI FAINBERG, Madrid, Alhambra, 1976.

Laberinto de Fortuna, edic. de John CUMMINS, Madrid, Cátedra, 1979.

Obra lírica, edic. de Miguel Ángel PÉREZ PRIEGO, Madrid, Alhambra, 1979.

Obras completas, edic. de Miguel Ángel PÉREZ PRIEGO, Barcelona, Planeta, 1989.

— *Estudios*

CLARKE, D. C., *Juan de Mena's Laberinto de Fortuna: Classic Epic and 'Mester de Clerecía'*, Universidad de Mississipi, 1973.

GERICKE, Ph. O., "The Narrative Structure of the 'Laberinto de Fortuna'", *Romance Philology*, 21 (1967)512-522.

LIDA DE MALKIEL, M. R., *Juan de Mena, poeta del prerrenacimiento español*, México, El Colegio de México, 1950.

PÉREZ PRIEGO, M. A., "De Dante a Juan de Mena: sobre el género literario de 'comedia'", 1616. *Anuario de la Sociedad Española de Literatura General y Comparada*, 1 (1978)151-158.

VII.7.5.3. Jorge Manrique

— *Edición de textos*

Poesía, edic. de Jesús Manuel ALDA TESÁN, Madrid, Cátedra, 1976.

Obras, edic. de Antonio SERRANO DE HARO, Madrid, Alhambra, 1986.

Poesía completa, edic. de Vicente BELTRÁN, Barcelona, Planeta, 1988.

— *Estudios*

BORELLO, R. A., "Las coplas de Jorge Manrique: estructura y fuentes", *Cuadernos de Filología*, 1 (1967)49-72.

CARRIÓN GUTIEZ, M., *Bibliografía de Jorge Manrique (1479-1979)*, Palencia, Diputación Provincial, 1979.

CASTRO, A., "Cristianismo, Islam, poesía en Jorge Manrique", *Papeles de Son Armadans*, 9 (1958)121-140.

KRAUSE, A., "Jorge Manrique and the Cult of Death in the Cuatrocientos", *Publications of the University of California at Los Angeles in Languages and Literatures*, 1, Berkeley, 1937, pp. 79-136.

MARTÍN BARRIOS, J., *Coplas a la muerte de su padre*, Madrid-Barcelona, Ediciones Daimon, "Claves para la lectura", 1986.

ORDUNA, G., "Las 'Coplas' de Jorge Manrique y el triunfo sobre la muerte: estructura e intencionalidad", *Romanische Forschungen*, 79 (1967) 139-151.

SALINAS, P., *Jorge Manrique o tradición y originalidad*, Buenos Aires, Editorial Sudamericana, 1947, reimpr. en Barcelona, Seix Barral, 1973.

SERRANO DE HARO, A., *Personalidad y destino de Jorge Manrique*, Madrid, Gredos, 1966.

VII.7.6. EL ROMANCERO

— *Ediciones de textos*

Romances viejos castellanos (primavera y flor de romances) publicada con una introducción y notas por Fernando José WOLF y Conrado HOFMANN, segunda edición corregida y adicionada por Marcelino Menéndez Pelayo, en MENÉNDEZ PELAYO, M., *Antología de Poetas líricos castellanos*, Santander, C.S.I.C., 1945, t. VIII.

Romancero tradicional de las lenguas hispánicas (español-portugués-catalán-sefardí), edic. de Ramón MENÉNDEZ PIDAL, labor continuada por el "Seminario Menéndez Pidal", Madrid, Gredos-Seminario Menéndez Pidal, a partir de 1957, varios vols.

El Romancero, edic. de Giuseppe DI STEFANO, Madrid, Narcea, 1973.

El Romancero viejo, edic. de Mercedes DÍAZ ROIG, Madrid, Cátedra, 1976.

El Romancero hoy. I, Nuevas Fronteras; II, Poética; III, Historia, comparatismo, bibliografía crítica, Madrid, Seminario Menéndez Pidal, 1979, 3 vols.

Romancero viejo y tradicional, edic. de Manuel ALVAR, México, Porrúa, 1979.

Romancero, edic. de Michelle DEBAX, Madrid, Alhambra, 1982.

El Romancero hispánico, edic. de Álvaro GALMÉS DE FUENTES, León, Everest, 1989.

— *Estudios Bibliográficos*

RODRÍGUEZ-MOÑINO, A., *Manual bibliográfico de Cancioneros y Romanceros (siglo XVI)*, Madrid, Castalia, 1973-1978, 2 vols.

ARMISTEAD, S., y otros, *El Romancero judeo-español en el Archivo Menéndez Pidal (Catálogo-Índice de romances y canciones)*, Madrid, Seminario Menéndez Pidal, 1978, 3 vols.

SÁNCHEZ ROMERALO, A.-PETERSEN, S. H.-ARMISTEAD, S. G., *Bibliografía del romancero oral*, Madrid, Seminario Menéndez Pidal, 1980.

CATALÁN, D., y otros, *Catálogo General del Romancero*, Madrid, Seminario Menéndez Pidal, 1982-1984, 3 vols.

ARMISTEAD, S. G., "Bibliografía del romancero (1985-1987)", en *El Romancero. Tradición y pervivencia a fines del siglo XX. Actas del IV Coloquio Internacional del Romancero*, Sevilla-Cádiz, Fundación Machado-Universidad de Cádiz, 1989, pp. 749-789.

— *Estudios críticos*

ALVAR, M., "Trabajos actuales sobre el Romancero", *La Corónica*, 15 (1986-87)240-246.

CATALÁN, D., *Siete siglos de Romancero (Historia y poesía)*, Madrid, Gredos, 1969.

———, *Por campos del Romancero, (Estudios sobre la tradición oral moderna)*, Madrid, Gredos, 1970.

LAPESA, R., "La lengua de la poesía épica en los cantares de gesta y en el Romancero viejo", en *De la Edad Media a nuestros días*, Madrid, Gredos, 1967, pp. 9-28.

MENÉNDEZ PIDAL, R., *Romancero hispánico (Hispano-portugués, americano y sefardí).Teoría e historia*, Madrid, Espasa-Calpe, 1953, 2 vols.

———, *Estudios sobre el Romancero*, Madrid, Espasa-Calpe, 1973.

SZERTICS, J., *Tiempo y verbo en el Romancero viejo*, Madrid, Gredos, 1967.

VII.7.7. LA PROSA DEL SIGLO XV

VII.7.7.1. Crónicas

— *Ediciones de textos*

Colección de crónicas españolas, edic. de Juan de MATA CARRIAZO, Madrid, Espasa-Calpe, 1940-1946, 9 vols.

DÍEZ DE GAMES, G., *El Victorial. Crónica de Don Pero Niño*, Madrid, Ediciones Polifemo, "Crónicas y memorias", 1989.

Prosistas castellanos del siglo XV, vol. I, edición y estudio de Mario PENNA, Madrid, Ediciones Atlas, Biblioteca de Autores Españoles, n. 116, 1959. Vol. II, edición y estudio de Fernando RUBIO, Madrid, Biblioteca de Autores Españoles, n. 171, 1964.

— *Estudios*

AA.VV., *La literature Historiographique des origines a 1500*, en G.R.L.M., Band, XI/1, Heidelberg, Carl Winter-Universitätsverlag, 1986.

TATE, R. B., *Ensayos sobre la historiografía peninsular del siglo XV*, Madrid, Gredos, 1970.

VII. 7. 7.2. Libros de viaje

— *Ediciones de textos*

Embajada a Tamorlán, edic. de Francisco LÓPEZ ESTRADA, Madrid, C.S.I.C., 1943.

Embajada a Tamorlán, prólogo, selección y versión por Francisco LÓPEZ ESTRADA, Madrid, Espasa-Calpe, "Colección Austral", n. 1104, 1952.

Libro del conosçimiento de todos los reynos e tierras e señoríos que son por el mundo..., edic. de Marcos JIMÉNEZ DE LA ESPADA, edición facsímil, Barcelona, El Albir, 1980.

TAFUR, P., *Andanças e viajes*, presentación, edición y notas de Marcos JIMÉNEZ DE LA ESPADA, 1874, edic. facsímil, Barcelona, El Albir, 1982.

Libros españoles de viajes medievales (selección), estudio preliminar, edición y notas de Joaquín RUBIO TOVAR, Madrid, Taurus, 1986. Aquí se encontrará la pertinente bibliografía sobre ediciones y estudios críticos.

— *Estudios*

FICK, B. W., *El libro de viajes en la España medieval*, Santiago de Chile, Editorial Universitaria, 1976

MEREGALLI, F., *Cronisti e viaggiatori castigliani del Quattrocento*, Milán, Instituto Editoriale Cisalpino, 1957.

LÓPEZ ESTRADA, F., "Procedimientos narrativos en la *Embajada a Tamorlán*", *El Crotalón*, I (1984)129-146.

PÉREZ PRIEGO, M. A., "Estudio literario de los libros de viajes medievales", *Epos*, I (1984)217-239.

RICHARD, J., "Le récit de voyages et de pèlerinages", en *Tipologie de sources du moyen âge occidental*, Turnhout-Belgium, Brepols, 1981.

TAYLOR, B., "Los Libros de Viajes de la Edad Media Hispánica: Bibliografía y Recepción", en *IV Congreso da Associaçao da Hispânica de Literatura Medieval*, Lisboa, Ediçones Cosmos, 1, 1991, pp. 57-70.

VII. 7. 7.3. La biografía

— *Edición de textos*

PÉREZ DE GUZMÁN, F., *Generaciones y semblanzas*, edic. de Robert B. TATE, Londres, Tamesis Books, 1965.

———, *Generaciones y semblanzas*, edic., introducción y notas de J. DOMÍNGUEZ BORDONA, Madrid, Espasa-Calpe, "Clásicos Castellanos", n. 61, 1965.

PULGAR. H. del, *Claros varones de Castilla*, edic. de Robert B. TATE, Madrid, Taurus, 1985.

VII. 7. 7.4. Prosa didáctica

• *VII. 7. 7.4.1. Enrique de Villena*

— *Ediciones de textos*

Los Doze trabajos de Hércules, edic., prólogo y notas de Margherita MORREALE, Madrid, Real Academia Española, 1958.

Tratado de la consolación, edic. de Derek C. CARR, Madrid, Espasa-Calpe, 1976.

Libro de aojamiento o fascinilogía, Tratado de la lepra y De la consolación en *Heurísticas a Villena y los tres tratados*, Madrid, Editora Nacional, "Biblioteca de Visionarios y Marginados", 1977.

Tratado de astrología atribuido a Enrique de Villena, introducción de Julio SAMSO, edición y noticia preliminar de Pedro M. CÁTEDRA, Barcelona, 1983.

— *Estudios*

COTARELO MORI, E., *Don Enrique de Villena. Su vida y obras*, Madrid, 1896.

GASCÓN VERA, E., "Nuevo retrato histórico de Enrique de Villena (1384-1434)", *Boletín de la Real Academia de la Historia*, n. 175 (1978)107-143.

———, "La quema de los libros de don Enrique de Villena: una maniobra política y antisemítica", *Bulletin of Hispanic Studies*, LVI (1979)317-324.

CÁTEDRA, P., *Sobre la vida y la obra de Enrique de Villena*, Universidad Autónoma de Barcelona, 1981.

———, "Algunas obras perdidas de Enrique de Villena con consideraciones sobre su obra y su biblioteca", *El Crotalón, (Anuario de Filología Español)*, 2 (1985)53-75.

WALSH, J. K.,-DEYERMOND, A. D., "Enrique de Villena como poeta y dramaturgo: bosquejo de una polémica frustrada", *Nueva Revista de Filología Hispánica*, XXVIII (1979)57-85.

CICERI, M., "Per Villena", *Quaderni di lingue e letterature* (Universidad de Padua), (1978-79)295-335.

• *VII. 7. 7.4.2. El Corbacho*

— *Ediciones*

Arcipreste de Talavera o Corbacho, edic. de Joaquín GONZÁLEZ MUELA, Madrid, Castalia, n. 24, 1970.

Arcipreste de Talavera o Corbacho, edic. de Michael GERLI, Madrid, Cátedra, 1987.

— *Estudios*

ALONSO, D., "El Arcipreste de Talavera a medio camino entre moralista y novelista", en *De los siglos oscuros al de Oro*, Madrid, Gredos, 1958, pp. 125-136.

GERLI, E. M., "*Ars praedicandi* and the Structure of Arcipreste de Talavera", *Hispania*, 3 (1975).

RICHHOFEN, E. von, "El 'Corbacho', las interpretaciones y la deuda de la 'Celestina'", *Homenaje a Rodríguez-Moñino*, Madrid, Castalia, 1966, vol. 2, pp. 115-120.

VII. 7. 7.5. La novela sentimental

— *Ediciones de textos*

RODRÍGUEZ DEL PADRÓN, J., *Siervo libre de amor*, edic. de Antonio PRIETO, Madrid, Castalia, n. 66, 1976.

———, *Obras completas*, edic. de César HERNÁNDEZ ALONSO, Madrid, Editora Nacional, 1982.

SAN PEDRO, Diego de, *Obras Completas, I. Tractado de amores de Arnalte y Lucenda. II. Cárcel de amor. III*, edic. de Keith WHINNOM, Madrid, Castalia, nos. 54 y 39, 1973 y 1972.

———, *Cárcel de amor*, edic. de Enrique MORENO BÁEZ, Madrid, Cátedra, 1974.

Diego de San Pedro's Carcel de amor, A Critical Edition by Ivy A. CORFIS, London, Tamesis Books, 1987.

FLORES, Juan de, *Grisel y Mirabella*, edic. de MATULKA, en *The Novels of Juan de Flores and their European diffusion*, Nueva York, 1931.

———, *Grimalte y Gradissa*, edic. de Pamela WALEY, Londres, Tamesis Books, 1972.

———, *Triunfo de Amor*, edizione critica, introduzione e note di Antonio GARGANO, Pisa, Giardini Editore e Stampatori, 1981.

— *Estudios*

CVITANOVIC, D., *La novela sentimental española*, Madrid, Prensa Española, 1973.

DEYERMOND, A. D., "Las relaciones genéricas de la ficción sentimental", en *Simposium in honorem prof. M. de Riquer*, Barcelona, Universitat de Barcelona & Quaderns Crema, 1986, pp. 75-92.

———, "El punto de vista narrativo en la ficción sentimental del siglo XV", en *Actas del I Congreso de la Asociación Hispánica de Literatura Medieval*, Santiago 1985, Barcelona, PPU, 1988, pp. 45-60.

LACARRA, M. E., "Sobre la cuestión de la autobiografía en la ficción sentimental", en *Actas del I Congreso de la Asociación Hispánica de Literatura Medieval...*, pp. 359-368.

———, "Juan de Flores y la ficción sentimental", en *IX Congreso Internacional de Hispanistas*, agosto, 1986.

LANGBEHN-ROHLAND, R., *Zur Interpretation der Romane des Diego de San Pedro*, Heidelberg, C. Winter-Universitätsverlag, 1970.

LIDA DE MALKIEL, M. R., "Juan Rodríguez del Padrón. Vida y obra", *Nueva Revista de Filología Hispánica*, VI (1952)313-351.

MARTINEZ LATRE, Mª. P., "La evolución genérica de la ficción sentimental española: un replanteamiento", *Berceo*, 116-117 (1989)7-22.

VARELA, J. L., "Revisión de la novela sentimental", *Revista de Filología Española*, XLVIII (1965)351-382.

WHINNOM, K., *The Spanish Sentimental Romance 1440-1550: A Critical Bibliography*, Research Bibliographies and Checklists, 41, London, Grant & Cutler, 1983.

VII.7.8. LA POESÍA RELIGIOSA Y SATÍRICA DEL SIGLO XV

VII.7.8.1. Poesía religiosa

ANDRÉS, M., *La teología española en el siglo XVI*, Madrid, Biblioteca de Autores Cristianos, 2 vols. El autor en el vol. I dedica una buena parte de sus páginas a analizar la situación del siglo XV

GONZÁLEZ NOVALÍN, J. L., *Historia de la Iglesia en la España de los siglos XV y XVI*, vol. III-1, en *Historia de la Iglesia en España*, bajo la dirección de Ricardo GARCÍA VILLOSLADA, Madrid, Biblioteca de Autores Cristianos, 1980.

— *Ediciones y estudios*

ÁLVAREZ PELLITERO, A. Mª., *La obra lingüística y literaria de Fray Ambrosio Montesino*, Valladolid, Universidad, 1986.

BODENS, Sor María, *The Vita Christi of Ludolphus the Cartusian*, Washinton, The Catholic University of America Press, 1944.

HAUF I VALLS, A. G., "La *Vita Christi* de Sor Isabel de Villena y la tradición de las *Vitae Christi* Medievales", en *Studia in honorem prof. M. de Riquer*, Barcelona, Edicions dels Quaderns Crema, II, 1987, pp. 105-164.

MOLINER, J. M., *Espiritualidad Medieval. Los mendicantes*, Burgos, El Monte Carmelo, 1974.

PADILLA, Juan de, *Los doce triunfos de los doce apóstoles*, edic. de E. NORTI GUALDANI, Messina, Firenze, Casa Editrice d'Anna, 1975.

RODRÍGUEZ PUÉRTOLAS, J., *Fray Íñigo de Mendoza y su "Coplas de Vita Christi"*, Madrid, Gredos, 1968.

SÁINZ RODRÍGUEZ, P., *La siembra mística del Cardenal Cisneros y las Reformas en la Iglesia*, Madrid-Salamanca, Universidad Pontificia de Salamanca y Fundación Universitaria, 1979.

———, *Antología de la Literatura Espiritual Española, I. Edad Media*, Madrid-Salamanca, Universidad Pontificia de Salamanca y Fundación Universitaria Española, 1980.

WHINNOM, K.,"The Supposed Sources of Inspiration of Spanish Fifteenth-Century Narrative Religious Verse", *Symposium* (1963)268-291.

VII.7.8.2. Poesía satírica de naturaleza política y social

— *Textos y estudios*

CICERI, M., "Las *Coplas de Provincial*", *Cultura Neolatina*, XXXV (1975)39-210.

———, "Le *Coplas de Mingo Revulgo*", *Cultura Neolatina*, XXVIII (1977)74-149.

CLARK, J. M., "The Dance of Death in Medieval Literature. Some Recent Theories of its Origin", *Modern Language Review*, 45 (1950)336-345.

DEYERMOND, A. D., "El ambiente social e intelectual de la *Danza de la muerte*", en *Actas del II Congreso Internacional de Hispanistas*, El Colegio de México, 1970, pp. 267-276.

ELIA, P., *Coplas hechas sobre la batalla de Olmedo que llaman las de la Panadera*, edic. de, Universidad de Verona, 1982.

GUGLIELMI, N., "Los elementos satíricos en las *Coplas de la panadera*", *Filología*, XIV (1970)49-104.

GENNERO, M., "Elementos franciscanos en las *Danzas de la muerte*", *Boletín del Instituto Caro y Cuervo*, 29 (1974).

MORREALE, M., *Para una antología de la literatura castellana medieval: La Danza de la Muerte*, Bari, 1963.

OWST, G. R., *Literature and Pulpit in Medieval England*, Oxford, Basil Blackwell, 1966.

RODRÍGUEZ PUÉRTOLAS, J.,"Sobre el autor de las *Coplas de Mingo Revulgo*", en *Homenaje a Rodríguez Moñino*, Madrid, Castalia, 1966, t. II, pp. 131-142.

ROSENFELD, H., *Der mittelalterliche Totentanz*, Münster-Colonia, 1952.

SAUGNIEUX, J., *Les danses macabres de France et d'Espagne et leurs prolongements littéraires*, Paris, Les Belles Lettres, 1972.

SCHOLBERG, K. R., *Sátira e invectiva en la España medieval*, Madrid, Gredos, 1971.

SEELMAN, W., "Die Totentänze des Mittelalters", *Jahrbuch des Vereins für niederdeutsche Sprache*, 17 (1982)1-80.

SOLA-SOLÉ, J. M., "El rabí y el Alfaquí en la *Dança general de la muerte*", *Romance Philology*, XVIII (1965)272-283.

———, "En torno a la *Dança General de la Muerte*", *Hispanic Review*, XXXVI, n. 4 (1968)303-327.

STAMMLER, W., *Die Totentänzen des Mittelalters*, München, C. Hanser, 1949.

WHYTE, F., *The Dance of Death in Spain and Catalonia*, Baltimore, Waverly Press, 1931.

VII.7.10. TEATRO EN EL SIGLO XV

— *Textos y estudios*

Han de tenerse muy en cuenta tanto los estudios críticos como las antologías de textos de teatro medieval, referencias bibliográficas hechas al estudiar el tema de "Teatro medieval castellano: El problema de los orígenes"; a ellas remitimos para evitar repeticiones. Tan sólo aludimos a aquellos trabajos específicamente referidos a los textos estudiados en esta sección:

ÁLVAREZ PELLITERO, A. Mª, "Del *Officium pastorum* al auto pastoril", *Ínsula*, n. 527, noviembre (1990)17-18.

———, "Un Auto pastoril navideño del siglo XV: las 'Coplas pastoriles' de Fray Íñigo de Mendoza", en *Actas del III Congreso de la Asociación Hispánica de Literatura Medieval* [1989], en curso de publicación.

AMICOLA, J., "El *Auto de la huida a Egipto*, drama anónimo del siglo XV", *Filología*, XV (1971)1-29.

ASENSIO, E., "De los momos cortesanos a los autos caballerescos de Gil Vicente", *Estudios portugueses*, II, Paris, Centro Cultural Portugués, 1974.

Auto de la huida a Egipto, edic. de Justo GARCÍA MORALES, Madrid, Joyas Bibliográficas, II, Madrid, 1948.

BLECUA, A., "La *Égloga* de Francisco de Madrid en un nuevo manuscrito del siglo XVI", en *Serta Philologica F. Lázaro Carreter*, II, Madrid, 1983, pp. 39-66.

———, "Sobre el *Auto de la Pasión*", *Homenaje a Eugenio Asensio*, Madrid, Gredos, 1989, pp. 79-112.

Diálogo entre el amor y un viejo, edic. de Elisa RAGONE, Florencia, Le Mounier, 1961.

GILLET, J. E., "*Égloga* hecha por Francisco de Madrid (1495?)", *Hispanic Review*, XI (1943)275-303.

LÓPEZ ESTRADA, F., "Nueva lectura de la representación del *Nacimiento de Nuestro Señor* de Gómez Manrique", en *Atti del IV Colloquio della Société Internationale pour l'Étude du théâtre Médiévale*, Viterbo, 1983, pp. 235-256.

MACKAY, A., "Ritual and Propaganda in Fifteenth-Century Castle", *Past and Present*, 107 (1985)3-43.

MARTÍNEZ, S., "*El viejo, el amor y la hermosura*. A los umbrales del teatro profano en Castilla", *Anuario de Letras* (Facultad de Filosofía y Letras. México), XXVII (1989)127-190.

MENDOZA DÍAZ-MAROTO, F., "El Concilio de Aranda (1473) y el teatro medieval castellano en los reinos hispánicos de la Baja Edad Media", *Criticón*, 26 (1984)5-15.

PÉREZ PRIEGO, M. A., "El teatro castellano del siglo XV", *Ínsula*, n. 527, noviembre (1990)14-17.

REGUEIRO, J. M., "Rito y popularismo en el teatro antiguo español", *Romanische Forschungen*, 89 (1977)1-17.

SEVERIN, D., "La *Passión Trobada* de Diego de San Pedro y sus relaciones con el drama medieval de la Pasión", *Anuario de Estudios Medievales*, I (1964)451-470).

SHERGOLD, N. D., *A History of the Spanish Stage from Medieval Times Until the End of the Seventeenth Century*, Oxford, Claredon Press, 1967.

SHOEMAKER, W. T., "Los escenarios múltiples en el teatro español de los siglos XV y XVI", *Cuadernos del Instituto del Teatro*, 2 (1957)1-154.

STERN, Ch.,"The Early Spanish Drama: From Medieval Ritual to Renaissance Art", *Renaissance Drama*, VI (1973)177-201.

———, "The *Coplas de Mingo Revulgo* and the Early Spanish Drama", *Hispanic Review*, 44 (1976)311-332.

TORROJA MENÉNDEZ, C.-RIVAS PALA, M., "Teatro en Toledo en el siglo XV: *Auto de la Pasión* de Alonso del Campo", Madrid, *Anejo XXXV del Boletín de la Real Academia Española*, 1977.

VAREY, J. E., "A note on the Councils of the Church and Early Dramatic Spectacles in Spain", en *Medieval Studies presented to Rita Hamilton*, London, Tamesis Books, 1976, pp. 241-244.

ZIMIC, S., "El teatro religioso de Gómez Manrique (1412-1491)", *Boletín de la Real Academia Española*, Tomo LVII, Cuaderno CCXII, Septiembre-Octubre (1977)353-400.

CAPÍTULO VIII: ENTRE LA EDAD MEDIA Y EL RENACIMIENTO: LA CELESTINA

Con La Celestina *la literatura medieval española aporta uno de sus mejores logros a la literatura universal. Juntamente con el* Cantar de Mio Cid *y el* Libro de Buen Amor, La Celestina *forma parte, sin duda, de las tres grandes obras de nuestra literatura medieval. Su aparición marcará, asimismo, un hito diferenciador que sirve para segmentar la creación literaria durante la Edad Media española. Con ella concluye una época literaria y se inaugura una nueva. Esta función de bisagra, que sirve de unión entre lo viejo medieval y lo nuevo renacentista, será una de las notas que el lector ha de tener en cuenta al acercarse a* La Celestina. *Pocas obras en la literatura española tuvieron esta función de servir de transición entre dos épocas. De esta manera,* La Celestina *marcará, pues, el fin de la Edad Media y anunciará la nueva época renacentista.*

VIII.1. PRIMERAS EDICIONES, AUTORÍA Y PROCESO FORMATIVO

Una gran parte de las contribuciones críticas sobre *La Celestina* se refieren al epígrafe con que enunciamos este apartado. Desde Juan de Valdés, en el siglo XVI, hasta las más modernas ediciones críticas, el tema de la autoría y el proceso formativo estarán, directa o indirectamente, presentes en toda la historia crítica sobre la obra. Un problema quizás insoluble, a modo de enigma, que, como tal, se presenta provocador y, a la vez, invita —o más bien obliga— al crítico, que inicia cualquier tipo de investigación sobre *La Celestina*, a que ofrezca, en primer lugar, a modo de manifiesto especulativo, sus propias convicciones sobre el tema. Trataremos, en principio, de presentar los principales datos que ofrecen las primeras ediciones de la obra, punto de partida objetivo para toda ulterior explicación sobre los distintos problemas de crítica textual que la obra plantea.

Edición de 1499.- La que se considera primera edición, hoy existente, fue impresa en Burgos en 1499. Se trata de un ejemplar único, carente de título por estar mutilado el ejemplar en sus páginas iniciales y finales, por lo que el texto comienza directamente con el argumento del acto I. Contiene sólo 16 actos.

Ediciones de 1500 y 1501.- El éxito de la primera edición parece haber sido tal que rápidamente aparecieron nuevas ediciones bajo el título de *Comedia de Calisto y Melibea* —denominación genérica que se supone tuvo la edición *princeps* de 1499— con progresivas modificaciones que van a convertir el tema de la autoría y el proceso formativo de la obra en uno de los problemas críticos más apasionantes de la literatura española. Sin entrar en detalles minuciosos, los principales rasgos que ofrecen estas ediciones son los siguientes. Dos nuevas ediciones de *La Celestina* aparecen, una en Toledo (1500) y otra en Sevilla (1501); las dos están estructuradas en 16 actos, como la edición de 1499, pero con dos notables añadidos: un prólogo bajo el título de "El autor a un su amigo",

Portada de La Celestina. Edición de 1500

unas octavas acrósticas, cuyas primeras letras declaran EL BACHJLLER FERNANDO DE ROJAS ACABÓ LA COMEDIA DE CALISTO Y MELIBEA Y FUE NASCJDO EN LA PUEBLA DE MONTALBÁN, y unas coplas en las que Alonso de Proaza, corrector de la obra, ofrece algunas claves de lectura. En dicho prólogo, Fernando de Rojas explica que se encontró con una breve historia de amor, de autor anónimo, atribuible, según unos, a Juan de Mena, o a Rodrigo Cota, según otros. Aunque jurista por profesión, Fernando de Rojas decidió continuar aquella historia, tarea que consigue, según propia confesión, durante unos quince días de vacaciones. ¿Sinceridad? ¿Tópico de la falsa humildad?

Ediciones de 1502 (Salamanca, Toledo y tres en Sevilla).- En cuatro de estas ediciones aparece ya el título bajo la denominación genérica de *Tragicomedia de Calisto y Melibea*, un cambio quizás intencionado que pone de manifiesto el nuevo carácter trágico-cómico de la obra. Los nuevos añadidos que singularizan esta tercera fase en el proceso formativo de la obra como "tragicomedia" son, entre otros, un nuevo prólogo en el que el autor explica que tuvo que "meter segunda vez la pluma" para dar cumplida satisfacción a muchos lectores que "querían se alargasse en el processo de su deleyte destos amantes". De esta manera, quedan justificados los nuevos cinco actos, conocidos globalmente bajo la designación de "Tratado de Centurio", que el autor añade a los 16 de que constaba la "Comedia" original. Asimismo, estas ediciones contienen un "explicit" en el que "Concluye el autor aplicando la obra al propósito por que la acabó", unos versos de clara orientación didáctico-moral. Esta última fase de la génesis de la obra comportaba, además, numerosas interpolaciones y modificaciones de los 16 actos iniciales.

Éstas son, en resumen, las progresivas modificaciones que fue experimentando la obra en aquellas primeras ediciones que marcan el proceso formativo del texto crítico. A partir de estos datos surge la pregunta: ¿Quién es el autor de *La Celestina* tal y como ha llegado hasta nosotros? ¿Un solo autor? ¿Varios autores? El pluralismo explicativo podemos resumirlo en dos opciones:

Un único autor en tres fases: Desde el siglo XVIII varios críticos vinieron defendiendo la unicidad de autor; Leandro Fernández de Moratín y Blanco White, por ejemplo, fueron estudiosos que difundieron, entre la crítica neoclásica y romántica, la unidad de autoría en *La Celestina*. Esta hipótesis fue acogida con gran entusiasmo por Menéndez Pelayo, por lo que se hizo general entre la mayoría de los medievalistas de aquella época; la unidad de autor salvaguardaba el valor artístico que se pretendía subrayar. El autor de la obra, en su totalidad, sería Fernando de Rojas; la excusa de haberse encontrado con una historia preexistente, el acto I, sería tan sólo un invento, a modo de tópico, fingimiento común a otros géneros literarios, para justificar, de esta manera, su autoría sobre el resto de la obra, una actitud propia de un escritor principiante que desea justificarse ante el público. Ese autor, Fernando de Rojas, reelaboraría su obra en tres fases dentro del proceso formativo, con lo que las diferencias de fuentes y de estilo se deberían no a una pluralidad de autores, sino a la creación pluriforme de un solo y único autor, que, en su madurez, vuelve sobre una obra de juventud. Esta diferencia temporal en la génesis de la obra, dentro de la perspectiva de un solo autor, explicaría las diferencias señaladas[1].

Dos autores: un autor anónimo y Fernando de Rojas: La doble autoría había sido tesis generalizada durante el Renacimiento y el Barroco; así, por ejemplo, Juan de Valdés manifiesta sus simpatías por el "autor que la començó", aunque le desagradaba "el que la acabó". Abandonada esta hipótesis durante el paréntesis del Neoclasicismo y el Romanticismo, como ya vimos, vuelve a renacer en el primer tercio del siglo XX. La doble autoría de la obra se trata de demostrar por la diversidad de fuentes, así como por las diferencias morfosintácticas, lingüísticas y ortográficas

1 MENÉNDEZ PELAYO, M., *Orígenes de la novela*, Madrid, Nueva Biblioteca de Autores Españoles, 1910, t. III, pp. XXV-XXVI. Stephen GILMAN —en la edición inglesa de su *The Art of "La Celestina"*, The University of Wisconsin Press, Madison, 1956, Appendix A, pp. 209-211—, defiende una postura semejante; no obstante, en la traducción española de la misma obra (*La Celestina: arte y estructura*, Madrid, Taurus, 1974, p. 325) cambia de actitud.

entre el acto I y el resto de la obra. La línea de la doble autoría fue confirmada por Menéndez Pidal[2] quien, con su autoridad, orientó definitivamente la crítica textual en esta dirección. Esta línea fue seguida por varios autores[3], cuyos trabajos marcaron un hito en la historiografía crítica sobre *La Celestina*.

En resumen, se puede decir que la teoría de la doble autoría es quizás la más generalizada. Un primer autor del acto I —generalmente considerado anónimo, si bien la atribución a Juan de Mena y, más concretamente, a Rodrigo Cota tiene sus defensores— habría sido el punto de partida de la creación de Fernando de Rojas, quien, después del éxito conseguido en una primera versión (ediciones de 1499, de 1500 y 1501), se ve obligado a "meter segunda vez la pluma" (ediciones de 1502).

Los nuevos programas de procesadores de textos, con que nos sorprende cada día la informática, hacen pensar a algunos críticos que pudieran servir de valiosa ayuda a la hora de desmenuzar el texto en múltiples referentes, léxicos y morfosintácticos, que podrían desvelar, si los hubiere, el pluralismo de autores en la obra[4]. En fin, el problema sigue abierto[5], quizás insoluble, por lo que la crítica literaria nos seguirá inundando con nuevos torrentes bibliográficos.

Con todo, la autoría de Fernando de Rojas, bien de la totalidad de la obra, como pensaban algunos, bien de una parte, la más sustantiva, tesis cada vez más generalizada, parece estar fuera de duda. Él fue, pues, el autor genial que supo dar forma artística a un esbozo o historia de amor preexistente. De ahí que la crítica intente desvelar la personalidad que se esconde detrás de ese autor genial. Aunque no son excesivos los datos biográficos que de él se conocen, sí, al menos, son los suficientes para situar al texto en las coordenadas existenciales en las que vivió el autor y

---

2 MENÉNDEZ PIDAL, R., "La lengua en tiempos de los Reyes Católicos (Del retoricismo al humanismo)", *Cuadernos Hispanoamericanos*, 13 (1950)8-24.

3 CRIADO DE VAL, M., *Índice verbal de "La Celestina"*, Madrid, Anejo LXIV de la *Revista de Filología Española*, 1955; Martín de RIQUER, "Fernando de Rojas y el primer acto de *La Celestina*", *Revista de Filología Española*, XLI (1957)373-395; GONZÁLEZ OLLÉ, F, "El problema de la autoría de *La Celestina*. Nuevos datos y revisión del mismo", *Revista de Filología Española*, XLIII, (1960)439-445 (defiende la doble autoría basándose en el uso de los diminutivos); BATAILLON, M., *La Célestine selon Fernando de Rojas*, Paris, 1961; María Rosa LIDA DE MALKIEL, *La originalidad artística de La Celestina*, Buenos Aires, EUDEBA, 1962.

4 WYATT, James L., "*Celestina*, Autorship and the Computer", *Celestinesca*, XI, 2 (otoño, 1987)29-35.

5 Las últimas contribuciones críticas oscilan entre la unicidad de autor (MIGUEL MARTÍNEZ, E., "Rojas y el acto I de *La Celestina*", *Ínsula*, 497 (abril, 1988), pp. 19-20), hasta la tesis de MARCIALES, M., (edición crítica, 1985 cf. bibliografía), quien defiende una triple autoría, sin olvidar el estudio también novedoso de CANTALAPIEDRA EROSTABE, F., *Lectura semiótico-formal de "La Celestina"*, Kassel, Reichenberger (Problemata Semiotica, VIII), 1986.

sus destinatarios[6]. Habría nacido en Puebla de Montalbán (Toledo), en torno a 1476, en el seno de una familia de judeoconversos. Estudia derecho en Salamanca, donde se gradúa como bachiller; de regreso a Toledo, ejerce como abogado en Talavera de la Reina, llegando a ser alcalde de la villa, donde muere en torno a 1541.

Su condición de judeoconverso, cuyas consecuencias parece que afectaron a su propia familia, es, sin duda, la nota biográfica más relevante para buscar la significación literaria de la obra, hasta convertir esta circunstancia en la única clave de lectura dentro de la crítica desarrollada por autores como Gilman o Américo Castro[7].

VIII.2. ¿TEATRO O NOVELA?

La calificación genérica a la que pudiera pertenecer la obra es otro de los puntos críticos más problemáticos que plantea *La Celestina*. La raíz está en la naturaleza misma del texto. Su estructura esencialmente dialogada es, sin duda, el principal argumento para calificarla como obra dramática. Fue esta una consideración generalizada a lo largo del Renacimiento y del Barroco; la estética neoclásica, sin embargo, al no encontrar, dentro de su teoría literaria, una casilla en la que pudiera entrar, la califica de "novela dramática", tesis sostenida por Leandro Fernández de Moratín[8]; desde esta perspectiva, las denominaciones genéricas de "comedia" y de "tragicomedia", que forman parte de los títulos con los que el autor o autores van designando progresivamente su obra, denominaciones que pudieran ser a primera vista indicios referenciales a su naturaleza dramática, no serían tales, ya que no se refieren a la naturaleza del género, sino a la naturaleza de la acción que gira en torno a dos núcleos: lo cómico y lo trágico. Las dificultades para considerar a *La Celestina* obra teatral se basaban, asimismo, en la excesiva extensión textual, lo que, sin duda, habría supuesto un gran obstáculo en caso de ser llevada a la escena. Por estas y otras razones, el compilador-editor del volumen de la "Biblioteca de Autores Españoles" dedicado a los *Novelistas anteriores a Cervantes* incluye en sus páginas a *La Celestina*[9].

---

6 Destacan, en este sentido, las contribuciones críticas de GILMAN, S., *La España de Rojas*, traduc. española, Madrid, Taurus, 1978; Idem, "A Generation of Conversos", *Romance Philology*, (1979-1980) 87-101.

7 CASTRO, A., *La Celestina como contienda literaria (castas y casticismos)*, Madrid, Revista de Occidente, 1965.

8 FERNÁNDEZ DE MORATÍN, L., *Orígenes del teatro español*, Madrid, Real Academia de la Historia, 1830, p. 88.

9 En la crítica actual no faltan autores, como A. Deyermond, que, al hablar de *La Celestina*, la califican de "primera novela española" o, incluso, "primera novela europea" (*Historia y Crítica de la Literatura Española. Edad Media*, Barcelona, Editorial Crítica, 1979, p. 485).

Sin embargo, la consideración de "novela dramática" presenta contradicciones terminológicas palpables, como ya puso de manifiesto Menéndez Pelayo[10]. El género novela hace referencia a lo narrativo, mientras el drama parte prioritariamente de la acción. *La Celestina* desconoce prácticamente los discursos narrativos; sin embargo, el realismo de la acción de cada uno de los personajes, situados en su propio entorno, marcó un hito en la configuración de la narrativa posterior. Esta real o aparente contradicción, en la que parece haber caído Menéndez Pelayo, siguió alimentando la confusión entre los críticos. Se trataría de una obra dramática —teatro, por tanto—, que sirvió de ejemplo de observación para la narrativa posterior.

Lida de Malkiel en su magistral obra, ya citada, toma decididamente partido a favor de la calificación dramática de la obra. Ni su larga extensión textual, ni su presunta obscenidad podrían considerarse obstáculos para su calificación como obra dramática. El teatro, tanto el de los Siglos de Oro como el actual, sobrepasa con creces estas características.

La Celestina representa, pues, un género atípico de difícil clasificación dentro de los moldes de la poética clásica. De ahí la designación de obra "agenérica" a la que llega Gilman[11]. Un cierto hibridismo genérico parece observarse. Determinadas características narrativas, como la notificación directa y minuciosa de la realidad, así como el tratamiento del tiempo literario, más bien narrativo que dramático, se mezclan con el carácter dialógico de la acción dramática.

El carácter dramático de la obra no significa que el autor o sus primeros destinatarios hayan pensado en su escenificación. *La Celestina* no fue escrita para ser representada, sino para ser leída, característica esta que enlaza con la comedia humanística, género en el que hunde sus raíces la obra de Fernando de Rojas. El testimonio textual de una de las estrofas de Alonso de Proaza es, a nuestro juicio, determinante: un teatro leído en el que la voz y el gesto serían los códigos y registros para dar vida escénica a un texto dramático: "Si amas y quieres a mucha atención/ leyendo a Calisto mover los oyentes,/ cumple que sepas hablar entre dientes,/ a veces con gozo, esperanza y pasión,/ a veces airado con gran turbación./ Finge leyendo mil artes y modos, pregunta y responde por boca de todos,/ llorando y riendo en tiempo y sazón"[12].

---

10 MENÉNDEZ PELAYO, M., *Orígenes de la novela...*, pp. II-III.

11 GILMAN, S., "El tiempo y el género literario en *La Celestina*", *Revista de Filología Hispánica*, VII (1945)147-159.

12 Edic. de Peter E. RUSSELL, Madrid, Castalia, 1991, pp. 613-614.

VIII.3. DE LA COMEDIA HUMANÍSTICA A LA CELESTINA

Todas las obras cumbres de la literatura universal —*La Celestina* es una de ellas—, junto con el sello de originalidad de sus autores, se muestran deudoras a toda una cadena de fuentes y préstamos, dentro del concepto de originalidad y autoría de la creación medieval, que confluyen y se unifican en una nueva creación artística, gracias al genio de su autor. La originalidad individualizadora no está reñida con esta dependencia de fuentes y raíces literarias que una determinada orientación crítica, muy del gusto de cierta opción metodológica en literatura medieval, gusta de desvelar. Una mera ojeada a la bibliografía celestinesca nos muestra, a través de los simples enunciados de los trabajos, la importancia que la investigación concedió a este capítulo en la crítica literaria sobre *La Celestina.*

Como punto de partida, en líneas generales, se debe admitir con Menéndez Pelayo[13] que "los orígenes de *La Celestina* no son populares sino literarios". Son, pues, las leyes de la estética culta (una vez más nos encontramos con categorías próximas a la *Kunstpoesie*) aquellas que el autor o autores tuvieron presentes a la hora de elevar a categoría artística su creación literaria. Por tanto, la filiación erudita, en torno a posibles círculos universitarios, a modo de tertulias literarias, será el telón de fondo estético que subyace en la creación artística de *La Celestina.* Estos préstamos eruditos, estudiados minuciosamente en varios trabajos[14], están localizados tanto en la literatura castellana medieval (Diego de San Pedro, Hernando del Pulgar, Íñigo de Mendoza), como, sobre todo, en fuentes próximas, directa o indirectamente, a la literatura clásica, conocidas por el autor o autores, a través de florilegios[15], cartas y comedias de amor. No se trata tanto de tener un conocimiento individualizado de cada uno de aquellos autores, cuyos escritos dejaron su impronta, a través de préstamos léxicos o sentencias, cuanto de conocer la tradición literaria más próxima, en la que se encuentra inmersa la obra de Rojas. Esa corriente literaria, que bien pudiera ser tipificada como género literario, fue la *comedia humanística*, cuya tipología fue señalada por Lida de Malkiel[16] en las siguientes notas: incide con frecuencia en el tema del amor ilícito, sobre un telón de fondo de fuerte realismo existencial, dentro del marco

13 MENÉNDEZ PELAYO, M., *Orígenes de la novela*, edic. cit., p. LXXXI.

14 CASTRO GUISASOLA, F., *Observaciones sobre las fuentes literarias de La Celestina*, Madrid, Anejo V de la Revista de Filología Española, 1924; DEYERMOND, A. D., *The Petrarchan sources of "La Celestina"*, Oxford University Press, Londres, 1961.

15 RUSSEL, P. E., "Discordia universal: *La Celestina* como 'Floresta de philosophos'", *Ínsula*, 497 (abril, 1988), pp. 1-3.

16 LIDA DE MALKIEL, M. R., *La originalidad...*, pp. 37-50.

urbano; está destinada a la lectura privada; su estructura está dividida en actos, al margen de las reglas de las tres unidades; gusta de la diversidad escénica y de la variedad de personajes, a los que el autor caracteriza con gran profusión de registros estilísticos.

Sin negar que tal caracterización tipológica adolezca de una cierta preocupación en la ilustre investigadora por buscar las coincidencias con *La Celestina*, por lo que pudiera haber olvidado otros rasgos pertinentes al grupo genérico, lo cierto es que su análisis resulta revelador e ineludible a la hora de conocer la tradición literaria en la que se inserta la obra que estudiamos.

La "comedia humanística" está, pues, en la génesis de *La Celestina*. Se trata de un subgénero dramático, cuyo nacimiento y desarrollo hay que relacionar con el resurgimiento que, a lo largo de la Edad Media alcanzan las comedias latinas de Plauto y Terencio —una tradición que nunca fue interrumpida, como ya señalamos al explicar los orígenes del teatro medieval—. La comedia de los autores latinos citados se basaba también en un caso de amor ("fabula amoris"), cuyo desarrollo tenía en la intriga su principal recurso dramático. Esta tradición o corriente literaria hará surgir, primeramente, la llamada "comedia elegíaca", que prolifera en la literatura latina medieval a lo largo de los siglos XII y XIII, principalmente en Francia e Italia. Este resurgimiento de un teatro a la manera latina de Plauto y Terencio se impondrá en la Italia del *quattrocento*, dando lugar a la "comedia humanística". Determinados círculos universitarios españoles conocían esta moda literaria que procedía de Italia; algunas de aquellas comedias humanísticas circulaban impresas entre los humanistas españoles. El autor o autores de *La Celestina* conocían esta tradición latina y, sin duda, intentaron hacer algo semejante en su creación castellana. Plauto y Terencio están, pues, en el origen literario de la obra de Fernando de Rojas; por eso en una de las octavas acrósticas el autor alude a su creación y la denomina "terenciana obra".

VIII.4. LA CELESTINA, OBRA DRAMÁTICA

Si en su origen *La Celestina* estaba orientada a ser una comedia humanística, las sucesivas ampliaciones, retoques y modificaciones que sufrió a lo largo de su proceso formativo la convierten en una obra esencialmente dramática, dominada por el diálogo y la acción, con unos personajes, concebidos dramáticamente, a los que se les sitúa, asimismo, en un tiempo y en un espacio sustancialmente dramáticos.

El *diálogo* caracteriza la estructura externa de la obra; todo el discurso dramático gira en torno al binomio yo/tú, tanto en el nivel textual como en los referentes extralingüísticos (ademanes, gestos, tono, voz)[17].

---

17 GILMAN, S., *La Celestina: arte y estructura...*, pp. 37-56.

La misma guía de recitación ofrecida por Alonso de Proaza, en una de sus octavas, acentúa el valor dialógico de los componentes extratextuales señalados.

El *tiempo* está estructurado dentro de una economía dramática, si bien al margen de los límites programados por la poética clásica. Dos unidades temporales configuran el desarrollo del pluralismo de las distintas acciones dramáticas[18]. El "tiempo explícito", de acción continua, ocupa tan sólo unos cuatro días, desde que se inicia la acción principal en el acto I hasta el desenlace final; sin embargo, simultáneamente, la acción o acciones dramáticas remiten, en determinados momentos (por ejemplo, el final del acto I con el resto de la *Comedia*, y entre el final del acto XV y el principio del acto XVI), a un "tiempo implícito", segmentos temporales necesarios, como señala Ruiz Ramón, "tanto para el desarrollo verosímil de la acción dramática como de los caracteres de los personajes".

La *acción*, aunque plural, mantiene su tensión dramática a lo largo de toda la obra, según la sentencia con que se inicia el acto I: "Todo se realiza a modo de contienda". Podemos distinguir tres momentos básicos en el desarrollo de la acción dramática:

Planteamiento: El encuentro inicial de los amantes.- Dejando de lado determinadas filiaciones literarias que pudieran darse cita intertextual en esta primera parte (por ejemplo, la tradición del amor cortés, el tema literario del halcón o, si fue una iglesia y no un huerto, el lugar escénico de este primer encuentro[19]), lo importante, desde la perspectiva dramática, es el rechazo que sufre Calisto en sus pretensiones. Corresponde, pues, al planteamiento de la acción dramática. ¿Alcanzará Calisto su propósito? ¿Sucumbirá Melibea? ¿Qué artimañas utilizará el fogoso amante?

Desarrollo: Calisto, protagonista principal en estos primeros momentos, cae enfermo de amor, viejo tópico de la literatura amorosa. Nuevos personajes entran en acción: los criados, Sempronio y Pármeno. Su función es ayudar a que su amo consiga poseer a Melibea, núcleo de la acción principal, a la vez que ellos obtengan el máximo provecho; para ello requieren la ayuda de Celestina, que servirá de medianera para que Calisto consiga su objetivo: la conquista y disfrute de la joven hidalga. La mucha sabiduría práctica de la vieja alcahueta en las artes amatorias pronto entra en juego; su único objetivo es el interés que pueda sacar de alimentar la lujuria de un joven adinerado, como lo era Calisto. Comienza su trabajo. Una visita a casa de Melibea bajo pretexto de ofrecerle las últimas novedades en el arte de coser y bordar. Celestina, buena conocedora de la sicología femenina, consigue vencer la inicial negativa de

18 GILMAN, S., o. c., pp. 208-220; RUIZ RAMÓN, F., *Historia del teatro español...*, pp. 60-63.

19 RIQUER, Martín de, "Fernando de Rojas y el primer acto..."

la doncella, recurriendo a una sutil estratagema. Le dice que Calisto sufre un fuerte dolor de muelas que ella pueda aliviar, si le envía algún objeto personal; bajo el velo de la caridad y la compasión accede a enviarle el cordón que lleva a su cintura. Primera gran claudicación de Melibea.

Toda la acción de la obra está marcada por la sentencia inicial del acto I: "omnia secundum litem fiunt"; esta lucha o contienda adquiere estructuras dualistas de naturaleza antagónica. La vieja alcahueta con sus artes mágicas[20] y su mucha experiencia conseguirá conducir, también dramáticamente, todo el devenir de las distintas acciones confluyentes en la relación Calisto-Melibea. La lujuria o loco amor, la avaricia y el egoísmo, móviles de la acción de los diversos personajes, alimentan el trasfondo ético-moral de sus comportamientos. Las distintas situaciones escénicas en las que el autor sitúa a los personajes no hacen más que explicitar y elevar a la categoría existencial aquellos núcleos temáticos. La alcahueta es la gran maestra del arte de enseñar a fornicar; todos sus parlamentos constituyen el sociolecto para una retórica prostibularia; todo con un solo y único propósito: sacar el máximo interés material de este magisterio.

La acción dramática, prioritariamente literaria, tiene un fuerte soporte de realismo social que hace que la obra tenga la verosimilitud necesaria para mantener el interés en el seguimiento de una cierta intriga. Sin estas conexiones con el mundo social de la época[21], la obra quedaría convertida en una aséptica literatura de ficción, desconocida en la creación literaria medieval. Las tensiones dramáticas se corresponden con determinadas tensiones sociales y estamentales[22] a las que remite el texto literario. Literatura y sociedad no es binomio excluyente. La literatura es, por definición, ficción; sin embargo, esta ficción se apoya en una determinada concepción de la vida (*Weltanschauung*) y de la sociedad en la que viven el autor y sus destinatarios. En este sentido, *La Celestina* sigue las mismas leyes de la creación artística que ya vimos al estudiar el *Cantar de Mio Cid*, el *Libro de Buen Amor* o la novela sentimental.

---

20 La magia y la superstición adquieren categoría sapiencial en el "modus operandi" de "Celestina" (véase, RUSSEL, P. E., "La magia como tema integral de la *Tragicomedia de Calisto y Melibea*", en *Studia philologia. Homenaje a Dámaso Alonso*, Gredos, Madrid, 1963, t. III, pp. 337-354; también en *Temas de "La Celestina" y otros estudios*, Barcelona, Ariel, 1978, pp. 241-276 (es una versión ampliada del artículo anterior).

21 Véase, por ejemplo, el libro ya clásico de MARAVALL, J. A., *El mundo social de "La Celestina"*, Madrid, Gredos, 1976.

22 En este sentido son muy abundantes las contribuciones críticas encaminadas a esclarecer la tensión dramática proveniente, particularmente, de la condición de judío converso de Fernando de Rojas; un resumen actual del estado de la cuestión en SALVADOR MIGUEL, N., "El presunto judaísmo de *La Celestina*", en *The Age of the Catholic Monarchs, 1474-1516. Literary Studies in Memory of Keyth Whinnom*, edited by Alan Deyermond & Ian Macpherson, Liverpool University Press, 1989, pp. 162-177.

La retórica de Celestina, el personaje mejor caracterizado de toda la obra, consigue que la inicial —aparente o real— frialdad de Melibea se convierta en apasionado deseo de encuentro amoroso, que tendrá su realización y cumplimiento en el acto XIV; Calisto ha conseguido satisfacer su deseo, y Melibea ha perdido también "el nombre en corona de virgen". La función dramática de la alcahueta ya no es necesaria, como tampoco lo serán sus criados, Pármeno y Sempronio. Su final tiene una clara lectura de ejemplaridad ético-moral: los criados asesinan a la vieja y, a su vez, ellos serán ajusticiados en la plaza pública.

En las ediciones primeras de la "Comedia" la obra terminaba en este momento de la acción dramática con la muerte de los protagonistas; la "Tragicomedia" de la versión definitiva, con sus nuevos cinco actos, prolonga los encuentros amorosos durante un mes para satisfacer la curiosidad de aquellos que piden al autor "alargasse el processo de su deleyte".

Desenlace: Los cinco nuevos actos añadidos tienen una muy definida orientación moralizante: una conducta dominada por la lujuria y la avaricia lleva a sus protagonistas a su propia destrucción. De ahí que el autor recree acontecimientos anteriores (muerte de Celestina, de Pármeno y de Sempronio). Acentuará el carácter lujurioso de la relación entre Calisto y Melibea; se describe la nueva actitud de la joven, presa ahora de la pasión amorosa; la segunda cita en el huerto, en claro contraste con la inicial, marca el cenit del goce amoroso, a través de diálogos entre los protagonistas, obsesionados por el simple goce sexual, que les llevará, asimismo, a su propia destrucción. Muerte casual de Calisto, al descender por la escalera en ayuda de sus criados, y suicidio posterior de Melibea. Finalmente, los parlamentos entre Pleberio y Alisa, padres de la muchacha, acentuarán los referentes didáctico-morales que adquiere la obra en su versión definitiva como "Tragicomedia".

VIII.5. SIGNIFICACIÓN DE LA OBRA: LA CELESTINA A LA LUZ DEL AMOR CORTÉS

Son frecuentes en *La Celestina* las unidades de significación literaria que remiten a los códigos del amor cortés, una cultura literaria, nacida, como ya vimos, en Provenza durante el siglo XII, que se expande por toda Europa, infeccionando la creación literaria de las distintas literaturas.

En nuestra Península, al margen de la impronta en la lírica gallego-portuguesa ("cantigas de amor") y en otros poemas (por ejemplo, la *Razón feyta d'amor*), la así llamada "castellanización del amor cortés" tiene lugar a lo largo del siglo XV (poesía cancioneril, novela sentimental...). Se trataba de una moda literaria, como ya indicamos en otro lugar, en oposición directa a los contenidos y postulados de la cultura tradicional cristiana.

Pues bien, *La Celestina* remite a esta cultura en múltiples referentes textuales, particularmente desde una posición crítica, con el fin de remediar las desviaciones morales que de ella se derivan. Ya en la carta de "El autor a un su amigo" justifica su obra para ayudar a "la muchedumbre de galanes y enamorados mancebos". Su finalidad didáctica se recuerda y explicita en los prólogos y estrofas que preceden o siguen al texto propiamente dramático[23]. Un didactismo que recuerda la misma actitud de don Juan Manuel en su prólogo a *El Conde Lucanor* en un juego estético entre lo útil y lo dulce. El símil del hígado enfermo, que se cura introduciendo la amarga medicina en un pastel, se recrea, asimismo, en *La Celestina*:

"Como el doliente que píldora amarga
o la recela, o no puede tragar,
métela dentro de dulce manjar,
engáñase el gusto, la salud se alarga;
de esta manera mi pluma se embarga,
imponiendo dichos lascivos, rientes,
atrae a los oídos de penadas gentes;
de grado escarmientan y arrojan su carga"[24].

El autor de *La Celestina* parece estar obsesionado con la finalidad e intencionalidad de su obra. Una actitud que vimos en el autor de otra de las grandes obras de nuestra literatura Medieval: *El Libro de Buen Amor*, cuyo autor teme que sus ejemplificaciones puedan inducir a algunos a pecar, cuando él sólo pretende luchar y prevenir contra el loco amor. El autor de *La Celestina* insiste también en esta dimensión de su creación:

"Buscad bien el fin de aquesto que escribo,
o del principio leed su argumento;
leedlo [y] veréis que, aunque dulçe cuento,
amantes, que os muestra salir cativo"[25].

Esta vertiente moralizante se potencia desde otro género literario: la literatura del exemplum. La palabra "ejemplo", de innegables connotaciones genéricas ético-morales, la utiliza también el autor de *La Celes-*

---

23 También el propio texto dramático contiene innegables referencias a campos semánticos morales; véase DEYERMOND, A. D., "'¡Muerto soy! ¡Confesión!': Celestina y el arrepentimiento a última hora", *Ensayos Siebenmann* (1984)129-140.

24 Estrofa perteneciente al prólogo "El autor escusándose...", edic. de María Eugenia LACARRA, p. 98-99.

25 Ibidem, p. 98.

Damas y Celestina

tina: "Vos, los que amáis, tomad este ejemplo"[26], esto es, lo que va a contar está dotado de la función prioritaria de la ejemplaridad, con el fin de evitar que otros jóvenes sigan categorías existenciales que puedan significar para ellos su propia destrucción. Era una manera de transmitir una enseñanza moral. Esta misma orientación seguía la predicación popular, basada en la narración de un cuento del que se extraía una moraleja. El ejemplo o cuento, que en la retórica sacra culta tenía una función limitada y restringida —ya que la pericia artística la buscaba el predicador en las sucesivas divisiones y subdiviones "ad intra" y en otros recursos retóricos— en la predicación popular, sin embargo, se intensificó desde muy temprano, la tendecia recogida en el aforismo atribuido a San Ambrosio, *exempla facilius suadent quam verba*; se trataba de narraciones en las que los protagonistas, que se presentan, con frecuencia, como transgresores de una norma moral, transgresión minuciosa y detalladamente contada, son, finalmente, castigados. El IV Concilio de Letrán supuso un fuerte apoyo a esta oratoria popular; de ahí la profusión de ejemplarios utilizados por los predicadores de las llamadas órdenes mendicantes, particularmente entre los dominicos. La enseñanza moral exigía una pormenorizada descripción

26 *Ibidem*, p. 100.

de las aberraciones cometidas por los protagonistas. El realismo de estas descripciones las hacía muy atractivas para mantener la atención de un público escurridizo y poco preparado para los conceptualismos doctrinales. Este tipo de predicación parece haber sido el más generalizado entre las masas populares, una tradición que se intensifica a partir del Renacimiento y del Barroco[27], a pesar de la contrarreforma del Concilio de Trento. "Predicar el ejemplo" o "asistir al ejemplo" son expresiones familiares y cotidianas para referirse a la predicación durante los Siglos de Oro[28].

Las conexiones, desde esta perspectiva moral, entre *La Celestina* y esta corriente de la predicación popular no deben subestimarse, aunque sólo sean tangenciales y aunque no afecten al género propiamente dicho. Son códigos referenciales de naturaleza social que ayudan a comprender la función que la literatura, en sus distintos géneros, ejerce sobre una determinada época. *La Celestina*, pues, es un gran "ejemplo", del que el autor quiere que se extraiga una enseñanza; así lo recuerda en el "explicit" final que lleva por título "Concluye el autor". Subrayar las conexiones de la obra literaria con la sociedad de la época no significa, en modo alguno, negar su originalidad artística. Una vez más recordamos un aspecto que, de manera reiterativa, venimos defendiendo en nuestra manera de entender la literatura medieval: literatura y vida, arte y sociedad no constituyen, en la época medieval, un binomio dicotómico excluyente, a modo de disyunción irreconciliable, como en ocasiones se afirma. La creación artística medieval se inserta o, más bien, está al servicio de una determinada manera de entender y concebir la vida. Lejos estamos, pues, del "ars artis gratiae".

¿Qué esquemas existenciales o modas literarias, con implicaciones morales, se intenta corregir? La inmanencia textual de la dedicatoria que precede al acto I nos lo aclara. "Síguese la comedia o tragicomedia de Calisto y Melibea, compuesta en reprehensión de los locos enamorados, que, vencidos en su desordenado apetito, a sus amigas llaman y dicen ser su dios". La "gineolatría" era una de las notas caracterizadoras del amor cortés; por eso el autor nos presenta a unos protagonistas que actúan siempre bajo el signo de un amor cortés, sazonado literariamente

---

27 MOSER-RATH, E., *Predigmärlein der Barockzeit. Exempel, Sage Schwank und Fabel in geistlichen Quellen des oberdeutschen Raumes*, Berlin, Walter de Gruyter & Co., 1964.

28 La impronta de estos "ejemplos" en la creación literaria de los Siglos de Oro parece factible en determinados géneros como la picaresca (HERRERO GARCÍA, M., "Nueva interpretación de la novela picaresca", *Revista de Filología Española*, XXIV (1937)343-362); el contenido y el título de las "novelas ejemplares" de Cervantes, parece estar, según la guía de lectura que ofrece el autor en el prólogo, en relación con esta corriente muy del gusto de la predicación de los colegios jesuíticos en los siglos XVI y XVII.

ahora con el recurso de la parodia[29]. El acto I contiene numerosos préstamos literarios, tomados de aquella cultura que se pone de moda entre la nobleza castellana del siglo XV, una sociedad que intenta rememorar, de nuevo, las doctrinas de Andreas Capellanus[30]. Hacía tiempo que, en otras literaturas, esta moda había desaparecido y evolucionado hacia otras formas literarias. La literatura española cortesana la recoge a lo largo del siglo XV, a modo de fruto tardío, para enmascarar los graves problemas político-sociales que envuelven a la Castilla de aquella centuria[31]. La parodia, que en determinados pasajes aflora en el texto, cobra, de esta manera, su verdadero sentido. No se opone a la significación didáctico-moral, sino, más bien, la intensifica.

Calisto y Melibea actúan modélicamente dentro de los códigos del amor cortés. La "gineolatría" o adoración de la mujer, según los postulados de la "religión del amor", aparece muy claramente en el diálogo entre Calisto y Sempronio, cuando éste le pregunta: "—¿Tú no eres cristiano? —Yo —dice Calisto— Melibeo soy y a Melibea adoro y en Melibea creo y a Melibea amo". La ausencia de proyecto matrimonial en la pareja fue explicada recurriendo a la tensión social provocada por la disparidad de castas entre los amantes (Calisto, judeoconverso; Melibea, perteneciente a una familia de cristianos viejos); creemos que todo se entiende mejor desde las categorías del amor cortés. No hay matrimonio, sencillamente porque buscan un amor al margen del vínculo matrimonial, una institución social denostada por la poesía de los trovadores, ya que para ellos el verdadero amor era irreconciliable con el matrimonio. El triste final de estos modelos de conducta dará a toda la obra, a sus "dichos lascivos", una innegable significación moral. Una lección moral aplicable, a su vez, a los padres que viven al margen de la realidad sentimental de sus hijas, obsesionados tan sólo con ofrecerles una suntuosa dote. Por ejemplo, los parlamentos entre Pleberio y Alisa, recogidos en los actos 16 y 21, podemos pensar que hubieron de provocar una fuerte convulsión en muchos lectores del siglo XVI. Siguiendo a Bataillon podemos decir que *La Celestina* es como un "breviario de moral práctica"[32].

La significación social de la obra, dentro de una lectura igualmente moral, fue, asimismo, defendida como única o principal clave referencial

---

29 LACARRA, M. E., "La parodia de la ficción sentimental en *La Celestina*", *Celestinesca*, XIII (1989)11-29; Idem, "Introducción" a la edic. cit. pp. 26-54; SEVERIN, D. S., *Tragicomedy and Novelistic Discours in "Celestina"*, Cambridge, University Press, 1989.

30 DEYERMOND, A. D., "The Text-Book Mishanled: Andreas Capellanus and the Opening Scene of *La Celestina*" , *Neophilologus*, XLV (1961)218-221.

31 BOASE, R., *El resurgimiento de los trovadores*, edic. española, Madrid, Pegaso, 1981

32 BATAILLON, M., *"La Celestine" selon Fernando de Rojas*, Paris, Didier (Études de Litérature Etrangère et Comparée, XLII), 1961, p. 264.

de la tensión dramática que se acumula en las distintas unidades de significación literaria[33]. La lucha de castas, que se acentuará a lo largo del siglos XVI y XVII, subyace como lectura profunda en el transfondo del comportamiento de los personajes[34].

Sin embargo, no toda la crítica descubre esta significación moralizante en *La Celestina*. Lida de Malkiel, en su obra ya citada, puede ser un exponente de una lectura al margen de categorías ético-morales[35]. Hay que decir, en este mismo sentido, que fueron muchos los lectores, particularmente moralistas y predicadores de los siglos XVI y XVII, que lanzaron sus diatribas contra la obra por considerarla manual de perdición. Sin embargo, no deja de llamar la atención que la Inquisición, a pesar de su rigorismo, y de haber sido denunciada la obra en varias ocasiones por determinados círculos clericales, no la haya censurado; tan sólo breves correcciones, y no precisamente de naturaleza moral, sino dogmática, fueron las únicas alteraciones que el Santo Oficio introdujo en el texto expurgado[36].

VIII.6. LA CELESTINA Y SUS LECTORES DE LOS SIGLOS DE ORO[37]

La Celestina gozó de una enorme popularidad durante el siglo XVI y buena parte del XVII; la proliferación de las primeras ediciones, a las que hicimos alusión con anterioridad, es una prueba de ello. Autores como Luis Vives, Juan de Valdés, Juan de Timoneda, Francisco de Quevedo y Salas Barbadillo le tributaron los más elogiosos atributos como obra literaria artísticamente bien hecha. ¿Quiénes son los lectores de *La Celestina*? Los inventarios de bibliotecas privadas, principal fuente de investigación para este propósito, son muy escasos en esta época; aquellos en los que la obra aparece pertenecen a círculos cultos. Se podría decir, con las debidas precauciones, que la burguesía parece haber sido el círculo prioritariamente receptor de nuestra obra. Y dentro de la obra el personaje más actractivo, como era de esperar, lo fue Celestina, que más tarde

33 MARAVALL, J. A. *El mundo social de "la Celestina"*, Madrid, Gredos, 1964.

34 CASTRO, A., *La Celestina como contienda literaria (Castas y casticismos)*, Madrid, Revista de Occidente, 1965.

35 LIDA DE MALKIEL, M. R., *La originalidad...*, pp. 292-316; una buena parte de estas páginas están destinadas a criticar la tesis de Bataillon.

36 BATAILLON, M., *La Celestina selon...*, p. 136 y 161.

37 Véase un planteamiento de este problema poco tratado en las historias de la literatura en CHEVALIER, M., *Lectura y lectores en la España del siglo XVI y XVII*, Madrid, Turner, 1976. Ernest Jauss en su citado y muy difundido artículo "Literaturgeschichte als Provocation der Literaturwissenschaft" sostenía que la verdadera historia de la literatura era la historia de los lectores. De alguna manera, la "estética de la recepción" intenta un acercamiento a la historia literaria desde esta perspectiva.

dará el título general a la obra. Las resonancias de este personaje en otras obras de la época son innumerables, lo que demuestra la popularidad que alcanzó, hasta formar parte, por ejemplo, del folclore estudiantil de Salamanca, ciudad con frecuencia relacionada como lugar literario en donde transcurre la acción dramática.

VIII.7. EL GÉNERO CELESTINESCO EN EL SIGLO XVI

La popularidad alcanzada por *La Celestina* explicará el hecho de que, a lo largo del siglo XVI, otros muchos autores busquen la gloria literaria de la mano de Fernando de Rojas, dando lugar al nacimiento y consolidación de lo que bien pudiera llamarse género celestinesco, con imitaciones tanto en prosa como en verso, un fenómeno literario al que nos referiremos cuando tratemos la prosa del siglo XVI, en el volumen II de este Manual.

VIII.8. BIBLIOGRAFÍA

VIII.8.1. EDICIONES CRÍTICAS

La Celestina, edic. de CEJADOR Y FRAUCA, Madrid, Espasa-Calpe, "Clásicos Castellanos", nos. 20 y 23, 1913

Tragicomedia de Calisto y Melibea, libro también llamado La Celestina, edic. de G. T. TOTTER y Manuel CRIADO DE VAL, Madrid, C.S.I.C., 1970.

La Celestina, edic. de Humberto LÓPEZ MORALES, Barcelona, Planeta, 1980

La Celestina: Tragicomedia de Calisto y Melibea, edic. de M. MARCIALES, University of Illinois, 1985, 2 vols.

La Celestina, edic. de D. S. SEVERIN, Madrid, Cátedra, 1987.

La Celestina, edic. de M. E. LACARRA, Barcelona, Ediciones Libro Clásico, 1990.

Comedia o Tragicomedia de Calisto y Melibea, edic. de Peter E. RUSSELL, Madrid, Castalia, 1991.

VIII.8.2. EDICIONES FACSÍMILES

Comedia de Calisto y Melibea (Burgos, 1499?), edic. de A. M. HUNTINGTON, Nueva York, Hispanic Society, 1909.

Libro de Calisto y Melibea y de la puta vieja (Sevilla, 1518-20), edic. de A. PÉREZ GÓMEZ, Valencia, Talleres de Tipografía Moderna, 1958.

Comedia de Calisto y Melibea (Toledo, 1500), edic. de D. POYÁN DÍAZ, Cologny-Ginebra, Biblioteca Bodmeriania, 1961.

Tragicomedia de Calisto y Melibea (Valencia, 1514), edic. de Martín de RIQUER, Madrid, Espasa-Calpe, 1975.

VIII.8.3. ESTUDIOS CRÍTICOS

Actas del I Congreso Internacional sobre "La Celestina": La Celestina y su entorno, edic. de Manuel CRIADO DE VAL, Barcelona, Hispam y Borrás ediciones, 1977.

AYLLÓN, C., *La perspectiva irónica de Fernando de Rojas*, Madrid, Porrúa,1984.

———, *La visión pesimista de "La Celestina"*, México, Ediciones de Andrea, 1965.

BARBERA, R. E., "Medieval iconograpphy in *La Celestina*", *Romanic Review*, LXI (1970) 5-13.

BATAILLON, M., *La Celestina selon Fernando de Rojas*, Paris, Didier, 1961.

CANTALAPIEDRA EROSTABE, F., *Lectura semiótico-formal de "La Celestina"*, Kassel, Reichenberger, 1986.

CASTRO, A., *La Celestina como contienda literaria (Castas y casticismos)*, Madrid, Revista de Occidente, 1965.

CASTRO GUISASOLA, F., *Observaciones sobre las fuentes literarias de "La Celestina"*, Madrid, Anejo V de la *Revista de Filología Española*, 1924; reimpr. en 1973.

CELESTINESCA. Boletín Informativo Internacional (The Department of Romance languages, University of Georgia); revista especializada exclusivamente en ofrecer las aportaciones críticas sobre *La Celestina*. Es semestral desde 1977. Es una excelente guía bibliográfica sobre la obra.

DEYERMOND, A. D., *The Petrarchan Sources of "La Celestina"*, Oxford University Press, 1961; 2ª edic. Westport, Conn., Greenwood Press, 1975.

———, "'¡Muerto soy! ¡Confesión!': Celestina y el arrepentimineto a última hora", en *Ensayos Siebenmann*, 1984, pp.129-140.

DUNN, P. N., *Fernando de Rojas*, Nueva York, Twayne, 1975.

FAULHABER, Ch. B., "*Celestina* de Palacio: Madrid, Biblioteca de Palacio, Ms. 1520", *Celestinesca*, 14, 2 (1990)3-39.

FERRERAS-SAVOYE, J., *"La Celestine" ou la crise de la société patriarcale*, Paris, Ediciones Hispano-Americanas, 1977.

FOTHERGILL-PAYNE, L., *Séneca and "Celestina"*, Cambridge, University Press, 1988.

FRAKER, Ch. F., *Celestina: Genre and Rhetoric*, London, Tamesis Books, 1990.

GILMAN, S., *La Celestina. Arte y estructura*, traduc. española, Madrid, Taurus, 1974.

———, *La España de Fernando de Rojas*, traduc. española, Madrid, Taurus, 1978.

GONZÁLEZ BOIXO, J. C., "La ambigüedad de *La Celestina*", *Archivum*, XXIX-XXX (1979-80) 5-26.

GURZA, E., *Lectura existencialista de La Celestina*, Madrid, Gredos, 1969.

HEUGAS, P., *"La Celestine" et sa descendance directe*, Burdeos, Institut d'Études Ibériques et Ibero-Americains de l'Université, 1973.

LACARRA, Mª. E., *Cómo leer "La Celestina"*, Madrid, Júcar, 1990.

LIDA DE MALKIEL, M. R., *La originalidad artística de La Celestina*, Buenos Aires, Eudeba, 1962.

MARAVALL, J. A., *El mundo social de "La Celestina"*, Madrid, Gredos, 1964.

MARTIN, June Hall, *Loves's fools: Aucassins, Troilus, Calisto and the parody of the courtly lover*, London, Tamesis Books, 1972.

McPHEETERS, D. W., *Estudios humanísticos sobre "La Celestina"*, Maryland, Scripta Humanistica, 1985.

MORÓN ARROYO, C., *Sentido y forma de La Celestina*, Madrid, Cátedra, 1974.

RUSSEL, P. E., *Temas de La Celestina y otros estudios. Del Cid al Quijote*, Barcelona, Ariel, 1978.

SNOW, J. T., *"Celestina" by Fernando de Rojas: An Annotated Bibliography of World Interest 1930-1985*, Madison, Hispanic Seminary of Medieval Studies (BS, VI), 1985.

STAMM, J. R., *La estructura de La Celestina*, Salamanca, Acta Salmanticensia, 1988.

ÍNDICE
DE OBRAS Y AUTORES

A

B

C

D

E

G

H

I

J

K

L

M

N

O

P

Q

R

S

T

U

V

W

Y

Z